MORALES SUR JOB

SOURCES CHRÉTIENNES

N° 525

GRÉGOIRE LE GRAND

MORALES SUR JOB

Sixième partie
(Livres XXX-XXXII)

TEXTE LATIN
de Marc ADRIAEN (*CCL* 143B)

TRADUCTION
PAR
LES MONIALES
DE WISQUES

INTRODUCTION
ET NOTES
PAR
Adalbert de VOGÜÉ

LES ÉDITIONS DU CERF, 29 BD LA TOUR-MAUBOURG, PARIS
2009

*La publication de cet ouvrage a été préparée
avec le concours de l'Institut des Sources Chrétiennes
(CNRS, UMR 5189-HiSoMA)
http://www.sources-chretiennes.mom.fr*

La révision en a été assurée par Isabelle Brunetière

Imprimé en France

INTRODUCTION

Les trois livres des *Moralia* réunis ici ne constituent pas une section distincte au sein de l'ouvrage grégorien, pas plus que le texte sacré qu'ils commentent ne se détache de ce qui l'entoure dans l'écrit biblique. Le livre XXX de Grégoire commence au milieu d'un morceau de Job, et le livre XXXII finit de même au milieu d'un autre morceau du texte inspiré. Seul le livre XXXI, qui commente les propos du Seigneur sur l'autruche, le cheval et l'épervier, présente une certaine unité.

I.   LE LIVRE XXX

Au début de notre section, le Seigneur continue de montrer à Job qu'il n'est rien et qu'il n'a rien fait de comparable aux œuvres divines. Trois séries de phrases interrogatives évoquent tour à tour le tonnerre et la foudre, l'homme et le coq, ainsi que le « concert des cieux ». On admire la sagesse de l'homme et l'intelligence du coq, tandis que le concert des cieux représente à la fois la parole des prédicateurs et les hymnes des anges, perçus intérieurement par les hommes

saints [1]. Tout cela est l'œuvre de Dieu, qui transcende infiniment celles des hommes.

A ces trois phrases interrogatives introduites par *Numquid* succède une quatrième concernant la lionne et ses lionceaux. Cette fois, Grégoire pense à l'humanité païenne, où le Seigneur a pris tant de fidèles pour son Église, dès le temps des Apôtres et par la suite [2].

Quand le texte sacré parle ensuite du corbeau et de ses petits (Jb 38, 41), le commentateur voit dans ceux-ci plusieurs catégories de chrétiens, fils de l'Église. Ce sont d'abord les fidèles issus du paganisme [3], puis les juifs convertis [4], et enfin les chrétiens non encore détachés du monde et qui doivent renoncer à celui-ci [5]. Restent deux sortes d'animaux que Job fait admirer : les « ibices », petits quadrupèdes orientaux qui vivent et prolifèrent sur des montagnes rocheuses, et les biches de chez nous, lesquelles font la guerre aux serpents. Ces deux espèces animales représentent nos maîtres spirituels. Ceux-ci, comme les ibices, engendrent les âmes dans ces hauts rochers solides que sont les enseignements des Pères. Et comme les biches, quand elles tombent, se reçoivent sur leurs cornes, de même les maîtres spirituels ne ressentent aucun dommage en cas d'accidents temporels, car ils se reçoivent sur les textes de l'Écriture sainte [6].

A cette première interprétation des deux genres d'animaux, Grégoire en ajoute une autre. Cette fois, les biches figurent de nouveau les maîtres spirituels, mais les ibices – animaux fort petits – représentent leurs auditeurs, et les rochers où ils mettent bas sont les hauts et solides comportements des Pères. Des saintes conduites de ceux-ci trois exemples sont donnés : l'humble patience de David, insulté par Shimei, la

1. *Mor.* 30, 2-17 (Jb 38, 34-37).
2. *Mor.* 30, 25-27 (Jb 38, 39-40).
3. *Mor.* 30, 28-31.
4. *Mor.* 30, 32.
5. *Mor.* 30, 33-35.
6. *Mor.* 30, 36.

fidélité de Joseph, refusant de coucher avec la femme de son maître, et le désir spirituel de Daniel, qui lui fit renoncer à des aliments trop savoureux[1].

L'enfantement des biches est longuement commenté par Grégoire, qui fait valoir le temps et la peine que requiert cette mise au monde des âmes chrétiennes[2], avec le passage des vices aux vertus qu'elle exige[3], ainsi que les larmes et les souffrances qui s'ensuivent[4]. Comme les biches s'accroupissent pour mettre bas, les prédicateurs doivent renoncer à leurs hautes contemplations et s'abaisser à des considérations beaucoup plus terre à terre[5]. Mais le résultat de ces renoncements est incomparable : les nouveaux chrétiens sont prêts à donner leur vie, et par le martyre, s'il le faut, ils entrent à leur tour dans la contemplation des joies éternelles[6].

Aux biches et aux ibices succède, dans le texte sacré, une autre espèce animale : les onagres. Ces ânes sauvages représentent, selon Grégoire, les « solitaires », autrement dit les moines[7]. Renonçant au monde et à ses affaires, ceux-ci se libèrent de tout lien, c'est-à-dire des désirs charnels, et ils surmontent les adversités temporelles en « sautant » pardessus, grâce à l'espérance et à la contemplation[8]. Leur solitude est celle du cœur aussi bien que du corps[9], et ce « lieu secret du cœur » ressemble au ciel de l'*Apocalypse*, où il se fit « un silence d'une demi-heure[10] ». De nouveau, ce silence, si bref soit-il, préfigure la contemplation éternelle.

A cette image du silence, Grégoire joint celle du sommeil, autre figure de la vie de contemplation. Comme Ève fut tirée

1. *Mor.* 30, 37-39.
2. *Mor.* 30, 40-44.
3. *Mor.* 30, 45-46.
4. *Mor.* 30, 47.
5. *Mor.* 30, 47-48.
6. *Mor.* 30, 50.
7. *Ibid.*
8. *Mor.* 30, 51 : *aeternae spei et internae contemplationis saltu.*
9. *Mor.* 30, 52.
10. *Mor.* 30, 53. Cf. Ap 8, 1.

d'Adam endormi, le solitaire, en dormant extérieurement, veille au dedans, et cette vigilance intérieure est féconde[1].

D'autres traits du tableau de l'onagre font penser à la « soif de justice », c'est-à-dire de vie éternelle, dont parle l'Évangile[2], et à la « porte étroite » où Jésus invite à entrer[3]. Mais ce qui retient surtout l'attention de Grégoire est la petite phrase selon laquelle l'onagre « n'entend pas le cri du percepteur[4] ». Ce percepteur (*exactor*), d'abord pris en un sens général – il s'agirait de toutes les tentations du diable – est ensuite entendu particulièrement du désir de manger (*gula*).

A ce propos, le commentateur évoque cinq tentations différentes, chacune illlustrée par un exemple biblique : la gourmandise fait tantôt devancer l'heure du repas ou choisir des aliments délicats, tantôt raffiner la cuisine ou augmenter la quantité consommée, ou encore se jeter sur celle-ci avec un désir immodéré[5]. Ces cinq espèces de *gula* énumérées par Grégoire marquent un progrès, si l'on peut dire, par rapport aux écrits de Cassien, qui n'en distinguait que trois[6]. Face à ce vice envahissant, Grégoire recommande le discernement (*discretio*) : ce n'est pas la *gula* qu'il faut satisfaire, mais le vrai besoin de la nature, en cherchant le nécessaire, non le plaisir[7].

L'onagre du texte biblique fait encore penser à autre chose. Quand on le montre « regardant à l'entour les montagnes, lieu de son pâturage », Grégoire songe aux « hautes contemplations du repas intérieur », qui font regarder les vertus

---

1. *Mor.* 30, 54. Cf. Gn 2, 21-22.
2. *Mor.* 30, 55. Cf. Mt 5, 6.
3. *Mor.* 30, 56. Cf. Mt 7, 13.
4. *Mor.* 30, 57, citant Jb 39, 7 : *clamorem exactoris non audit.*
5. *Mor.* 30, 60.
6. CASSIEN, *Inst.* 5, 23 et *Conl.* 5, 11 : heure avancée, qualité et quantité des aliments.
7. *Mor.* 30, 61-63.

sublimes des anges et les sentences les plus élevées de l'Écriture sainte[1].

A cette première interprétation de l'onagre succède un nouveau commentaire de la péricope, où Grégoire voit dans l'animal sauvage une figure du Christ[2]. La solitude où l'onagre vit en liberté représente maintenant l'humanité païenne, en marge du peuple élu et du judaïsme. Dans ce désert spirituel, le Christ fait entendre son enseignement. Sans entrer dans le détail de cette exégèse christologique, notons au moins un cas où elle répète ce qui a été dit plus haut : de même que Grégoire avait vu dans le sauvage onagre un prototype de ceux qui délaissent la voie large du grand nombre pour passer par la porte étroite[3], de même son nouveau commentaire du même verset (Jb 39, 7) lui fait de nouveau évoquer le petit nombre de ceux qui choisissent, avec le Christ, la voie étroite[4].

Un trait remarquable de ces secondes considérations sur l'onagre est l'ample digression qu'y fait Grégoire à propos du « cri du percepteur » épargné à l'animal sauvage. Comme précédemment[5], notre exégète voit dans ce percepteur (*exactor*) une figure du diable, mais cette exégèse donne lieu maintenant à deux larges réminiscences de l'Ancien Testament. Passe pour la première – Laban réclame à Jacob ses idoles –, qui n'est pas trop longue[6]. Mais la seconde est un véritable excursus. A propos d'une parole d'Isaïe évoquant la victoire de Gédéon sur les Madianites, qui fait penser à celle du Christ sur les démons[7], Grégoire parcourt tout ce

1. *Mor.* 30, 64.
2. *Mor.* 30, 65. La pertinence de cette nouvelle interprétation est défendue ensuite (§ 66) : elle n'est pas indigne du Christ, appelé ailleurs « ver », « scarabée », « lion », « serpent » ou « agneau », comme il est appelé ici « onagre ».
3. *Mor.* 30, 56 ; cf. Mt 7, 13.
4. *Mor.* 30, 70.
5. *Mor.* 30, 57.
6. *Mor.* 30, 72 ; cf. Gn 31, 17-35.
7. *Mor.* 30, 72, citant Is 9, 4.

récit du *Livre des Juges*, en donnant à chacun de ses traits une signification relative au Christ et aux chrétiens [1].

Une autre note spirituelle conclut le livre XXX. Laissant le lecteur choisir celle des deux interprétations de l'onagre qu'il préférera [2], l'exégète s'incline devant son auditoire et s'incite lui-même à l'humilité. Souvent Dieu donne ou ôte la parole à celui qui la profère, en considération de ceux qui l'écoutent. « Plus on est humble, plus on est fort » : tel est le dernier mot de tout ce livre [3].

II.   LE LIVRE XXXI

La recommandation de l'humilité, par laquelle se termine le livre XXX, se poursuit au début du livre XXXI, qui oppose la mortelle « blessure d'orgueil » infligée par le diable au premier homme et la guérison apportée aux hommes par l'humilité du Christ, Dieu fait homme [4]. L'occasion de ces propos est la mention du rhinocéros que fait le texte sacré. Cet animal indomptable, qui meurt dès qu'il est pris, figure les puissants de ce monde, dont l'orgueil est représenté par cette « corne sur le nez » à laquelle la bête doit son nom [5]. Malgré cela, l'Église est parvenue, par la puissance divine qui l'habite, à soumettre les grands d'ici-bas : ces persécuteurs sont devenus des défenseurs de la vraie foi, qui se nourrissent de la Parole de Dieu et légifèrent en faveur du christianisme [6].

1. *Mor.* 30, 73-77.
2. *Mor.* 30, 81.
3. *Mor.* 30, 82-83.
4. *Mor.* 31, 1.
5. *Mor.* 31, 2.
6. *Mor.* 31, 2-9.

Cependant l'Église ne cesse pas d'être combattue. Aux souverains païens persécuteurs ont succédé les faux frères qui l'attaquent du dedans par leurs mauvaises mœurs[1]. De ces mauvais chrétiens, le texte sacré offre une image en décrivant l'autruche (*struthio*), animal dont les plumes ne lui permettent pas de voler comme les autres oiseaux. Parmi ces derniers, le *Livre de Job* mentionne le héron (*herodium*) et l'épervier (*accipiter*), dont le vol rapide symbolise les vertus des élus du christianisme, tandis que l'autruche, incapable de s'élever au-dessus de terre, représente les hypocrites et les réprouvés[2].

Un des traits de l'autruche est l'abandon de ses œufs, qu'elle laisse par terre sans les couver. Notre commentateur voit là un symbole des pasteurs, qui trop souvent ne donnent pas aux fidèles les exhortations et les exemples dont ils ont besoin pour mener la vie céleste, avec l'intelligence et la contemplation que requiert celle-ci[3]. Manquant de cette chaleur de la couvée, les chrétiens ne sont pas pour autant abandonnés par Dieu, qui allume dans les âmes pécheresses le feu de la charité et leur accorde ensuite l'envol de la contemplation[4].

A l'opposé de ces mauvais pasteurs que semblent viser les paroles de Dieu sur l'autruche, Grégoire exalte le modèle des grands pasteurs du peuple de Dieu. Tout en mentionnant occasionnellement d'autres saints[5], c'est surtout l'apôtre Paul qu'il célèbre comme l'exemple achevé de ce zèle pastoral inspiré par la charité[6]. Manquant de cette charité, trop de pasteurs se laissent aller à des convoitises diverses qui les dispersent, alors qu'ils devraient se recueillir pour être tout à Dieu et au prochain[7].

---

1. *Mor.* 31, 10.
2. *Mor.* 31, 11-13, commentant Jb 39, 13.
3. *Mor.* 31, 14. Voir aussi *Mor.* 31, 16-17.
4. *Mor.* 31, 15.
5. *Mor.* 31, 16, citant Dt 18, 9 (Moïse), ainsi que 3 Jn 11 et 1 P 5, 8-9.
6. *Mor.* 31, 16-17.
7. *Mor.* 31, 18-20.

Afin de voir les vices cachés d'autrui, on a besoin de discernement. Un symbole de cette *discretio* est le prophète
Ézéchiel, pris par les cheveux et déposé à Jérusalem (l'Église),
où il voit la porte du nord (froid des vices) et l'idole (rapines
et vices [1]). Tandis que les vrais pasteurs se recueillent pour
être tout à Dieu et à leurs frères, en discernant les défauts
cachés de ceux-ci, les hypocrites se dispersent de tous côtés
pour acquérir des biens terrestres [2]. Quand ils ont accumulé
ceux-ci, ils les défendent, contrairement aux directives du
Christ et de l'Apôtre, qui veulent qu'on ne réclame pas ce qui
vous est ôté et qu'on évite les procès [3].

Dans ces reproches adressés aux pasteurs « hypocrites »,
plus attachés aux possessions temporelles qu'au bien spirituel
de leurs sujets, Grégoire parle deux fois de l'« habit » qu'ils
portent. Cet habit de la sainte vie [4] ou habit de sainteté [5] fait
penser à celui des moines, mais n'est-il pas plutôt la manière
d'être qui convient à un homme d'Église ? Tout en réprouvant
l'attachement de ces hommes aux biens terrestres, Grégoire
veut qu'on les supporte et qu'on les reprenne avec charité [6].

Après l'autruche [7], à laquelle ressemblent trop d'hommes
de l'Église contemporaine, le texte sacré parle du cheval [8],
mais en attendant de considérer celui-ci, le commentateur
reprend la description du rhinocéros, entendue à présent
comme une figure du peuple juif. La « corne unique » de cet
animal [9], c'est la Loi divine dont le judaïsme est si fier, tout

1. *Mor.* 31, 19, citant Ez 8, 3.
2. *Mor.* 31, 20.
3. *Mor.* 31, 21, citant Mt 5, 40 ; Lc 6, 30 et 14, 33 ; 1 Co 6, 7. Si l'on défend
des possessions terrestres, ce n'est pas pour son propre bien, mais pour celui
du ravisseur (*Mor.* 31, 22). Encore faut-il le faire sans violence contraire à la
charité (§ 23).
4. *Mor.* 31, 21 : *assumpto sanctae conuersationis habitu.*
5. *Mor.* 31, 24 : *qui nonnumquam et sanctitatis habitum tenent.*
6. *Mor.* 31, 24 : *caritatis gremio nutriens* ; 25 : *per caritatem reprehendere.*
7. Encore considérée dans *Mor.* 31, 27-28 (Jb 39, 18).
8. Jb 39, 19, commenté plus loin (*Mor.* 31, 43).
9. Le rhinocéros est aussi appelé *monoceros.*

en ne la mettant guère en pratique[1]. A cette caractéristique du rhinocéros s'ajoute une autre particularité distinctive : trop fort pour être pris par les chasseurs, cet animal se laisse prendre, dit-on, quand une vierge lui ouvre son sein ; il y met, en effet, sa tête et devient alors inoffensif.

Cette légende du rhinocéros capturé par la vierge va servir à illustrer le nouveau commentaire des propos du *Livre de Job* sur l'animal. En effet, Grégoire voit maintenant dans le rhinocéros une figure de l'apôtre Paul et des autres juifs convertis au christianisme. D'abord persécuteur de l'Église naissante, Paul fut terrassé par le Christ devant Damas. Or, le Christ est la Sagesse de Dieu incarnée. Cette « vierge » divine, devant Damas, a ouvert son sein à Paul et l'a capturé : le persécuteur est devenu prêcheur[2].

Plusieurs autres traits du rhinocéros biblique se retrouvent, selon Grégoire, dans l'histoire de Paul[3]. Quand il a fini de tracer ce parallèle, l'exégète passe à l'animal suivant dont parle le texte inspiré : en cette autruche il reconnaît la Synagogue[4]. Les œufs que cet oiseau laisse en terre, ce sont les apôtres du Christ, humbles et méprisés ici-bas, persécutés par leur mère elle-même[5], en attendant de l'être par l'Antichrist à la fin des temps[6].

Après le rhinocéros, le *Livre de Job* évoque le cheval, en soulignant le courage de cet animal et son hennissement. Après avoir noté plusieurs aspects que prend le cheval dans l'Écriture, Grégoire propose de voir en lui ici le saint qui prêche l'Évangile : tel est son hennissement[7].

---

1. *Mor.* 31, 29.
2. *Mor.* 31, 30 (cf. Ac 9, 1-5) et 31.
3. *Mor.* 32-35.
4. *Mor.* 31, 36.
5. *Mor.* 31, 37-40.
6. *Mor.* 31, 41-42.
7. *Mor.* 31, 43-44.

Cependant le portrait du cheval contient un détail qui retient particulièrement l'attention du commentateur : « Le feras-tu bondir comme les sauterelles ? », demande le Seigneur à Job[1]. Grégoire va donc relever les diverses mentions des sauterelles dans l'Écriture, en indiquant chaque fois ce qu'elles symbolisent. De ces cinq significations – le peuple juif, les païens convertis, la langue des flatteurs, la résurrection du Christ, la vie des prêcheurs[2] –, la dernière l'intéresse particulièrement. De fait, la vie de ceux qui prêchent le Christ ressemble à celle des sauterelles, car celles-ci se meuvent tantôt par leurs jambes, tantôt par leurs ailes. Ces deux manières de se déplacer se retrouvent dans l'existence des disciples du Christ, qui s'adonnent tantôt à la vie active (marche des jambes), tantôt à la vie contemplative (vol des ailes[3]).

Revenant des sauterelles au cheval, le commentaire explique ce que représentent les naseaux de cet animal[4] et son sabot[5], ainsi que l'audace avec laquelle il s'élance à la rencontre de l'ennemi[6]. Chaque fois le lecteur est invité à s'affranchir des désirs terrestres et des soucis d'ici-bas pour tendre de tout son être vers les biens spirituels et l'au-delà. Dans la même ligne, un bref excursus amène à recommander la componction[7]. Mais c'est surtout à l'exemple de saint Paul que recourt Grégoire pour illustrer ce courage spirituel symbolisé par le cheval. Plusieurs passages des *Actes des Apôtres* et des *Épîtres* pauliniennes sont cités, qui font admirer l'intrépide guerrier du Seigneur[8].

1. *Mor.* 31, 45, citant Jb 39, 20.
2. *Mor.* 31, 46-50.
3. *Mor.* 31, 49. Suit un dernier détail (*Mor.* 30, 50) : la sauterelle reste à terre le matin (temps de foi tranquille) et vole en l'air quand celui-ci devient chaud (persécutions).
4. *Mor.* 31, 51-52 (Jb 39, 20).
5. *Mor.* 31, 53 (Jb 39, 21).
6. *Mor.* 31, 55-56 (Jb 39, 21).
7. *Mor.* 31, 54, à propos de Dt 23, 13-14.
8. *Mor.* 31, 57-61, citant Ac 19, 28-31 ; 2 Co 11, 32-33, etc.

Pour finir, l'armement du combattant spirituel – carquois, lance, bouclier – est passé en revue [1], et de nouveau le cheval intrépide fait penser à Pierre et à Paul [2].

Cependant, Grégoire ne se contente pas de ce premier commentaire de la péricope. Le cheval n'est pas seulement pour lui une figure des grands combattants de la foi que furent Pierre et Paul. Tout soldat du Christ, tout chrétien peut prendre pour modèle cet animal guerrier. Reprenant donc la description du cheval, on en applique chaque trait au peuple chrétien [3].

Sans entrer dans tous les détails de cette nouvelle interprétation, relevons au moins ce qu'elle dit de la lutte contre les vices. Mentionnés à plusieurs reprises [4], ces ennemis spirituels sont finalement énumérés en détail et catalogués. Une première liste en mentionne cinq, sans les ranger en ordre [5], mais ensuite Grégoire dresse un catalogue des « sept vices principaux [6] », qui s'apparente clairement à la série fameuse des « huit vices principaux » établie par Cassien à la suite d'Évagre [7].

Cette énumération des sept vices principaux est amenée par la mention des « chefs » (*duces*) de l'armée ennemie que fait le *Livre de Job* [8]. Il y a donc, dit Grégoire, un ordre dans l'armée du mal. La reine des vices est l'orgueil (*superbia*) et cette « superbe » royale a sous ses ordres sept généraux (*duces*), que Grégoire représente aussi comme des « produits » (*soboles*) de la même « racine ». Voici ce passage capital [9] :

1. *Mor.* 31, 62-65 (Jb 39, 23).
2. *Mor.* 31, 66-72 (Jb 39, 24-25).
3. *Mor.* 31, 73-91.
4. *Mor.* 31, 77-78 et 81.
5. *Mor.* 31, 86 : *arrogantia, crudelitas, remissio, ira, torpor.*
6. *Mor.* 31, 87.
7. CASSIEN, *Inst.* 5, 1. Voir A. de VOGÜÉ, *Histoire littéraire du mouvement monastique dans l'Antiquité*, t. VI, Paris 2002, p. 109-112.
8. *Mor.* 31, 87, commentant Jb 39, 25 : *exhortationem ducum et ululatum exercitus.*
9. *Ibid.*, citant Si 10, 15.

La racine en effet du mal tout entier est l'orgueil, comme l'atteste l'Écriture : « *L'orgueil est le commencement de tout péché.* » *Les premiers rejetons qui sortent de cette racine empoisonnée sont assurément les sept vices capitaux : c'est-à-dire la vaine gloire, la jalousie, la colère, la tristesse, l'avarice, la gourmandise, la luxure. Et parce que notre Rédempteur eut pitié de nous voir captifs de ces sept vices issus de l'orgueil, il vint, rempli de la grâce de l'Esprit septiforme, pour mener le combat spirituel de notre libération.*

Cette liste des vices principaux est à rapprocher de celle qu'avait dressée Cassien dans ses *Institutions*[1] : gastrimargie (gourmandise), fornication (luxure), avarice, colère, tristesse, acédie, cénodoxie (vaine gloire) et superbe (orgueil). La principale différence entre les deux auteurs est que l'acédie de Cassien fait défaut chez Grégoire, celui-ci mettant à la même place (à côté de la vaine gloire) un autre vice : l'envie. *Acedia* était un terme grec, peu familier aux oreilles latines, et requérait une explication. Ce caractère étranger du mot, joint à la nature plus spécialement monastique du vice en question, a sans doute incité notre auteur latin à lui substituer le vice plus courant de l'envie.

Une autre particularité des *Morales* est de réduire à sept le nombre des « vices principaux », en faisant de l'orgueil (*superbia*) la « mère » de tous les autres, et non le premier ou le dernier des huit. Le texte du *Siracide* que Grégoire cite à ce propos – « L'orgueil est le commencement de tout péché » (Si 10, 15) – n'était jamais cité dans les *Institutions* de Cassien[2]. Chacun de ces sept vices principaux s'accompagne d'une demi-douzaine de vices secondaires[3].

Quand il a fini d'interpréter ainsi le « cheval » du texte sacré[4], Grégoire passe de cet animal au suivant : l'épervier

---

1. Cassien, *Inst.* 5, 1, développé ensuite dans *Inst.* 5-12.
2. Cf. Index de Petschenig (*CSEL* XVII), p. 358.
3. *Mor.* 31, 88.
4. *Mor.* 31, 89-91 : dernières considérations.

(*accipiter*), qui change de plumage et déploie ses ailes sur
le mont du midi, représente pour lui la contemplation[1].
Après le combat contre les vices, symbolisé par le cheval,
voici donc la récompense de cette purification morale :
l'esprit humain devient apte à s'élever vers Dieu. C'est sous
le souffle de l'Esprit saint que s'opère ce renouvellement[2], à
propos duquel Grégoire parle de « componction ». Au-delà
des âmes individuelles, tout le paganisme est affecté par ce
passage du vieil orgueil aux vertus nouvelles.

A l'épervier succède l'aigle. Cette nouvelle figure présentée
par le Seigneur à Job reparaît en divers lieux de l'Écriture, que
Grégoire passe en revue. Entre les réalités variées que l'aigle
représente dans ces différents textes[3], c'est l'intelligence des
saints et leur contemplation sublime qu'il paraît signifier ici.
Un modèle de cette vie céleste est donné par l'apôtre Paul[4],
qu'il nous faut imiter en vivant dans l'espérance et l'amour de
l'éternité[5].

Ensuite, l'habitation de l'aigle dans les rochers est de nouveau comprise par Grégoire comme une invitation à lever le
regard vers le ciel et l'éternité, où avec les anges et les saints
nous verrons Dieu[6]. Et quand le texte sacré montre l'aigle
« contemplant sa nourriture » et « l'apercevant de loin[7] »,
notre exégète pense à un texte d'Isaïe qui évoque successivement la vie active du temps présent et la contemplation
du Christ au ciel dans l'éternité[8]. Le même contraste du
temps et de l'éternité apparaît dans les propos de saint Paul,
tantôt emporté au troisième ciel et entendant au paradis des

1. *Mor.* 31, 91.
2. *Mor.* 31, 92-93.
3. *Mor.* 31, 94, évoquant notamment l'aigle d'Ez 1, 10, figure de l'évangéliste
Jean, ainsi que le Christ montant au ciel à l'Ascension.
4. *Mor.* 31, 95.
5. *Mor.* 31, 96.
6. *Mor.* 31, 97-99, commentant Jb 39, 28 : *in petris manet*, etc.
7. *Mor.* 31, 100-101, commentant Jb 39, 29.
8. *Mor.* 31, 102, glosant Is 33, 15 et 16-17.

paroles mystérieuses, tantôt réduit comme nous tous aux
reflets du miroir d'ici-bas[1].

La fin des propos du *Livre de Job* au sujet de l'aigle et des
aiglons fait penser à la Passion du Christ[2], mais aussi à sa
promesse d'élever les âmes au ciel[3], ainsi qu'à la conversion
des pécheurs opérée par les prédicateurs qu'il envoie de tous
côtés[4]. Quant aux derniers mots adressés par le Seigneur à
Job, Grégoire les entend comme un appel à l'humilité[5]. Le
livre XXXI finit ainsi comme il avait commencé, dans le
prolongement du livre précédent.

III.   LE LIVRE XXXII

La réponse de Job au Seigneur est introduite par Grégoire
au moyen de considérations qui parlent de la componction
que l'homme éprouve devant Dieu et de la contemplation
qui l'emporte en sa sublime présence[6]. Après avoir répondu
victorieusement à ses amis, le malheureux se tait devant
Dieu.

Quand Job se reproche d'avoir mal parlé à deux reprises,
Grégoire pense aux deux sortes de péchés – en pensée et en
acte – ainsi qu'aux fautes commises envers Dieu et envers
le prochain[7]. Un autre couple de manquements requiert la
pénitence : on se reproche tantôt d'avoir fait le mal, tantôt de
n'avoir pas fait le bien. Quant aux réparations offertes à Dieu,

---

1. *Mor.* 31, 103, citant 2 Co 12, 2 et 4 ; 1 Co 13, 12 ; Ph 3, 13.
2. *Mor.* 31, 104, commentant Jb 39, 30 : « ses petits lèchent le sang ».
3. *Mor.* 31, 105.
4. *Mor.* 31, 106.
5. *Mor.* 31, 107, commentant Jb 39, 31-32.
6. *Mor.* 32, 1 : *compunctione* et *compunctionis* ; *contemplationis* et *contemplatur*.
7. *Mor.* 32, 3-4.

le *Lévitique* prescrit d'offrir soit une agnelle, soit une chèvre. Dans l'agnelle, Grégoire voit le symbole d'une vie active, menée dans l'innocence, tandis que la chèvre représente pour lui la vie contemplative, plus rare que l'autre [1].

Quand le Seigneur, répondant à Job, lui demande s'il a un bras et une voix comme Dieu, Grégoire met en garde contre une vue anthropomorphique de l'être divin : le « bras » et la « voix » de Dieu, c'est la personne de son Fils [2]. Quant à la « beauté » dont il s'orne, ce sont les chœurs des anges, ses créatures, et l'Église sans tache dont il se revêt [3].

Les propos suivants que le Seigneur adresse à Job laissent entrevoir les conduites de la Providence à l'égard des créatures humaines [4]. En contraste avec ces comportements divins, voici maintenant ceux du diable, évoqué par ce Béhémoth (hippopotame ?) que Dieu va décrire à Job [5]. Avant de commenter cette description du Mauvais, Grégoire tient à préciser qu'il s'agit d'une créature déchue, non d'un principe du Mal indépendant de celui du Bien qui est Dieu [6].

Comme le bœuf ne se nourrit que de foin propre, le diable s'en prend spécialement à la vie pure des spirituels, dont la pureté n'est pas seulement extérieure, mais imprègne le plus profond de leur âme [7]. Les reins et l'ombilic de l'animal font penser aux parties sexuelles de l'homme et de la femme, que le diable domine par la luxure [8]. A l'orgueil qu'il insuffle dans l'esprit humain s'ajoutent donc les fautes charnelles qu'il fait commettre [9].

---

1. *Mor.* 32, 4, commentant Lv 5, 6-7. Si la chèvre représente la contemplation, c'est qu'elle s'accroche aux sommets des rochers.
2. *Mor.* 32, 6-7, commentant Jb 40, 4.
3. *Mor.* 32, 8, commentant Jb 40, 5.
4. *Mor.* 32, 9-14.
5. *Mor.* 32, 15.
6. *Mor.* 32, 16-17, rejetant le manichéisme.
7. *Mor.* 32, 18-19.
8. *Mor.* 32, 20.
9. *Mor.* 32, 21.

Quand Grégoire en vient à la queue de Béhémoth, que l'animal « raidit comme un cèdre », il pense à l'Antichrist, qui est actuellement lié, mais se déchaînera à la fin des temps [1]. Les atrocités dont ce monstre est capable apparaissent dans l'histoire des martyrs [2]. A la puissance séculière qu'exercera le diable à la fin des temps se joindront des miracles trompeurs, qui lui donneront une apparence de sainteté [3]. A ce sujet, Grégoire cite et commente les propos de Daniel concernant Antiochus, le roi persécuteur, qui figure l'Antichrist [4].

Lorsqu'il revient au Béhémoth du *Livre de Job*, le commentateur voit dans les testicules de l'animal les témoins présents de l'Antichrist, qui prêchent ses doctrines perverses, en donnant des exemples d'orgueil, d'avarice, de luxure, de colère [5]. Quant aux os de la bête, comparés à des « flûtes d'airain », il s'agirait des vains propos de ces mauvais prêcheurs, semblables à un métal sonore, mais vide [6].

Une deuxième interprétation de Béhémoth voit en cet animal un symbole de la tentation diabolique, qui commence par une suggestion agréable, encore facile à écarter, mais aboutit à une habitude insurmontable [7]. Les « nerfs entortillés » de ses testicules font penser aux fautes que l'on commet quand, pour éviter un péché, on tombe dans un autre [8]. A ce propos, Grégoire donne trois exemples, pris dans les trois ordres de l'Église : gens mariés, continents et recteurs, que représentent, dans l'Ancien Testament, Noé, Daniel et Job, ou encore, dans un passage de l'Évangile, le champ,

1. *Mor.* 32, 22-23.
2. *Mor.* 32, 24.
3. *Mor.* 32, 25.
4. *Mor.* 32, 26-27 ; cf. Dn 8, 10-12 et 25.
5. *Mor.* 32, 28.
6. *Mor.* 32, 29-30. Le même caractère illusoire affecte le « cartilage » de l'animal, mentionné ensuite (*Mor.* 32, 31 ; cf. Jb 40, 13).
7. *Mor.* 32, 32-33. Cette « queue » de l'animal évoque aussi les dernières tentations du mourant (*Mor.* 32, 34).
8. *Mor.* 32, 35.

le lit et le moulin[1]. Dans chacun de ces cas de conscience, l'homme religieux doit choisir entre deux comportements peccamineux. Ne pouvant, dans un cas comme dans l'autre, éviter une faute, il peut et doit seulement opter pour le moindre mal[2].

Cette série d'exemples concrets, pris dans la vie courante, est suivie d'une autre liste d'anecdotes, appelées cette fois par la comparaison des os de Béhémoth avec des flûtes métalliques. Ces flûtes du diable, ce sont ses conseils pervers, apparemment bons, mais trompeurs, dont les sonorités charmantes pervertissent le cœur et l'entraînent au plaisir[3]. Quatre exemples illustrent ces menées diaboliques. Chaque fois, l'homme religieux projette d'accomplir quelque bonne œuvre – renoncer aux occupations du monde, ou à ses biens matériels, ou à sa volonté propre, ou encore se mettre au service du prochain – et le diable réussit à lui faire craindre des résultats fâcheux, qui seront à l'opposé de ses bonnes intentions[4].

Quand le texte parle ensuite du cartilage de l'animal, Grégoire voit dans cette substance, qui ressemble aux os sans en avoir la fermeté, une image des vertus apparentes, qui sont en réalité des vices[5]. Et lorsque le Seigneur présente Béhémoth comme le « commencement des voies de Dieu », le commentateur entrevoit la glorieuse origine de cet être déchu, créature de Dieu première dans le temps et supérieure à toutes les autres. Deux pages du prophète Ézéchiel, amplement commentées par notre auteur, célèbrent cette gloire incomparable du premier des anges[6]. Sa chute, due à l'orgueil, est une leçon terrifiante pour l'homme, auquel il ne reste qu'à

---

1. *Ibid.* Cf. Ez 14, 14 et 20 ; Lc 17, 34-36.
2. *Mor.* 32, 36-39, citant pour finir 1 Co 7, 6.
3. *Mor.* 32, 40 (Jb 40, 13).
4. *Mor.* 32, 41-44.
5. *Mor.* 32, 45-46 (Jb 40, 13).
6. *Mor.* 32, 47-48, citant Ez 31, 8-9 et surtout Ez 28, 12-14.

se confier au Seigneur et à sa grâce[1]. Car Dieu demeure le maître et protège les hommes créés à son image[2].

En la personne du Christ, créateur des esprits célestes revêtu d'un corps de terre, l'humble poussière humaine a vaincu l'ange orgueilleux. C'est sur cette note d'espérance que se termine le livre XXXII des *Morales* en attendant que le livre suivant achève d'expliquer la description de Béhémoth.

LISTE DES MODIFICATIONS PAR RAPPORT À L'ÉDITION DU *CCL* 143 B

Les variantes graphiques (majuscule ou minuscule à l'initiale, italique ou romain, ponctuation, alinéas) ne sont pas signalées.

P. 46 (XXX, 10, l. 36) : spectat au lieu de exspectat (*CCL* 1498, 69)

P. 90 (XXX, 36, l. 6) : quae si au lieu de quaesi (*CCL* 1515, 6)

P. 118 (XXX, 51, l. 8) : incerta au lieu de in certa (*CCL* 1526, 35)

P. 148 (XXX, 68, l. 18) : accipit omnia au lieu de accipit inter omnia (*CCL* 1537, 18)

P. 224 (XXXI, 22, l. 12) : et si au lieu de etsi (*CCL* 1567, 51)

P. 490 (XXXII, 51, l. 20) : unus ex caelestibus au lieu de unus atque ex caelestibus (*CCL* 1669, 47)

---

1. *Mor.* 32, 49.
2. *Mor.* 32, 50-51, glosant Jb 40, 14 : le « glaive » de Béhémoth est « replié » par son Créateur.

TEXTE ET TRADUCTION

LIBER TRIGESIMVS

1. Beatus Iob talia utrumne fecerit Domino interrogante requiritur, qualia utique facere non potest homo ; ut dum se ista facere non posse deprehendit, ad eum refugiat quem solum talia quia facere possit intellegit, atque ante oculos
5 iudicis sui magis potens appareat, si sua uerius infirma cognoscat.

Quod ergo mire a Domino fieri non ignoratur, de eo diuina Iob uoce requiritur diciturque ei :

38, 34   I, **2.** *Numquid eleuabis in nebula uocem tuam et impetus aquarum operiet te ?* Vocem quippe suam in nebula Dominus leuat, quando per praedicatorum suorum linguas ad caliginosa corda infidelium exhortationem format, eum-
5 que aquarum impetus operit, dum bene agentia membra eius turba resistentium populorum premit.

Hinc est enim quod scriptum est : *Factum est uerbum Domini ad Ieremiam dicens :* « *Sta in atrio domus Domini, et loqueris ad omnes ciuitates Iuda, de quibus ueniunt, ut ado-*
10 *rent in domo Domini, uniuersos sermones quos ego mandaui tibi* [a] ». Et paulo post : *Et audierunt sacerdotes et prophetae et omnis populus Ieremiam loquentem uerba haec in domo Domini. Cumque complesset Ieremias loquens, apprehenderunt eum sacerdotes et prophetae et omnis populus, dicens :*

2. a. Jr 26, 1-2

LIVRE 30

1. Le Seigneur demande au bienheureux Job s'il a accompli des actions qui dépassent les forces de l'homme, afin que, devenu conscient de son impuissance, il cherche un refuge auprès de celui qu'il reconnaît seul capable de si grandes choses ; Job apparaîtra d'autant plus fort aux yeux de son Juge qu'il reconnaîtra en toute vérité sa propre faiblesse.

Et, parce qu'il n'ignore pas les merveilles accomplies par le Seigneur, la voix divine interroge Job à ce sujet :

L'aveuglement des juifs — I, **2.** *Élèveras-tu ta voix dans la nuée et la masse des eaux te recouvrira-t-elle ?* Le Seigneur élève sa voix dans la nuée quand, par la bouche de ses prédicateurs, il exhorte les cœurs enténébrés des infidèles ; la masse des eaux le recouvre, quand la foule des peuples qui lui résistent opprime ses membres qui font le bien.

C'est pourquoi il est écrit : *Cette parole du Seigneur fut adressée à Jérémie : « Tiens-toi sur le parvis de la maison du Seigneur et, à toutes les villes de Juda d'où l'on vient pour adorer dans la maison du Seigneur, tu prononceras toutes les paroles que je t'ai ordonné de dire[a] ».* Et un peu plus loin : *Les prêtres, les prophètes et tout le peuple entendirent Jérémie prononcer ces paroles dans la maison du Seigneur. Quand il eut fini de parler, les prêtres, les prophètes et tout le peuple se saisirent de lui en disant : « Il faut qu'il meure ! Pourquoi a-*

15 « *Morte moriatur, quare prophetauit in nomine Domini*[b] ? »
Ecce in nebula Dominus uocem leuauit, quia obscuras mentes superbientium directo propheta corripuit. Ecce aquarum
impetus eum protinus operuit, quia ab insurgentibus populis
et causa suae correptionis instigatis ipse in Ieremia cuncta
20 pertulit, qui correptionis uerba mandauit.

Per semetipsum quoque Dominus in nebula uocem leuauit, quando praesentem se etiam assumpto corpore exhi-
bens, multa suis persecutoribus, sed figuris aenigmatum
uelata praedicauit. In nebula uocem leuauit, quia ueritatem
25 suam non secuturis infidelibus quasi per caliginem sonuit.
Vnde et bene in libris Regum scriptum est : *Nebula im-
pleuit domum Domini, et non poterant sacerdotes ministrare
propter nebulam*[c]. Exigentibus enim meritis, dum superbi
Iudaeorum pontifices diuina mysteria per parabolas audiunt,
30 sacerdotes in domo Domini quasi propter nebulam ministrare nequiuerunt. Qui et in testamento ueteri dum
sensus mysticos litterae uelamine coopertos inter obscuras
allegoriarum caligines inuestigare despiciunt, debitum fidei
suae ministerium propter nebulam perdiderunt. Quibus et
35 tunc in nebula doctrinae suae uocem Dominus protulit, cum
de se etiam aperta narrauit. Quid est enim apertius, quam :
Ego et Pater unum sumus[d] ? Quid apertius dicere, quam :
Antequam Abraham fieret, ego sum[e] ? Sed quia auditorum
mentes infidelitatis caligo repleuerat, quasi emissum solis
40 radium nebula interiacens abscondebat.

---

2. b. Jr 26, 7-9   c. 1 R 8, 10-11   d. Jn 10, 30   e. Jn 8, 58

t-il prophétisé au nom du Seigneur[b] ? » Voici que le Seigneur a élevé sa voix dans la nuée, car, par son prophète, il a corrigé sans détour les esprits obscurcis des orgueilleux. Et voici que la masse des eaux l'a aussitôt recouvert ; autrement dit, quand le peuple, monté contre Jérémie à cause de ses remontrances, s'est insurgé contre lui, c'est le Seigneur qui a subi tout ce qui était infligé à son prophète, auquel il intimait lui-même les remontrances à faire.

Le Seigneur a également en personne élevé sa voix dans la nuée quand, manifestant aussi sa présence dans le corps qu'il avait assumé, il a prêché à ses persécuteurs de multiples vérités, mais voilées sous des figures et des énigmes. Il a élevé sa voix dans la nuée, parce qu'il a fait retentir sa vérité comme à travers des ténèbres à des infidèles qui ne devaient pas le suivre. Aussi est-il justement écrit dans les Livres des Rois : *La nuée remplit la maison du Seigneur et les prêtres ne pouvaient plus accomplir leur fonction à cause de la nuée*[c]. Que la nuée empêchât les prêtres d'accomplir leur fonction dans la maison du Seigneur s'interprète comme suit : en punition de leur conduite, les orgueilleux pontifes des juifs n'entendent qu'en paraboles les divins mystères. Comme ils négligent de rechercher dans l'Ancien Testament, parmi l'obscurité ténébreuse des allégories, les sens mystiques recouverts du voile de la lettre, la nuée les empêcha d'accomplir les devoirs et la fonction de leur religion. C'est à eux que le Seigneur fit alors entendre son enseignement comme dans une nuée, même s'il leur parlait clairement de lui-même. Quoi de plus clair, en effet, que cette parole : *Moi et le Père, nous sommes un*[d]. Et pouvait-il parler plus clairement qu'en disant : *Avant qu'Abraham fût, je suis*[e]. Mais comme les ténèbres de l'infidélité avait rempli l'esprit de ceux qui l'écoutaient, c'était comme une nuée qui, faisant écran, cachait le rayon du soleil.

3. Ad hanc namque eleuationem uocis eum protinus
aquarum impetus operuit, quia contra illum mox saeuiens
populorum turba surrexit. Scriptum quippe est : *Propterea
ergo quaerebant eum Iudaei interficere, quia non solum solue-*
5 *bat sabbatum, sed et patrem suum dicebat Deum, aequalem se*
faciens Deo ᵃ. De hoc aquarum impetu per prophetam clamat :
Circumdederunt me sicut aqua tota die, circumdederunt me
simul ᵇ. Et rursum : *Saluum me fac Domine, quoniam intro-*
ierunt aquae usque ad animam meam ᶜ. Quas profecto aquas
10 in semetipso ante mortem, in suis autem et post ascensio-
nem pertulit. Hinc est enim quod et de superioribus clamat :
Saule, Saule, quid me persequeris ᵈ ? Ecce iam caelum conscen-
derat, et tamen adhuc eum Saulus aquarum infidelium impetu persequens, et tumidior ceteris unda tangebat. Ipse
15 quippe est qui per bonos recta loquitur, ipse qui in bonorum
passione laceratur. Vt ergo mirifica Dominus caritatis unitate
monstraret se esse qui indignis auditoribus per sanctorum
suorum ora praedicaret, ait : *Numquid eleuabis in nebula*
uocem tuam ? Vt uero ostenderet se esse qui in sanctis suis
20 omnia aduersa pateretur, subdidit : *Et impetus aquarum*
operiet te ? Subaudis : Vt me, quem iniqui omnes neque per
praedicantes sanctos loquentem intellegunt, neque per morientes patientem uident. Narrat ergo Deus quod ab hominibus patitur, ut dolor afflicti hominis mitigetur ; ac si illi
25 aperte dicat : Mea subtiliter pensa et tua aequanimiter tem-
pera. Multo enim minus est te uulnera quam me humana
tolerare.

3. a. Jn 5, 18   b. Ps 87, 18   c. Ps 68, 2   d. Ac 9, 4

Dieu souffre dans le juste persécuté

3. Quand le Seigneur eut élevé sa voix, aussitôt la masse des eaux le recouvrit ; autrement dit, tout le peuple furieux s'emporta bientôt contre lui. *Or*, est-il écrit, *les juifs cherchaient à le faire mourir, car non seulement il violait le sabbat, mais encore il appelait Dieu son père, se faisant l'égal de Dieu*[a]. Par le prophète, il s'écrie au sujet de la masse des eaux : *Ils m'ont entouré comme de l'eau tout le jour, ils m'ont entouré tous ensemble*[b]. Et encore : *Sauve-moi, ô Dieu, car les eaux ont pénétré jusqu'à mon âme*[c]. Le Seigneur a subi lui-même, avant sa mort, l'assaut de ces eaux. Et, après son Ascension, il l'a encore subi en la personne des siens. Voilà pourquoi aussi il s'écrie d'en haut : *Saul, Saul pourquoi me persécutes-tu*[d] ? Il était déjà monté au ciel et cependant Saul le poursuivait encore de la masse de ses eaux infidèles, et cette vague plus puissante que toutes les autres atteignait le Seigneur. Car c'est lui qui proclame la vérité par la bouche des justes, et c'est lui aussi qui est déchiré quand on les persécute. Pour montrer que c'était lui, le Seigneur, qui, dans l'unité merveilleuse de la charité, prêchait par la bouche de ses saints à ceux qui étaient indignes de l'entendre, il dit : *Élèveras-tu ta voix dans la nuée ?* Et, pour montrer que c'est lui qui, en ses saints, subissait tous les maux qu'ils enduraient, il ajouta : *Et la masse des eaux te recouvrira-t-elle ?* Il faut sous-entendre : comme moi, dont tous les impies ne comprennent ni que je parle à travers les saints qui prêchent, ni que je souffre à travers ceux qui meurent. Si Dieu nous apprend ce qu'il supporte de la part des hommes, c'est afin d'apaiser les souffrances de l'homme éprouvé ; c'est comme s'il lui disait clairement : Soupèse avec soin mes peines, et relativise sereinement les tiennes ; car c'est bien moins pour toi de supporter tes blessures que pour moi de supporter celles des hommes.

4. Adhuc tamen uerba haec subtilius perscrutari possumus, si inter dona caelestia nostra sollicite corda pensamus. Iam quidem fideles sumus, iam quae audimus superna credimus, iam quae credimus amamus. Sed dum quibusdam super-
5 uacuis curis premimur, obducta confusione caligamus ; et cum nobis etiam talibus mira quaedam Dominus de se sen-tienda insinuat, quasi in nebula uocem leuat. Dum caligi-nosis nostris mentibus semetipsum loquitur, uelut in nebula is qui non cernitur auditur. Summa sunt namque quae de illo
10 cognoscimus, sed tamen adhuc eum in secreta inspiratione qua instruimur non uidemus. Qui igitur cordibus nostris praebet quidem locutionem, sed occultat speciem, uelut in nebula format uocem. Sed ecce iam uerba Dei intrinsecus semetipsum loquentis audimus, iamque amori eius qua con-
15 tinuatione, quo studio inhaerere debeamus agnoscimus ; et tamen ab internae considerationis culmine ad consueta nostra ex ipsa mortalitatis huius mutabilitate relabimur, et imminentium peccatorum male sedula importunitate temp-tamur. Cum ergo caecis nostris mentibus subtilia de semet-
20 ipso insinuat, in nebula uocem leuat.

5. Cum uero temptatione uitiorum ipse de Deo noster intellectus opprimitur, quasi aquarum impetu in uoce sua Deus operitur. Tot enim super illum aquas mittimus, quot post inspirationem eius gratiae cogitationes illicitas in corde
5 uersamus. Nec tamen nos uel oppressos deserit ; nam ilico

Dieu entendu sans être vu

4. Nous pouvons pénétrer encore plus avant dans le sens de ces paroles en examinant avec soin comment notre cœur se comporte au milieu des dons célestes. Sans doute sommes-nous déjà des fidèles, déjà nous croyons aux réalités surnaturelles dont on nous a parlé, déjà nous aimons ce que nous croyons. Mais nous sommes accablés de soucis insignifiants, et la confusion nous enveloppe de ténèbres. Aussi, quand le Seigneur veut nous faire connaître quelque chose de ses merveilles, à nous tels que nous sommes, il élève pour ainsi dire sa voix dans la nuée ; lorsqu'il se dit lui-même à nos âmes enténébrées, il est entendu sans être vu, comme dans une nuée. Nous avons de lui des connaissances sublimes, et cependant les inspirations secrètes qui nous le révèlent ne nous donnent pas encore de le voir. Quand il présente sa parole à notre cœur, mais nous dérobe son visage, il émet sa voix comme dans une nuée. Voici que déjà nous entendons la parole de Dieu se disant lui-même au dedans de nous, déjà nous connaissons la continuité et l'ardeur de l'amour qui devraient nous attacher à lui, et cependant, par suite de notre instabilité d'hommes mortels, nous retombons des sommets de notre méditation intérieure vers nos préoccupations habituelles ; et nous sommes tentés par l'importunité malheureusement sans répit de péchés à l'affût. Ainsi, quand le Seigneur communique à nos âmes aveugles quelque chose de son mystère, il élève sa voix dans la nuée.

Les nuées des tentations

5. Mais quand c'est notre intelligence de Dieu elle-même qui se trouve submergée par l'attrait des vices, la voix divine est comme recouverte par la masse des eaux. Chaque fois qu'après avoir reçu l'inspiration de sa grâce, nous roulons dans notre cœur des pensées coupables, c'est comme si nous le recouvrions des eaux. Cependant il ne nous abandonne pas, même quand nous sommes accablés ; il revient aussitôt à

ad mentem redit, temptationum nebulas discutit, imbrem
compunctionis infundit ; et subtilis intellegentiae solem reducit ; atque sic ostendit quantum nos diligit, qui nos nec
cum respuitur relinquit, ut saltim sic erudita humana con-
10 scientia ad se temptationes erubescat admittere, quam Redemptor suus et uagantem non cessat amare. Hoc in nobis
per semetipsum tolerat, hoc ab infidelibus per suos cotidie
praedicatores portat. Eius enim donum suborta in nobis
temptatione repellitur, et tamen ab infundendo intrinsecus
15 munere nequaquam nostra infirmitate reuocatur. Eius publice uerba respuuntur, et tamen ab erogandae gratiae largitate
nulla infidelium iniquitate compescitur. Nam cum praui
homines praedicamenta despiciunt, adiungit etiam miracula,
quae uenerentur.
20   Vnde post editam uocem, post inundantium aquarum impetum, apte subiungitur :

38, 35   II, **6.** *Numquid mittis fulgura, et ibunt ; et reuertentia*
dicent tibi : « Adsumus » ? Fulgura quippe ex nubibus
exeunt, sicut mira opera ex sanctis praedicatoribus osten-
duntur. Qui, ut saepe diximus, idcirco nubes uocari solent,
5 quia et coruscant miraculis et uerbis pluunt. Et quia humana
corda, postquam per praedicationem mota non fuerint, istis
miraculorum fulgoribus conturbantur, propheta attestante
didicimus, qui ait : *Fulgura multiplicabis, et conturbabis eos* [a].
Ac si diceret : Dum uerba praedicationis tuae non audiunt,

---

6. a. Ps 17, 15

1. Les nuages représentent les saints prêcheurs : Grégoire l'a déjà dit dans
Mor. 17, 36 et 27, 20 (paroles et miracles, comme ici, avec citation de Ps 17,
15 dans le second cas) ; *Mor.* 27, 54-56 (paroles et exemples). Il le redira
dans *Hom. Ez.* II, 6, 15 (paroles et miracles). Voir aussi *Hom. Ez.* I, 5, 14, où
Grégoire cite Ha 3, 11, dont les « armes » seront entendues comme ici des

notre âme, y dissipe les nuées des tentations, fait pleuvoir sur nous la pluie de la componction et réapparaître, tel le soleil, l'intelligence de son mystère. Il nous montre ainsi combien il nous aime, puisqu'il ne nous abandonne pas, même quand nous le repoussons ; il veut du moins apprendre à la conscience de l'homme à rougir de faire bon accueil aux tentations, puisque son Rédempteur ne cesse de l'aimer, lors même qu'elle erre à l'aventure. Voilà ce que par lui-même il subit en nous, voilà ce qu'il supporte chaque jour par ses prédicateurs de la part des infidèles. Son don est repoussé quand survient en nous la tentation ; et, cependant, notre misère ne l'empêche pas de continuer à répandre en nous ses bienfaits. On rejette publiquement sa parole, et pourtant toute l'iniquité des infidèles ne le retient pas de dispenser sa grâce en abondance. Quand les méchants méprisent ses enseignements, le Seigneur ajoute encore des miracles qui inspirent le respect.

C'est pourquoi, après qu'il a été question de la voix qui s'élève, de la masse des eaux débordantes, le texte ajoute avec raison :

Les éclairs des miracles   II, **6. Est-ce que tu lances les éclairs ?** **38, 35**
Une fois partis, reviendront-ils te dire :
« Nous voici » ? Les éclairs jaillissent des nuages, comme éclatent les prodiges opérés par les saints prédicateurs. Nous l'avons souvent dit, ceux-ci sont volontiers appelés nuages, parce qu'ils brillent par leurs miracles et répandent la pluie de leur parole [1]. Quand la prédication n'a pas touché le cœur des hommes, ce sont les éclairs des miracles qui l'ébranlent, ainsi que nous l'apprennent ces paroles du prophète : *Tu feras briller les éclairs et tu les ébranleras* [a]. Autrement dit : Quand ils n'écoutent pas les paroles de ta

---

miracles des saints, compris comme des moyens de défense qui accompagnent les « traits » des paroles prêchées.

10 per praedicantium miracula conturbantur. Vnde alias dictum est : *In lumine iacula tua ibunt, in splendore fulgoris
armorum tuorum*[b]. Iacula Dei in lumine ire est uerba eius
aperta ueritate resonare. Sed quia saepe homines uerba uitae
etiam intellecta despiciunt, adiunguntur etiam miracula.
15 Vnde illic subdidit : *In splendore fulgoris armorum tuorum*.
Fulgor quippe armorum est claritas miraculorum. Armis
namque nos tuemur, iaculis aduersa destruimus. Arma ergo
cum iaculis sunt miracula cum praedicamentis. Sancti enim
praedicatores uerbis suis quasi quibusdam iaculis aduersarios
20 feriunt ; armis uero id est miraculis semetipsos tuentur ; ut et
quantum sint audiendi, sonent per impetum iaculorum, et
quantum sint reuerendi, clarescant per arma miraculorum.
Dicitur ergo ad beatum Iob : *Numquid mittis fulgura et
ibunt ; et reuertentia dicent tibi : « Adsumus » ?* Subaudis :
25 ut mihi. Vadunt enim fulgura, cum praedicatores miraculis
coruscant et superna reuerentia auditorum corda transfigunt.
Reuertentia uero dicunt : « Adsumus », cum non sibi, sed
Dei uiribus tribuunt, quicquid se fortiter egisse cognoscunt.
Quid est enim Deo dicere : « Adsumus » ? Quoddam nam-
30 que in hoc uerbo obsequium declaratur. Reuertentes itaque
praedicatores sanctos dicere est : « Adsumus » illi laudem
tribuere gratiae, a quo se accepisse sentiunt uictoriam pugnae, ne sibi tribuant quod operantur. Et ire quidem fulgura
operando possint, sed reuerti superbiendo non possunt.

6. b. Ha 3, 11

prédication, ils sont frappés par les miracles de tes prédicateurs. Aussi est-il écrit ailleurs : *Tu lanceras tes traits dans la lumière, dans l'éclat fulgurant de tes armes* [b]. Dieu lance ses traits dans la lumière, quand sa parole clame la vérité avec évidence. Mais parce que les hommes méprisent souvent les paroles de vie, même quand ils les comprennent, les miracles viennent s'y ajouter aussi. C'est pourquoi le prophète dit ici : *dans l'éclat fulgurant de tes armes*. L'éclat des armes, c'est le resplendissement des miracles. Les armes servent à nous défendre contre nos ennemis, les traits à les détruire. Les armes et les traits symbolisent donc les miracles joints aux enseignements. En effet, les saints prédicateurs frappent leurs adversaires de leurs paroles comme avec des traits, et leurs miracles leur servent d'armes pour se défendre. Autant pour se faire entendre, ils disposent du son que produit le choc des traits, autant pour se faire respecter, ils disposent de l'éclat des armes que sont les miracles. Il est donc dit au bienheureux Job : *Est-ce que tu lances les éclairs ? Une fois partis, reviendront-ils te dire : « Nous voici » ?* Il faut sous-entendre : comme à moi. Les éclairs jaillissent, quand les prédicateurs brillent par l'éclat des miracles et qu'ils transpercent d'une crainte surnaturelle le cœur des auditeurs. A leur retour, ils disent : « Nous voici » quand ils attribuent à la puissance de Dieu, et non à leurs propres forces, tout ce qu'ils reconnaissent avoir fait de grand. Qu'est-ce donc que dire à Dieu : « Nous voici » ? Ces mots expriment une sorte de soumission. Revenir, pour les saints prédicateurs, et dire : « Nous voici », c'est rendre gloire à la grâce de celui dont ils sont bien conscients d'avoir reçu la victoire dans leur combat, de manière à ne point s'attribuer à eux-mêmes ce qu'ils font. Les éclairs peuvent bien aller en agissant, mais ils ne peuvent revenir en s'enorgueillissant.

7. Videamus itaque fulgur uadens ; claudo cuidam ait
Petrus : « *Argentum et aurum non est mihi, quod autem
habeo, hoc tibi do. In nomine Iesu Christi Nazareni surge et
ambula.* » *Et apprehensa ei manu dextera alleuauit eum, et*
5 *protinus consolidatae sunt bases eius et plantae, et exsiliens
stetit, et ambulabat*[a]. Sed cum de hoc facto Iudaeorum fuisset
turba commota, uideamus nunc fulgur rediens, ait : *Viri
Israelitae, quid admiramini in hoc, aut nos quid intuemini,
quasi nostra uirtute aut potestate fecerimus hunc ambulare ?*
10 *Deus Abraham et Deus Isaac et Deus Iacob, Deus patrum
nostrorum glorificauit filium suum Iesum*[b]. Et paulo post :
*Cuius nos testes sumus, et in fide nominis eius hunc, quem
uidistis et nostis, confirmauit nomen eius, et fides quae per
eum est, dedit integram sanitatem istam in conspectu omnium
15 uestrum*[c]. Iuit ergo fulgur, cum Petrus miraculum fecit, rediit, cum non sibi tribuit, sed auctori quod fecit. Vadunt
fulgura, cum praedicatores sancti mira opera ostendunt ; sed
reuertendo dicunt : « Adsumus », cum in eo quod faciunt
ad potentiam auctoris recurrunt.

8. Quod tamen intellegi et aliter potest. Fulgura etenim,
sicut superius dictum est, sancti uiri mittuntur et eunt, cum
a secreto contemplationis ad publicum operationis exeunt.
Mittuntur et uadunt, cum ex abscondito speculationis
5 intimae in actiuae uitae latitudinem diffunduntur. Sed
reuertentia dicunt Deo : « Adsumus », quia post opera
exteriora quae peragunt semper ad sinum contemplationis
recurrunt, ut illic ardoris sui flammam reficiant, et quasi ex
tactu supernae claritatis ignescant. Citius enim in ipsa licet

---

7. a. Ac 3, 6-8   b. Ac 3, 12-13   c. Ac 3, 15-16

1. La seconde de ces trois citations (Ac 3, 12-13) et une partie de la
troisième (Ac 3, 16) reparaîtront dans *Hom. Ez.* I, 5, 15, dans le prolongement
d'Habacuc comme ici, et avec la même visée : souligner l'humilité de Pierre,
qui rapporte son miracle à Dieu.

**Miracle
de Pierre**

7. Voyons l'éclair partir ; Pierre dit à un boiteux : *« Je n'ai ni argent ni or ; mais ce que j'ai, je te le donne ; au nom de Jésus le Nazaréen, lève-toi et marche. » Et, le prenant par la main droite, il le fit lever. A l'instant, ses pieds et ses chevilles s'affermirent ; d'un bond, il fut debout et il marchait*[a]. La foule des juifs fut toute remuée à la vue de ce miracle, mais voyons ensuite comment l'éclair est revenu. Pierre dit aux juifs : *Israélites, pourquoi vous étonner de ce qui est arrivé et pourquoi nous regarder comme si c'était par notre sainteté ou notre puissance que nous avons fait marcher cet homme ? Le Dieu d'Abraham, le Dieu d'Isaac, le Dieu de Jacob, le Dieu de nos Pères a glorifié son Fils, Jésus*[b]. Et il ajoute un peu plus loin : *Nous sommes ses témoins. C'est par la foi en son nom qu'à cet homme que vous voyez et connaissez, ce nom même a rendu la force : c'est la foi en lui qui, devant vous tous, lui a rendu la pleine santé*[c][1]. L'éclair est parti quand Pierre a accompli le miracle ; il est revenu quand il a attribué au Créateur, et non à ses propres forces, ce qu'il a accompli. Les éclairs partent, quand les saints prédicateurs réalisent des prodiges ; mais ils reviennent en disant : « Nous voici », quand ils rapportent à la puissance du Créateur ce qu'ils font.

**Vie active et
contemplation**

8. On peut aussi comprendre autrement ce verset. Nous l'avons dit plus haut, les éclairs symbolisent les saints envoyés en mission ; ils partent, quand ils quittent le secret de la contemplation pour agir en public ; envoyés, ils se mettent en route, quand ils abandonnent la retraite de la méditation intérieure pour se répandre dans l'étendue de la vie active. Mais ils reviennent en disant à Dieu : « Nous voici » ; après avoir accompli leurs œuvres extérieures, ils rentrent toujours au sein de la contemplation pour y rallumer les flammes de leur ardeur et s'embraser, pour ainsi dire, au contact de la gloire d'en haut. Leur cœur se refroidirait très vite dans les

10 bona exteriora opera frigescerent, nisi intentione sollicita
ad contemplationis ignem incessanter redirent. Vnde bene
per Salomonem dicitur : *Ad locum, de quo exeunt flumina,*
reuertuntur, ut iterum fluant[a]. Ipsi quippe illic flumina, qui
hic fulgura sunt uocati. Quia enim corda audientium ri-
15 gant, flumina, quia uero accendunt, fulgura memorantur.
De quibus alias scriptum est : *Eleuauerunt flumina, Domi-*
ne, eleuauerunt flumina uoces suas[b]. Et rursum : *Illuxerunt*
fulgura eius orbi terrae[c]. Ad locum ergo de quo exeunt, flumina reuertuntur, quia sancti uiri etsi a conspectu creatoris sui,
20 cuius claritatem mente conspicere conantur, foras propter
nos ad actiuae uitae ministerium ueniunt, incessanter tamen
ad sanctum contemplationis studium recurrunt ; et si in praedicatione sua exterius nostris auribus per corporalia uerba
se fundunt, mente tamen tacita ad considerandum semper
25 ipsum fontem luminis reuertuntur. De quibus et bene dicitur : *Vt iterum fluant*[d]. Nisi enim ad contemplandum Deum
sollicita semper mente recurrerent, nimirum interna caecitas
etiam exteriora praedicationis eorum uerba siccaret. Sed
dum uidere Deum indesinenter sitiunt, quasi decursura fo-
30 ras flumina intus semper oriuntur, quatenus illic amando
sumant, unde ad nos praedicando defluant. Dicatur igitur
recte : *Numquid mittis fulgura, et ibunt ; et reuertentia dicent*
tibi : « Adsumus » ? Subaudis : Vt ego, qui praedicatores
meos cum uoluero, post contemplationis gratiam ad actiuae
35 uitae ministerium compono, quos tamen semper a bonis
exterioribus ad internum culmen contemplationis reuoco,
ut modo iussi ad exercenda opera exeant, modo reuocati ad

---

8. a. Qo 1, 7   b. Ps 92, 3   c. Ps 96, 4   d. Qo 1, 7

1. Ce mot de Salomon (Qo 1, 7) est cité dans *Hom. Ez.* I, 5, 16, avec un
commentaire analogue, qui cependant ne parle pas de contemplation et
d'action comme Grégoire le fait ici, mais seulement d'amour pour Dieu. Sur
le couple action-contemplation, voir *Mor.* 6, 56-61 ; *Hom. Ez.* I, 3, 9-13 et I,
5, 12, etc.

œuvres extérieures, même excellentes, s'ils n'avaient le souci sans cesse de retourner se réchauffer le plus tôt possible au feu de la contemplation. C'est ce qui fait dire bien à propos à Salomon : *Les fleuves reviennent au lieu d'où ils sortent, afin de couler à nouveau*[a][1]. Les prédicateurs sont nommés, en effet, tantôt fleuves, tantôt éclairs. Ils sont appelés fleuves, parce qu'ils arrosent le cœur de leurs auditeurs ; et éclairs, parce qu'ils allument en eux le feu. L'Écriture dit ailleurs des prédicateurs : *Les fleuves ont élevé, Seigneur, les fleuves ont élevé leur voix*[b]. Et encore : *Ses éclairs ont illuminé toute la terre*[c]. Les fleuves reviennent au lieu d'où ils sortent, parce que, même si les saints sortent de la présence de leur Créateur, dont ils s'efforcent de contempler en esprit la gloire, pour aller exercer au dehors pour nous le ministère de la vie active, ils retournent cependant sans cesse aussitôt que possible à ce saint exercice de la contemplation ; et, si leur prédication les amène à se répandre extérieurement en paroles corporelles pour toucher nos oreilles, néanmoins, dans le silence de l'âme, ils reviennent toujours à la contemplation de la source même de la lumière. Salomon dit bien à leur sujet : *Pour qu'ils coulent à nouveau*[d]. Car si leur âme n'était pas toujours attentive à retourner à la contemplation de Dieu, leur cécité intérieure aurait certes pour effet de tarir également le flot des paroles extérieures de leur prédication. Mais comme leur soif de voir Dieu ne connaît pas de répit, ils sont comme des fleuves qui, pour courir au dehors, renaissent sans cesse de leur source, pour que leur amour y puise de quoi couler jusqu'à nous par leur prédication. C'est donc à propos que Dieu dit : *Est-ce que tu lances des éclairs ? Une fois partis, reviendront-ils te dire : « Nous voici » ?* Il faut sous-entendre : comme moi, qui, au gré de ma volonté, envoie mes prédicateurs, après la grâce de la contemplation, dans le ministère de la vie active, mais toujours les rappelle des biens extérieurs à la cime intérieure de la contemplation. Ils sont tantôt envoyés sur mon ordre pour agir, tantôt rappelés à l'exercice de la méditation pour

speculationis studium apud me familiarius uiuant. Reuertentes itaque dicunt : « Adsumus », quia quamuis per exte-
40 riora acta parum quid contemplationi deesse uideantur, per
ardorem tamen desiderii, quem in mente sua continue accendunt, obsequentem Deo suam praesentiam ostendunt.
« Adsumus » namque dicere est praesentes se amando
monstrare. Sequitur :

38, 36   III, **9.** *Quis posuit in uisceribus hominis sapientiam ?*
Vel quis dedit gallo intellegentiam ? Qui hoc loco alii galli
nomine designantur, nisi modo alio repetiti iidem praedicatores sancti, qui inter tenebras uitae praesentis student
5 uenturam lucem praedicando, quasi cantando, nuntiare ? Dicunt enim : *Nox praecessit, dies autem appropinquauit*[a]. Qui
uocibus suis somnum nostri torporis excutiunt clamantes :
Hora est iam nos de somno surgere[b]. Et rursum : *Euigilate,*
iusti, et nolite peccare[c]. De hoc gallo alias scriptum est : *Tria*
10 *sunt quae bene gradiuntur, et quartum quod incedit feliciter ;*
leo fortissimus bestiarum, ad nullius pauebit occursum ; gallus
succinctus lumbos, et aries, nec est rex qui resistat ei[d]. Ipse
quippe hoc loco leo ponitur, de quo scriptum est : *Vicit leo de*
tribu Iuda[e]. Qui fortissimus bestiarum dicitur, quia in illo hoc
15 *quod infirmum est Dei, fortius est hominibus*[f]. Quia ad nullius
pauet occursum. Dicit enim : *Venit princeps huius mundi, et*
in me non habet quicquam[g]. Gallus succinctus lumbos, id
est praedicatores sancti inter huius noctis tenebras uerum
mane nuntiantes. Qui succincti lumbos sunt, quia membris
20 suis luxuriae fluxa restringunt. In lumbis quippe luxuria est.

---

9. a. Rm 13, 12   b. Rm 13, 11   c. 1 Co 15, 34   d. Pr 30, 29-31   e. Ap 5,
5   f. 1 Co 1, 25   g. Jn 14, 30

vivre plus intimement auprès de moi. Quand ils reviennent, ils disent donc : « Nous voici ». Bien que leur contemplation paraisse pâtir quelque peu de leurs occupations extérieures, pourtant l'ardeur du désir qu'ils font brûler sans cesse en leur âme révèle leur présence et leur soumission à Dieu. Dire : « Nous voici », c'est une manière d'affirmer qu'ils lui sont présents par l'amour. Le texte poursuit :

Annoncer la lumière dans les ténèbres III, **9.** *Qui a mis la sagesse dans les entrailles de l'homme ? Qui a donné au coq l'intelligence ?* Quels sont ceux que désigne ici le nom de coq, sinon encore, mais d'une autre manière, ces mêmes saints prédicateurs ? Dans les ténèbres de la vie présente, ils annoncent avec zèle par leur parole, qui est comme leur chant, la lumière qui vient. Ils disent en effet : *La nuit est avancée, le jour est proche*[a]. Leur voix secoue notre somnolence : *Il est temps,* crient-ils, *de sortir du sommeil*[b]. Et encore : *Réveillez-vous, justes, ne péchez pas*[c][1]. L'Écriture dit ailleurs en parlant de ce coq : *Trois êtres marchent bien et le quatrième s'avance avec bonheur : le lion, le plus fort des animaux, ne craindra rien de ce qu'il rencontre, le coq qui a les reins ceints, et le bélier auquel même un roi ne peut résister*[d]. Le lion désigne ici celui dont il est écrit : *Il a remporté la victoire, le lion de la tribu de Juda*[e]. On dit qu'il est le plus fort des animaux, parce qu'en lui *ce qui est faiblesse de Dieu est plus fort que les hommes*[f]. Il ne craint rien de ce qu'il rencontre ; il dit en effet : *Le prince de ce monde vient ; il n'a rien en moi qui lui appartienne*[g]. Le coq, qui a les reins ceints, ce sont les saints prédicateurs qui, dans les ténèbres de cette nuit, annoncent le vrai matin. Ils ont les reins ceints, parce qu'ils maîtrisent en leur corps le flux de la luxure, dont le siège est dans les reins. C'est pourquoi le Seigneur leur

38, 36

---

1. Rm 13, 11 et 1 Co 15, 34 sont pareillement cités, après Jb 38, 36, dans *Past.* III, 39. Voir aussi *Hom. Eu.* 13, 3, où les deux citations pauliniennes se suivent en ordre inverse.

Vnde et eis a Domino dicitur : *Sint lumbi uestri praecincti*[h].
Et aries, nec est rex qui resistat ei[i]. Quem alium hoc loco
arietem accipimus, nisi primum intra Ecclesiam ordinem
sacerdotum ? De quibus scriptum est : *Afferte Domino filios*
25 *arietum*[j] ; qui per exempla sua gradientem populum, quasi
subsequentem ouium gregem trahunt. Quibus spiritaliter
recteque uiuentibus nullus rex sufficit omnino resistere,
quia quilibet persecutor obuiet, intentionem eorum non
ualet praepedire. Sciunt enim ad eum quem desiderant,
30 et anxie currere, et moriendo peruenire. Ponitur ergo primus
leo, secundus gallus, tertius aries. Apparuit enim Christus,
deinde sancti praedicatores apostoli, et tunc demum spiritales patres ecclesiarum praepositi, uidelicet duces gregum,
quia doctores sequentium populorum.

10. Sed haec adhuc melius affirmamus, si eiusdem loci
etiam reliqua exponendo subiciamus. Nam quia post haec et
Antichristus apparebit, hoc illic quartum subdidit, dicens :
Et qui stultus apparuit, postquam eleuatus est in sublime. Si
5 *enim intellexisset, ori imposuisset manum*[a]. Ipse quippe in
sublime eleuabitur, cum Deum se esse mentietur[b]. Sed eleuatus in sublime stultus apparebit, quia in ipsa eleuatione sua
per aduentum ueri iudicis deficiet[c]. Quod si intellexisset, ori
imposuisset manum, id est si supplicium suum, cum super-
10 bire exorsus est, praeuidisset, bene aliquando conditus, in
tanta iactatione superbiae non fuisset elatus. De quo nequaquam moueat quod superius dictum est : *Quartum quod*
incedit feliciter[d]. Tria quippe incedere bene dixit, et quartum
feliciter. Non enim omne quod feliciter, bene ; neque in hac
15 uita omne quod bene, feliciter. Nam leo, gallus et aries bene
incedunt, sed non hic feliciter, quia persecutionum bella

9. h. Lc 12, 35   i. Pr 30, 31   j. Ps 28, 1
10. a. Pr 30, 32   b. cf. 2 Th 2, 4   c. cf. 2 Th 2, 8   d. Pr 30, 29

dit : *Que vos reins soient ceints*[h]. *Et le bélier auquel même un roi ne peut résister*[i] n'est-il pas ici la figure du premier ordre sacerdotal dans l'Église ? Il est écrit à leur sujet : *Apportez au Seigneur des petits de béliers*[j]. Par leurs exemples, ils entraînent le peuple à leur suite comme un troupeau de brebis. Hommes spirituels et vivant saintement, absolument aucun roi ne peut leur résister. Quel que soit le persécuteur qui s'y oppose, il ne peut faire obstacle à leur résolution. Ils savent à la fois courir sans repos vers celui qu'ils désirent et mourir pour parvenir jusqu'à lui. Le lion est nommé le premier, puis le coq, et enfin le bélier : car le Christ est venu d'abord, ensuite les saints prédicateurs que sont les apôtres, et enfin les pères spirituels qui gouvernent les Églises, guides des troupeaux, puisque docteurs des peuples qui les suivent.

Venue de l'Antichrist

10. Mais nous confirmerons mieux encore ces points en commentant aussi la suite de ce texte. En effet, après les trois premiers êtres, apparaîtra aussi le quatrième, l'Antichrist, dont il est dit : *Insensé il est apparu, après avoir été élevé à un rang sublime ; car, s'il avait eu l'intelligence, il aurait mis sa main sur sa bouche*[a]. Il sera élevé à un rang sublime quand il prétendra être Dieu[b]. Mais, en ces hauteurs sublimes, insensé il apparaîtra, lors de la venue du véritable juge qui l'en fera déchoir[c]. S'il avait eu l'intelligence, il aurait mis sa main sur sa bouche, autrement dit : S'il avait prévu son supplice, quand il a commencé à s'enfler d'orgueil, lui, une créature naguère si bien dotée, il n'aurait pas élevé de si orgueilleuses prétentions. Il ne faut nullement s'étonner de ce que l'Écriture ait dit plus haut : *Le quatrième s'avance avec bonheur*[d]. Certes, selon l'Écriture, trois s'avancent bien, et le quatrième avec bonheur. Mais ce qui va heureusement ne va pas toujours bien, et ce qui en cette vie va bien ne va pas toujours heureusement. Le lion, le coq et le bélier s'avancent bien, mais non heureusement ici-bas, puisqu'ils ont à subir les guerres des persécutions.

patiuntur. Quartum uero feliciter, et non bene incedit, quia
in fallacia sua Antichristus gradietur, sed iuxta breue tempus
uitae praesentis ipsa illi fallacia prosperabitur, sicut de eo
20 sub Antiochi specie per Danielem dictum est : *Robur datum*
est ei contra iuge sacrificium propter peccata, et prosternetur
ueritas in terra, et faciet et prosperabitur [e]. Quod Salomon ait :
Incedit feliciter [f], hoc Daniel dicit : *Prosperabitur.* Iuxta hoc
itaque testimonium, quod per Salomonem dicitur : *Gallus*
25 *succinctus lumbos* [g], apte etiam hoc loco gallum sanctos praedicatores accipimus. Ad se ergo cuncta referens Deus dicit :
Quis posuit in uisceribus hominis sapientiam ? Vel quis dedit
gallo intellegentiam ? Ac si diceret : In cor hominis humana
sapientis supernae sapientiae gratiam quis infudit ? Vel ipsis
30 sanctis praedicatoribus quis nisi ego intellegentiam dedi,
ut sciant quando uel quibus debeant uenturum mane nuntiare ? Idcirco enim quando et quid agant sentiunt, quia
hoc intrinsecus me reuelante cognoscunt. Notandum uero
est quod sapientia diuinitus inspirata in uisceribus hominis
35 ponitur, quia nimirum quantum ad electorum numerum
spectat, non in solis uocibus, sed etiam in sensibus datur ;
ut iuxta quod loquitur lingua, uiuat conscientia ; et lux eius
tanto clarius resplendeat in superficie, quanto uerius inardescit in corde.

38, 36   **11.** Magni autem laboris est hoc quod additur : ***Vel quis***
dedit gallo intellegentiam ?, subtiliori adhuc expositione
discutere. Intellegentia quippe doctorum tanto esse subtilior debet, quanto se ad penetranda inuisibilia exercet,
5 quanto nil materiale discutit, quanto et per uocem corporis
loquens omne quod est corporis transit. Quae profecto
nullatenus summis congrueret, nisi eam cantanti gallo, id est

---

10. e. Dn 8, 12   f. Pr 30, 29   g. Pr 30, 31

---

1. Comme l'ont bien vu les Mauristes, *exspectat* (*CCL*) est une graphie
fautive de *spectat* (« concerne »).

Le quatrième s'avance heureusement, mais non pas bien : en effet, l'Antichrist marchera comme un imposteur, mais son imposture ne lui réussira que pour la brève durée de la vie présente, ainsi que le dit le prophète Daniel en parlant de lui sous la figure d'Antiochus : *Il a reçu le pouvoir contre le sacrifice perpétuel à cause des péchés ; la vérité sera jetée à bas sur la terre ; il agira et il réussira*[c]. Là où Salomon dit : *Il s'avance avec bonheur*[f], Daniel dit : *Il réussira*. Quant à ce *coq qui a les reins ceints*[g], dont parle Salomon, nous y voyons aussi avec justesse les saints prédicateurs. Rapportant donc à lui-même, à bon droit, toutes ces images, Dieu dit : *Qui a mis la sagesse dans les entrailles de l'homme ? Qui a donné au coq l'intelligence ?* Autrement dit : Qui a versé au cœur de l'homme, rempli d'une sagesse humaine, la grâce de la divine sagesse ? Qui a donné l'intelligence aux saints prédicateurs eux-mêmes, pour qu'ils sachent quand et à qui annoncer la venue du matin ? Qui, si ce n'est moi ? Ils savent, en effet, ce qu'ils ont à faire et quand le faire ; ils apprennent cela, parce que je les instruis intérieurement. Il faut noter que la sagesse insufflée par Dieu est mise dans les entrailles de l'homme, parce que, pour ce qui regarde le nombre des élus[1], elle est reçue non seulement sur leurs lèvres, mais aussi dans leur âme, en sorte que la conscience vive en conformité avec ce que la bouche prononce, et que sa lumière brille avec d'autant plus d'éclat au dehors qu'elle brûle plus réellement dans leur cœur.

L'intelligence des docteurs

11. Ce n'est pas chose facile que de donner un commentaire encore plus approfondi de cette addition : ***Qui a donné au coq l'intelligence ?*** L'intelligence des docteurs doit être d'autant plus affinée qu'elle cherche à pénétrer l'invisible, qu'elle scrute l'immatériel et qu'en parlant d'une voix corporelle, elle vise tout ce qui est au-delà du corps. Elle ne pourrait atteindre ces sommets, si le Créateur des réalités

38, 36

praedicanti doctori, ipse summorum conditor ministraret.
Intellegentiam quoque gallus accepit, ut prius nocturni tem-
10 poris horas discutiat, et tunc demum uocem excitationis
emittat, quia uidelicet sanctus quisque praedicator prius in
auditoribus suis qualitatem uitae considerat, et tunc demum
ad erudiendum congruam uocem praedicationis format.
Quasi enim horas noctis discernere est peccatorum merita di-
15 iudicare ; quasi horas noctis discernere est actionum tenebras
apta increpationis uoce corripere. Gallo itaque intellegentia
desuper tribuitur, quia doctori ueritatis, discretionis uirtus,
ut nouerit quibus, quid, quando, uel quomodo inferat, diuinitus ministratur.

12. Non enim una eademque cunctis exhortatio conuenit,
quia nec cunctos par morum qualitas adstringit. Saepe
autem aliis officiunt, quae aliis prosunt. Nam et plerumque
herbae, quae haec animalia reficiunt, alia occidunt ; et lenis
5 sibilus equos mitigat, catulos instigat ; et medicamentum
quod hunc morbum imminuit, alteri uires iungit ; et panis
qui uitam fortium roborat, paruulorum necat. Pro qualitate
igitur audientium formari debet sermo doctorum, ut et ad
sua singulis congruat, et tamen a communis aedificationis
10 arte nunquam recedat. Quid enim sunt intentae mentes
auditorum, nisi quasi quaedam in cithara tensiones stratae
chordarum ? Quas tangendi artifex, ut non sibimetipsis
dissimile canticum faciant, dissimiliter pulsat. Et idcirco
chordae consonam modulationem reddunt, quia uno qui-
15 dem plectro, sed non uno impulsu feriuntur. Vnde et doctor
quisque, ut in una cunctos uirtute caritatis aedificet, ex una
doctrina, non una eademque exhortatione tangere corda
audientium debet.

transcendantes ne l'accordait au coq quand il chante, c'est-
à-dire au docteur quand il prêche. Le coq aussi a reçu l'intelligence, d'abord pour discerner les heures de la nuit, puis
pour lancer le cri du réveil ; de même, tout saint prédicateur
doit d'abord considérer en ses auditeurs la qualité de leur
vie et, alors seulement, formuler une parole de prédication
adaptée qui puisse instruire. C'est comme discerner les
heures de la nuit que de juger ce que méritent les pécheurs ;
c'est comme discerner les heures de la nuit que de corriger les
ténèbres des actions par des réprimandes adaptées. Le coq
reçoit d'en haut l'intelligence ; autrement dit, c'est Dieu qui
fournit au docteur de la vérité la vertu de discernement pour
qu'il sache quoi présenter, à qui, quand et comment.

Les genres d'exhortation **12.** En effet, une seule et même exhortation ne convient pas à tout le monde ;
le niveau moral des gens est différent ;
souvent ce qui est utile aux uns nuit aux autres. Il y a des
plantes qui nourrissent tels animaux, mais en tuent d'autres ;
le sifflement léger qui apaise les chevaux excite les petits
chiens ; le même remède qui atténue une maladie en aggrave
une autre ; le pain, qui est la nourriture des adultes, étouffe
les tout-petits. Le docteur doit donc adapter sa parole au
genre de son auditoire, afin qu'elle convienne à chacun
pour son profit personnel et que pourtant elle ne s'écarte
jamais du genre qui édifie l'ensemble. Les âmes des auditeurs
attentifs ne ressemblent-elles pas, en effet, aux cordes bien
tendues de la cithare ? Le citharise ne doit pas les toucher de
manière uniforme, afin qu'elles ne produisent pas entre elles
une mélodie discordante ; et si les cordes rendent des sons
harmonieux, c'est que l'unique plectre ne les frappe pas d'un
coup identique. Ainsi, tout docteur, qui doit édifier tout le
monde par l'effet d'une même charité, à partir d'une même
doctrine, ne doit pas toucher les cœurs des auditeurs par une
seule et même exhortation.

13. Aliter namque uiri, aliter admonendae sunt feminae ;
aliter iuuenes, aliter senes ; aliter inopes, aliter locupletes ;
aliter laeti, aliter tristes ; aliter subditi, aliter praelati ; aliter
serui, aliter domini ; aliter huius mundi sapientes, aliter
5 hebetes ; aliter impudentes aliter uerecundi ; aliter proterui,
aliter pusillanimes ; aliter impatientes, aliter patientes ; ali-
ter beneuoli, aliter inuidi ; aliter simplices, aliter impuri ;
aliter incolumes, aliter aegri ; aliter qui flagella metuunt,
et propterea innocenter uiuunt, aliter qui sic in iniquitate
10 duruerunt, ut nec per flagella corrigantur ; aliter nimis taciti,
aliter multiloquio uacantes ; aliter timidi, aliter audaces ;
aliter pigri, aliter praecipites ; aliter mansueti, aliter ira-
cundi ; aliter humiles, aliter elati ; aliter pertinaces, aliter
inconstantes ; aliter gulae dediti, aliter abstinentes ; aliter
15 qui sua iam misericorditer tribuunt, aliter qui aliena rapere
contendunt ; aliter qui nec aliena rapiunt, nec sua largiuntur,
aliter qui et ea quae habent sua tribuunt, et aliena rapere non
desistunt ; aliter discordes, aliter pacati ; aliter seminantes
iurgia, aliter pacifici ; aliter admonendi sunt qui sacrae
20 legis uerba non recte intellegunt, aliter qui recte quidem
intellegunt, sed humiliter non loquuntur ; aliter qui cum
praedicare digna ualeant, prae humilitate formidant, aliter
quos a praedicatione imperfectio uel aetas prohibet, et tamen praecipitatio impellit ; aliter qui in hoc quod tempora-
25 liter appetunt, prosperantur, aliter qui quidem quae mundi
sunt concupiscunt, sed tamen aduersitatis labore fatigantur ;
aliter coniugiis obligati, aliter a coniugii nexibus liberi ; aliter
commixtionem carnis experti, aliter ignorantes ; aliter qui
peccata deplorant operum, aliter qui cogitationum ; aliter qui
30 commissa plangunt, nec tamen deserunt ; aliter qui deserunt,

13. Il faut exhorter les hommes d'une manière et les femmes d'une autre, traiter différemment les jeunes gens et les vieillards, les pauvres et les riches, ceux qui sont joyeux et ceux qui sont tristes, les subordonnés et leurs supérieurs, les serviteurs et leurs maîtres, les sages selon le monde et les simples, les effrontés et les timides, les violents et les timorés, les impatients et les patients, les désintéressés et les envieux, les innocents et les impurs, les bien-portants et les malades, ceux qui mènent une vie irréprochable parce qu'ils craignent les châtiments et ceux qui sont tellement endurcis dans l'iniquité que même les châtiments ne peuvent les corriger, les gens trop silencieux et les grands bavards, les timides et les audacieux, les indolents et les impulsifs, les doux et les irascibles, les humbles et les orgueilleux, les persévérants et les instables, les gourmands et les abstinents, ceux qui distribuent leurs biens par miséricorde et ceux qui cherchent à ravir le bien d'autrui ; ceux qui ne prennent pas le bien d'autrui, mais qui ne donnent pas non plus le leur, et ceux qui donnent ce qu'ils ont, sans cesser pour autant de prendre le bien d'autrui ; les querelleurs et les paisibles, les semeurs de division et les gens conciliants. L'exhortation doit tenir compte de ceux qui n'ont pas une juste intelligence des paroles de la loi de Dieu et de ceux qui, ayant d'elle une juste intelligence, ne parlent pas humblement ; de ceux qui sont capables d'annoncer dignement la parole de Dieu, mais que retient une excessive humilité, et de ceux que leur imperfection ou leur âge devrait retenir de parler et qui, sans attendre, se lancent dans la prédication ; de ceux qui réussissent dans la recherche des biens de ce monde et de ceux qui, tout en les désirant, sont accablés d'adversités ; de ceux qui sont engagés dans le mariage et de ceux qui sont libres des liens conjugaux, de ceux qui ont l'expérience de l'union des sexes et de ceux qui ne l'ont pas. Il y a ceux qui déplorent des actions coupables et d'autres des pensées, ceux qui se lamentent sur les fautes commises, mais ne s'en éloignent pas, et ceux qui s'en éloignent, mais

nec tamen plangunt ; aliter qui illicita quae faciunt, etiam
laudant, aliter qui accusant praua nec tamen deuitant ; aliter
qui repentina concupiscentia superantur atque aliter qui in
culpa ex consilio ligantur ; aliter qui licet minima, crebro ta-
35 men illicita faciunt, atque aliter qui se a paruis custodiunt,
sed aliquando in grauibus demerguntur ; aliter qui bona
nec incohant, aliter qui incohata minime consummant ; aliter qui mala occulte agunt, et bona publice, aliter qui bona
quae faciunt, abscondunt, et tamen quibusdam factis publi-
40 ce mala de se opinari permittunt. Et quidem de singulis,
quis sit admonitionis ordo, subtiliter insinuare debuimus,
sed formidata locutionis prolixitate praepedimur. Auctore
autem Deo in alio opere id explere appetit animus, si tamen laboriosae huius uitae adhuc aliquantulum restauerit
45 tempus.

14. Habemus uero aliud quod de galli huius intellegentia considerare debeamus, quia profundioribus horis noctis
ualentiores ac productiores edere cantus solet, cum uero ma-
tutinum iam tempus appropinquat, leniores et minutiores
5 omnimodo uoces format. In quibus galli huius intellegentia quid nobis innuat, considerata praedicatorum discretio
demonstrat. Qui cum iniquis adhuc mentibus praedicant,
altis et magnis uocibus aeterni iudicii terrores intimant,
quia uidelicet quasi in profundae noctis tenebris clamant.
10 Cum uero iam auditorum suorum cordibus ueritatis lucem
adesse cognoscunt, clamoris sui magnitudinem in leni-
tatem dulcedinis uertunt. Et non tam illa quae sunt de

---

1. Cette énumération se retrouve dans le *Liber Pastoralis* (III, 1), où man-
quent cependant les mots *aliter timidi, aliter audaces*. Chacun des couples
de catégories opposées que Grégoire énumère dans ce texte fait l'objet d'un
chapitre (*ibid*. III, 2-30). Rédigé à Rome au début du pontificat, le *Pastoral* est

sans cependant se lamenter ; ceux qui se vantent même de leurs infractions et ceux qui, tout en condamnant le mal, ne l'évitent pas ; ceux qui se laissent vaincre par un soudain mouvement de concupiscence et ceux qui sont assujettis de plein gré aux liens du péché ; ceux qui, bien qu'il s'agisse de peccadilles, commettent néanmoins des fautes fréquentes ; ceux qui se gardent de petites fautes, mais sombrent parfois dans de plus graves ; ceux qui n'ont même pas commencé à faire le bien et ceux qui l'abandonnent en cours de route ; ceux qui font le mal en secret et le bien au grand jour ; enfin, ceux qui cachent le bien qu'ils font et, par la conduite qu'ils affichent, laissent les gens avoir d'eux une mauvaise opinion [1]. Pour chacun de ces cas, nous aurions dû expliquer en détail quel serait le genre d'exhortation, mais la crainte d'être trop long nous en empêche. Avec la grâce de Dieu, mon projet est de mener à bien ce dessein dans un autre ouvrage, si toutefois il me reste encore un peu de temps dans cette vie laborieuse.

Discernement des prédicateurs
14. Il nous faut encore souligner autre chose qui concerne l'intelligence de ce coq : c'est au plus profond des heures de la nuit que, d'habitude, ses chants sont les plus forts et les plus longs, tandis qu'à l'approche du jour sa voix décroît tout à fait en intensité et en durée. Dans ce contexte, l'intelligence de ce coq a pour nous un sens : elle représente le discernement prudent des prédicateurs. Lorsqu'ils s'adressent à des âmes encore injustes, ils élèvent le ton pour leur inspirer la crainte du jugement éternel ; ils poussent des cris, pour ainsi dire, dans les ténèbres de la nuit profonde. Mais quand ils voient que la lumière de la vérité atteint le cœur de leurs auditeurs, ils abandonnent la force de leurs clameurs pour la douceur et l'aménité ; ils ne parlent plus tellement

---

postérieur aux *Morales*, commencées à Constantinople. Ici, le pape ne renvoie pas au *Pastoral*, mais annonce seulement son projet de l'écrire.

poenis terribilia, quam ea quae sunt blanda de praemiis
proferunt. Qui etiam minutis tunc uocibus cantant, quia
15 appropinquante mane, subtilia quaeque de mysteriis praedicant, ut sequaces sui eo minutiora quaeque de caelestibus audiant, quo luci ueritatis appropinquant ; et quos
dormientes longus galli clamor excitauerat, uigilantes suc-
cisior delectet, quatenus correcto cuilibet cognoscere de
20 regno subtiliter dulcia libeat, qui prius de iudicio aduersa
formidabat. Quod bene per Moysen exprimitur, cum ad
producendum exercitum tubae clangere concisius iubentur.
Scriptum namque est : *Fac tibi duas tubas argenteas ductiles*ᵃ.
Et paulo post : *Cum concisus clangor increpuerit, mouebun-*
25 *tur castra*ᵇ. Per duas enim tubas exercitus ducitur, quia per
duo praecepta caritatis ad procinctum fidei populus uocatur.
Quae idcirco argenteae fieri praecipiuntur, ut praedicatorum
uerba lucis nitore pateant, et auditorum mentes nulla sui
obscuritate confundant. Idcirco autem ductiles, quia necesse
30 est ut hi qui uenturam uitam praedicant, tribulationum prae-
sentium tunsionibus crescant. Bene autem dicitur : *Cum*
*concisus clangor increpuerit, mouebuntur castra*ᶜ ; quia nimirum praedicationis sermo cum subtilius ac minutius agitur,
auditorum corda contra temptationum certamina ardentius
35 excitantur.

15. Est adhuc aliud in gallo sollerter intuendum, quia
cum iam edere cantus parat, prius alas excutit, et semetipsum
feriens, uigilantiorem reddit. Quod patenter cernimus, si
sanctorum praedicatorum uitam uigilanter uidemus. Ipsi

14. a. Nb 10, 2   b. Nb 10, 5   c. Nb 10, 5

alors de châtiments terribles, mais de récompenses pleines de douceur. Leurs chants sont également moins bruyants à l'approche du jour, parce qu'alors ils annoncent les mystères dans toute leur finesse, en sorte que leurs disciples reçoivent sur la vie céleste un enseignement d'autant plus détaillé qu'ils sont plus proches de la lumière de la vérité. Les cris prolongés du coq les avaient réveillés quand ils dormaient ; ils sont charmés par des chants plus brefs quand ils sont éveillés. Au lieu de craindre les suites fâcheuses du Jugement, celui qui s'est amendé se plaît à connaître intimement la douceur du Royaume. Ceci est bien exprimé par Moïse, quand l'ordre est donné de faire retentir une brève sonnerie pour faire avancer l'armée. Il est écrit, en effet : *Fais-toi deux trompettes d'argent repoussé*[a]. Et un peu plus loin : *Quand retentira une courte sonnerie, le camp se mettra en marche*[b]. Deux trompettes guident l'armée ; autrement dit, le peuple est appelé au combat de la foi par les deux préceptes de la charité. Les trompettes doivent être d'argent : la parole des prédicateurs doit briller par la clarté de sa lumière, et non pas confondre l'esprit des auditeurs par son obscurité. A cet effet, elles seront d'argent repoussé : il est nécessaire que ceux qui annoncent la vie future progressent sous le coup des tribulations de la vie présente. Il est dit avec justesse : *Quand retentira une courte sonnerie, le camp se mettra en marche*[c]. Car assurément lorsqu'une prédication est faite avec plus d'acuité et de concision, elle met au cœur des auditeurs plus d'ardeur dans le combat des tentations.

Conformer les actes aux paroles   **15.** Il nous reste encore à noter soigneusement autre chose dans le comportement du coq. Quand il se prépare à chanter, il commence par secouer ses ailes et se donner des coups d'ailes pour finir de s'éveiller. Nous observons de manière évidente la même chose dans la vie des saints prédicateurs, si nous l'examinons attentivement. Lorsqu'ils se

5 quippe cum uerba praedicationis mouent, prius se in sanctis
actionibus exercent, ne in semetipsis torpentes opere alios
excitent uoce ; sed ante se per sublimia facta excutiunt, et
tunc ad bene agendum alios sollicitos reddunt. Prius cogitationum alis semetipsos feriunt, quia quicquid in se inuti-
10 liter torpet, sollicita inuestigatione deprehendunt, districta
animaduersione corrigunt. Prius sua punire fletibus curant,
et tunc quae aliorum sunt punienda denuntiant. Prius ergo
alis insonant, quam cantus emittant, quia antequam uerba
exhortationis proferant, omne quod locuturi sunt, operibus
15 clamant ; et cum perfecte in semetipsis uigilant, tunc dormientes alios ad uigilias uocant.

16. Sed unde haec tanta doctori intellegentia, ut et sibi
perfecte uigilet, et dormientes ad uigilias sub quibusdam
clamoris prouectibus uocet, et ut peccatorum tenebras prius
caute discutiat, et discrete postmodum lucem praedicationis
5 ostendat, ut singulis iuxta modum et tempora congruat, et
simul omnibus quae illos sequantur ostendat ? Vnde ad tanta
et tam subtiliter tenditur, nisi intrinsecus ab eo, a quo est
conditus, doceatur ? Quia igitur laus tantae intellegentiae
non praedicatoris uirtus est, sed auctoris ; recte per eumdem
10 auctorem dicitur : *Vel quis dedit gallo intellegentiam ?* Ac
si diceret : Nisi ego, qui doctorum mentes quas mire ex
nihilo condidi, ad intellegenda quae occulta sunt, mirabilius
instruxit.

---

1. *Mire... mirabilius* : cette progression fait penser à une formule célèbre de
la liturgie romaine (bénédiction de l'eau à l'offertoire de la messe), contrastant
la création de la nature humaine et sa « réforme » par la Rédemption : *Deus
qui humanae substantiae dignitatem mirabiliter condidisti et mirabilius refor-
masti...* Il s'agit d'une collecte provenant du très ancien *Sacramentaire léonien*
(159, 9).

lancent dans la prédication, ils commencent par s'exercer à mener une vie sainte, de manière à ne pas se montrer indolents dans la pratique du bien, alors qu'ils y incitent les autres par la parole. Ils se secouent auparavant eux-mêmes par des actes de vertu et, alors seulement, exhortent les autres à bien agir. D'abord, ils se donnent des coups avec les ailes de leurs pensées, lorsqu'ils découvrent par une recherche attentive tout ce qui en eux est dangereusement assoupi, pour se corriger avec une rigoureuse sévérité. Avant de dénoncer ce qu'il y a de répréhensible chez les autres, ils ont soin d'expier leurs propres fautes par les larmes. Ils font claquer leurs ailes, et ensuite ils font entendre leur chant ; autrement dit : Avant de proférer des paroles d'exhortation, ils clament par leurs actes tout ce qu'ils vont dire ; et c'est lorsqu'ils veillent parfaitement sur eux-mêmes qu'ils appellent à la vigilance ceux qui dorment.

Dieu inspire les prédicateurs **16.** Mais d'où vient donc au docteur une telle intelligence ? D'où vient qu'il puisse veiller sur lui-même si parfaitement et, par des éclats de voix, inciter ceux qui dorment à faire de même ; qu'il commence par dissiper en eux avec grand soin les ténèbres des péchés, avant de les éclairer, avec discernement, de la lumière de la prédication ; qu'il s'adapte aux dispositions et au rythme de chacun, tout en apprenant à tous ce qui va leur arriver ? Comment pourrait-il prêter attention à tant de circonstances et de façon si détaillée, s'il n'était intérieurement instruit par celui-là même qui l'a créé ? Comme le mérite d'une telle intelligence n'est donc pas le fait du prédicateur lui-même, mais bien du Créateur, c'est avec raison que ce même Créateur peut dire : *Qui a donné au coq l'intelligence ?* Comme s'il disait : Qui, sinon moi, qui ai tiré du néant, d'une manière merveilleuse, l'âme des docteurs et, d'une manière plus merveilleuse encore, leur ai donné la connaissance de ce qui est caché [1] ?

Vnde bene ut in dictis praedicantium non solum inspira-
15 torem se intellegentiae, sed etiam auctorem locutionis ostendat, adiungit : *Quis enarrauit caelorum rationem ?* Quorum
tamen uerba quia cum sese nobis per speciem ostenderit
subtrahit, protinus subdit :

38, 37   IV, **17**. *Et concentum caeli quis dormire faciet ?* In hac
enim uita infirmitatis nostrae Dominus non aperta specie
maiestatis suae, sed praedicatorum suorum uoce locutus
est, ut corda adhuc carnalia carnis lingua pulsaret, et tanto
5 facilius insueta perciperent, quanto ea per sonitum consuetae
uocis audirent. At post quam per mortem in puluere caro
resoluitur, et per resurrectionem puluis animatur, tunc de
Deo audire uerba non quaerimus ; quia unum ipsum, quod
implet omnia, iam per speciem Dei Verbum uidemus ª. Quod
10 tanto nobis altius sonat, quanto et mentes nostras ui intimae
illustrationis penetrat. Sublatis namque ortis et occidentibus
uerbis, quasi quidam sonus aeternae praedicationis fit ipsa
imago internae uisionis. Vnde recte nunc ad beatum Iob
38, 37   Dominus dicit : *Quis enarrauit caelorum rationem, et*
15 *concentum caeli quis dormire faciet ?* Quid enim caelorum
ratio accipitur, nisi uis superna secretorum ? Quid per caeli
concentum nisi concors praedicantium sermo signatur ?
Conditor igitur noster cum caelorum rationem narrare coeperit, dormire caeli concentum facit, quia cum iam nobis
20 per speciem ostenditur, nimirum praedicantium uerba subtrahuntur. Hinc enim per Ieremiam Dominus dicit : *Non*
docebit ultra uir proximum suum, et uir fratrem suum, dicens :
« *Cognosce Dominum.* » « *Omnes enim cognoscent me a*
minimo eorum usque ad maximum », *dicit Dominus* ᵇ. Hinc

17. a. cf. Ep 1, 23 ; 4, 10   b. Jr 31, 34

Aussi, pour montrer que, dans les paroles des prédicateurs, il n'est pas seulement l'inspirateur de la pensée, mais aussi l'instigateur de l'élocution, il ajoute : *Qui a narré la raison des cieux ?* Et parce qu'il fera cesser les paroles des prédicateurs quand il se montrera à nous face à face, il poursuit aussitôt :

La vision succèdera à la prédication

IV, **17.** *Et qui fera dormir le concert du ciel ?* Durant cette vie, le Seigneur n'a pas parlé à notre faiblesse en se montrant dans la gloire de sa majesté, mais il a emprunté la voix de ses prédicateurs, afin de toucher les cœurs encore charnels par une langue de chair, et de leur faire entendre d'autant plus facilement ce qui leur était étranger que c'était par l'accent d'une voix familière. Mais quand, par la mort, notre chair est réduite en poussière et que cette poussière reprend vie par la Résurrection, nous ne cherchons plus à entendre parler de Dieu : nous voyons face à face désormais l'unique Parole de Dieu elle-même qui remplit toutes choses [a]. Cette Parole retentit d'autant plus fort pour nous qu'elle pénètre plus intimement nos âmes de l'éclat de sa lumière. Quand ont cessé les paroles qui commencent et prennent fin, l'image même de la vision intérieure devient comme le son d'une prédication éternelle. C'est pourquoi Dieu dit maintenant avec raison au bienheureux Job : *Qui a narré la raison des cieux ? Qui fera dormir le concert du ciel ?* Que comprendre par la raison des cieux, sinon la puissance des secrets célestes ? Que symbolise le concert du ciel, sinon l'accord des prédicateurs dans leur parole ? Quand notre Créateur commence à narrer la raison des cieux, il fait donc dormir le concert du ciel, puisque, dès qu'il se montre à nous face à face, les paroles des prédicateurs cessent assurément. C'est ce que le Seigneur dit par Jérémie : *Plus personne n'instruira son prochain ni son frère, en disant : « Connais le Seigneur ». « Car tous me connaîtront du plus petit d'entre eux jusqu'au plus grand », dit le Seigneur* [b]. Paul

38, 37

38, 37

25 Paulus ait : *Siue prophetiae euacuabuntur, siue linguae cessa-*
*bunt, siue scientia distruetur*ᶜ. Vel certe caelorum ratio est
ipsa uiuificatrix uirtus, quae spiritus format angelorum. Deus
enim sicut est causa causarum, sicut uita uiuentium, ita etiam
ratio rationabilium creaturarum. Tunc ergo caelorum ratio-
30 nem Dominus narrat, cum semetipsum nobis, quomodo
electis spiritibus praesit, insinuat. Tunc caelorum rationem
narrat, cum detersa mentis nostrae caligine, clara se uisione
manifestat. Vnde et in euangelium Dominus dicit : *Venit*
hora cum iam non in prouerbiis loquar uobis, sed palam de
35 *Patre annuntiabo uobis*ᵈ. Palam quippe de Patre annuntiare
se asserit, quia per patefactam tunc maiestatis suae speciem,
et quomodo ipse gignenti non impar oriatur, et quomodo
utrorumque Spiritus utrique coaeternus procedat, ostendit.
Aperte namque tunc uidebimus, quomodo hoc quod orien-
40 do est, ei de quo oritur, subsequens non est ; quomodo is qui
per processionem producitur, a proferentibus non praeitur.
Aperte tunc uidebimus quomodo et unum diuisibiliter tria
sint, et indiuisibiliter tria unum. Lingua ergo tunc narrantis
Dei est uisa claritas subleuantis. Et concentus caeli tunc dor-
45 miunt, quia apparente in iudicio retributore operumᵉ, exhor-
tationum iam uerba cessabunt.

Vnde et apte ipsum resurrectionis tempus adiungitur, cum
ilico profertur :

38, 38   V, **18.** ***Quando fundabatur puluis in terram et glebae***
compingebantur. More enim suo quae adhuc futura sunt,
quasi iam praeterita diuinus sermo describit, hoc in se uidelicet seruans, quod per eum dicitur : *Qui fecit quae futura*
5 *sunt*ᵃ. Puluis itaque tunc in terram funditur, quia in solida

17. c. 1 Co 13, 8   d. Jn 16, 25   e. cf. Mt 16, 27
18. a. Is 45, 11

dit de son côté : *Les prophéties disparaîtront, les langues se tairont, la science sera abolie*[c][1]. Ou bien : la raison des cieux est la vertu vivifiante qui forme les esprits des anges. En effet, comme Dieu est la cause des causes, comme il est la vie des êtres vivants, il est aussi la raison des créatures raisonnables. Le Seigneur narre la raison des cieux, quand il nous fait connaître comment il gouverne les esprits des élus. Il narre la raison des cieux, quand, ayant dissipé les ténèbres de notre esprit, il se manifeste à nous dans une claire vision. C'est pourquoi le Seigneur dit dans l'Évangile : *L'heure vient où je ne vous parlerai plus en figures, mais je vous parlerai du Père en toute clarté*[d]. Le Seigneur affirme qu'il parle du Père en toute clarté, parce qu'en nous faisant voir alors sa majesté face à face, il nous montre, et comment il peut naître sans être inférieur à celui qui l'engendre, et comment procède l'Esprit de l'un et de l'autre, coéternel à l'un et à l'autre. Nous verrons alors clairement, en effet, comment ce qui est par émanation n'est pas subséquent à celui dont il émane ; comment celui qui est produit par procession n'est pas précédé par ceux dont il procède. Nous verrons alors clairement comment et l'Un est Triade divisible, et la Triade indivisiblement l'Un. Alors le langage de Dieu qui narre, c'est la vision de la gloire de celui qui élève. Et les concerts du ciel dorment alors, car, dès lors que paraîtra pour le Jugement celui qui rétribue les œuvres[e], les paroles d'exhortation cesseront.

C'est ainsi que le temps lui-même de la Résurrection est mentionné bien à propos, lorsqu'il est dit au même endroit :

V, 18. *Lorsque la poussière prenait la consistance de la terre et que les mottes de terre s'assemblaient*. Selon son habitude, la parole de Dieu décrit les événements encore à venir comme déjà passés, accomplissant en elle ce qui est dit par elle : *Il a fait les choses à venir*[a]. La poussière prend la

38, 38

1. En *Mor.* 30, 49, Grégoire associera de même le mot du prophète (Jr 31, 34) et celui du Christ (Jn 16, 25).

membra reducitur. Et glebae compinguntur, quia nimirum firma corpora ex puluere collecta consurgunt. Sed postquam uerba haec dominica quomodo de futuro intellegenda sint diximus, nunc etiam quid de praesenti insinuent, indicemus.

19. *Quis enarrabit caelorum rationem, et concentum caeli quis dormire faciet ?* Caelorum rationem Dominus narrat, dum nunc insinuando superna secreta, electorum suorum mentes illuminat. Concentum uero caeli dormire facit, dum
5 concordes hymnos angelorum, atque illa caelestium uirtutum gaudia reproborum cordibus iusto iudicio abscondit. Qui concentus caeli, quamuis in se intrinsecus uigilet, in ipsa tamen reproborum ignorantia extrinsecus dormit. Enarratur ergo secreti caelestis ratio, et tamen concentus caeli dormire
10 permittitur ; quia et aliis per inspirationem supernae retributionis scientia panditur, et aliis quae sit internae laudis suauitas occultatur.

20. Narratur caelorum ratio, quia electorum mentibus quae sit supernorum retributio indesinenter aperitur, ut nimirum sine cessatione proficiant, et transcurrentes uisibilia, sese ad inuisibilia extendant. Omne enim uisibile quod
5 in hac uita reprobos figit, hoc electos ad alia impellit, quia dum bona quae facta sunt, respiciunt, in eum a quo facta sunt inardescunt, tantoque eum praestantius amant, quanto illum hoc quod ipse bonum condidit, praeire considerant[a]. Loquitur quippe hoc eis intrinsecus, silenter sonans inui-
10 sibilis lingua compunctionis. Quam tanto plenius intus audiunt, quanto ab exteriorum desideriorum strepitu per-

20. a. cf. Sg 13, 1-3

consistance de la terre, quand elle prend la forme de membres solides ; et des mottes de terre s'assemblent, quand, à partir de la concentration de la poussière, surgissent des corps résistants. Mais, après avoir donné de ces paroles du Seigneur une explication concernant le futur, indiquons maintenant ce qu'elles veulent dire pour le présent.

Récompenses promises aux élus
19. *Qui narrera la raison des cieux ? Qui fera dormir le concert du ciel ?* Le Seigneur narre la raison des cieux, quand il illumine les âmes de ses élus en leur faisant connaître dès maintenant les secrets célestes. Mais il fait dormir le concert du ciel, quand, par un juste jugement, il cache au cœur des réprouvés les hymnes harmonieuses des anges et les joies merveilleuses des puissances célestes. Ce concert du ciel, bien qu'en soi, il demeure intérieurement éveillé, cependant, extérieurement, pour les réprouvés, dans leur inconscience, il semble dormir. La raison du mystère céleste est donc narrée, et cependant le concert du ciel est en sommeil ; parce que, si aux uns est révélée par inspiration la connaissance des récompenses célestes, aux autres reste cachée la douceur de la louange intérieure.

38, 37

20. Le Seigneur narre la raison des cieux, parce qu'il ne cesse de découvrir à l'âme des élus la récompense qu'il leur réserve dans l'autre vie, afin qu'ils progressent sans relâche et que, se hâtant de dépasser les réalités visibles, ils tendent vers les invisibles. Tout ce domaine du visible, qui retient en cette vie les réprouvés, pousse les élus vers un ailleurs parce que, regardant les bonnes choses créées, ils s'enflamment pour celui qui les a faites, et ils l'aiment d'autant mieux qu'ils le voient dépasser tout ce bien qu'il a lui-même créé[a]. Ce qui leur parle intérieurement, c'est la langue invisible de la componction qui résonne sans bruit ; et ils l'entendent d'autant plus clairement en eux qu'ils s'écartent plus parfaitement du vacarme

fectius auertuntur. His itaque concentus caeli non dormit, quia eorum mens, quae sit laudis supernae suauitas,
apposita amoris aure cognoscit. Intus enim quod appetunt
15 audiunt, et de caelestium bonorum praemiis ipso desiderio
diuinitatis instruuntur. Vnde et praesentem uitam non solum aduersantem, sed etiam fauentem grauiter tolerant,
quia eis onerosum est omne quod cernitur, dum ab eo quod
intus audiunt, differuntur. Omne quod sibi praesto est, gra-
20 ue aestimant, quia illud non est, ad quod anhelant ; indesinenter autem eorum mens ipsis temporalitatis laboribus
fessa, in illud caeleste gaudium resumenda suspenditur, dum
in aure cordis intro erumpente concentu societatem sibi
cotidie supernorum ciuium praestolantur. Iste concentus
25 supernae laudis in aure illius eruperat, qui dicebat : *Ingrediar*
in locum tabernaculi admirabilis, usque ad domum Dei, in
uoce exsultationis et confessionis, sonus epulantis [b]. Qui igitur
intus uocem exsultationis et confessionis ac sonus ciuitatis
epulantis audierat, quid illum aliud, nisi caeli concentus
30 excitabat ?

21. Qui tamen concentus reprobis dormit, quia eorum
cordibus nequaquam per uocem compunctionis innotescit.
Non enim considerare illam desiderabilem supernorum
ciuium frequentiam student, nullo ardoris radio illa sollem-
5 nitatis internae festa conspiciunt, nulla in intimis contemplationis penna subleuantur. Solis namque uisibilibus
seruiunt ; et idcirco nihil supernae suauitatis intrinsecus
audiunt, quia eos, sicut et superius diximus, in aure cordis
curarum saecularium surdi tumultus premunt. Quia igitur
10 occulti dispensatione iudicii quod aliis aperitur, aliis clau-

20. b. Ps 41, 5

des désirs extérieurs. Pour eux, le concert du ciel ne dort pas, car leur âme tend l'oreille de l'amour et connaît la douceur de la louange céleste. C'est au dedans qu'ils entendent ce qu'ils recherchent, et leur désir même de Dieu les instruit des récompenses célestes. C'est pourquoi la vie présente leur est un poids, non seulement quand elle leur est contraire, mais même quand elle leur est favorable, parce que tout ce qui est visible leur est à charge, tant que leur échappe encore ce qu'ils entendent intérieurement. Tout ce qui est à leur portée leur semble pénible, parce que ce n'est pas ce à quoi ils aspirent. Sans cesse leur âme, lassée des peines de cette vie temporelle, est suspendue à cette joie céleste qui la renouvelle, et le concert qui retentit au dedans, à l'oreille de leur cœur, leur fait attendre chaque jour la compagnie des citoyens d'en haut. Ce concert de la louange céleste avait retenti aux oreilles de celui qui disait : *J'entrerai dans le lieu du tabernacle admirable jusqu'à la maison de Dieu, au milieu des chants d'allégresse et de louange, des cris de joie d'une ville en fête*[b]. Celui qui avait entendu intérieurement les chants d'allégresse et de louange, et les cris de joie d'une ville en fête, qu'est-ce donc qui le réveillait, sinon le concert du ciel ?

Surdité des réprouvés   **21.** Mais, pour les réprouvés, ce concert dort, car leur cœur n'en a absolument pas connaissance par la voix de la componction. Ils ne font, en effet, aucun effort pour contempler cette assemblée si désirable des citoyens d'en haut. Pas la moindre étincelle de ferveur chez eux pour considérer les splendeurs de ces fêtes intérieures ; l'aile de la contemplation ne les soulève nullement dans le secret ; esclaves qu'ils sont des seules réalités visibles, ils ne peuvent rien entendre à l'intérieur d'eux-mêmes de la douceur céleste, parce que, comme nous l'avons dit plus haut, le vacarme assourdissant des préoccupations du siècle obstrue l'oreille de leur cœur. Oui, par le plan d'un jugement mystérieux, aux uns est ouvert ce qui reste fermé

ditur ; quod aliis detegitur, aliis occultatur, dicatur recte : *Quis enarrabit caelorum rationem, et concentum caeli quis dormire faciet* ? Quod tamen tunc nobis latius innotuit, cum Redemptor noster per dispensationis mysterium apparens, et
15 indignis misericordiam praebuit, et eos a se qui digni uidebantur exclusit. Vnde hic quoque apte subiungitur :

38, 38   VI, **22.** ***Quando fundabatur puluis in terram et glebae compingebantur.*** Quid enim in puluere, nisi peccatores accipimus, qui nullo rationis pondere solidati, cuiuslibet temptationis flatu rapiuntur ? De quibus scriptum est : *Non*
5 *sic impii non sic, sed tamquam puluis quem proicit uentus a facie terrae*[a]. Puluis ergo in terram fundatus est, cum peccatores uocati in Ecclesia traditae fidei sunt ratione solidati, ut qui prius inconstantia mobiles temptationis aura leuabantur, immobiles postmodum contra temptamenta consisterent, et
10 Deo perseueranter inhaerentes, fixum bene uiuendi pondus tenerent. Glebae uero ex humore coagulantur et puluere. In hac itaque terra glebae compinctae sunt, quia uocati peccatores et per sancti Spiritus gratiam infusi, in collectione sunt caritatis uniti. Istae glebae in terra compinctae sunt, quando
15 populi qui prius quasi in dispersione pulueris diuersa sentiebant, postmodum sancti Spiritus gratia accepta, in illa pacatissima unanimitatis concordia conuenerunt, ut cum essent tria milia[b], uel rursum quinque milia[c], scriptura teste diceretur, quia *erat in eis cor unum et anima una*[d]. Has gle-
20 bas ex uno quidem puluere, sed quasi diuersa mole distinctas

---

22. a. Ps 1, 4   b. cf. Ac 2, 41   c. cf. Ac 4, 4   d. Ac 4, 32

1. Les « trois mille » et les « cinq mille » premiers croyants (Ac 2, 41 et 4, 4) ont déjà été évoqués ensemble dans *Mor.* 18, 56 et le seront de nouveau dans *Mor.* 30, 32.

aux autres, ce qui est dévoilé aux uns est caché aux autres ; et c'est pourquoi il est affirmé à juste titre : *Qui narrera la raison des cieux ? Qui fera dormir le concert du ciel ?* Et ceci nous a été révélé d'une manière plus étendue encore quand notre Rédempteur, se révélant dans le mystère du plan divin, a montré sa miséricorde à des indignes et a rejeté loin de lui ceux qui paraissaient dignes. Aussi le texte poursuit-il à propos :

Unité de l'Église dans la diversité

VI, **22.** *Lorsque la poussière prenait la consistance de la terre et que les mottes de terre s'assemblaient.* Que représente pour nous la poussière, sinon les pécheurs ? Ne jouissant pas de la solidité que donne le poids de la raison, ils sont emportés au moindre souffle de la tentation. Selon ce qui est écrit : *Il n'en est pas de même pour les impies, mais ils sont comme la poussière que le vent disperse à la surface de la terre*[a]. La poussière a donc pris la consistance de la terre, quand les pécheurs appelés dans l'Église ont été affermis par la règle de la foi qui leur a été transmise ; auparavant inconsistants et instables, entraînés par le plus léger souffle de tentation, ils sont désormais devenus inébranlables : ils résistent à tous les assauts, s'attachent à Dieu avec persévérance et se maintiennent fermement dans la stabilité d'une vie droite. Les mottes de terre sont faites d'un mélange de liquide et de poussière. Ces mottes ont donc été assemblées sur la terre, quand les pécheurs, après avoir été appelés et remplis de la grâce du Saint-Esprit, ont été unis dans la communion de la charité. Ces mottes ont été assemblées sur la terre, quand, autrefois dispersés comme de la poussière et sans unité de sentiments, les peuples, après avoir reçu la grâce du Saint-Esprit, ont été réunis dans l'unité d'une concorde si paisible que les trois mille[b], et puis les cinq mille[c], dont parle l'Écriture[1] *n'avaient qu'un seul cœur et qu'une seule âme*[d]. Ces mottes de terre, provenant d'une même poussière, mais

38, 38

cotidie Dominus in terra compingit, quia seruata unitate
sacramenti, iuxta uarietatem morum atque linguarum fideles
in Ecclesia populos colligit. Has glebas iam tunc Dominus
designauit, quando ad esum panis et piscium quinquagenos
25 discumbere, uel centenos iussit[e].

23. Quas tamen glebas si in Ecclesia ex diuersitate meritorum attendimus, fortasse adhuc distinguere subtilius
ualemus. Nam dum alius est ordo praedicantium, alius
auditorum ; alius regentium, atque alius subditorum ; alius
5 coniugum, alius continentium ; alius paenitentium, alius
uirginum ; quasi ex una terra est diuersa glebarum forma
distincta, dum in una fide, in una caritate disparia demonstrantur bene operantium merita. Has glebas populus ille
significauit, qui ad constructionem tabernaculi sub uno
10 studio diuersa donaria obtulit ; de quo scriptum est : *Quic-*
quid in cultum et ad uestes sanctas necessarium erat, uiri
cum mulieribus praebuerunt, armillas et inaures, annulos et
dextralia ; omne uas aureum in donaria Domini separatum
est. Si quis habuit hyacinthum, purpuram, coccum bis tinctum,
15 *byssum et pilos caprarum*[a].

24. In ornamento ergo tabernaculi, uiri dona cum mulieribus offerunt ; quia in explendo cultu sanctae Ecclesiae, et
fortium facta sublimia, et infirmorum opera extrema nume-
rantur. Quid autem per armillas, quae lacertos adstringunt, ni-
5 si praepositorum ualide laborantium opera demonstrantur ?
Et quid per inaures, nisi subditorum oboedientia exprimitur ?

22. e. cf. Mc 6, 40-41
23. a. Ex 35, 21-23

en quelque sorte distinctes par la diversité de leur masse, le Seigneur les assemble chaque jour sur la terre, parce que, tout en gardant l'unité du mystère, il rassemble dans l'Église des peuples croyants différents de mœurs et de langues. Le Seigneur a préfiguré ces mottes de terre le jour où il fit s'étendre la foule par groupes de cinquante et de cent pour leur donner à manger du pain et du poisson[e].

Diversité des mérites dans l'Église   **23.** Cependant, ces mottes de terre, si nous sommes attentifs à la diversité des mérites dans l'Église, nous pouvons peut-être les différencier encore plus précisément. Il y a la catégorie des prédicateurs et celle des auditeurs, celle des autorités et celle des sujets, celle des époux et celle des continents, celle des pénitents et celle des vierges : autant de mottes de formes variées, faites d'une seule et même terre ; autant de mérites de bons ouvriers, manifestés diversement dans une même foi et une même charité. Ces différentes mottes de terre ont été symbolisées par le peuple qui, pour la construction du Temple, offrit avec un même zèle des dons variés, comme il est écrit : *Les hommes et les femmes offrirent tout ce qui était nécessaire au culte et aux vêtements sacrés ; bracelets et pendants d'oreilles, bagues et ornements de la main droite, tout objet d'or fut mis à part comme offrande pour le Seigneur. Il en fut de même pour tous ceux qui possédaient de l'hyacinthe, de la pourpre, de l'écarlate teinte deux fois, du lin fin et du poil de chèvre*[a].

24. Les hommes, et les femmes aussi, font des offrandes pour orner la Tente, parce que, dans le culte que la sainte Église rend à Dieu, il faut compter aussi bien les œuvres sublimes des forts que les plus petites actions des faibles. Les bracelets qui enserrent les muscles du bras n'évoquent-ils pas l'ardeur au travail de ceux qui gouvernent l'Église ? Et les pendants d'oreilles, l'obéissance de ceux qui leur sont

Quid per annulos, nisi signaculum secretorum ? Plerumque
enim magistri signant quod ab auditoribus capi non posse
considerant. Et quid per dextralia, nisi primae operationis
10 ornamenta memorantur ? Quid per uas aureum in donaria
Domini separatum, nisi diuinitatis intellegentia accipitur ?
Quae tanto ab inferiorum amore disiungitur, quanto ad sola,
quae aeterna sunt, amanda subleuatur. Quid per hyacinthum,
nisi spes caelestium ? Quid per purpuram, nisi cruor ac tole-
15 rantia passionum, amore regni perpetui exhibita ? Et quid
per bis tinctum coccum, nisi caritas demonstratur ; quae
pro perfectione bis tinguitur, quia Dei et proximi dilectione
decoratur ? Quid per byssum, nisi immaculata carnis incor-
ruptio ? Et quid per pilos caprarum, ex quibus ciliciorum
20 asperitas texitur, nisi dura paenitentium afflictio designatur ?
Dum igitur alii per armillas et annulos forte magisterium
exercent, alii per inaures et dextralia deuotam oboedientiam
rectamque operationem exhibent, alii per separatum uas
aureum, praeclaram subtilioremque Dei intellegentiam
25 tenent ; alii per hyacinthum, purpuram et coccum, audita
caelestia sperare, credere, amare non desinunt, etiam quae
adhuc subtiliori intellectu minime cognoscunt ; alii per
byssum, incorruptionem carnis offerunt ; alii per caprarum
pilos, deplorant aspere quod libenter ammiserunt, quasi ex
30 una terra innumerae glebae proferuntur, quia ex uno et pari
obsequio facta fidelium disparia procedunt. Quae nimirum
glebae nequaquam concretae ex puluere surgerent, nisi aquam
prius puluis acciperet, et concepto se humore solidaret ; quia

---

1. Sur la forme en -*i* de l'ablatif, cf. A. BLAISE, *Manuel du latin chrétien*,
Strasbourg 1955, § 52.

soumis ? Les bagues, le sceau du secret ? Souvent, en effet, les maîtres scellent les vérités qu'ils estiment hors de portée de leurs auditeurs. Et les ornements de la main droite n'évoquent-ils pas la dignité de la fonction du supérieur ? Ne peut-on voir dans les objets d'or mis à part comme offrande pour le Seigneur l'intelligence de la divinité, d'autant plus détachée de l'amour des réalités terrestres qu'elle s'élance vers celles qui sont éternelles, seules dignes d'être aimées ? L'hyacinthe ne représente-t-elle pas l'espérance des biens célestes ; la pourpre, les blessures et la patience à l'égard des souffrances en témoignage d'amour pour le royaume éternel ; l'écarlate teinte deux fois, la charité qui, pour être parfaite, doit être ornée doublement de l'amour de Dieu et du prochain ; le lin fin, l'intégrité d'un corps sans tache ? Les poils de chèvre dont sont faits les rudes cilices ne sont-ils pas les austères mortifications des pénitents ? Lors donc que les uns, figurés par les bracelets et les bagues, exercent le magistère avec courage et que les autres, symbolisés par les boucles d'oreilles et les ornements de la main droite, manifestent, qui une obéissance empressée, qui une conduite irréprochable ; que les uns, figurés par les objets en or mis à part, jouissent d'une intelligence merveilleuse et pénétrante de Dieu, et que les autres, représentées par l'hyacinthe, la pourpre et l'écarlate, ne cessent d'accueillir l'annonce des biens célestes dans l'espérance, la foi et l'amour, même si leur intelligence encore plus pénétrante [1] ne parvient pas à les comprendre ; lorsque les uns, figurés par le lin fin, offrent à Dieu l'intégrité de leur corps, et que les autres, symbolisés par les poils de chèvre, pleurent amèrement ce qu'ils ont commis de plein gré, c'est comme si une infinité de mottes étaient formées d'une même terre, puisque c'est d'une seule et même obéissance que procèdent les différentes œuvres des croyants. Et la poussière n'aurait jamais pu se former en mottes de terre, si elle n'avait d'abord été arrosée pour acquérir, en absorbant l'humidité, une certaine consistance ; autrement dit : Si la grâce de

nisi peccatores quosque sancti Spiritus gratia infunderet,
35 constrictos eos ad fidei opera caritatis unitas non teneret.
Quando igitur Dominus enarrauit caelorum rationem, uel
concentum caeli dormire fecit, aperiat. Ait enim : *Quando
fundabatur puluis in terram et glebae compingebantur.* Ac si
diceret : Tunc primum uocatione et discretione manifesta,
40 secreta spiritalia et non sine misericordia aliis aperui, et non
sine iustitia aliis clausi, cum alios respuerem, et alios intra
Ecclesiam concordia caritatis adunarem. Quae sancta Ecclesia quia a perfidia Iudaeorum repulsa, ad rapiendas gentes
se contulit.

45   Atque in suo corpore conuertendas, quod quidem non
suis, sed Domini uiribus fecit, apte subiungitur :

38, 39   VII, **25.** *Numquid capies leaenae praedam, aut animam catulorum eius implebis ?* Ista nimirum illa leaena
est, de qua Iob dixerat, cum superbientem Iudaeam cerneret
praedicante Ecclesia praetermissam : *Non calcauerunt eam
5 filii institorum, nec pertransiuit per eam leaena*[a]. Huic ergo
leaenae praedam Dominus capit, ut animam catulorum eius
impleat, quia ad augmentum huius Ecclesiae, innumeros
de gentilitate diripuit, et per animarum lucrum esurientia
apostolorum uota satiauit. Ipsi quippe catuli pro mentis tene-
10 ritudine et formidinis infirmitate uocati sunt, qui passo Domino clausis foribus residebant, sicut de illis scriptum est :

25. a. Jb 28, 8

l'Esprit saint ne commençait par descendre sur tous ceux qui sont pécheurs, l'unité de la charité ne pourrait les maintenir étroitement unis pour produire les œuvres de la foi. Quand le Seigneur a-t-il narré la raison des cieux et fait dormir le concert du ciel ? Il le dit : *Lorsque la poussière prenait la consistance de la terre et que les mottes de terre s'assemblaient.* Autrement dit : C'est à partir de ce moment que j'ai clairement appelé les uns et écarté les autres, que j'ai découvert aux uns, non sans miséricorde, les secrets spirituels, et que, non sans justice, je les ai cachés aux autres, quand j'ai rejeté les uns et uni les autres dans l'Église par la concorde de la charité. Et cette sainte Église, parce qu'elle a été repoussée par les juifs incrédules, s'est employée à ravir les païens.

Comme elle n'a pas accompli cette œuvre par ses propres forces, mais par la grâce du Seigneur, le texte poursuit fort bien :

Les païens, membres de l'Église

VII, **25.** *Raviras-tu une proie pour la lionne et apaiseras-tu la faim de ses lionceaux ?* Cette lionne [1], c'est celle dont avait parlé Job lorsqu'il voyait la Judée, dans son orgueil, laissée de côté par l'Église missionnaire : *Les fils des marchands n'y ont point mis le pied et la lionne ne l'a point traversée* [a]. Le Seigneur ravit donc une proie pour cette lionne afin d'apaiser la faim de ses lionceaux, quand il a arraché d'innombrables païens pour les faire entrer dans son Église, comblant ainsi, par le gain des âmes, les désirs et la faim des apôtres. Ces derniers sont appelés ici lionceaux à cause de leur âme encore bien fragile et de leur faiblesse craintive, eux qui, après la Passion du Seigneur, demeuraient toutes portes closes, ainsi que le dit l'Écriture à leur sujet : *Le*

38, 39

---

1. Le premier texte cité (Jb 28, 8) a été commenté plus haut (*Mor.* 18, 55) et interprété comme ici : la « lionne » est l'Église, qui délaisse le judaïsme obstiné. Même exégèse déjà dans *Mor.* 5, 41.

Cum esset sero die illo una sabbatorum, et fores essent clausae
ubi erant discipuli propter metum Iudaeorum, uenit Iesus, et
stetit in medio eorum[b].

15 Vnde hic quoque de eisdem catulis apte subiungitur :

38, 40   VIII, **26.** *Quando cubant in antris et in specubus insi-*
diantur. Cum enim nequaquam sancti apostoli contra
membra diaboli in uoce liberae praedicationis exsurgerent,
et necdum post passionem Domini sancti Spiritus effusione
5 solidati, Redemptorem suum firma auctoritate praedicarent,
adhuc contra aduersarios suos quasi in antris insidiabantur.
Clausis quippe foribus quasi in quibusdam abditis specubus
suis catuli rapturi mundum cubabant, ut animarum praedam postmodum praesumentes diriperent, de quibus tunc
10 certum est quod mundi impetum etiam sibimetipsis laten-
do formidarent. Illis foribus clausis isti catuli mortem mortis
nostrae insidiati quaesierunt[a], ut culpam nostram interficerent, omnemque in nobis peccati uitam necarent. Horum
primo illi esurienti catulo, sed iam ualenti, ostensa per lin-
15 teum gentilitate, quasi monstrata praeda dicitur : *Macta*
et manduca[b]. His catulis uelut adhuc infirmis, ut cubare
in antris debeant iubetur, cum eis dominica uoce dicitur :
Sedete in ciuitate quoadusque induamini uirtute ex alto[c].
An non recte leaenae catuli uocantur, qui in Ecclesia editi,
20 aduersantem mundum ore rapuerunt ?

27. Et haec quidem facta a sanctis apostolis nouimus, haec
nunc etiam fieri a rectis doctoribus uidemus. Ipsi enim etsi
subsequentium populorum patres sunt, tamen praeceden-

25. b. Jn 20, 19
26. a. cf. Os 13, 14   b. Ac 10, 13 ; 11, 7   c. Lc 24, 49

1. Citation de Lc 24, 49 comme dans *Past.* III, 25, où l'interprétation est
plus générale et morale : il ne faut pas se presser de prêcher avant d'en être
capable, mais rester en silence à l'intérieur de soi-même.

soir de ce jour, qui était le premier de la semaine, alors que, par
crainte des juifs, les portes du lieu où se trouvaient les disciples
étaient verrouillées, Jésus vint et se tint au milieu d'eux [b].

C'est pourquoi le texte dit ensuite avec raison au sujet de
ces lionceaux :

**Mission
des apôtres**

VIII, **26.** ***Quand ils sont tapis dans***
leurs antres et sont à l'affût dans leurs
cavernes. Au temps où les saints apôtres
n'osaient pas encore se dresser contre les membres du
diable par la voix d'une prédication faite en toute liberté, et
n'étaient pas encore affermis, après la Passion du Seigneur, par
l'effusion de l'Esprit saint pour annoncer leur Rédempteur
avec une autorité assurée, ils se tenaient, pour ainsi dire,
dans leurs antres, à l'affût. Toutes portes closes, ils étaient
comme des lionceaux tapis dans leurs cavernes cachées, prêts
à s'emparer du monde ; ayant acquis de l'audace, ils raviraient
les âmes comme des proies, mais, en attendant, il est sûr
qu'ils se cachaient, parce qu'ils redoutaient pour eux-mêmes
les assauts du monde. Toutes portes closes, ces lionceaux à
l'affût ont cherché la mort de notre mort [a], afin de tuer notre
faute et d'anéantir en nous toute la vie du péché. Pierre, le
premier de ces lionceaux affamés, avait déjà acquis quelque
force quand on lui montra dans une grande nappe toute la
Gentilité comme une proie à ravir, et il lui fut dit : *Tue et*
mange [b]. Mais, à cause de leur faiblesse présente, la voix du
Seigneur ordonne à ces lionceaux de rester tapis dans leurs
antres : *Demeurez dans la ville jusqu'à ce que vous soyez revêtus*
de la force d'en haut [c] [1]. N'est-ce pas à juste titre que les apôtres
sont appelés les petits de la lionne ? Nés dans l'Église, ils se
sont emparés par leur bouche du monde hostile.

27. Nous savons que les saints apôtres ont agi ainsi et nous
voyons que les docteurs orthodoxes font de même aujourd-
'hui. S'ils sont les pères des peuples qui les suivent, ils sont

38, 40

tium filii ; unde et non immerito catuli dicuntur. Vel certe
5 quia etsi quorumdam fidelium magistri sunt, uniuersalis tamen Ecclesiae discipulos se esse gloriantur. Leaenae itaque
Dominus praedam capit, quia uirtute suae inspirationis ab
errore uitam delinquentium diripit, et animas catulorum
illius replet, quia conuersione multorum piis doctorum desi-
10 deriis satisfacit.

De quibus catulis bene subiungitur : *Quando cubant in
antris et in specubus insidiantur.* Neque enim cuncta tempora
doctrinae sunt congrua. Nam plerumque dictorum uirtus
perditur, si intempestiue proferantur. Saepe uero et quod
15 lenius dicitur, conuentu temporis congruentis animatur.
Ille ergo scit recte dicere, qui et ordinate nouit tacere. Quid
enim prodest eo tempore irascentem corripere, quo alienata
mente non solum non aliena uerba percipere, sed semetipsum uix ualet tolerare ? Furentem quippe qui per inuectio-
20 nem corripit, quasi ei qui non sentiat plagas ebrio imponit.
Doctrina itaque ut peruenire ad cor audientis ualeat, quae
sibi sint congrua temporum momenta perpendat. Bene
ergo de eisdem catulis dicitur : *Quando cubant in antris et
in specubus insidiantur.* Doctores enim sancti quando et
25 arguenda conspiciunt et tamen se per silentium in cogitationibus retinent, quasi in specubus latent, et uelut in antris
se contegunt, quia in suis cordibus occultantur. Sed cum
opportunum tempus inuenerint, repente prosiliunt, nulla
quae dicenda sunt reticent, et ceruicem superbientium morsu
30 asperae increpationis tenent.

Siue itaque per apostolos, seu per doctores, quos in apostolorum loco subrogauit, huic leaenae Dominus cotidie prae-

aussi les fils de ceux qui les ont précédés ; c'est pourquoi, non sans raison, ils sont appelés lionceaux. Ou bien : Même s'ils sont les maîtres de certains des fidèles, ils se glorifient néanmoins d'être les disciples de l'Église universelle. Le Seigneur ravit donc une proie pour la lionne puisque, par la puissance de son inspiration, il arrache à l'erreur la vie des pécheurs. Et il apaise la faim de ses lionceaux, car la conversion de la multitude comble les pieux désirs des docteurs.

Au sujet de ces lionceaux, il est bien dit ensuite : *Quand ils sont tapis dans leurs antres et sont à l'affût dans leurs cavernes.* Tous les moments ne conviennent pas pour l'enseignement de la doctrine. Ce que l'on dit perd d'ordinaire son efficacité, si on le dit à contretemps. Souvent, au contraire, ce qui est exprimé avec douceur prend force par l'occurrence d'un moment opportun. Celui-là donc sait parler avec discernement qui sait se taire à propos. A quoi sert de vouloir reprendre un homme alors qu'il est en colère ? Hors de lui, non seulement il est incapable de recevoir les paroles d'autrui, mais il peut à peine se supporter lui-même. Se répandre en invectives contre un homme en fureur, c'est comme frapper un ivrogne qui n'éprouve plus de sensation. Pour qu'un enseignement puisse toucher le cœur de celui qui écoute, il faut choisir le moment opportun pour le lui adresser. C'est donc avec raison qu'il est dit de ces lionceaux : *Quand ils sont tapis dans leurs antres et sont à l'affût dans leurs cavernes.* Quand les saints docteurs voient quelque chose de répréhensible et cependant se tiennent en silence, gardant pour eux leurs pensées, ils se cachent, pour ainsi dire, dans leurs cavernes et se terrent dans leurs antres, parce qu'ils se réfugient dans le secret de leur cœur. Mais, quand ils rencontrent le moment opportun, soudain ils bondissent, sans plus rien taire de ce qui doit être dit, et ils font sentir à la nuque des orgueilleux la morsure d'une rude admonition.

Soit donc par les apôtres, soit par les docteurs qu'il a mis à la place des apôtres, le Seigneur capture chaque jour une

dam capit, et per eos quos ceperit, alios etiam capere non
desistit. Ad hoc quippe iusti huius mundi peccatores rapiunt,
35 ut per conuersos eos alii etiam ex mundo rapiantur. Vnde
et ipsa gentilitas, quae pio apostolorum ore capta est, tanta
nunc fame alios esurit, quanta se ab apostolis concupitam
fuisse cognoscit. Proinde et apte subiungitur :

38, 41

IX, **28.** *Quis praeparat coruo escam suam, quando pulli
eius ad Deum clamant, uagantes eo quod non habeant
cibos ?* Quid enim corui, pullorumque eius nomine, nisi
peccatis nigra gentilitas designatur ? De qua per prophetam
5 dicitur : *Qui dat iumentis escam ipsorum et pullis coruorum
inuocantibus eum* [a]. Iumenta quippe escam accipiunt, dum
sacrae scripturae pabulo mentes dudum brutae satiantur.
Pullis uero coruorum, filiis scilicet gentium esca datur, cum
eorum desiderium nostra conuersatione reficitur. Iste coruus
10 esca fuit, dum ipsum sancta Ecclesia quaereret. Sed nunc
escam accipit, quia ipse ad conuersionem alios exquirit.

29. Cuius uidelicet pulli, id est praedicatores ex eo editi,
non in se praesumunt, sed in uiribus Redemptoris sui. Vnde
bene dicitur : *Quando pulli eius ad Deum clamant.* Nihil
enim sua uirtute posse se sciunt. Et quamuis animarum
5 lucra piis uotis esuriant, ab illo tamen qui cuncta intrinsecus
operatur, haec fieri exoptant. Vera enim fide comprehendunt,
quia *neque qui plantat est aliquid, neque qui rigat, sed qui
incrementum dat Deus* [a].

28. a. Ps 146, 9
29. a. 1 Co 3, 7

proie pour cette lionne, et il utilise ceux qu'il a capturés pour sans cesse en capturer d'autres. Car les justes s'emparent des pécheurs de ce monde pour qu'une fois convertis, eux-mêmes en arrachent d'autres au monde. La Gentilité, dont s'est emparée la sainte bouche des apôtres, a maintenant, elle aussi, faim des autres, d'une faim d'autant plus grande qu'elle sait combien elle-même a été convoitée par les apôtres. Ainsi donc le texte ajoute à propos :

Fidèles issus du paganisme   IX, **28.** *Qui prépare au corbeau sa*   38, 41
nourriture, lorsque ses petits crient vers Dieu et qu'ils errent faute de nourriture ?
Qui est figuré par le corbeau et ses petits, sinon la Gentilité, noire de péchés ? C'est pourquoi le prophète dit : *Il donne aux bêtes leur nourriture, ainsi qu'aux petits des corbeaux qui l'invoquent*[a]. Les bêtes reçoivent leur nourriture, quand les âmes, autrefois dénuées de raison, se nourrissent du fourrage de la sainte Écriture. Les petits des corbeaux, c'est-à-dire les fils des païens, reçoivent leur nourriture, quand leur désir est satisfait par notre conversion. Le corbeau fut lui-même nourriture quand la sainte Église le cherchait. Mais maintenant, c'est lui qui reçoit de la nourriture, parce qu'il en cherche d'autres à convertir.

29. Comme les petits du corbeau, c'est-à-dire les prédicateurs issus de lui, ne comptent pas sur eux-mêmes, mais sur les forces de leur Rédempteur, l'Écriture dit fort bien : *Lorsque ses petits crient vers Dieu*, car ils savent qu'ils ne peuvent rien par eux-mêmes. Bien qu'ils aient faim de gagner des âmes, ils demandent pourtant l'exaucement de leurs saints désirs à celui qui seul agit dans les cœurs. Par une foi authentique, ils comprennent que *celui qui plante n'est rien, ni celui qui arrose, mais seulement Dieu qui fait croître*[a].

30. Quod uero dictum est : *Vagantes eo quod non ha-*
beant cibos, in hac uagatione nihil aliud quam aestuantium
praedicatorum uota signantur. Qui dum in Ecclesiae sinum
recipere populos ambiunt, magno ardore succensi, nunc ad
5 hos, nunc ad illos colligendos desiderium mittunt. Quasi
quaedam quippe uagatio est ipsa cogitationis aestuatio ; et
uelut ad loca uaria mutatis nutibus transeunt, dum pro ad-
unandis animabus in modos innumeros in partes diuersas
esurienti mente discurrunt.

31. Hanc uagationem pulli coruorum, id est filii gentilium
ab ipso gentium magistro didicerunt. Ipse quippe quam uali-
da caritate flagrat, tam nimia ex locis ad loca se uagatione
permutat ; transire ad alia ex aliis appetit, quia ipsa eum quae
5 implet, caritas impellit.

Longe namque a Romanis positus scribit : *Memoriam*
uestri facio semper in orationibus meis, obsecrans si quo modo
tandem aliquando prosperum iter habeam in uoluntate Dei
*ueniendi ad uos ; desidero enim uidere uos*ᵃ. Retentus Ephesi
10 Corinthiis scribit : *Ecce tertio hoc paratus sum uenire ad*
*uos*ᵇ. Rursum Ephesi commorans, Galatis loquitur, dicens :
*Vellem modo esse apud uos, et mutare uocem meam*ᶜ. Romam
quoque custodia carceris clausus, quia ire per semetipsum
ad Philippenses non permittitur, transmittere se discipulum
15 pollicetur, dicens : *Spero in Domino Iesu, Timotheum me cito*
mittere ad uos, ut et ego bono animo sim, cognitis quae circa
*uos sunt*ᵈ. Constrictus etiam uinculis atque Ephesi retentus,
Colossensibus scribit : *Nam etsi corpore absens sum, sed*
*spiritu uobiscum sum*ᵉ.
20   Ecce quomodo sancto desiderio quasi uagatur, hic corpore tenetur, illuc spiritu ducitur ; et paterni amoris affectum

31. a. Rm 1, 9-11   b. 2 Co 12, 14   c. Ga 4, 20   d. Ph 2, 19   e. Col 2, 5

30. Il est dit : ***Ils errent faute de nourriture*** ; cette er-   38, 41
rance ne signifie rien d'autre que les vœux des prédicateurs
pleins de zèle. Aspirant à accueillir les peuples dans le sein
de l'Église, ils s'enflamment d'une grande ardeur et leur désir
s'oriente tantôt vers les uns, tantôt vers les autres afin de les
rassembler. Cette effervescence de leur pensée ressemble en
effet à une sorte d'errance ; ils passent pour ainsi dire d'un lieu
à un autre, en variant leur élan, quand, pour gagner des âmes
de mille façons, ils courent, le cœur affamé, dans différentes
directions.

Paul, maître   **31.** C'est du maître des Gentils lui-
des Gentils   même que les petits des corbeaux, c'est-
à-dire les fils des païens, ont appris cette
errance. Lui brûle d'une si grande charité qu'il va de lieu en
lieu en une continuelle errance : son désir de passer d'un endroit à un autre vient de la charité dont il est rempli, et c'est
elle qui le presse.

Alors qu'il est éloigné d'eux, il écrit aux Romains : *Je fais
toujours mémoire de vous dans mes prières et je demande d'a-
voir enfin une occasion favorable, si Dieu le veut, d'aller jusqu'à vous, car je désire vous voir*[a]. Retenu à Éphèse, il écrit
aux Corinthiens : *Je suis prêt à me rendre chez vous pour la
troisième fois*[b]. Retenu à Éphèse de nouveau, il s'adresse aux
Galates en ces termes : *Je voudrais être près de vous maintenant pour adapter mon langage*[c]. Enfermé et gardé dans un
cachot à Rome, comme il ne peut aller lui-même visiter les
Philippiens, il promet de leur envoyer un disciple : *J'espère,
dans le Seigneur Jésus, vous envoyer bientôt Timothée afin
d'être consolé moi-même en apprenant de vos nouvelles*[d]. Chargé de chaînes et prisonnier à Éphèse, il écrit aux Colossiens :
Quoique absent de corps, en esprit je suis avec vous[e].

Voilà comment il poursuit son errance, poussé par son
saint désir : retenu par son corps à un endroit, il se transporte
ailleurs en esprit ; il manifeste la tendresse de son affection

istis praesentibus exhibet, illis absentibus ostendit ; coram
positis impendit opera, audientibus exprimit uota, effica-
citer praesens eis cum quibus erat, nec tamen illis absens
25 cum quibus non erat. Cuius uagationem melius cognoscimus, si eius adhuc ad Corinthios uerba pensamus. Ait enim :
Veniam ad uos cum Macedoniam pertransiero. Nam Mace-
doniam pertransibo ; apud uos autem forsitan manebo, uel
etiam hiemabo [f]. Perpendamus quaeso quae sit ista uagatio.
30 Ecce alio interim manet, alio se iturum perhibet, atque alio
deflexurum promittit. Quid est quod tam anxie per tot loca
partitur, nisi quod circa omnes una caritate constringitur ?
Caritas enim quae diuisa unire consueuit, unum cor Pauli
diuidi per multa compellit. Quod tamen tanto arctius in
35 Deo colligit, quanto latius per sancta desideria spargit. Praedicando igitur Paulus uult simul omnia dicere, amando
uult simul omnes uidere, quia et in carne permanendo, uult
omnibus uiuere [g], et de carne transeundo per sacrificium
fidei [h] uult omnibus prodesse.

40   Vagentur itaque pulli coruorum, id est magistrum suum
imitentur filii gentium, torporem mentis excutiant, et cum
animarum lucrum, hoc est cibum suum minime reperiunt,
non quiescant, ad profectum se ex prouectibus extendant,
et aestuantes in utilitate multorum, refectionem suam quasi
45 uagantes esuriant. Quia uero per praedicationum opera dis-
currendo, refectione fidei gentilitatem satiare non cessant,
dicatur recte : *Quis praeparat coruo escam suam, quando pulli*
eius ad Deum clamant, uagantes eo quod non habeant cibos.

---

31. f. 1 Co 16, 5-6   g. cf. Ph 1, 24-25   h. cf. Ph 2, 17

paternelle aux présents comme aux absents ; en présence des uns, il se dépense en actes, aux autres qui l'écoutent, il exprime des souhaits ; efficacement présent pour ceux qui étaient avec lui, sans être absent cependant pour ceux qui n'étaient pas avec lui. Et nous comprenons mieux ce que fut son errance, en réfléchissant encore à ce qu'il écrivait aux Corinthiens : *J'irai chez vous après avoir traversé la Macédoine. Car je ne ferai que la traverser ; peut-être séjournerai-je chez vous ou même y passerai-je l'hiver*[f]. Songeons bien, s'il vous plaît, à ce que fut cette errance : il se trouve en un endroit, il annonce entre temps qu'il ira en un autre, et promet de passer encore ailleurs. Pourquoi est-il si soucieux de se partager entre tant de lieux, si ce n'est parce qu'une même charité le presse à l'égard de tous ? La charité, qui unit d'ordinaire ce qui est divisé, oblige ici le cœur unique de Paul à se partager entre beaucoup. Ce faisant, elle le rassemble d'autant plus étroitement en Dieu qu'elle le disperse plus au gré de ses saints désirs. Quand Paul annonce la parole de Dieu, il veut tout dire à la fois ; quand il aime, il veut voir tout le monde ensemble ; quand il demeure ici-bas dans la chair, il veut vivre pour tous[g] et, quand il quitte cette chair en sacrifice pour la foi[h], il veut être utile à tous.

Que les petits des corbeaux errent donc ; autrement dit : Que les fils des païens imitent leur maître. Qu'ils secouent la torpeur de leur esprit, et quand ils ne trouvent pas de nourriture, c'est-à-dire pas d'âmes à gagner, qu'ils ne prennent pas de repos, qu'ils cherchent à avancer de progrès en progrès et, brûlant de désir pour le bien d'un grand nombre, qu'ils recherchent leur nourriture comme s'ils erraient. Puisque, en courant ainsi d'une prédication à une autre, ils ne cessent de rassasier les païens de la nourriture de la foi, il est dit fort justement : *Qui prépare au corbeau sa nourriture, lorsque ses petits crient vers Dieu et qu'ils errent faute de nourriture ?*

32. Potest etiam corui nomine nigra per infidelitatis meritum plebs iudaica designari. Nam pulli eius ad Deum clamare referuntur, ut eidem coruo a Domino esca praeparetur, quia nimirum sancti apostoli plebis israeliticae carne
5 generati, dum pro gente sua preces ad Dominum funderent, quasi pulli coruorum eum de quo carnaliter editi sunt, spiritali intellegentia parentem populum pauerunt. Igitur dum pulli eius clamant, coruo esca praeparatur, quia dum apostoli exorant, plebs dudum perfida, ad cognitionem fidei ducitur
10 et ex praedicatione filiorum quasi ex pullorum uoce satiatur.

Illud tamen in hoc uersu debemus sollerter intueri, quod huic coruo esca dicitur primum pullis clamantibus, et postmodum uagantibus praeparari. Clamantibus namque pullis coruo esca praeparata est, cum praedicantibus apostolis uer-
15 bum Dei Iudaea audiens, modo in tribus milibus[a], modo in quinque milibus[b] spiritali est intellegentia satiata. Sed cum per reproborum multitudinem crudelitatem suam contra praedicantes exerceret, et quasi pullorum uitam necaret, iidem pulli in uniuersa mundi parte dispersi sunt. Vnde et
20 eisdem carnalibus patribus spiritali praedicationi resistentibus dicunt : *Vobis oportebat primum loqui uerbum Dei ; sed quia repellitis illud, et indignos uos iudicatis aeternae uitae, ecce conuertimur ad gentes*[c]. Scientes profecto, quod postquam gentilitas crederet, etiam Iudaea ad fidem ueniret. Vnde et
25 scriptum est : *Donec plenitudo gentium introiret, et sic omnis Israel saluus fieret*[d]. Quia igitur summopere sancti apostoli et studuerunt prius audientibus praedicare, et postmodum resistentibus exempla conuersae gentilitatis ostendere, quasi

---

32. a. cf. Ac 2, 41   b. cf. Ac 4, 4   c. Ac 13, 46   d. Rm 11, 25-26

1. Cette parole des *Actes* (Ac 13, 46) est citée comme ici dans six autres passages des *Morales* (2, 48 ; 7, 11 ; 9, 6 ; 18, 50 ; 20, 47 ; 29, 50), et un peu autrement dans *Hom. Ez.* I, 2, 13. Quant à Rm 11, 25-26, Grégoire l'invoque encore plus souvent (six autres fois dans *Mor.*, trois fois dans *Hom. Ez.*, une fois dans *Hom. Ev.*).

**Conversion
des juifs**

32. Sous le nom de corbeau peut être désigné aussi le peuple juif, noir du fait de son incrédulité. En effet, ses petits crient vers Dieu, est-il dit, pour que le Seigneur prépare à ce même corbeau sa nourriture, car les saints apôtres, engendrés du peuple juif selon la chair, en adressant à Dieu des prières pour leur nation, ont, comme les petits du corbeau, nourri d'une intelligence spirituelle ce peuple, leur père, dont ils sont issus selon la chair. Ainsi, tandis que ses petits poussent des cris, la nourriture est préparée pour le corbeau, puisque, tandis que les apôtres supplient, la nation naguère incrédule est conduite à la connaissance de la foi et rassasiée par la prédication de ses fils comme par les cris de ses petits.

Il faut toutefois relever avec soin ce qui est dit dans ce verset : Dieu prépare à ce corbeau sa nourriture, d'abord quand les petits crient vers lui, et ensuite quand ils errent. Dieu a préparé au corbeau sa nourriture quand ses petits criaient vers lui : en effet, lors de la prédication des apôtres, une fois trois mille juifs[a], et une autre fois cinq mille[b], entendant la Parole de Dieu, ont été rassasiées de l'intelligence spirituelle. Mais quand, par la multitude des réprouvés, le peuple juif exerça sa cruauté à l'égard des prédicateurs, s'acharnant pour ainsi dire contre la vie des petits, ceux-ci se sont répandus dans toutes les parties du monde. C'est pourquoi, à ces pères selon la chair qui résistaient à leur prédication selon l'esprit, ils disent : *C'était à vous qu'il fallait d'abord annoncer la Parole de Dieu. Puisque vous la repoussez et que vous ne vous jugez pas dignes de la vie éternelle, eh bien ! nous nous tournons vers les païens*[c][1]. Ils savaient bien que les juifs viendraient aussi à la foi quand les païens auraient cru. C'est pourquoi il est écrit : *Jusqu'à ce que soit entrée la totalité des païens, et ainsi tout Israël sera sauvé*[d]. Ainsi, comme les saints apôtres se sont d'abord employés de toutes leurs forces à prêcher l'Évangile à ceux qui les écoutaient, puis à montrer à ceux qui leur résistaient l'exemple des païens convertis, ils

esurientes pulli huic coruo escam suam et prius clamando,
30 et postmodum uagando quaesierunt. Vnde enim uagantur
pulli, inde escam coruus inuenit ; quia dum per laborem
praedicantium conuersam ad Deum gentilitatem iudaicus
populus respicit, ad extremum quandoque stultitiam suae
infidelitatis erubescit ; et tunc scripturae sacrae sententias
35 intellegit, cum prius quam sibi eas gentibus innotuisse
cognoscit ; atque expleta uagatione pullorum, ad percipienda
sacra eloquia os cordis aperit ; quia peractis in mundum
cursibus apostolorum, sero ea spiritaliter percipit, a quibus
diu perfidia se adstringente ieiunauit. Quae quia omnia
40 solius diuinae potentiae uirtus operatur, recte dicitur : *Quis*
praeparat coruo escam suam, quando pulli eius ad Deum
clamant, uagantes eo quod non habeant cibos ? Subaudis :
Nisi ego, qui infidelem populum filiis suis et exorantibus
tolero, et praedicantibus pasco, atque ad alia uagantibus con-
45 uertendum quandoque in fine sustineo.

33. Est adhuc aliud, quod de coruo moraliter possit intellegi. Editis namque pullis, ut fertur, escam plene praebere dis-
simulat, priusquam plumescendo nigrescant, eosque inedia
affici patitur, quoadusque in illis per pennarum nigredinem
5 sua similitudo uideatur. Qui huc illucque uagantur in nidum,
et ciborum expetunt aperto ore subsidium. At cum nigrescere
coeperint, tanto eis praebenda alimenta ardentius requirit,
quanto illos alere diutius distulit. Coruus profecto est doctus
quisque praedicator, qui magna uoce clamat, dum peccatorum
10 suorum memoriam atque cognitionem infirmitatis propriae
quasi quamdam coloris nigredinem portat. Cui quidem nas-

ressemblent aux petits affamés qui ont cherché la nourriture pour ce corbeau, d'abord en criant, puis en errant. Le corbeau trouve sa nourriture là où errent ses petits, c'est-à-dire que lorsque le peuple juif voit les païens convertis à Dieu par le labeur des prédicateurs, il finit par avoir honte de la folie de son incrédulité. Il comprend les paroles de l'Écriture sainte quand il découvre que les païens les ont comprises avant lui. Et quand ses petits ont fini d'errer, il ouvre la bouche de son cœur pour recevoir la parole sacrée ; autrement dit : Quand les apôtres ont accompli leur course à travers le monde, le peuple juif, sur le tard, accède à la compréhension spirituelle de ces enseignements à l'écart desquels il avait longtemps jeûné, retenu par son manque de foi. Et comme tout cela ne s'opère qu'en vertu de la puissance de Dieu, il est fort bien dit : *Qui prépare au corbeau sa nourriture, lorsque ses petits crient vers Dieu et qu'ils errent faute de nourriture* ? Il faut sous-entendre : si ce n'est moi, qui supporte ce peuple infidèle quand ses fils me prient, qui le nourris quand ils prêchent, et qui l'attends, quand ils errent dans d'autres directions, car un jour il se convertira enfin.

Le plumage noir de la pénitence
33. On peut encore trouver un sens moral à ce qui est dit ici du corbeau. Quand ses petits sont nés, dit-on, il néglige de les nourrir suffisamment tant qu'ils ne sont pas recouverts de leur plumage noir ; il les laisse souffrir de la faim jusqu'à ce qu'ils lui ressemblent par la couleur noire de leurs plumes. Les petits errent çà et là dans le nid et ouvrent leur bec pour réclamer de la nourriture. Mais quand ils commencent à noircir, le corbeau met d'autant plus d'ardeur à leur procurer de la nourriture qu'il a plus longtemps tardé à les nourrir. Le corbeau, c'est tout savant prédicateur qui crie d'une voix forte, tout en portant, comme une couleur noire, la mémoire de ses péchés et la conscience de sa propre faiblesse. Il lui naît des disciples selon la foi, mais ceux-

cuntur in fide discipuli, sed fortasse adhuc considerare infirmitatem propriam nesciunt ; fortasse a peccatis praeteritis
memoriam auertunt, et per hoc eam, quam assumi oportet
15 contra huius mundi gloriam humilitatis nigredinem non
ostendunt. Hi uelut ad accipiendas escas os aperiunt, cum
doceri de secretis sublimibus quaerunt. Sed eis doctor suus
alimenta praedicamentorum sublimium tanto minus tribuit, quanto illos peccata praeterita minus digne deflere
20 cognoscit. Exspectat quippe atque admonet, ut a nitore uitae
praesentis prius per paenitentiae lamenta nigrescant, et tunc
demum congrua praedicationis subtilissimae nutrimenta
percipiant. Coruus in pullis ora inhiantia respicit, sed ante
in eis pennarum nigredine indui corpus quaerit. Et discretus
25 doctor interna mysteria eorum sensibus non ministrat, quos
adhuc ab hoc saeculo nequaquam se abiecisse considerat.
Quanto igitur discipuli exterius per cultum uitae praesentis
minus quasi nigri sunt, tanto per cibum uerbi interius minus
replentur ; et quo se a corporali gloria non euacuant, eo ab
30 spiritali refectione ieiunant.

34. Si uero in confessione uitae praeteritae lamenti sui
gemitus uelut nigrescentes plumas proferant, ilico in contemplatione doctor ad escam de sublimibus deferendam
quasi pullorum refectionem cogitans coruus uolat, eisque
5 inhiantibus in ore cibum reuocat, dum ex ea intellegentia
quam coeperit esurientibus discipulis alimenta uitae loquendo subministrat. Quos tanto ardentius de superioribus reficit, quanto uerius a mundi nitore nigrescere paenitentiae
lamentatione cognoscit.

ci ne savent pas encore considérer leur propre faiblesse ; ou peut-être détournent-ils leur mémoire de leurs péchés passés et ne montrent-ils pas, de ce fait, cette couleur noire de l'humilité qu'il importe d'assumer pour lutter contre la gloire de ce monde. Ils ouvrent la bouche comme pour recevoir leur nourriture, quand ils cherchent à être instruits des sublimes mystères. Mais leur maître leur accorde d'autant moins l'aliment des sublimes enseignements qu'il les sait peu portés à pleurer, comme ils devraient, leurs péchés passés. Il attend donc et les admoneste pour que, renonçant à l'aspect brillant de la vie présente, ils prennent la couleur noire des pleurs de la pénitence, et qu'ils puissent alors recevoir avec profit la nourriture de la prédication la plus élevée. Le corbeau voit bien les becs béants de ses petits, mais il regarde d'abord si leur corps est recouvert d'un plumage noir. De même, un docteur bien avisé ne communique pas à ses disciples l'intelligence des plus profonds mystères, tant qu'il ne les juge pas suffisamment détachés de ce monde. Moins les disciples ont au dehors cette couleur noire du fait de leur attachement à la vie présente, moins ils sont rassasiés au dedans de la nourriture de la parole ; ainsi, dans la mesure où ils ne renoncent pas aux honneurs de la chair, ils doivent jeûner à l'écart de la nourriture spirituelle.

34. Mais si, dans la confession de leur vie passée, ils font entendre des gémissements et des lamentations, c'est comme s'ils se couvraient d'un plumage noir ; aussitôt leur maître se met à voler dans la contemplation pour trouver dans ces hauteurs la nourriture à leur porter, comme le corbeau soucieux de nourrir ses petits ; et il en remplit leur bec béant dès qu'ils commencent à en posséder l'intelligence, communiquant par sa parole l'aliment de vie à ses disciples affamés. Il les restaure au moyen des vérités d'en haut avec d'autant plus d'ardeur qu'il les voit plus sincèrement, détachés de l'éclat du monde, devenir noirs par les lamentations de la pénitence.

35. Pulli autem dum nigro se pennarum colore uestiunt,
de se etiam uolatum promittunt, quia quo magis discipuli
abiecta de se sentiunt, quo magis sese despicientes affligunt,
eo amplius spem prouectus sui in altiora pollicentur. Vnde et
5 curat doctor festinantius alere, quos iam per quaedam indicia
prouidet posse et aliis prodesse. Hinc enim Timotheum
Paulus admonet uelut plumescentes pullos sollicitius nutrire ; dum dicit : *Quae audisti a me per multos testes, haec*
commenda fidelibus hominibus, qui idonei erunt et alios do-
10 *cere*[a]. Quae doctrinae discretio dum caute a praedicatore
custoditur, ei diuinitus largior copia praedicationis datur.
Dum enim per caritatem compati afflictis discipulis nouit,
dum per discretionem congruum doctrinae tempus intellegit,
ipse non solum pro se, sed etiam pro eis, quibus laboris sui
15 studia impendit, maiora intellegentiae munera percipit.
Vnde hic quoque apte dicitur : *Quis praeparat coruo escam*
suam, quando pulli eius ad Deum clamant, uagantes eo quod
non habeant cibos ? Cum enim pulli ut satientur, clamant,
coruo esca praeparatur, quia dum uerbum Dei boni auditores
20 esuriunt, pro reficiendis eis maiora doctoribus intellegentiae
dona tribuuntur. Sequitur :

39, 1   X, **36.** *Numquid nosti tempus partus ibicum in petris,*
uel parturientes ceruas obseruasti ? Meridiana pars ibices
aues uocat, quae Nili fluentis inhabitant. Orientalis uero
occidentalisque plaga parua quadrupedia ibices nominat,
5 quibus et moris est in petris parere, quia neque sciunt nisi in
petris habitare. Quae, si quando etiam de altis saxorum cacu-

---

35. a. 2 Tm 2, 2

---

1. Sur l'*ibex*, sorte de bouc ou chamois, voir Pline, *Hist. nat.* VIII, 79
(53).

35. Quand des plumes noires com-
La grâce de   mencent à couvrir les petits, c'est le pré-
la prédication   sage qu'ils vont bientôt se mettre à voler ;
autrement dit : Plus les disciples s'estiment méprisables, plus
ils s'affligent et s'humilient, plus aussi ils donnent la promesse
et l'espoir de progrès vers les hauteurs. C'est pourquoi leur
maître prend soin de nourrir avec plus d'empressement ceux
dont il discerne à certains indices qu'ils seront capables d'être
à leur tour utiles à d'autres. Ainsi Paul exhorte-t-il Timothée
à nourrir avec plus de soin les petits qui pour ainsi dire font
leur plumage : *Ce que*, dit-il, *tu as appris de moi sur l'attestation
de nombreux témoins, confie-le à des hommes fidèles, aptes à en
instruire d'autres à leur tour*[a]. Et ce discernement, quand un
prédicateur l'observe avec soin dans son enseignement, Dieu
lui accorde plus largement la grâce de la prédication. Comme
il sait compatir par la charité à l'affliction de ses disciples et
distinguer par le discernement le moment opportun pour les
instruire, il reçoit un surcroît d'intelligence, non seulement
pour lui-même, mais aussi pour ceux à qui il consacre avec
zèle son labeur. C'est pourquoi il est fort bien dit ici : *Qui
prépare au corbeau sa nourriture, lorsque ses petits crient vers
Dieu et qu'ils errent faute de nourriture ?* Lorsque les petits
crient afin d'être rassasiés, la nourriture est préparée au
corbeau ; autrement dit : Quand des auditeurs bien disposés
ont faim de la Parole de Dieu, les maîtres reçoivent pour les
restaurer un surcroît d'intelligence. Le texte poursuit :

X, **36.** *Connais-tu le temps où les*   39, 1
Ibices et biches,   *ibices mettent bas dans les rochers ?*
figures des   *As-tu observé les biches en travail ?*
maîtres spirituels   Les peuples méridionaux appellent
ibices[1] des oiseaux qui habitent les rives du Nil. Mais dans
les pays d'Orient et d'Occident, on appelle ainsi de petits
quadrupèdes qui même mettent bas dans les rochers, parce
que c'est l'unique habitat qu'ils connaissent. S'il leur arrive

minibus ruunt, in suis se cornibus illaesa suscipiunt. Caput
quippe ruentes feriunt, cuius dum prima cornua opponunt,
fit omne corpus a iactura casus alienum. Ceruarum uero
10 moris est inuentos serpentes exstinguere, eorumque membra
morsibus dilaniare. Fertur autem, quia si quando flumina
transeunt, capitum suorum onera dorsis praecedentium
superponunt, sibique inuicem succedentes, laborem ponderis
omnino non sentiunt. Quid est ergo quod beatus Iob de
15 partu ibicum ceruarumque discutitur, nisi quia in ceruis
uel ibicibus magistrorum spiritalium persona signatur ? Ipsi
quippe uelut ibices in petris pariunt, quia in doctrina patrum, qui petrae pro soliditate uocati sunt, ad conuersionem
animas gignunt. Ipsi uelut ibices nullius casus damna sen-
20 tiunt, dum in suis cornibus excipiuntur, quia quicquid eis
ruinae temporalis accesserit, in testamentis scripturae sacrae
se suscipiunt, et quasi cornuum exceptione saluantur. De
his enim testamentis dictum est : *Cornua sunt in manibus
eius*[a]. Ad scripturarum ergo consolationem refugiunt, dum
25 aliqua temporalis casus iactura feriuntur. An non more
ibicum, huius mundi aduersitatibus cadens, quasi in suis se
excipiebat cornibus, cum diceret Paulus : *Quaecumque scripta
sunt, ad nostram doctrinam scripta sunt, ut per patientiam
et consolationem scripturarum spem habeamus*[b] ? Ipsi etiam
30 ceruae uocati sunt, sicut per Ieremiam de doctoribus ge-
nitos filios incaute deserentibus dicitur : *Cerua in agro peperit, et reliquit*[c]. Ipsi more ceruarum interemptis uitiis,
quasi exstinctis serpentibus uiuunt, et de ipsa exstinctione
uitiorum ad fontem uitae acrius inardescunt. Vnde psalmista
35 ait : *Sicut ceruus desiderat ad fontes aquarum, ita desiderat*

36. a. Ha 3, 4   b. Rm 15, 4   c. Jr 14, 5

de tomber même du haut de rochers escarpés, ils se reçoivent sur leurs cornes sans se faire aucun mal. Ils tombent, en effet, la tête en avant, et leurs cornes, qui touchent terre les premières, évitent à tout leur corps de se fracasser. Quant aux biches, elles ont l'habitude de tuer les serpents qu'elles trouvent et de les déchirer à belles dents. On raconte aussi que, pour traverser les fleuves, elles appuient leur tête sur la croupe de celle qui les précède, et ainsi, à la file l'une à la suite de l'autre, ne ressentent plus du tout la fatigue de leur poids. Pourquoi donc le bienheureux Job est-il interrogé sur la manière dont ibices et biches font leurs petits, sinon parce que biches et ibices figurent les maîtres spirituels ? Comme les ibices, ils mettent bas dans les rochers, parce que c'est dans la doctrine des Pères – appelés rocs à cause de leur solidité – qu'ils font naître les âmes à la conversion. Comme pour les ibices, leurs chutes ne leur causent aucun mal, parce qu'ils se reçoivent sur leurs cornes, car quel que soit le malheur temporel qui les frappe, ils s'appuient sur les Testaments de la sainte Écriture et ils sont sauvés en se recevant pour ainsi dire sur leurs cornes. C'est de ces Testaments qu'il est dit : *Il y a des cornes dans ses mains* [a]. Ils ont donc recours à la consolation des Écritures quand ils sont frappés par quelque adversité temporelle. Paul ne se recevait-il pas pour ainsi dire sur ses cornes, à la manière des ibices, quand, tombant sous le poids des adversités de ce monde, il s'écriait : *Tout ce qui a été écrit l'a été pour notre instruction, afin que par la patience et la consolation des Écritures nous possédions l'espérance* [b] ? Ils sont aussi appelés biches, comme le dit Jérémie à propos des maîtres spirituels qui abandonnent imprudemment les fils qu'ils viennent d'engendrer : *La biche a mis bas dans les champs et abandonné sa progéniture* [c]. Comme les biches encore, ils vivent des serpents qu'ils ont tués, c'est-à-dire des vices qu'ils ont anéantis, et l'anéantissement des vices leur donne une soif plus ardente de la source de vie, d'où ce mot du psalmiste : *Comme le cerf désire les sources d'eau vive, ainsi mon âme te*

anima mea ad te Deus[d]. Ipsi etiam dum labentia huius
temporalitatis momenta quasi quaedam flumina transeunt,
compatientes caritate, onera sua sibi inuicem superponunt ;
quia cauta obseruatione custodiunt id quod scriptum est :
40 *Inuicem onera uestra portate, et sic adimplebitis legem Christi*[e].
Quia uero post aduentum Domini spiritales magistri per
mundum sparsi sunt, qui auditorum animas in conuersione
parere praedicando potuissent, et quia hoc idem tempus
incarnationis Domini ante prophetarum uoces cognitum
45 non fuit, quamuis ipsa futura incarnatio praecognita omnibus electis fuit, bene beatus Iob de tempore partus ibicum ceruarumque discutitur, eique dicitur : *Numquid nosti
tempus partus ibicum in petris, uel parturientes ceruas obseruasti ?* Ac si dicatur ei : Idcirco te egisse aliquid sublimiter
50 credis, quia illud tempus necdum praeuides, quo spiritales
magistri in mundum missi per doctrinam antiquorum
patrum filios generant, suisque mihi laboribus animarum
lucra comportant. Nam si illorum fructum quasi ibicum
ceruarumque partus aspiceres, ualde humiliter de tua uirtute
55 sentires. Magna quippe quae agimus, quasi minima ducimus,
cum haec per fortiora exempla pensamus. Sed tunc apud
Deum crescunt per meritum, cum apud nosmetipsos per
humilitatem decrescunt.

37. Possunt uero ceruarum significatione doctores,
appellatione autem ibicum, qui animalia sunt minima, auditores intellegi. In petris uero ibices pariunt, quia ad exercenda sancta opera per exempla patrum praecedentium
5 fecundantur, ut cum fortasse praecepta sublimia audiunt, et

---

36. d. Ps 41, 2   e. Ga 6, 2

1. Deux des citations sont uniques (Ha 3, 4 ; Jr 14, 5), mais Rm 15, 4 est
cité, en août 592, dans *Reg. Ep.* II, 44 (à Natalis de Salone), et Ps 41, 2 dans
Hom. Ez. II, 10, 9 (avec le verset suivant) ; Ga 6, 2 revient trois fois dans les
Morales (1, 40 ; 10, 7 ; 21, 33) et deux fois dans le *Pastoral* (III, 9 et 27).

désire, ô Dieu [d]. Passant aussi à travers les vicissitudes de notre vie temporelle, ils traversent, pour ainsi dire, des fleuves ; avec une charité compatissante, ils se chargent réciproquement des fardeaux les uns des autres, parce qu'ils respectent avec une fidélité scrupuleuse cette parole de l'Écriture : *Portez les fardeaux les uns des autres et vous accomplirez ainsi la loi du Christ* [e][1]. Mais comme, après la venue du Seigneur, les maîtres spirituels se sont dispersés de par le monde, eux qui auraient pu faire naître par la prédication l'âme de leurs auditeurs dans la conversion, et que, d'autre part, ce même temps de l'Incarnation du Seigneur n'a pas été connu avant son annonce par les Prophètes – tous les élus cependant connaissaient d'avance l'Incarnation à venir –, Dieu interroge le bienheureux Job sur le temps où les ibices et les biches mettent bas et lui demande : *Connais-tu le temps où les ibices mettent bas dans les rochers ? As-tu observé les biches en travail ?* C'est comme s'il lui disait : Si tu t'imagines avoir fait de grandes choses, c'est parce que tu ne vois pas à l'avance le temps où les maîtres spirituels envoyés dans le monde engendrent des fils grâce à la doctrine des anciens Pères et me gagnent des âmes par leur propre labeur. Ah ! si tu voyais les fruits de ceux-ci, telles les portées des ibices et des biches, tu jugerais avec plus d'humilité ta vertu. Ce que nous faisons de grand, nous le considérons comme très petit quand nous le comparons à de plus excellents modèles ; mais nos mérites grandissent auprès de Dieu, lorsque, grâce à l'humilité, ils perdent de leur valeur à nos propres yeux.

Exemple de David

37. Sous la désignation de biches, on peut entendre les docteurs et sous l'appellation d'ibices, qui sont des animaux très petits, les auditeurs. C'est dans les rochers que les ibices mettent bas, parce que ce sont les exemples des Pères d'autrefois qui les rendent féconds dans l'exercice des œuvres pies ; en sorte que, s'il leur arrive d'entendre parler de préceptes

infirmitatis propriae conscii, ea se implere posse diffidunt,
maiorum uitam conspiciant, atque in eorum considerata
fortitudine bonorum operum fetus ponant. Vt enim pauca
de multis loquar, quatenus studiosus lector multa in paucis
10 intellegat, iste uerborum contumeliis pressus, cum uirtutem
patientiae seruare non sufficit, Dauid factum ad memoriam
reducat, quem cum Semei tot conuiciis urgueret, et armati
proceres ulcisci contenderent, ait : *Quid mihi et uobis filii
Saruiae ? Dimittite eum ut maledicat. Dominus enim prae-*
15 *cepit ei, ut malediceret Dauid ; et quis est qui audeat dicere,
quare sic fecerit*[a] *?* Et paulo post : *Dimittite eum ut maledicat
iuxta praeceptum Domini ; si forte respiciat Dominus afflic-
tionem meam, et reddat mihi bonum pro maledictione hac
hodierna*[b]. Quibus profecto uerbis indicat, quia pro per-
20 petrato Bethsabee scelere exsurgentem contra se filium
fugiens[c], reduxit ad animum malum quod perpetrauit, et
aequanimiter pertulit quod audiuit, et contumeliosa uerba
non tam conuicia, quam adiutoria credidit, quibus se purgari,
sibique misereri posse iudicauit. Tunc enim illata conuicia
25 bene toleramus, cum in secreto mentis ad male perpetrata
recurrimus. Leue quippe uidebitur, quod iniuria percutimur,
dum in actione nostra conspicimus, quia peius est quod mere-
mur, sicque fit, ut contumeliis gratia magis quam ira debeatur,
quarum interuentu Deo iudice poena grauior declinari posse
30 confiditur.

38. Ecce alius dum mundi huius successibus proficit, leno-
cinante cordis laetitia temptari se luxuriae stimulis sentit, sed
Ioseph factum ad memoriam reuocat, et in arce se castitatis

---

37. a. 2 S 16, 10   b. 2 S 16, 11-12   c. cf. 2 S 11, 4

fort élevés et que, conscients de leur propre faiblesse, ils doutent de pouvoir les accomplir, ils considèrent la vie des Anciens et, admirant leur courage, donnent eux-mêmes le jour à de bonnes actions. Étant donné que le lecteur appliqué comprend beaucoup de choses avec peu d'exemples, je n'en citerai que quelques-uns parmi beaucoup d'autres. Quelqu'un a-t-il été injurié ? Il a bien de la peine à garder la vertu de patience ; qu'il se rappelle ce qu'a fait David : lorsqu'il était accablé des sarcasmes de Shimei et que ses officiers en armes tentaient de le venger, il dit : *Qu'ai-je à faire avec vous, fils de Sarvia ? Laissez-le maudire. Le Seigneur lui a ordonné de maudire David ; qui osera lui demander pourquoi il agit ainsi*[a] ? Et un peu plus loin : *Laissez-le maudire si le Seigneur le lui a commandé. Peut-être le Seigneur considérera-t-il ma détresse et me rendra-t-il le bien pour cette malédiction d'aujourd'hui*[b]. Par ces paroles, il indique qu'il fuit devant son fils révolté, en punition du forfait commis avec Bethsabée[c] ; il se rappela donc le mal qu'il avait commis et supporta avec sérénité toutes les injures qu'il entendit. Il considéra que ces paroles injurieuses n'étaient pas tant des insultes que des secours qui pourraient le purifier et lui obtenir le pardon. Nous supportons bien, en effet, les injures qu'on nous lance, quand nous revenons, dans le secret de notre âme, au mal que nous avons commis. L'offense qui nous frappe nous semblera bénigne si nous considérons que, du fait de nos actions, ce que nous méritons est pire encore. Il arrive ainsi que les outrages aient droit à notre reconnaissance plutôt qu'à notre colère, car nous espérons que Dieu, notre Juge, pourra, à cause d'eux, nous épargner une peine plus lourde.

Exemple de Joseph   **38.** En voici un autre qui va dans le monde de succès en succès ; la joie du cœur le grise et il se sent tenté par les aiguillons de la luxure, mais il se rappelle la conduite de Joseph, aussi demeure-t-il dans la citadelle de la chasteté. Quand Joseph

seruat. Qui dum sibi a domina conspiceret pudicitiae damna
5 suaderi, ait : *Ecce dominus meus omnibus mihi traditis ignorat*
quid habeat in domo sua, nec quicquam est quod non in mea
sit potestate uel non tradiderit mihi praeter te, quae uxor eius
es ; quomodo ergo possum malum hoc facere, et peccare in
dominum meum [a] *?* Quibus uerbis ostenditur, quia bona quae
10 assecutus fuerat repente memoriae intulit, et malum quod se
pulsabat euicit, et quia perceptae gratiae meminit, uim culpae
imminentis fregit. Cum enim uoluptas lubrica temptat in
prosperis, haec ipsa sunt prospera aculeo temptationis oppo-
nenda, ut eo erubescamus praua committere, quo nos a Deo
15 meminimus gratuita bona percepisse, et illatam gratiam exteriorum munerum uertamus in arma uirtutum, ut sint ante
oculos quae percepimus, et quaeque nos illiciunt, subigamus.
Quia enim uoluptas ipsa ex prosperitate nascitur, eiusdem
prosperitatis est consideratione ferienda, quatenus hostis
20 noster unde oritur, inde moriatur. Considerandum quippe
est, ne acceptum munus uertamus in uitium, ne per fauorem
uitae nos absorbeat uorago nequitiae. Iram namque contra
nos superni iudicis inexstinguibiliter accendimus, si contra
benignitatem illius, etiam ex ipsa sua largitate pugnamus.

39. Alius internae scientiae dulcedinem quaerens, nec
tamen secreta eius contingere praeualens, Danielis uitam
ad imitandum conspicit, et desideratum scientiae culmen
apprehendit. Ille quippe, qui postmodum uoce angelica
5 pro cognitionis internae concupiscentia uir desideriorum [a]
dicitur, prius in aula regia carnis in se desideria edomuisse
memoratur, ut nihil ex delectabilibus cibis attingeret, sed

38. a. Gn 39, 8-9
39. a. cf. Dn 9, 23 ; 10, 11.19

entendit la femme de son maître le pousser à blesser la pudeur, il lui dit : *Mon maître m'a confié tout ce qu'il possédait ; il ne sait même pas ce qu'il a dans sa maison et il n'est rien qui ne soit en mon pouvoir ; il m'a tout livré entre les mains, sauf toi qui es son épouse. Comment pourrais-je accomplir ce mal et pécher contre mon maître*[a] ? Ces paroles montrent que le souvenir soudain des bienfaits dont il avait été comblé lui fit rejeter le mal qui le sollicitait ; en se rappelant la grâce accordée, il brisa net l'assaut de la faute qui le menaçait. Quand les plaisirs de la chair nous tentent dans la prospérité, c'est cette prospérité elle-même qu'il faut opposer à l'aiguillon de la tentation : nous devons éprouver d'autant plus de honte à commettre le mal que nous nous souvenons d'avoir reçu gratuitement les dons de Dieu. Ainsi, nous transformerons la grâce reçue de faveurs extérieures en armes pour nos vertus, si bien que nous mépriserons l'appât des tentations en gardant les yeux fixés sur les bienfaits reçus. Comme la volupté naît de la prospérité même, c'est en prêtant attention à cette prospérité qu'il faut la combattre, en sorte que notre ennemi trouve la mort au lieu même de sa naissance. Cette attention est nécessaire pour ne pas faire servir aux vices le don reçu et ne pas laisser les faveurs de la vie nous engloutir dans un abîme d'iniquité. Nous enflammons contre nous la colère inextinguible du Juge céleste, si nous luttons contre sa bonté même avec ses propres dons.

Exemple de Daniel

39. Un autre cherche la douceur de la science intérieure, mais il ne parvient pas à en atteindre les secrets. Il contemple la vie de Daniel comme un modèle à imiter, et il comprend alors le sommet de la science auquel il aspirait. Daniel, qui devait un jour être appelé par un ange « homme de désirs[a] » à cause de son vif attrait pour la connaissance intérieure, avait dompté auparavant, à la cour royale, ses désirs charnels, comme nous l'apprenons, au point qu'il ne touchait pas aux

lautis ac mollioribus duriora atque aspera cibaria prae-
ferret ᵇ, ut dum sibi exterioris cibi blandimenta subtraheret,
10 ad interni pabuli delectamenta perueniret, et tanto auidius
gustum sapientiae intus acciperet, quanto saporem carnis
pro eadem sapientia ᶜ foras robustius repressisset. Si enim
a carne hoc quod libet abscidimus, mox in spiritu quod
delectet inuenimus. Intentioni quippe animae, si exterior
15 euagatio clauditur, interior secessus aperitur. Nam quo extra
se spargi propter disciplinam mens non potest, eo super
se intendere per profectum potest, quia et in altum cres-
cere arbor cogitur, quae per ramos diffundi prohibetur. Et
cum riuos fontis obstruimus, fluenta surgere ad superiora
20 prouocamus. Igitur dum studiosi quique sanctorum uitam
imitando conspiciunt, in petris ibices fetus ponunt. Hinc
est quod auditores suos quasi ibices in petris parere Paulus
admonebat, cum enumeratis maiorum uirtutibus diceret :
Habentes tantam impositam nubem testium, deponentes omne
25 *pondus, et circumstans nos peccatum, per patientiam curra-*
mus ad propositum nobis certamen ᵈ. Et rursum : *Quorum,*
intuentes exitum conuersationis, imitamini fidem ᵉ.

40. Sed cum diuina praecepta corde concipimus, non statim quasi iam solide cogitata parturimus. Vnde et beatus Iob
non de partu ibicum, sed de tempore partus inquiritur. Quod
uidelicet tempus in nobismetipsis uix comprehendimus,
5 multo magis in aliena mente nescimus. Prius enim superni
timoris semina utero cordis excepta, per meditationem stu-

---

39. b. cf. Dn 1, 8-16   c. cf. Dn 1, 12-20   d. He 12, 1   e. He 13, 7

1. Les deux citations (He 12, 1 et 13, 7) ont déjà été associées dans *Mor.* 25,
17 aux mêmes fins qu'ici.

repas succulents et préférait des aliments durs et âpres aux mets soignés et délicats [b]. Ainsi, s'abstenant des délices des aliments extérieurs, il parviendrait à la jouissance de la nourriture intérieure et recevrait dans son cœur la saveur de la sagesse avec d'autant plus d'avidité qu'il avait au dehors, par amour de cette même sagesse, plus fermement renoncé au goût des nourritures corporelles [c]. Si, en effet, nous retranchons ce qui délecte la chair, nous trouvons bientôt ce qui plaît à l'esprit. Si, à l'attention de l'âme, se ferme la divagation extérieure, une retraite intérieure s'ouvre. En effet, dans la mesure où l'âme, grâce à la discipline qu'elle s'impose, ne peut s'éparpiller au dehors, elle est capable de tendre et de progresser vers ce qui est au-dessus d'elle, de même que l'on contraint un arbre à s'élever si l'on empêche ses branches de se déployer horizontalement. Et de même, si l'on obstrue le cours d'une source, l'on fait jaillir ses eaux vers le haut. Quand donc certains s'appliquent à considérer la vie des saints en vue de les imiter, les ibices mettent bas dans les rochers. Aussi Paul exhortait-il ses auditeurs à mettre bas dans les rochers, tels des ibices, lorsqu'après avoir énuméré les vertus des Anciens, il ajoutait : *Ayant autour de nous une telle nuée de témoins, rejetons tout fardeau et le péché qui nous assiège, et courons avec constance l'épreuve qui nous est proposée* [d]. Et encore : *Considérant quelle a été la fin de leur vie, imitez leur foi* [e][1].

L'enfantement des âmes   **40.** Mais quand nous concevons dans notre cœur les préceptes divins, nous ne les enfantons pas aussitôt comme des pensées déjà solides. C'est pourquoi le bienheureux Job n'est pas interrogé sur la manière dont les ibices mettent bas, mais sur l'époque où ils font leurs petits. Si nous avons déjà bien du mal à reconnaître en nous cette époque, nous la connaissons moins encore quand il s'agit des autres. Les semences de la crainte de Dieu reçues dans le ventre du cœur ont d'abord

dii coagulantur, ut maneant ; postmodum stricta intentione
cogitationis affixa, dum ad discretionis rationem tendunt,
quasi in membrorum distinctione formantur ; dehinc usu per-
10 seuerantiae confirmata, uelut in soliditate ossium ueniunt ;
ad extremum uero perfecta auctoritate roborata, quasi in
partum procedunt ; quae incrementa diuinorum seminum
nullus in aliena mente considerat, nisi ipse qui creat. Nam
etsi quemlibet iam uim supernae concupiscentiae concepisse
15 quarumdam rerum attestatione cognoscimus, quando tamen
in partu erumpat, ignoramus.

41. Saepe autem concepta mente semina peruenire ad
perfectionem nequeunt, quia oriendo tempus partus ante-
cedunt. Et quia necdum plene in cogitatione formata ante
humanos oculos prodeunt, uelut abortiua moriuntur. Bona
5 quippe adhuc tenera, plerumque humana lingua, dum iam
quasi fortia laudat, exstinguit. Tanto enim celerius occidunt, quanto ad fauoris notitiam intempestiue prorumpunt.
Nonnumquam uero imperfecta nostra cogitatio necdum
roborata, dum citius hominibus ostenditur, resistentium
10 aduersitate dissipatur, et cum conatur ante tempus uideri
quia sit, agit ut non sit. Sancti autem uiri, quia cuncta quae
bene cogitant, student ut occulte conualescant, et quasi
processuros fetus prius intra uterum mentis formant. Recte
beatus Iob de partus tempore discutitur, quod uidelicet
15 unicuique quando sit congruum, nisi a creatore nescitur. Qui
dum penetralia cordis aspicit, quando ad humanam notitiam
bona nostra congrue nascantur, apprehendit. Bene itaque

besoin d'une méditation assidue pour prendre consistance et subsister. Une fois fixées par une constante application de la pensée, elles forment pour ainsi dire, en tendant à se différencier, des membres distincts. Affermies ensuite par l'exercice de la persévérance, elles acquièrent d'une certaine manière la solidité des os. A la fin, fortifiées par une autorité parfaite, elles viennent au jour comme dans un enfantement. Mais personne ne peut observer dans l'âme d'autrui la croissance des divines semences, sinon celui-là même qui est leur Créateur. En effet, même si des signes extérieurs nous font savoir que quelqu'un a conçu en lui de vifs désirs des biens d'en haut, nous ignorons quand il produira son fruit.

Consolider **41.** Or, il arrive souvent que les semences
les vertus conçues dans l'esprit ne peuvent atteindre la perfection, parce qu'elles naissent en devançant le jour de l'accouchement. Et comme elles apparaissent aux yeux des hommes avant d'être pleinement formées dans la pensée, elles meurent comme des avortons. La langue des hommes étouffe souvent des vertus encore fragiles, quand elle les célèbre déjà comme si elles étaient fortes. Elles périssent d'autant plus vite qu'elles se précipitent inopportunément pour se faire connaître et applaudir. Parfois, lorsqu'on veut manifester trop vite aux hommes un dessein encore imparfait et insuffisamment affermi, il arrive qu'il soit réduit à rien par l'opposition qu'il rencontre. En voulant montrer prématurément qu'il existe, on l'amène à n'être plus. Les hommes saints, au contraire, donnent à leurs bonnes résolutions le temps de s'affermir dans le secret ; ils façonnent d'abord pour ainsi dire leurs futurs rejetons dans le ventre de leur esprit. C'est pourquoi le bienheureux Job est interrogé sur l'époque où les animaux font leurs petits : seul le Créateur connaît le temps propre à chacun. Comme il voit le fond des cœurs, il saisit le moment qui convient pour que naisse aux yeux des hommes le bien qui est en nous. Il est donc dit très

dicitur : *Numquid nosti tempus partus ibicum in petris ?* Ac
si aperte dicat : Vt ego, qui idcirco electorum fetus uiuaces
20 facio, quia praescito in tempore produco. Bene autem expleto
fetu auditorum subditur : *Vel parturientes ceruas obseruasti ?*
Parturientes enim ceruas obseruare est ipsos labores patrum,
qui spiritales filios generant, cauta consideratione pensare.

42. Sollerter quippe intuendum est, quod hic sermo tam
uigilanter imprimitur, ut dicatur : *obseruasti* ; quia utique
perpaucorum est pensare quis labor sit in praedicationibus
patrum ; quantis doloribus, quasi quibusdam conatibus
5 animas in fide et conuersatione parturiunt ; quam cauta se
obseruatione circumspiciunt, ut sint fortes in praeceptis,
compatientes in infirmitatibus, in minis terribiles, in exhortationibus blandi, in ostendendo magisterio humiles, in
rerum temporalium contemptu dominantes, in tolerandis
10 aduersitatibus rigidi ; et tamen dum uires suas sibimet non
tribuunt, infirmi ; quantus sit eis dolor de cadentibus, quantus
de stantibus timor ; quo feruore alia adipisci appetunt, quo
pauore alia adepta conseruant.
Quia ergo perpaucorum est ista pensare, bene ei dicitur :

39, 1   **43.** *Vel parturientes ceruas obseruasti ?* Nil uero obstat,
quod uerba Deus de doctoribus faciens, non ceruorum,
sed ceruarum eos specie designat, quia nimirum illi ueri
doctores sunt, qui cum per uigorem disciplinae patres sunt,
5 per pietatis uiscera esse matres nouerunt. Qui labores sanctae

---

1. Les biches peuvent représenter les docteurs, car les vrais docteurs sont
pères par la vigueur de la discipline, et mères par les sentiments de bonté. La
Règle du Maître parle de même (*RM* 2, 30-31) : l'abbé doit se montrer à la fois
mère (amour égal pour tous) et père (tendresse proportionnée).
2. Ce couple de la sévérité paternelle et de la bonté maternelle apparaît de
nouveau en *Past.* II, 6, où Grégoire renvoie à un autre passage des *Morales* (20,
14), qui recommande d'unir la discipline et la miséricorde.

justement : *Connais-tu le temps où les ibices mettent bas dans les rochers ?* C'est-à-dire en clair : Le connais-tu comme moi qui donne une vie durable aux rejetons des élus, parce que je les mène à terme au temps que j'ai fixé ? Après qu'il a été parlé des rejetons des auditeurs, il est ajouté : *As-tu observé les biches en travail ?* Observer les biches en travail, c'est peser avec une sage attention le travail d'enfantement des pères lorsqu'ils mettent au monde des fils spirituels.

Douleurs de l'enfantement

42. Il faut noter la force du terme bien choisi employé ici : *As-tu observé ?,* parce que très peu estiment à son juste prix le travail d'enfantement que suppose la prédication des pères, leurs grandes douleurs et leurs efforts pour accoucher des âmes à la foi et à la vie chrétienne, le soin extrême avec lequel ils s'observent pour être fermes dans leurs enseignements, compatissants à l'égard des faiblesses, terribles dans leurs menaces, doux dans leurs exhortations, humbles dans l'exercice de leur autorité, souverains dans le mépris des biens temporels, inflexibles dans l'adversité, et pourtant faibles, puisqu'ils n'attribuent pas leur force à eux-mêmes ; combien est grande leur douleur pour ceux qui tombent, combien grande leur appréhension pour ceux qui restent debout ; avec quelle ferveur ils cherchent à en gagner d'autres, avec quelle crainte ils gardent ceux qu'ils ont gagnés !

Et parce qu'il en est très peu qui considèrent cela, il est dit avec raison :

Saints docteurs, pères et mères

43. *As-tu observé les biches en travail ?*   39, 1
Rien ne s'oppose à ce que, parlant des docteurs, Dieu les désigne, non pas sous l'image des cerfs, mais sous celle des biches [1], car les vrais docteurs sont ceux qui sont tout ensemble pères par la vigueur de la discipline et mères par leurs entrailles de miséricorde [2] : ils supportent les fatigues de la conception des âmes et portent

conceptionis tolerant, et proferendos Deo filios intra uterum
caritatis portant. In edenda enim prole amplius matres labo-
rant, quae crescentem intra uterum conceptionem, longo
mensium tempore sustinent ; et quae ex utero procedentem
10 non sine magnis doloribus deponunt.

Vnde et hic apta consideratione subiungitur :

39, 2   XI, **44.** *Dinumerasti menses conceptus earum ?* Sancti
enim uiri cum de profectu auditorum cogitant, quasi iam in
utero conceptionem portant. Sed cum nonnulla quae dicenda
sunt, differunt, et aptum suis exhortationibus tempus quae-
5 runt, uelut a partu quem fieri appetunt, in mensium prolixitate dilatantur. Et saepe dum quaedam quae sentiunt,
intempestiue dicere audientibus nolunt ; in ipsa tarditate
proferendae sententiae, siue ad haec quae suadenda sunt,
seu ad illa quae increpanda, consilio altiori firmantur. Et
10 dum cogitatur uita filiorum, nec tamen ante tempus lingua
consilium mentis eicit, quasi iam concepta soboles intra
uterum crescit ; ut ad auditorum notitiam tunc sententia
cordis exeat, quando prolata utiliter, quasi per congruum
partum uiuat. Et quia haec homines in magistrorum mente,
15 quando uel quomodo agantur, ignorant, Deus uero ad retributionis gloriam non solum effectum considerat, sed etiam
momenta cogitationum signat, recte ad beatum Iob dicitur :
Dinumerasti menses conceptus earum ? Subaudis : Vt ego, qui
in sanctis praedicatoribus non solum fructus exteriorum
20 operum, sed ipsas diutinas cogitationes numero quia ad retributionem seruo.

dans le ventre de leur charité les enfants qu'ils vont mettre au monde pour Dieu. Au moment de l'accouchement, les mères peinent davantage ; après avoir porté de longs mois l'enfant qu'elles ont conçu et qui se développe dans leur ventre, elles ne le mettent pas au monde, au moment de l'accouchement, sans de grandes douleurs.

Aussi le texte ajoute-t-il avec à propos cette question :

Progrès des auditeurs   XI, **44.** *As-tu compté les mois de leur*   39, 2
gestation ? Quand les saints pasteurs se préoccupent du progrès de leurs auditeurs, ils sont comme en gestation. Mais, du fait qu'ils remettent à plus tard une partie de ce qu'ils ont à leur dire et attendent un temps favorable pour les exhorter, ils diffèrent, durant de longs mois, l'accouchement qu'ils désirent voir se réaliser. Et souvent, alors qu'ils se gardent de dire mal à propos à leurs auditeurs certaines de leurs pensées, il faut qu'une inspiration plus haute les affermisse dans cette résolution de faire attendre soit les conseils soit les reproches. Ils réfléchissent sur la vie de leurs enfants, mais leur langue n'émet pas avant le temps le conseil qu'ils ont dans l'esprit, de même qu'un rejeton déjà conçu se développe dans le sein ; en sorte qu'ils ne portent leur sentiment intime à la connaissance de leurs auditeurs qu'au moment où il leur sera utile, quand il pourra vivre grâce à un enfantement normal. Les hommes ignorent quand et comment cela se passe dans l'esprit des maîtres ; mais Dieu, pour décerner la gloire de la récompense, ne considère pas seulement le résultat, il note également la durée de leurs réflexions ; aussi dit-il fort justement au bienheureux Job : *As-tu compté les mois de leur gestation ?* Il faut sous-entendre : comme moi, qui, chez les saints prédicateurs, non seulement dénombre le fruit de leurs œuvres extérieures, mais tiens compte aussi, pour les rétribuer, de leurs très longues réflexions.

45. Possunt per menses, quia congesti dies sunt, etiam multiplicatae uirtutes intellegi. In mensibus quoque luna renascitur, nilque obstat, si per menses noua regenerationis creatura signetur. De qua Paulus apostolus dicit : *In Christo*
5 *Iesu neque circumcisio aliquid ualet, neque praeputium, sed noua creatura*[a]. Sancti igitur uiri, cum se ad praedicandum parant, prius se interius uirtutibus innouant, ut ad hoc quod loquendo docent, uiuendo concordent. Prius sua interna considerant, atque a cunctis se uitiorum sordibus emundant ;
10 curantes summopere ut contra iram, patientiae luce resplendeant ; contra carnis luxuriam, etiam cordis munditia fulgescant ; contra torporem, zelo candeant ; contra confusos praecipitationis motus, serena grauitate rutilent ; contra superbiam, uera humilitate luceant ; contra timorem, radiis
15 auctoritatis clarescant. Quia ergo tanta prius in se studia congerunt, quasi in conceptu sanctae praedicationis menses uirtutum fiunt. Quos menses Dominus solus dinumerat, quia eadem bona in eorum cordibus non nisi qui dedit, pensat.

Et quia iuxta mensuram uirtutum, effectus etiam subse-
20 quitur fructuum, recte subiungitur :

39, 2   XII, **46.** *Et scisti tempus partus earum ?* Subaudis : Vt ego, qui dum in cogitatione uirtutum menses dinumero, quando hoc quod implere appetunt, parere ualeant, scio quia nimirum dum cordis occulta conspicio, futurum foras
5 effectum operis, intus in pondere cogitationis penso. Sequitur :

45. a. Ga 6, 15

45. On peut entendre aussi par les mois, puisqu'ils sont une somme de jours, la multiplicité des vertus. Chaque mois

Vertus des prédicateurs

aussi, la lune renaît ; rien n'empêche donc de voir figurer par les mois la nouvelle créature régénérée dont l'apôtre Paul a écrit : *Dans le Christ Jésus, ce qui importe, ce n'est ni la circoncision, ni l'incirconcision, mais la nouvelle créature*[a]. Quand les hommes saints se préparent à la prédication, ils se renouvellent d'abord intérieurement par les vertus, en sorte que leur vie concorde avec leur enseignement. Ils examinent d'abord leur conscience et se purifient des souillures de tous les vices ; contre la colère, ils veillent avec soin à resplendir de la lumière de la patience ; contre la luxure de la chair, à étinceler par la pureté du cœur ; contre la torpeur, à être enflammés de zèle ; contre le trouble de la précipitation, à luire par une gravité sereine ; contre l'orgueil, à rayonner d'humilité véritable ; contre la peur, à briller de l'éclat de leur influence. Et donc, puisqu'ils accumulent d'abord intérieurement de si nombreux efforts, c'est comme si se passaient, dans la conception de la sainte prédication, des mois de vertus. Le Seigneur seul dénombre ces mois, parce que personne ne peut apprécier le poids de tels biens dans leurs cœurs, sinon celui qui les a donnés.

Et comme la production des fruits est aussi proportionnée aux vertus, le texte ajoute fort bien :

XII, 46. *Connais-tu le temps de leur délivrance ?* Il faut   **39, 2**
sous-entendre : comme moi, qui, tandis que je dénombre dans leur pensée les mois des vertus et connais le moment où ils seront capables de mettre au monde ce qu'ils désirent accomplir, vois le secret des cœurs et évalue à l'avance le résultat extérieur de leur action d'après le poids intérieur de leur pensée. Le texte poursuit :

39, 3   XIII, **47.** *Incuruantur ad fetum, et pariunt, et rugitus emittunt.* Rugiunt quippe, dum per incuruationem suam in conuersatione lucis auditorum animas gignunt, quia ab aeternis nos suppliciis remouere, nisi flendo et dolendo non
5 possunt. Praedicatores enim sancti nunc in lacrimis seminant, ut segetem postmodum gaudiorum metant[a]. Nunc quasi ceruae in dolore partus sunt, ut spiritali prole postmodum sint fecundi. Vt enim unum de multis loquar, uideo Paulum quasi quamdam ceruam, in partu suo magni doloris rugitus
10 emittentem. Ait enim : *Filioli mei, quos iterum parturio, donec formetur Christus in uobis ; uellem esse apud uos modo, et mutare uocem meam, quoniam confundor in uobis*[b]. Ecce mutare uult uocem in partu suo, ut praedicationis sermo in rugitum uertatur doloris. Mutare uult uocem, quia quos
15 iam praedicando pepererat, reformando gemens iterum parturiebat. Qualem rugitum haec cerua pariens emittebat, quando eisdem post se redeuntibus exclamare cogebatur, dicens : *O insensati Galatae ! Quis uos fascinauit*[c] *? Et sic stulti estis, ut cum spiritu coeperitis, nunc carne consummamini*[d] *?*
20 Vel certe : *Currebatis bene, quis uos impediuit ueritati non oboedire*[e] *?* Qualis in huius ceruae partu rugitus fuit, quae diu conceptos filios cum tot difficultatibus peperit ; et quandoque partos ad malitiae uterum redisse cognouit ? Consideremus quid doloris habuerit, quid laboris, quae et postquam potuit
25 concepta edere, rursum compulsa est exstincta suscitare.

47. a. cf. Ps 125, 5   b. Ga 4, 19-20   c. Ga 3, 1   d. Ga 3, 3   e. Ga 5, 7

Exemple de Paul

XIII, 47. *Elles s'accroupissent pour*   **39, 3**
mettre bas en poussant de grands cris.

Ils poussent des cris quand ils s'abaissent pour faire naître les âmes de leurs auditeurs à une vie de lumière ; ils ne peuvent, en effet, nous délivrer des supplices éternels que par leurs larmes et leurs souffrances. Car les saints prédicateurs sèment maintenant dans les larmes pour récolter plus tard une moisson de joies[a]. Ils sont maintenant comme des biches dans les douleurs de l'enfantement, afin d'être plus tard riches d'une descendance spirituelle. Pour ne prendre qu'un exemple parmi beaucoup d'autres, je vois Paul, poussant des cris de douleur intense comme une biche lorsqu'il enfante. Il dit en effet : *Mes petits enfants, vous pour qui je souffre à nouveau les douleurs de l'enfantement jusqu'à ce que le Christ soit formé en vous, je voudrais être auprès de vous en ce moment pour changer mon langage, car je ne sais comment m'y prendre avec vous*[b]. Voici qu'il veut changer son langage lorsqu'il enfante, c'est-à-dire transformer sa prédication en cris de douleur. Il veut changer son langage, parce que ceux qu'il avait déjà mis au monde par sa prédication, il les enfantait à nouveau dans les gémissements en les corrigeant. Quels cris poussait cette biche en travail, quand il était obligé de clamer à ceux qui revenaient à sa suite : *Ô Galates insensés, qui vous a ensorcelés*[c] *? Êtes-vous stupides à ce point d'avoir commencé par l'esprit pour finir maintenant par la chair*[d] *? Et encore : Vous couriez si bien ; qui vous a empêchés d'obéir à la vérité*[e] *?* Quels furent les cris de cette biche en travail quand, après avoir mis au monde avec tant de mal des enfants qu'elle avait longtemps portés en elle, elle les a vus rentrer dans le ventre de la malice ! Considérons quelles furent sa douleur et sa peine quand, après avoir réussi à mettre au monde les fruits qu'elle avait portés, elle fut obligée à nouveau de les rappeler de la mort à la vie.

48. Notandum uero summopere est, quod istae ceruae incuruantur ut pariant, quia nimirum si erectae starent, parere non ualerent. Nisi enim praedicatores sancti ab illa immensitate contemplationis internae quam capiunt, ad in-
5 firmitatem nostram humillima praedicatione quasi quadam incuruatione descenderent, numquam utique in fide filios procrearent. Nobis quippe prodesse non possent, si in suae altitudinis erectione persisterent. Sed uideamus ceruam sese ut pariat incuruantem : *Ego*, igitur, *non potui uobis loqui*
10 *quasi spiritalibus, sed quasi carnalibus ; tamquam paruulis in Christo lac uobis potum dedi, non escam*[a]. Atque mox eiusdem incuruationis causas exsequitur, dicens : *Nondum enim poteratis, sed nec adhuc quidem potestis*[b]. Sed hanc ceruam, quae propter nos incuruata est, quaeso uideamus erectam.
15 Ait : *Sapientiam loquimur inter perfectos*[c]. Et rursum : *Siue mente excedimus, Deo*[d]. Cum uero mente excedit Deo, excessum eius nos omnino non capimus. Vt ergo nos lucretur, incuruatur ad nos. Vnde illic apte subiungit : *Siue sobrii sumus uobis*[e]. Si enim sancti uiri ea nobis praedicare uellent
20 quae capiunt, cum in superna contemplatione debriantur, et non magis scientiam suam quodam moderamine et sobrietate temperarent, adhuc angusto intellegentiae sinu illa superni fontis fluenta quis caperet ? Incuruatae autem istae ceruae, alias caeli uocati sunt, de quibus dicitur : *Domine*
25 *inclina caelos tuos, et descende*[f]. Cum enim inclinantur caeli, descendit Dominus, quia cum se in praedicatione sua sancti doctores attrahunt, diuinitatis notitiam nostris cordibus infundunt. Nequaquam quippe ad nos Deus descenderet, si praedicatores eius in contemplationis rigore inflexibiles

---

48. a. 1 Co 3, 1-2   b. 1 Co 3, 2   c. 1 Co 2, 6   d. 2 Co 5, 13   e. 2 Co 5, 13
f. Ps 143, 5

---

1. Même suite de textes pauliniens (1 Co 3, 1-2 et 2, 6 ; 2 Co 5, 13) dans *Hom. Ez.* II, 8, 3, où Grégoire exalte comme ici les prédicateurs de l'Église.

Humilité des prédicateurs   **48.** Il faut noter très soigneusement que ces biches s'accroupissent pour mettre bas : si elles restaient debout, elles n'auraient pas la force de le faire. En effet, si les saints prédicateurs ne quittaient cette immensité de contemplation intérieure qu'ils embrassent et ne descendaient vers notre faiblesse, comme en se ployant, par une prédication très humble, ils ne donneraient jamais naissance à des fils dans la foi ; ils ne pourraient nous être utiles, s'ils demeuraient dressés sur leur hauteur. Mais voyons comment s'accroupit cette biche pour mettre bas : *Pour moi*, donc, *je n'ai pu vous parler comme à des hommes spirituels, mais comme à des hommes charnels ; comme à de petits enfants dans le Christ, je vous ai donné du lait à boire, non une nourriture solide*[a]. Et il ajoute aussitôt la raison pour laquelle il s'est baissé : *Vous ne pouviez pas encore la supporter et vous ne le pouvez pas davantage à présent*[b]. Mais voyons, je vous prie, comment, après s'être accroupie pour nous, cette biche se redresse. Il dit : *C'est de sagesse que nous parlons aux parfaits*[c]. Et encore : *Si nous sommes ravis hors de nous, c'est pour Dieu*[d]. Quand il est ravi hors de lui pour Dieu, nous sommes tout à fait incapables de comprendre son ravissement. Pour nous gagner, il s'incline donc vers nous. Aussi ajoute-t-il très justement : *Si nous nous modérons, c'est pour vous*[e][1]. Si les hommes saints voulaient nous dire ce qu'ils saisissent dans l'enivrement de la contemplation divine, sans tempérer leur connaissance par quelque modération et réserve, qui pourrait retenir dans le réservoir encore étroit de son intelligence ces flots qui coulent de la source divine ? Ces biches accroupies reçoivent ailleurs le nom de cieux, selon ce mot du psalmiste : *Seigneur, incline tes cieux et descends*[f]. Quand les cieux sont inclinés, le Seigneur descend, c'est-à-dire : Quand les saints docteurs s'abaissent dans leur prédication, ils répandent dans nos cœurs la connaissance de la divinité. Jamais Dieu ne descendrait vers nous, si ses prédicateurs demeuraient sans se courber dans l'immobilité

30 permanerent. Inclinantur ergo caeli ut descendat Dominus,
incuruantur ceruae ut nos in noua fidei luce nascamur. Istae
incuruatae ceruae in Canticis canticorum sponsi ubera sunt
uocatae, sicut scriptum est : *Meliora sunt ubera tua uino* g. Ista
enim sunt ubera, quae in arca pectoris fixa, lacte nos potant,
35 quia ipsi arcanis summae contemplationis inhaerentes, subtili
praedicatione nos nutriunt. Vt igitur ab aeterno gemitu et
dolore nos retrahant, nunc incuruantur ceruae, atque in
partu rugitus emittunt.

Quia uero ipsi, qui sancta patrum praedicatione nascuntur,
40 aliquando doctores suos patiendo praeueniunt, ut eis adhuc
in hac uita durantibus, ipsi iam martyrio consummentur,
apte sequitur :

39, 4

XIV, **49.** *Separantur filii earum, pergunt ad pastum ;
egredientur, et non reuertentur ad eas.* Pastum scriptura
sacra illud uiriditatis aeternae pabulum uocat, ubi iam nostra
refectio nullius defectus ariditate marcescit. De quo pastu per
5 psalmistam dicitur : *Dominus regit me, et nihil mihi deerit, in
loco pascuae ibi me collocauit* a. Et rursum : *Nos autem populus
eius, et oues pascuae eius* b. De quibus nimirum pascuis per
semetipsam Veritas dicit : *Per me si quis introierit, saluabitur ;
et ingredietur, et egredietur, et pascua inueniet* c. Pergunt ergo
10 ad pastum, quia de corporibus exeuntes, illa pabula internae
uiriditatis inueniunt. Egrediuntur, et non reuertentur ad eas,
quia in illa suscepti contemplatione gaudiorum, iam nullatenus indigent uerba audire docentium. Egressi itaque ad
eas iam non redeunt, quia angustias uitae praesentis eua-
15 dentes, ultra a doctoribus praedicationem uitae accipere
non requirunt. Tunc quippe impletur quod scriptum est :

48. g. Ct 1, 1
49. a. Ps 22, 1-2   b. Ps 94, 7   c. Jn 10, 9

de la contemplation. Les cieux s'inclinent donc pour que le Seigneur descende ; les biches s'accroupissent pour que nous naissions à la lumière nouvelle de la foi. Ces biches accroupies sont appelées, dans le Cantique des cantiques, les seins de l'époux : *Tes seins sont meilleurs que le vin*[g], est-il écrit. Ils sont ces seins qui, fixés sur l'arche de la poitrine, nous abreuvent de leur lait ; en demeurant attachés aux mystères de la contemplation céleste, ils nous donnent la nourriture d'une prédication simple. Pour nous soustraire aux gémissements et aux souffrances éternels, les biches s'accroupissent durant cette vie et poussent des cris en mettant bas.

Mais il arrive que ceux qui naissent par la sainte prédication des pères les devancent par leurs souffrances ; ils sont consommés par le martyre, tandis que les docteurs restent en cette vie ; aussi le texte poursuit-il fort bien :

S'abreuver à la source de la vérité

XIV, **49.** *Leurs petits se séparent d'elles pour aller au pâturage ; ils s'éloignent et ne reviennent plus vers elles.* La sainte Écriture appelle pâturage l'herbe toujours verte, là où la sécheresse ne pourra causer aucun détriment à notre subsistance. Le psalmiste en parle, quand il dit : *Le Seigneur me conduit ; rien ne me manquera, il m'a mis au pâtura*ge[a]. Et encore : *Nous sommes son peuple et les brebis de son pâturage*[b]. La Vérité elle-même dit au sujet de ces pâturages : *Si quelqu'un entre par moi, il sera sauvé : il entrera et sortira et trouvera sa pâture*[c]. Ils vont donc à la pâture quand, sortant de leur corps, ils trouvent la verdeur des pâturages de l'âme. Ils s'éloignent et ne reviennent plus vers elles, parce qu'une fois entrés dans la contemplation de ces joies, ils n'ont absolument plus besoin d'entendre les paroles de ceux qui les instruisent. Une fois partis, ils ne reviennent plus vers leurs mères, parce qu'échappant aux étroitesses de la vie présente, ils n'attendent plus de recevoir des docteurs les paroles de vie. C'est alors que s'accomplit pour eux cette prophétie de

39, 4

Non docebit ultra uir proximum suum, et uir fratrem suum, dicens : « Cognosce Dominum » ; omnes enim cognoscent me a minimo eorum usque ad maximum, dicit Dominus[d]. Tunc
20 impletur quod in euangelio Veritas dicit : *Palam de Patre annuntiabo uobis*[e]. Filius enim de Patre palam annuntiat, quia sicut et superius diximus, per hoc quod Verbum est, ex natura nos diuinitatis illustrat. Verba ergo tunc docentium quasi quosdam humanae linguae riuulos non quaerunt, quando de
25 ipso iam ueritatis fonte debriantur.

Igitur postquam figurata incuruatione ceruarum, multa de magistrorum uirtute narrata sunt, nunc ad eorum uitam, qui remotae conuersationis secreta appetunt, uerba uertuntur, qui ipsa cessandi otia, quia diuino adiutorio et non suis
30 uiribus assequuntur, de eis a Domino dicitur :

39, 5   XV, **50.** ***Quis dimisit onagrum liberum, et uincula eius quis soluit ?*** Subaudis : nisi ego. Onager enim, qui in solitudine commoratur, non incongrue eorum uitam significat, qui remoti a turbis popularibus conuersantur. Qui
5 apte etiam liber dicitur, quia magna est seruitus saecularium negotiorum, quibus mens uehementer atteritur, quamuis in eis sponte desudetur. Cuius seruitutis conditione carere est in mundo iam nil concupiscere. Quasi enim quodam iugo seruitutis premunt prospera dum appetuntur, premunt
10 aduersa dum formidantur. At si quis semel a dominatione desideriorum temporalium colla mentis excusserit, quadam

---

49. d. Jr 31, 34   e. Jn 16, 25

1. *Sicut et superius diximus.* Nous n'avons pas réussi à identifier ce passage. Les deux citations précédentes de Jn 16, 25 (*Mor*.5, 52 et 30, 17) ne disent pas ce qui est dit ici.
2. Symbole de liberté, l'onagre représente ceux qui vivent à l'écart des foules, car grande est la servitude des affaires séculières. Cette interprétation favorable contraste avec celle de *Mor*. 10, 23 (sur Jb 11, 12), où l'onagre

l'Écriture : *Plus personne n'instruira son prochain, ni personne son frère, en disant : « Connais le Seigneur », car tous me connaîtront, du plus petit au plus grand, dit le Seigneur*[d]. C'est alors que s'accomplit cette parole de la Vérité dans l'Évangile : *Je vous parlerai du Père en toute clarté*[e]. Le Fils nous parle du Père en toute clarté, parce que, nous l'avons dit plus haut[1], étant le Verbe, il nous éclaire de par sa nature divine. Ils ne cherchent donc plus l'enseignement des docteurs, petits ruisseaux de parole humaine, dès lors qu'ils s'enivrent de la source même de la vérité.

Puisqu'à travers l'image des biches accroupies, nous avons longuement parlé de la vertu des maîtres, notre discours va maintenant concerner ceux qui désirent vivre dans le secret d'une vie retirée ; comme ils parviennent à ce paisible loisir par la grâce de Dieu et non par leurs propres forces, le Seigneur dit à leur sujet :

XV, **50. *Qui a laissé l'onagre en liberté ? Qui a dénoué ses liens ?*** Il faut sous-entendre : Qui, si ce n'est moi ? L'onagre, dans sa solitude, représente assez bien ceux qui mènent une vie retirée à l'écart des foules turbulentes. On le dit libre aussi, à juste titre, parce que c'est une grande servitude que celle des affaires du siècle ; l'esprit en est profondément accablé, même si c'est de son propre gré qu'il y consacre sa peine[2]. Pour quitter cette condition de servitude, il suffit de ne plus rien convoiter en ce monde. Tel le joug d'une servitude, la prospérité oppresse quand on la recherche, l'adversité oppresse quand on la redoute. Mais si quelqu'un a secoué une fois pour toutes du cou de son

L'onagre, figure des moines

---

représentait l'homme déréglé, abandonné à ses désirs, mais elle se rapproche du commentaire de Jb 6, 5 (*Mor.* 7, 14) qui voyait dans l'âne sauvage le symbole des simples fidèles, non astreints à une fonction dans l'Église. Une autre interprétation fâcheuse apparaissait dans *Mor.* 16, 60 (sur Jb 24, 5) : les onagres sont les hérétiques, non soumis à la foi et à la raison.

iam etiam in hac uita libertate perfruitur, dum nullo desiderio felicitatis afficitur, nullo aduersitatis terrore coartatur.
Hoc graue seruitutis iugum Dominus uidit saecularium
15 ceruicibus impressum, cum diceret : *Venite ad me omnes*
qui laboratis et onerati estis, et ego reficiam uos. Tollite iugum
meum super uos, et discite a me quia mitis sum, et humilis
corde ; et inuenietis requiem animabus uestris. Iugum enim
meum suaue est, et onus meum leue[a]. Asperum quippe
20 iugum et durae, sicut diximus, seruitutis pondus est subesse
temporalibus, ambire terrena, retinere labentia, uelle stare
in non stantibus, appetere quidem transeuntia, sed cum
transeuntibus nolle transire. Dum enim contra uotum
cuncta fugiunt, quae prius mentem ex desiderio adeptionis
25 afflixerant, post ex pauore amissionis premunt. Liber ergo
dimittitur, quia calcatis terrenis desideriis, ab appetitione
rerum temporalium securitate mentis exoneratur. *Et uincula*
eius quis soluit ? Subaudis : nisi ego.

51. Soluuntur uero uniuscuiusque uincula, dum diuino
adiutorio interna desideriorum carnalium retinacula dirum-
puntur. Cum enim pia intentio ad conuersionem uocat,
sed adhuc ab hac intentione carnis infirmitas reuocat, qua-
5 si quibusdam uinculis anima ligata praepeditur. Multos
enim saepe uidemus uiam quidem sanctae conuersationis
appetere ; sed ne hanc assequi ualeant, modo irruentes casus,
modo futura aduersa formidare. Qui incerta mala dum quasi
cauti prospiciunt, in peccatorum suorum uinculis incauti
10 retinentur. Multa enim ante oculos ponunt, quae si eis in
conuersatione eueniant, subsistere se non posse formidant.

---

50. a. Mt 11, 28-30

---

1. Remplacer *in certa* (*CCL*) par *incerta* (« incertains »).

âme la tyrannie des désirs temporels, il jouit, dès cette vie, d'une certaine liberté ; il n'est plus tenaillé par aucun désir du bonheur, ni angoissé par aucune crainte du malheur. Le Seigneur a vu ce dur joug de servitude peser sur la nuque des hommes de ce monde, quand il leur disait : *Venez à moi, vous tous qui peinez et ployez sous le fardeau, et moi je vous soulagerai. Prenez sur vous mon joug et mettez-vous à mon école, car je suis doux et humble de cœur, et vous trouverez le repos pour vos âmes. Mon joug est doux et mon fardeau léger*[a]. C'est un joug pénible, comme nous venons de le dire, et une lourde et dure servitude que d'être assujetti aux biens temporels, d'ambitionner les choses de la terre, de retenir ce qui s'écoule, de vouloir s'appuyer sur ce qui ne tient pas, de convoiter des objets passagers, sans toutefois vouloir passer avec eux. Tandis que s'évanouissent, contre notre gré, toutes ces réalités qui d'abord avaient tourmenté l'esprit par le désir de les acquérir, elles l'oppressent ensuite par l'angoisse de les perdre. Il est donc rendu à la liberté, celui qui, ayant foulé aux pieds les désirs terrestres, a trouvé la quiétude de l'esprit en se déchargeant de la convoitise des choses temporelles. *Qui a dénoué ses liens ?* Il faut sous-entendre : Qui, si ce n'est moi ?

Le lien des désirs charnels   **51.** Les liens de tout homme sont dénoués quand la grâce de Dieu rompt les attaches intérieures de ses désirs charnels. Quand un pieux projet incite à la conversion, mais que la faiblesse de la chair détourne encore de ce projet, l'âme est entravée, comme liée par des chaînes ; en effet, nous en voyons souvent beaucoup désirer le chemin d'une vie sainte, mais ils ne peuvent le suivre, parce qu'ils redoutent tantôt des difficultés qui se présentent, tantôt des épreuves encore à venir. Or, ceux qui voient à l'avance, comme avec prudence, des maux incertains [1], se laissent retenir bien imprudemment dans les liens du péché. Ils se représentent une quantité d'éventualités qui pourraient survenir dans la vie qu'ils pro-

De quibus bene Salomon ait : *Iter pigrorum, quasi saepes spinarum*[a]. Nam cum uiam Dei appetunt, eos uelut spinae obstantium saepium, sic formidinum suarum oppositae suspi-
15 ciones pungunt. Quod quia electos praepedire non solet, bene illic secutus adiunxit : *Via iustorum absque offendiculo*[b]. Iusti quippe in conuersatione sua quodlibet eis aduersitatis obuiauerit, non impingunt ; quia temporalis aduersitatis obstacula, aeternae spei et internae contemplationis saltu
20 transcendunt. Soluit itaque Deus onagri uincula, quando ab electi uniuscuiusque animo infirmarum cogitationum nodos erumpit, et propitius dissipat omne quod illectam mentem ligabat. Sequitur :

39, 6   XVI, **52.** *Cui dedi in solitudine domum et tabernacula eius in terra salsuginis.* Hoc loco solitudinem debemus intellegere corporis, an solitudinem cordis ? Sed quid prodest solitudo corporis, si solitudo defuerit cordis ? Qui
5 enim corpore remotus uiuit, sed tumultibus conuersationis humanae terrenorum desideriorum cogitatione se inserit, non est in solitudine. Si uero prematur aliquis corporaliter popularibus turbis et tamen nullos curarum saecularium tumultus in corde patiatur, non est in urbe. Itaque bene
10 conuersantibus primum solitudo mentis tribuitur, ut exsurgentem intrinsecus strepitum terrenorum desideriorum premant ; ut ebullientes ad infima curas cordis per superni gratiam restinguant amoris, omnesque motus importune se offerentium leuium cogitationum ; quasi quasdam circum-
15 uolantes muscas ab oculis mentis abigant manu grauitatis ; et quoddam sibi cum Domino intra se secretum quaerant,

51. a. Pr 15, 19   b. Pr 15, 19

jettent et ils craignent de ne pouvoir les supporter. Salomon a joliment dit à leur sujet : *Le chemin des paresseux est comme une haie d'épines* [a]. Quand de tels hommes désirent s'engager dans la voie de Dieu, les obstacles que forgent leurs craintes les piquent comme une haie d'épines qui leur barrerait la route. Comme cela n'empêche pas les élus d'avancer, Salomon a ajouté très justement : *La voie des justes est sans obstacle* [b]. Aucune des difficultés que rencontrent les justes dans leur manière de vivre ne les rebute, parce qu'ils franchissent les obstacles de l'adversité temporelle d'un bond par l'espérance éternelle et la contemplation intérieure. Ainsi, Dieu dénoue les liens de l'onagre, quand il brise dans l'esprit de tout élu les nœuds des pensées pusillanimes et dissipe dans sa bonté toutes les séductions qui retenaient son âme captive. Le texte poursuit :

la solitude de l'Âme   XVI, **52.** *Je lui ai donné une maison dans la solitude et une tente dans une terre de sel.* S'agit-il là de la solitude du corps ou de la solitude du cœur ? Mais à quoi sert la solitude du corps, si manque celle du cœur ? Celui qui physiquement vit à l'écart, mais qui, par sa pensée soucieuse des désirs terrestres, se mêle aux agitations de la vie du monde, n'est pas dans la solitude. Si quelqu'un, au contraire, se trouve physiquement serré de toutes parts par des foules turbulentes, sans permettre cependant aux soucis du monde de troubler son cœur, celui-là n'est pas dans la ville. Ainsi, à tous ceux qui mènent une vie sainte, Dieu accorde d'abord la solitude de l'âme pour apaiser le vacarme soulevé en eux par les désirs terrestres, pour éteindre par la grâce de l'amour céleste les passions du cœur, enflammé pour des riens. Tous ces mouvements de pensées volages qui se présentent d'une manière importune, telles des mouches voltigeant autour d'eux, que, d'un geste de la main de leur gravité, ils les écartent des yeux de leur âme. Qu'ils se cherchent, au dedans d'eux-mêmes, une

39, 6

ubi cum illo exteriori cessante strepitu per interna desideria silenter loquantur.

53. De hoc secreto cordis alias dictum est : *Factum est silentium in caelo, quasi media hora*[a]. Caelum quippe ecclesia electorum uocatur, quae ad aeterna sublimia dum per subleuationem contemplationis intendit, surgentes ab infimis
5　cogitationum tumultus premit, atque intra se Deo quoddam silentium facit. Quod quidem silentium contemplationis, quia in hac uita non potest esse perfectum, factum media hora dicitur. Nolenti quippe animo cogitationum tumultuosi se strepitus ingerunt, etiam sublimibus intendentem, rursum
10　ad respicienda terrena cordis oculum uiolenter trahunt. Vnde scriptum est : *Corpus quod corrumpitur, aggrauat animam, et deprimit terrena inhabitatio sensum multa cogitantem*[b]. Bene ergo factum hoc silentium non integra, sed media hora describitur, quia hic contemplatio nequaquam perficitur,
15　quamuis ardenter incohetur. Quod etiam per Ezechielem prophetam congruenter exprimitur, qui pro mensura ciuitatis in monte conditae, in manu uiri calamum sex cubitorum et palmo, se uidisse testatur[c]. In monte quippe electorum ecclesia sita est, quia fundata in infimis desideriis non est.
20　Quid autem per cubitum, nisi operatio ; quid per senarium numerum, nisi perfectio operationis ostenditur, quia et sexto die cuncta opera Dominus explesse memoratur[d] ? Quid ergo

---

53. a. Ap 8, 1　b. Sg 9, 15　c. cf. Ez 40, 5　d. cf. Gn 1, 31 ; 2, 1

---

1. Dans *Past.* III, 14, Grégoire met en garde contre un silence extérieur qui, loin de produire un apaisement des désirs, a pour effet d'envenimer ceux-ci. Ici, de façon similaire, il réprouve une solitude matérielle qui ne s'accompagne pas d'un silence intérieur des désirs et des soucis.

2. Dans *Hom. Ez.* II, 2, 14, Grégoire répétera cette explication du « silence dans le ciel » (Ap 8, 1) mais en entendant « ciel » de l'âme du juste et en soulignant l'imperfection de la vie contemplative ici-bas : le silence dure seulement presque une demi-heure. Il citera aussi, à ce propos, les « six coudées

retraite avec le Seigneur où, tout vacarme extérieur cessant, ils s'entretiendront silencieusement avec lui par la voix des désirs intérieurs [1].

Le "lieu secret du cœur" **53.** Au sujet de ce lieu secret du cœur, il est dit ailleurs : *Il se fit dans le ciel un silence d'environ une demi-heure*[a]. Le ciel, c'est l'Église des élus qui, tendant de tout l'élan de la contemplation vers la sublimité des biens éternels, réprime le tumulte des pensées surgissant d'en bas et fait silence en elle pour Dieu. Mais comme ce silence de la contemplation ne peut être parfait en cette vie, il est dit qu'il ne dure qu'une demi-heure. En effet, même si l'âme résiste, le brouhaha tumultueux des pensées s'insinue en elle et, tandis qu'elle est tout occupée des réalités célestes, il entraîne de force l'œil du cœur à s'intéresser de nouveau aux choses de la terre. C'est pourquoi il est écrit : *Le corps corruptible appesantit l'âme et cette habitation terrestre alourdit l'esprit aux mille pensées*[b]. Ce silence est donc bien dépeint comme durant non pas une heure entière, mais seulement une demi-heure, parce qu'ici-bas la contemplation ne trouve jamais sa perfection, même si on l'entreprend avec ardeur. Ce que le prophète Ézéchiel a également bien exprimé quand il affirme avoir vu, dans la main de l'homme qui mesurait la ville bâtie sur la montagne, une canne de six coudées et un palme[c2]. L'Église des élus est située sur une montagne, parce qu'elle n'est pas fondée sur les désirs d'en bas. Que figurent les coudées, sinon le travail, et le chiffre six, sinon sa perfection, puisqu'il est mentionné que Dieu a achevé toutes ses œuvres en six jours[d] ? Le palme en

---

et un palme » d'Ez 40, 5, dont il a déjà fait l'exégèse dans la même homélie (*Hom. Ez.* II, 2, 7), en illustrant le contraste des deux vies par l'exemple de Marthe et Marie (*ibid.*, II, 2, 9) et celui de Lia et Rachel (*ibid.*, II, 2, 10). Sur ces deux vies, voir aussi *Mor.* 31, 49.

super sex cubita palmus insinuat, nisi contemplationis uim
quae iam initia aeternae et septimae quietis demonstrat ?
25 Quia enim aeternorum contemplatio hic minime perficitur,
mensura septimi cubiti non expletur. Electorum itaque ecclesia, quia cuncta quae operanda sunt perficit, in sex cubitis
sese in monte posita ciuitas extendit[e]. Quia uero hic adhuc
sola initia contemplationis inspicit, de septimo cubito non
30 nisi palmum tangit.

54. Sciendum uero est quia nequaquam culmen contemplationis attingimus, si non ab exterioris curae oppressione
cessemus. Nequaquam nosmetipsos intuemur, ut sciamus
aliud in nobis esse rationale quod regit, aliud animale quod
5 regitur, nisi ad secretum huius silentii recurrentes, ab omni
exterius perturbatione sopiamur. Quod silentium nostrum
bene etiam Adam dormiens figurauit, de cuius mox latere
mulier processit[a], quia quisquis ad interiora intellegenda
rapitur, a rebus uisibilibus oculos claudit ; et tunc in seipso
10 uel quae praeesse uiriliter debeant, uel quae subesse possint
infirma distinguit, ut aliud in illo sit quod regere ualeat tamquam uir, aliud tamquam femina quod regatur. In hoc itaque silentium cordis, dum per contemplationem interius
uigilamus, exterius quasi obdormiscimus. Quia ergo remoti
15 uiri, id est a desideriis carnalibus alieni, hoc silentium mentis
inhabitant, huic onagro Dominus in solitudine domum dedit, ut turba desideriorum temporalium non prematur.

53. e. cf. Mt 5, 14
54. a. cf. Gn 2, 21-22

plus des six coudées ne représente-t-il pas la puissance de la contemplation, qui anticipe déjà le repos éternel du septième jour ? Comme ici-bas, en effet, la contemplation des biens éternels est loin d'être parfaite, la mesure de sept coudées n'est pas atteinte. Parce que l'Église des élus s'acquitte de toutes les œuvres prescrites, la ville bâtie sur la montagne s'étend sur six coudées [c]. Mais comme elle ne fait encore ici-bas que s'initier à la contemplation, elle n'approche de la septième coudée que d'un palme.

Le silence de l'âme   **54.** Il faut le savoir, nous n'atteignons jamais le sommet de la contemplation si nous ne mettons cesse à l'oppression des soucis extérieurs. Il est impossible de nous voir nous-mêmes, de connaître ce qu'est la partie raisonnable qui nous gouverne et ce qu'est la partie animale qui est gouvernée, si nous ne recourons au secret de ce silence pour y trouver l'apaisement de tous les troubles extérieurs. Et ce silence, le nôtre, est bien figuré par le sommeil d'Adam, quand la femme fut aussitôt tirée de son côté [a]. Quiconque, en effet, est transporté jusqu'à l'intelligence des réalités intérieures ferme les yeux aux réalités visibles ; il peut alors distinguer ce qui en lui est fort et doit commander, et ce qui est faible et peut obéir ; ce qui, en lui, a la force de diriger comme un homme, et ce qui se laisse diriger comme une femme. Dans ce silence du cœur, tandis que nous veillons intérieurement par la contemplation, nous sommes comme endormis extérieurement. Les hommes qui sont retirés du monde, c'est-à-dire ceux qui sont étrangers aux désirs de la chair, habitent ce silence de l'âme. C'est donc à cet onagre-là que le Seigneur donne une maison dans la solitude, pour qu'il ne soit pas accablé par la foule des désirs temporels.

39, 6   **55.** *Et tabernacula eius in terra salsuginis.* Salsugo accendere sitim solet. Et quia sancti uiri quamdiu in huius
uitae tabernaculis degunt, ad supernam patriam desiderii
sui cotidianis aestibus accenduntur, in terra salsuginis taber-
5 nacula habere perhibentur. Incessanter quippe accenduntur
ut sitiant, sitiunt ut satientur ; sicut scriptum est : *Beati qui
esuriunt et sitiunt iustitiam, quoniam ipsi saturabuntur*[a].
Sequitur :

39, 7   XVII, **56.** *Contemnit multitudinem ciuitatis.* Multitudinem ciuitatis contemnere est humanae conuersationis
praua studia deuitare, ut iam non libeat terrenorum hominum, qui prae abundantia iniquitatis multi sunt, perditos
5 mores imitari[a]. Cum paucis namque ingredi angustam portam desiderant, et non cum multis lata itinera ingredi appetunt, quae ad interitum ducunt[b]. Sollerter quippe a quo
et ad quid sunt creati conspiciunt, et recta consideratione
acceptae imaginis sequi uulgi multitudinem dedignantur.
10 Vnde et sponsi uoce sponsae in Canticis canticorum dicitur :
*Nisi cognoueris te, o pulchra inter mulieres, egredere et abi post
uestigia gregum et pasce haedos tuos*[c]. Semetipsam namque
ea quae est inter mulieres pulchra cognoscit, quando electa
quaeque anima etiam inter peccantes posita quia ad auctoris
15 sui imaginem ac similitudinem sit condita meminit[d], et
iuxta perceptae similitudinis ordinem incedit. Quae si se
non cognoscit, egreditur, quia a secreto sui cordis expulsa, in
exterioribus concupiscentiis dissipatur. Egressa uero abit post
uestigia gregum, quia sua interna deserens, ad latam uide-
20 licet uiam ducitur ; et sequitur exempla populorum. Nec
iam agnos, sed haedos pascit, quia non innoxias cogitationes

55. a. Mt 5, 6
56. a. cf. Mt 24, 12   b. cf. Mt 7, 13   c. Ct 1, 7   d. cf. Gn 1, 26

La "soif de justice"

55. *Et une tente dans une terre de sel.* Le sel excite la soif. Aussi, parce que les saints, tant qu'ils sont dans les tentes de cette vie, brûlent continuellement du désir ardent de la patrie céleste, il est dit qu'ils ont leur tente dans une terre de sel. Sans cesse ils brûlent de soif, ils ont soif de satiété, selon ces paroles de l'Écriture : *Heureux ceux qui ont faim et soif de la justice, car ils seront rassasiés* [a]. Le texte poursuit :

39, 6

La "porte étroite"

XVII, **56.** *Il méprise les foules de la ville.* Mépriser les foules de la ville, c'est éviter les pratiques délictueuses de la vie humaine, de manière à ne plus trouver plaisir à imiter les mœurs corrompues des hommes charnels : ils sont nombreux, tant abonde l'iniquité [a] ! Les saints désirent entrer avec le petit nombre par la porte étroite, et non pas emprunter avec le grand nombre les voies larges qui mènent à la perdition [b]. Ils considèrent avec sagacité qui les a créés et à quelle fin ; réfléchissant bien alors à l'image de Dieu qu'ils ont reçue en eux, ils refusent de suivre la vile multitude. Aussi l'époux dit-il à l'épouse, dans le Cantique des cantiques : *Si tu ne te connais pas, ô la plus belle des femmes, sors, suis les traces du troupeau et fais paître tes chevreaux* [c]. Elle se connaît elle-même, elle, la plus belle des femmes, quand une âme élue, même vivant au milieu des pécheurs, n'oublie pas qu'elle a été créée à l'image et à la ressemblance de son Créateur [d], et se conduit conformément à cette ressemblance dont elle a conscience. Si elle ne se connaît pas, elle va au dehors et, chassée alors de la retraite secrète de son cœur, elle se disperse dans la convoitise des biens extérieurs. Une fois sortie, elle suit les traces du troupeau, c'est-à-dire qu'abandonnant sa voie intérieure, elle se laisse entraîner vers la voie large et suit les exemples de la foule. Alors, ce ne sont pas des agneaux qu'elle fait paître, mais des chevreaux, car elle ne cherche pas à nourrir dans son esprit des pensées innocentes, mais les

39, 7

mentis, sed nutrire prauos motus carnis intendit. Quia ergo
electus quisque ac continens abire post gregum uestigia
despicit, dicatur recte : *Contemnit multitudinem ciuitatis.*
25 Vbi et apte subiungitur :

39, 7   XVIII, **57**. *Clamorem exactoris non audit.* Quis intellegi exactor alius, nisi diabolus potest, qui semel in paradiso
homini malae persuasionis nummum contulit[a] ; et cotidie
ab eo huius debiti exigere reatum quaerit ? Huius exactoris
5 sermo est malae suggestionis incohatio. Huius exactoris
clamor est iam non lenis, sed uiolenta temptatio. Hic exactor
loquitur cum leniter suggerit ; hic exactor clamat, cum fortiter
temptat. Clamorem ergo exactoris non audire est uiolentis
temptationum motibus minime consentire. Audiret enim
10 si ea quae suggerit, faceret. Sed cum peruersa agere despicit,
recte dicitur : *Clamorem exactoris non audit.*

58. Nonnulli uero hoc loco per exactorem intellegi uentrem uolunt. Ipse namque a nobis quoddam debitum exigit,
quia cotidianum fructum sibi humani laboris impendi etiam
per naturam quaerit. Abstinentes igitur uiri, qui hoc loco
5 onagri uocabulo figurantur, dum uiolenta gulae desideria
reprimunt, quasi clamantis exactoris uerba contemnunt. Sed
cum continenti uiro contra innumera uitia multa uirtutum
certamina suppetant, cur sub exactoris clamore contempto,
de solo hic uentre dicitur quod eius impetum impulsumque
10 restringat ; nisi quod nullus palmam spiritalis certaminis
apprehendit, qui non in semetipso prius per afflictam uentris concupiscentiam carnis incentiua deuicerit ? Neque

57. a. cf. Gn 3, 1-6

mouvements déréglés de la chair. Parce que tout élu vertueux dédaigne de suivre les traces du troupeau, c'est avec raison qu'il est dit ici : *Il méprise les foules de la ville*. Le texte ajoute ensuite à propos :

Le percepteur, figure du diable... XVIII, **57.** *Il n'entend pas le cri du percepteur*. Qui peut-on voir d'autre dans ce percepteur, sinon le diable, qui, un jour, au paradis, a versé à l'homme la monnaie de ses funestes conseils[a] et, depuis, cherche chaque jour à lui faire payer sa dette de péchés. La parole de ce percepteur, c'est un début de suggestion mauvaise ; le cri de ce percepteur, c'est une tentation, non plus douce, mais violente. Ce percepteur parle quand il suggère avec douceur, mais il crie quand il tente avec force. Ne pas entendre le cri du percepteur, c'est ne pas consentir aux mouvements violents des tentations. Les entendre, ce serait faire ce qu'il suggère. Mais quand l'homme refuse de faire le mal, on dit avec juste raison : *Il n'entend pas le cri du percepteur*. 39, 7

...ou de la gourmandise **58.** Certains veulent qu'en ce passage le percepteur figure le ventre. De fait, le ventre exige de nous une certaine dette, parce que, par nature, il réclame aussi chaque jour le fruit du travail humain. Quand les hommes abstinents, figurés dans notre texte par l'onagre, répriment les violents désirs de la gourmandise, ils se moquent, pour ainsi dire, des paroles et du cri du percepteur. Mais alors que de nombreux combats des vertus contre une infinité de vices s'offrent à l'homme continent, pourquoi, lorsqu'il se moque des cris du percepteur, n'est-il question ici que de réprimer les mouvements et les impulsions du ventre ? La raison n'en est-elle pas qu'il est impossible de remporter la palme dans le combat spirituel, si l'on n'a pas commencé par vaincre en soi-même les aiguillons de la chair par la mortification du ventre ? Nous ne sommes

enim ad conflictum spiritalis agonis assurgitur, si non prius
intra nosmetipsos hostis positus, gulae uidelicet appetitus,
15 edomatur ; quia si non ea quae nobis sunt uiciniora pro-
sternimus, nimirum inaniter ad ea quae longius sunt impu-
gnanda transimus. Incassum namque contra exteriores
inimicos in campo bellum geritur, si intra ipsa urbis moenia
ciuis insidians habetur. Mens quoque ipsa certantis sub graui
20 confusionis dedecore ab spiritalis certaminis congressione
repellitur, quando infirma carnis proelio gulae gladiis con-
fossa superatur. Nam cum se paruis prosterni conspicit,
confligere maioribus erubescit.

59. Nonnulli uero ordinem certaminis ignorantes, edo-
mare gulam neglegunt et iam ad spiritalia bella consurgunt.
Qui aliquando multa etiam quae magnae sunt fortitudinis
faciunt, sed dominante gulae uitio, per carnis illecebram
5 omne quod fortiter egerint perdunt, et dum uenter non
restringitur, per carnis concupiscentiam simul cunctae uirtutes obruuntur. Vnde et de Nabuchodonosor uincente
scribitur : *Princeps coquorum destruxit muros Ierusalem*[a].
Quid enim per muros Ierusalem significans scriptura expri-
10 mit, nisi uirtutes animae, quae ad pacis uisionem tendit ?
Aut quis coquorum princeps, nisi uenter accipitur, cui
diligentissima a coquentibus cura seruitur ? Muros igitur
Ierusalem princeps coquorum destruit, quia uirtutes animae
dum non restringitur uenter, perdit. Hinc est quod Paulus
15 contra Ierusalem moenia decertanti uires coquorum principi
subtrahebat, cum diceret : *Castigo corpus meum et seruituti
subicio, ne forte aliis praedicans, ipse reprobus efficiar*[b]. Hinc

---

59. a. 2 R 25, 8 ; Jr 52, 14 ; cf. aussi 2 Ch 36, 19   b. 1 Co 9, 27

1. Sur ce verset, cité aussi en *Past*. III, 19, cf. note 2, p. 375 (*SC* 382).
2. Traduction du nom Jérusalem. Cf. JÉRÔME, *Liber interpr. Hebr. nom.*
50, 9, et *passim*.

pas en mesure de supporter le choc du combat spirituel, si nous n'avons pas commencé par dompter l'ennemi que nous portons en nous, c'est-à-dire les exigences de la gourmandise : il est inutile de vouloir aller combattre au loin, si nous ne nous rendons maîtres de ce qui est le plus proche de nous. Il est vain de faire la guerre en rase campagne contre les ennemis de l'extérieur, s'il se trouve un traître à l'intérieur même des murs de la ville. De plus, l'esprit lui-même du combattant, couvert de la honte d'une grande confusion, est éliminé lors de l'affrontement du combat spirituel, s'il se fait transpercer par le glaive de la gourmandise et vaincre à cause de sa faiblesse dans le combat de la chair. En effet, lorsqu'il se voit jeté à terre par de petites choses, il rougit d'aller se mesurer aux grandes.

59. Certains, ignorant les règles du combat, s'engagent dans la lutte spirituelle sans se soucier de dominer d'abord la gourmandise. Certes, ils accomplissent parfois beaucoup d'actes même de grand courage, mais le vice de la gourmandise reste leur maître et ils perdent, par l'attrait de la chair, tout ce qu'ils avaient réalisé avec courage ; comme ils ne maîtrisent pas leur ventre, toutes leurs vertus sont étouffées d'un seul coup par la convoitise de la chair. C'est pourquoi il est écrit de Nabuchodonosor après sa victoire : *Le prince des cuisiniers abattit les murs de Jérusalem*[a][1]. Que figurent ces murs de Jérusalem dont parle l'Écriture, sinon les vertus de l'âme qui aspire à la «vision de la paix[2]»? Et le prince des cuisiniers n'est-il pas le ventre, que les cuisiniers mettent tout leur soin à bien servir ? Le prince des cuisiniers détruit donc les murs de Jérusalem, car, si le ventre n'est pas maîtrisé, il réduit à rien les vertus de l'âme. C'est pourquoi Paul privait de ses forces ce prince des cuisiniers s'attaquant aux remparts de Jérusalem, quand il disait : *Je châtie mon corps et le tiens assujetti de peur qu'après avoir prêché aux autres, je ne sois moi-même réprouvé*[b]. Et il a dit aussi précédemment : *Je cours,*

etiam praemisit, dicens : *Sic curro, non quasi in incertum ;*
sic pugno, non quasi aerem uerberans [c]. Quia cum carnem
20 restringimus, ipsis continentiae nostrae ictibus non aerem,
sed immundos spiritus uerberamus ; et cum hoc quod est intra
nos subicimus, extra positis aduersariis pugnos damus. Hinc
est quod rex Babylonis succendi fornacem iubet, naphthae,
stuppae, picis et malleoli ministrari congeriem praecipit ; sed
25 tamen abstinentes pueros hoc igne minime consumit [d], quia
antiquus hostis licet innumeras ciborum concupiscentias
nostris obtutibus opponat, qua libidinis ignis crescat, bonis
tamen mentibus superni Spiritus gratia insibilat ; et a carnalis
concupiscentiae aestibus illaesae perdurant, ut etsi usque ad
30 temptationem cordis flamma ardeat, usque ad consensum
tamen temptatio non exurat.

60. Sciendum est praeterea quia quinque nos modis gulae
uitium temptat. Aliquando namque indigentiae tempora
praeuenit ; aliquando uero tempus non praeuenit, sed
cibos lautiores quaerit ; aliquando quaelibet sumenda sint
5 praeparari accuratius expetit ; aliquando autem et qualitati
ciborum et tempori congruit, sed in ipsa quantitate sumendi
mensuram refectionis excedit. Nonnumquam uero et abiec-
tius est quod desiderat, et tamen ipso aestu immensi desiderii
deterius peccat. Mortis quippe sententiam patris ore
10 Ionathan meruit, quia in gustu mellis constitutum edendi
tempus antecessit [a]. Et ex Aegypto populus eductus in eremo
occubuit quia, despecto manna, cibos carnium petiit, quos

---

59. c. 1 Co 9, 26   d. cf. Dn 3, 19-20 ; 3, 46-50
60. a. cf. 1 S 14, 27

---

1. Cette liste des cinq tentations de la gourmandise est plus détaillée que
celle de CASSIEN, *Inst.* 5, 23, 1, qui en comptait seulement trois : devancer
(*praeuenire*) l'heure régulière ; se remplir l'estomac d'aliments quelconques ; se

mais non au hasard ; je combats, mais je ne frappe pas dans le vide[c]. Quand nous maîtrisons notre chair par les coups de notre abstinence, nous ne frappons pas dans le vide, mais nous atteignons les esprits impurs ; en soumettant ce qui est au dedans de nous, nous frappons nos ennemis qui sont à l'extérieur. Aussi, quand le roi de Babylone ordonne d'allumer une fournaise, il commande d'accumuler naphte, étoupe, poix et sarments ; cependant, le feu n'a en rien brûlé les jeunes gens qui pratiquaient l'abstinence[d]. Même si l'antique ennemi nous met sous les yeux l'appât d'innombrables nourritures pour allumer en nous les feux de la convoitise, la grâce de l'Esprit saint souffle sur les âmes des justes, qui demeurent indemnes des brûlures de la concupiscence charnelle ; de sorte que, si leur cœur va jusqu'à ressentir la flamme de la tentation, celle-ci ne les embrase pas jusqu'à arracher leur consentement.

Les cinq tentations de la gourmandise **60.** Il faut savoir en outre que le vice de la gourmandise nous tente de cinq manières[1] : tantôt elle devance l'heure d'un réel besoin ; tantôt, sans devancer cette heure, elle recherche des mets plus délicats ; tantôt elle apporte trop de soin à préparer le moindre aliment ; tantôt, tout en gardant la mesure pour la qualité et l'heure des repas, elle commet des excès dans la quantité. Parfois, il arrive aussi que, tout en désirant des mets assez ordinaires, elle entraîne cependant à pécher gravement à cause de l'ardeur même d'un désir sans mesure. C'est une sentence de mort que Jonathan mérita de la bouche de son père pour avoir mangé du miel avant l'heure prévue[a]. Même le peuple élu que Dieu avait fait sortir d'Égypte succomba dans le désert pour avoir méprisé la manne et demandé en guise de nourriture de la viande,

---

délecter de mets plus soignés (*acuratioribus*) et plus savoureux (*esculentioribus*). L'ordre est aussi modifié, la qualité passant avant la quantité.

lautiores putauit [b]. Et prima filiorum Heli culpa suborta est,
quod ex eorum uoto sacerdotis puer non antiquo more coctas
15 uellet de sacrificio carnes accipere, sed crudas quaereret, quas
accuratius exhiberet [c]. Et cum ad Ierusalem dicitur : *Haec*
fuit iniquitas Sodomae sororis tuae, superbia, saturitas panis
et abundantia [d], aperte ostenditur quod idcirco salutem
perdidit, quia cum superbiae uitio mensuram moderatae
20 refectionis excessit. Et primogenitorum gloriam Esau amisit,
quia magno aestu desiderii uilem cibum, id est lenticulam,
concupiuit [e], quam dum uenditis etiam primogenitis praetulit,
quo in illam appetitu anhelaret indicauit. Neque enim cibus,
sed appetitus in uitio est. Vnde et lautiores cibos plerumque
25 sine culpa sumimus, et abiectiores non sine reatu conscientiae
degustamus. Hic quippe quem diximus, Esau, primatum per
lenticulam perdidit [f], et Elias in eremo uirtutem corporis
carnes edendo seruauit [g]. Vnde et antiquus hostis quia non
cibum, sed cibi concupiscentiam esse causam damnationis
30 intellegit, et primum sibi hominem non carne, sed pomo
subdidit [h] ; et secundum non carne, sed pane temptauit [i].
Hinc est quod plerumque Adam culpa committitur, etiam
cum abiecta et uilia sumuntur. Neque enim Adam solus
ut a uetito se pomo suspenderet praeceptum prohibitionis
35 accepit. Nam cum alimenta quaedam saluti nostrae Deus
contraria indicat, ab his nos quasi per sententiam uetat. Et
cum concupiscentes noxia attingimus, profecto quid aliud
quam uetita degustamus ?

61. Ea itaque sumenda sunt quae naturae necessitas
quaerit et non quae edendi libido suggerit. Sed magnus

---

60. b. cf. Nb 21, 5   c. cf. 1 S 2, 12-17   d. cf. Ez 16, 49   e. cf. Gn 25, 33-34
f. cf. Gn 25, 33-34   g. cf. 1 R 17, 6   h. cf. Gn 3, 6   i. cf. Mt 4, 3 ; Lc 4, 3

qui lui semblait un aliment meilleur[b]. De même, la première
faute des fils d'Héli eut lieu quand, à leur suggestion, le serviteur du grand prêtre ne voulut pas prendre, selon l'usage
ancien, des viandes cuites provenant du sacrifice, mais
rechercha des viandes crues qu'il apprêterait avec plus de
soin[c]. Ainsi, quand il est dit à Jérusalem : *Voici quelle fut
l'iniquité de Sodome, ta sœur : l'orgueil, la satiété de pain et
l'abondance*[d], cela nous indique clairement qu'elle perdit son
salut parce que, outre le vice de l'orgueil, elle dépassa la mesure d'une nourriture modérée. Ésaü, lui aussi, perdit son
honneur de fils aîné pour avoir désiré avec trop d'avidité un
plat vulgaire, c'est-à-dire des lentilles[e] ; lorsqu'il les préféra,
ayant vendu même son droit d'aînesse, il montra combien il
était haletant de convoitise pour elles. Le mal n'est pas dans
la nourriture, mais dans la convoitise. Nous prenons souvent
des mets excellents sans aucun péché, et goûtons à des mets
vulgaires non sans reproche de notre conscience. Nous avons
vu Esaü perdre son droit d'aînesse pour des lentilles[f], tandis
qu'Élie, au désert, garda sa vigueur physique en mangeant de
la viande[g]. Comme l'antique ennemi sait que ce n'est pas la
nourriture, mais un désir désordonné de nourriture qui est
cause de damnation, il se soumit le premier homme non
par de la viande, mais par un fruit[h], et, de même, il tenta le
second Adam, non avec de la viande, mais avec du pain[i]. Il
arrive donc souvent que l'on commette la faute d'Adam même
en prenant des nourritures ordinaires et de bas prix. Car
Adam n'est pas le seul qui ait reçu l'interdiction de prendre
du fruit défendu. Quand Dieu nous fait savoir que certains
aliments sont contraires à notre santé, c'est comme s'il nous
les interdisait par un ordre formel. Et quand nous prenons
avec concupiscence ce qui nous est nuisible, que faisons-nous
d'autre que goûter à ce qui est défendu ?

61. Il faut donc prendre ce que les nécessités de la nature
réclament, et non pas ce que suggèrent les caprices de l'appé-

discretionis labor est huic exactori et aliquid impendere,
et aliquid denegare ; et non dando gulam restringere, et
5 dando naturam nutrire. Quae fortasse discretio subinfertur,
cum dicitur : *Clamorem exactoris non audit*. Sermo namque
huius exactoris est necessaria postulatio naturae. Clamor
uero eius est mensuram necessitatis transiens appetitus
gulae. Hic itaque onager exactoris huius sermonem audit,
10 clamorem non audit, quia discretus uir ac continens et usque
ad temperandam necessitatem uentrem reficit, et a uoluptate
restringit.

62. Sciendum uero est quia sic uoluptas sub necessitate
se palliat, ut uix eam perfectus quisque discernat. Nam dum
solui debitum necessitas petit, uoluptas expleri desiderium
suppetit ; et tanto gulam securius in praeceps rapit, quanto
5 sub honesto nomine necessitatis explendae se contegit. Saepe autem in ipsa edendi uia furtiue adiuncta subsequitur ;
nonnumquam uero impudenter libera etiam praeire conatur.
Facile autem est deprehendere cum uoluptas eius necessitatem praeuenit, sed ualde est difficile discernere cum in ipso
10 esu necessario se occulta subiungit. Nam quia praeeuntem
naturae appetitum sequitur, quasi a tergo ueniens tardius
uidetur. Eo enim tempore quo necessitati debitum soluitur,
quia per esum uoluptas necessitati miscetur, quid necessitas
petat, et quid, sicut dictum est, uoluptas suppetat, ignoratur.
15 Saepe uero et discernimus ; et quia utramque sibi coniunctam
nouimus, in hoc quod extra metas rapimur, libet ut sciendo
fallamur ; et dum sibi mens ex necessitate blanditur, ex

tit. Mais c'est un grand labeur de discernement, et d'accorder quelque chose à ce percepteur, et de lui refuser quelque chose ; et, en ne donnant pas, de réprimer la gourmandise, et, en donnant, de nourrir la nature. C'est sans doute ce discernement dont il est question quand il est dit : *Il n'entend pas le cri du percepteur.* La parole de ce percepteur, c'est la juste requête de la nature ; mais son cri, c'est la convoitise de la gourmandise, dépassant la mesure de la nécessité. C'est ainsi que l'onagre entend la parole du percepteur, non son cri. Oui, l'homme prudent et tempérant restaure son estomac dans la mesure de la nécessité, tout en s'abstenant de la sensualité.

62. Mais il faut savoir que la sensualité se couvre si bien du masque de la nécessité que même un homme parfait a beaucoup de peine à la discerner. Tandis que la nécessité réclame l'acquittement de son dû, la sensualité brigue subrepticement la satisfaction de ses désirs ; et elle entraîne la gourmandise dans l'abîme d'autant plus sûrement qu'elle se couvre du nom honnête de nécessité à satisfaire. Il arrive souvent, lorsqu'on est en train de manger, qu'elle vienne se glisser furtivement ; mais il arrive aussi qu'elle veuille marcher en tête sans honte ni retenue. Il est aisé de surprendre la sensualité quand elle précède la nécessité ; mais il est très difficile de la discerner quand elle se mêle secrètement à nos repas nécessaires. Comme elle suit alors l'appétit de la nature qui précède, elle arrive pour ainsi dire par derrière et on l'aperçoit trop tard ! Quand la sensualité survient au moment même où l'on accorde son dû à la nécessité, du fait que volupté et nécessité se mêlent dans l'acte de manger, on ignore ce que réclame la nécessité et ce que la sensualité brigue subrepticement, ainsi que nous l'avons dit. Mais souvent aussi nous les distinguons, et puisque nous connaissons le lien intime entre l'une et l'autre, si nous sommes entraînés au-delà des bornes, c'est qu'il nous plaît de nous laisser consciemment abuser ; et tandis que l'esprit se flatte d'obéir à

uoluptate decipitur. Scriptum quippe est : *Carnis curam ne*
feceritis in desideriis[a]. Quae igitur fieri in desiderio prohibe-
20 tur, in necessitate conceditur.

63. Sed saepe dum incaute necessitati condescendimus,
desideriis deseruimus. Nonnumquam uero dum desideriis
immoderatius obuiare nitimur, necessitatis miserias auge-
mus. Sic enim necesse est ut arcem quisque continentiae
5 teneat, quatenus non carnem, sed uitia carnis occidat.
Nam plerumque dum plus iusto caro restringitur, etiam ab
exercitatione boni operis eneruatur, ut ad orationem quoque uel praedicationem non sufficiat, dum incentiua uitiorum in se funditus suffocare festinat. Adiutorem quippe
10 habemus intentionis internae hunc hominem quem exterius gestamus, et ipsi insunt motus lasciuiae, ipsi effectus
suppetunt operationis bonae. Saepe uero dum in illo hostem
insequimur, etiam ciuem quem diligimus trucidamus ; et
saepe dum quasi conciui parcimus, ad proelium hostem nu-
15 trimus. Eisdem namque alimentis uitia superbiunt, quibus
nutritae uirtutes uiuunt. Et cum uirtus alitur, plerumque
uires uitiis augentur. Cum uero immensa continentia uitiorum uires extenuat, etiam uirtus deficiens anhelat. Vnde
necesse est ut interior homo noster aequus quidam arbiter
20 praesideat inter se et eum quem exterius gestat, quatenus ei
homo suus exterior et semper ad debitum ministerium seruire
sufficiat, et numquam superbe libera ceruice contradicat ;
nec moueat si quid suggerendo submurmurat, dummodo
eum semper superposita calce dominationis premat. Sicque
25 fit ut dum repressa uitia reniti quidem nobis patimur, et tamen haec nobiscum congredi ex aequo prohibemus ; nec

---

62. a. Rm 13, 14

1. « Homme extérieur » et « homme intérieur » comme en 2 Co 4, 16,
texte que Grégoire cite souvent (*Mor.* 6, 15 ; 7, 19 ; 10, 35 ; 31, 92).

la nécessité, il devient le jouet de la sensualité. Il est écrit : *Ne vous souciez pas de la chair pour en satisfaire les convoitises*[a]. Ce qu'il est défendu de faire par convoitise est donc permis par nécessité.

63. Mais il nous arrive souvent, en accordant sans prudence ce que demande la nécessité, de favoriser les convoitises. Parfois aussi, en nous opposant sans mesure à nos convoitises, nous augmentons les exigences de la nécessité. Il faut donc garder la citadelle de la tempérance de manière à détruire les vices de la chair sans tuer la chair. Souvent, lorsqu'on bride la chair plus que de raison, on la rend incapable de faire le bien ; prière et prédication deviennent difficiles, si l'on veut tout d'un coup étouffer radicalement en soi les sollicitations des vices. L'homme que nous revêtons extérieurement est au service de l'orientation intérieure ; c'est en lui que se produisent les mouvements de volupté et c'est à lui que revient l'accomplissement de toute bonne œuvre. Souvent, en poursuivant en lui un ennemi, nous faisons aussi périr le compagnon qui nous est cher ; et souvent, en voulant épargner notre compagnon, nous nourrissons un ennemi qui nous fera la guerre. Les mêmes aliments nourrissent aussi bien l'insolence des vices que la vie des vertus : en alimentant la vertu, bien souvent on fortifie les vices. Mais quand une tempérance sans mesure affaiblit les vices, la vertu aussi défaille et s'essouffle. C'est pourquoi il est nécessaire que notre homme intérieur s'érige en arbitre impartial entre lui-même et celui qu'il revêt extérieurement, en sorte que ce dernier soit toujours à même de lui rendre les services requis, sans jamais le contredire orgueilleusement, la tête haute ; qu'il ne s'émeuve donc pas des suggestions que l'homme extérieur lui murmure parfois en secret, pourvu qu'il le tienne toujours fermement sous le pied de sa domination[1]. Nous pouvons bien pâtir encore des résistances que nous opposent les vices ainsi refoulés, mais nous leur interdisons de se mesurer avec nous

uitia contra uirtutem praeualeant, nec rursum uirtus cum
uitiorum omnimoda exstinctione succumbat. Qua in re sola
elatio funditus exstinguitur, quia quamuis uictoriae seruiat,
30 ad edomandam tamen cogitationum superbiam continua
nobis pugna seruatur. Vnde bene hic, quia unusquisque uir
continens, et debitae necessitati congruit, et uiolentae uolup-
tati contradicit, uoce dominica dicitur : *Clamorem exactoris
non audit.*

35   Quia autem discretus uir eo ad intellegenda superiora se
eleuat, quo in se carnis incentiua castigat, recte post contemp-
tum exactoris clamorem subditur :

39, 8   XIX, **64.** *Circumspicit montes pascuae suae.* Montes pascuae sunt altae contemplationes internae refectionis. Sancti
enim uiri quanto magis se exterius despiciendo deiciunt, tanto
amplius interius reuelationum contemplatione pascuntur.
5 Vnde scriptum est : *Ascensus in corde eius disposuit in conualle
lacrimarum* [a], quia quos exterius in fletu continet conuallis
humilitatis, eos interius subleuat ascensus contemplationis.
   Montes etiam pascuae sunt sublimes uirtutes angelorum.
Quae idcirco hic nos ministrando et adiuuando reficiunt,
10 quia illic interno contemplationis rore pinguescunt. Quae
quia largiente Deo in omni nos certamine protegunt, recte
circumspici dicuntur. Vndique enim nobis adesse circum-
spicimus, quorum defensione contra aduersarios ex omni
latere munimur.

64. a. Ps 83, 6-7

d'égal à égal ; ils ne l'emportent pas sur la vertu, et la vertu, en retour, ne s'épuise pas à les anéantir par tous les moyens. Dans cette lutte, seul l'orgueil est à extirper entièrement, parce que, bien qu'il puisse contribuer à la victoire, un combat continuel nous reste à soutenir pour mater la superbe de nos pensées. Ainsi donc, puisque l'homme tempérant accède aux justes demandes de la nécessité, mais repousse les requêtes impétueuses de la sensualité, le Seigneur dit ici bien à propos : *Il n'entend pas le cri du percepteur.*

Et parce que l'homme prudent s'élève d'autant plus haut dans la connaissance des réalités divines qu'il châtie en lui les sollicitations de la chair, notre texte, après avoir évoqué le mépris du cri du percepteur, ajoute avec bonheur :

La contemplation, nourriture de l'âme

XIX, 64. *Il regarde alentour les montagnes, lieu de son pâturage.* Les montagnes, lieu de pâturage, sont les hautes contemplations du repas intérieur. Plus les saints se tiennent pour méprisables et s'abaissent extérieurement, plus ils sont rassasiés intérieurement par la contemplation des mystères révélés. C'est pourquoi il est écrit : *Il a disposé en son cœur des degrés ascendants dans la vallée des larmes*[a], parce que ceux que la vallée de l'humilité maintient extérieurement dans les larmes, l'ascension de la contemplation les soulève intérieurement.

39, 8

Les montagnes, lieu de pâturage, sont aussi les sublimes vertus que sont les anges. Si elles se mettent à notre service et nous aident à refaire nos forces ici-bas, c'est parce qu'au ciel, la rosée de la contemplation intérieure les nourrit abondamment. Parce que, grâce à Dieu, elles nous protègent dans tous nos combats, il est dit avec raison qu'on les aperçoit alentour. Nous les voyons, en effet, partout nous entourer et, à l'abri de ce rempart, nous sommes défendus de tous côtés contre nos ennemis.

15   Possunt adhuc montes pascuae accipi altae sententiae
scripturae sacrae, de quibus per psalmistam dicitur : *Montes
excelsi ceruis* [b], quia hi qui iam dare contemplationis saltus
nouerunt, altos sententiarum diuinarum uertices quasi cacumina montium ascendunt ; ad quae profecto cacumina quia
20 infirmi peruenire non ualent, recte illic subditur : *Petra
refugium erinaciis* [c], quia uidelicet inualidos non sublimiter
intellegentia exercet, sed sola in Christo fides humiliter
continet. Sequitur :

39, 8   XX, **65.** *Virentia quaeque perquirit.* Arentia quippe sunt
omnia quae temporaliter condita uenturo fine a iucunditate
uitae praesentis quasi aestiuo sole siccantur. Virentia autem
uocata sunt, quae nulla temporalitate marcescunt. Huic ergo
5 onagro uirentia perquirere, est sancto unicuique uiro, despectis rebus transitoriis, in aeternum mansura desiderare.
    Cuncta uero haec quae de onagro dicta sunt intellegi etiam
et aliter possunt. Quae repetito superiori uersu exponimus,
ut lectoris iudicio quod eligendum crediderit relinquamus.
10   Igitur postquam praedicatorum dispensatio sub ceruarum
praetextu descripta est, ut ostenderetur per quem haec eadem
uirtus praedicationis datur, ilico commemoratio de dominica
incarnatione subnectitur, ut dicatur :

39, 5   XXI, **66.** *Quis dimisit onagrum liberum ?* Nec indignum
quis iudicet per tale animal incarnatum Dominum posse
figurari, dum constet omnibus quia per significationem
quamdam in scriptura sacra et uermis et scarabaeus ponatur,

---

64. b. Ps 103, 18   c. Ps 103, 18

1. Même citation (Ps 103, 18) dans *Hom. Ez.* I, 9, 31, où Grégoire oppose
comme ici les esprits élevés capables de contempler les hautes vérités, et les
pécheurs, qui doivent se contenter de croire au Christ pour être sauvés.

Les montagnes, lieu de pâturage, peuvent encore figurer les vérités sublimes de l'Écriture sainte. Le psalmiste dit à leur sujet : *Les hautes montagnes sont pour les cerfs*[b]. En effet, ceux qui ont appris à faire des bonds dans la contemplation atteignent en quelque sorte les sommets des montagnes, c'est-à-dire les hauteurs sublimes des paroles de Dieu ; quant aux faibles qui ne peuvent y accéder, le psalmiste ajoute avec raison à leur sujet : *La pierre est le refuge des hérissons*[c][1]. En effet, ceux qui n'ont pas beaucoup de force n'appliquent pas leur intelligence aux plus hauts mystères, mais ils demeurent humblement dans la seule foi au Christ. Le texte poursuit :

Désirer les biens éternels   XX, **65.** *Il recherche du fourrage vert.*   39, 8
Les plantes flétries représentent tout ce qui, créé dans le temps, doit se dessécher comme au soleil d'été, quand viendra la fin, privé de la joie de la vie présente. Au contraire, tout ce qui ne se flétrit pas avec le temps est appelé fourrage vert. Pour cet onagre, rechercher du fourrage vert, c'est pour chaque homme saint, tout en méprisant les biens passagers, désirer ceux qui doivent demeurer éternellement.

Mais tout ce qui a été dit de l'onagre peut encore se comprendre d'une autre manière. Nous allons donc reprendre à nouveau le commentaire du dernier verset et nous laisserons au jugement du lecteur le soin de faire son choix.

Ainsi donc, après la description de la fonction du prédicateur sous l'image des cerfs, vient immédiatement le rappel de l'Incarnation du Seigneur, afin de montrer qui leur donne cette force de prêcher. D'où ces paroles :

L'onagre, figure du Christ   XXI, **66.** *Qui a laissé aller l'onagre en liberté ?* Que personne n'estime indigne   39, 5
du Seigneur incarné de pouvoir être figuré par semblable animal, puisque chacun sait qu'il se trouve désigné ailleurs dans la sainte Écriture par le ver et le scarabée,

5 sicut scriptum est : *Ego autem sum uermis et non homo*[a]. Et
sicut apud septuaginta interpretes per prophetam dicitur :
Scarabaeus de ligno clamauit[b]. Cum ergo nominatis rebus
tam abiectis et uilibus figuratur, quid de illo contumeliose
dicitur, de quo constat quod proprie nil dicatur ? Vocatur
10 enim et agnus[c], sed propter innocentiam. Vocatur leo[d], sed
propter potentiam. Aliquando etiam serpenti comparatur[e],
sed propter mortem uel sapientiam. Atque ideo per haec
omnia dici figuraliter potest, quia de his omnibus credi aliquid essentialiter non potest. Si enim unum horum quod-
15 libet essentialiter exsisteret, alterum iam dici non posset.
Nam si agnus proprie diceretur, leo iam uocari non poterat. Si leo proprie diceretur, per serpentem signari non
posset. Sed haec in illo omnia dicimus tanto latius in figura,
quanto longius ab essentia. Potest ergo onager incarnatum
20 Dominum designare. Agri quippe est animal onager. Et quia
incarnatus Dominus gentilitati magis, quam Iudaeae profuit,
animale corpus assumens, quasi non in domum, sed potius
in agrum uenit. De quo agro gentilitatis per psalmistam
dicitur : *Species agri mecum est*[f]. Incarnatus itaque Dominus
25 qui in forma Dei aequalis est Patri, in forma serui minor est
Patre, qua minor etiam seipso[g]. Dicatur ergo a Patre de Filio
secundum formam serui : *Quis dimisit onagrum liberum*
et uincula eius quis soluit ? Omnis quippe *qui peccat, seruus*
est peccati[h]. Et quia incarnatus Dominus particeps nostrae
30 factus est naturae, non culpae, liber dimissus dicitur, quia
sub peccati dominio non tenetur. De quo alias scriptum est :

66. a. Ps 21, 7   b. Ha 2, 11   c. cf. Jn 1, 29.36   d. cf. Ap 5, 5   e. cf. Jn 3,
14   f. Ps 49, 11   g. cf. Ph 2, 6-7   h. Jn 8, 34

selon ce qui est écrit : *Je suis un ver et non un homme*[a]. Et, comme le dit le prophète, dans la traduction des Septante : *Le scarabée a crié à partir du bois*[b]. Quand des êtres si abjects et si vils sont employés nominativement comme figures du Seigneur, quelque chose d'injurieux lui est-il imputé, alors qu'il est bien évident que rien ne lui est appliqué en propre ? S'il est appelé agneau[c], c'est à cause de son innocence ; s'il est appelé lion[d], c'est à cause de sa puissance ; s'il est même parfois comparé au serpent[e], c'est à cause de sa mort ou de sa sagesse. Toutes ces bêtes peuvent le figurer, parce qu'il est impossible que, selon son essence propre, il puisse être considéré comme l'une d'entre elles. Si, selon son essence, il était l'une d'entre elles, n'importe laquelle, on ne pourrait dire qu'il est une autre. Car s'il était appelé agneau au sens propre, il ne pourrait plus être appelé lion ; s'il était appelé lion au sens propre, il ne pourrait être figuré par le serpent. Mais nous lui appliquons avec d'autant plus de diversité toutes ces figures, qu'elles sont plus éloignées de son essence. L'onagre peut donc désigner le Seigneur incarné. L'onagre est un animal des champs. Et comme le Seigneur incarné a été plus utile aux païens qu'aux juifs quand il a pris un corps animé, on peut dire qu'il vint non dans une maison, mais plutôt dans un champ. A propos de ce champ qu'est la Gentilité, le psalmiste dit : *La beauté du champ est en moi*[f]. Le Seigneur incarné qui, en sa condition de Dieu, est égal au Père, est plus petit que le Père en cette condition de serviteur en laquelle il s'est fait aussi plus petit que lui-même[g]. C'est donc le Père qui, au sujet de son Fils en sa condition de serviteur, pose la question : *Qui a laissé aller l'onagre en liberté ? Qui a dénoué ses liens ?* Assurément : *Quiconque pèche est esclave du péché*[h]. Et comme le Seigneur incarné est devenu participant de notre nature, non de notre péché, il est dit qu'il est laissé en liberté, car il n'est pas soumis au pouvoir du péché. Il est encore écrit à son sujet : *Il est libre*

Inter mortuos liber[i]. Liber dimissus dicitur, quia naturam nostram suscipiens, iniquitatis iugo nullo modo tenetur.

Quem quamuis macula culpae nostrae non attigit, passio tamen nostrae mortalitatis adstrinxit. Vnde et postquam liber dimissus dicitur, recte de illo adiungitur :

39, 5

XXII, **67**. *Et uincula eius quis soluit ?* Vincula quippe eius tunc soluta sunt cum infirmitates passionis illius in resurrectionis sunt gloria commutatae. Quasi quaedam uincula Dominus habuit ea quae nos nequitiae merito patimur nostrae mortalitatis infirma ; quibus et usque ad mortem sponte ligari se uoluit, et quae per resurrectionem mirabiliter soluit. Esurire enim, sitire, lassescere, teneri, flagellari, crucifigi, nostrae mortalitatis uinculum fuit. Sed cum expleta morte uelum templi rumperetur, scinderentur petrae, monumenta panderentur, inferni claustra patescerent[a], quid aliud tot argumentis tantae uirtutis ostenditur, nisi quod illa infirmitatis nostrae uincula soluebantur, ut is qui ad suscipiendam serui formam uenerat[b], in ipsa serui forma ab inferni uinculis absolutus, ad caelum etiam cum membris liber rediret ? De quibus ei uinculis Petrus apostolus attestatur dicens : *Quem Deus suscitauit solutis doloribus inferni, iuxta quod impossibile erat teneri illum ab eo*[c].

Et quia post mortem suam atque resurrectionem ad gratiam fidei gentilitatem uocare dignatus est, postquam dicta sunt soluta eius uincula, apte subiungitur :

66. i. Ps 87, 6
67. a. cf. Mt 27, 51-53 b. cf. Ph 2, 7 c. Ac 2, 24

parmi les morts[i]. On dit qu'il est laissé en liberté, parce qu'en revêtant notre nature, il n'est en aucune manière soumis au joug de l'iniquité[1].

Mais, bien que la souillure de notre péché ne l'ait pas atteint, il a été soumis à la passion de notre condition mortelle. C'est pourquoi, après avoir dit qu'il est laissé en liberté, il est ajouté à bon droit :

Les liens de l'Enfer   XXII, **67.** *Qui a dénoué ses liens ?* Ses   39, 5
liens ont été dénoués quand les faiblesses de sa Passion ont été transformées en la gloire de sa Résurrection. Elles ont été pour le Seigneur comme des liens ; mais pour nous, c'est en raison de notre malice que nous endurons ces faiblesses de la condition mortelle ; quant à lui, c'est de son plein gré et jusqu'à la mort qu'il voulut en être lié ; mais, chose admirable, il a dénoué ces liens par sa Résurrection. Être affamé, assoiffé, fatigué, capturé, flagellé, crucifié, voilà, en effet, les liens de notre condition mortelle. Mais sa mort une fois accomplie, lorsque le voile du Temple se déchirait, les rochers se fendaient, les tombeaux étaient béants, les prisons de l'Enfer s'ouvraient[a], que pouvait donc signifier la démonstration d'une telle puissance, sinon que ces liens de notre faiblesse étaient dénoués ? Ainsi, celui qui était venu revêtir la condition d'esclave[b], c'est en cette même condition d'esclave que, délivré des liens de l'Enfer, libre désormais et, de plus, avec ses membres, il revenait au ciel. L'apôtre Pierre lui rend témoignage au sujet de ces liens : *Dieu l'a ressuscité en le déliant des douleurs de l'Enfer, car il était impossible qu'il y fût retenu*[c].

Et puisque le Seigneur, après sa mort et sa Résurrection, a bien voulu appeler la Gentilité à la grâce de la foi, après qu'il a été dit que ses liens ont été dénoués, il est ajouté à propos :

---

1. Le Christ est libre du péché : voir *Mor.* 29, 24, où Grégoire invoque déjà Ps 87, 5-6, cité plus complètement qu'ici.

39, 6   XXIII, **68.** *Cui dedi in solitudine domum et tabernacula*
eius in terra salsuginis. In gentilitate enim in qua patriarcha
non fuit, propheta non fuit, ad intellegendum Deum, qui
ratione uteretur, non fuit ; homo paene non fuit. De hac
5 solitudine per Isaiam dicitur : *Laetabitur deserta et inuia,*
et exsultabit solitudo, et florebit quasi lilium ᵃ. Et rursum
de Ecclesia dicitur : *Ponet desertum eius quasi delicias et*
solitudinem eius quasi hortum Domini ᵇ. Terra uero salsuginis
haec eadem solitudo repetita est, quae priusquam ueram
10 Dei sapientiam cognosceret, salsuginem protulerat ; quia
nullam uiriditatem boni intellectus proferens, peruersa sa-
piebat. Domum ergo in solitudine et tabernaculum in terra
salsuginis accepit, quia incarnatus pro hominibus Deus,
derelicta Iudaea, gentilitatis corda possedit. Vnde ei Patris
15 uoce per prophetam dicitur : *Postula a me, et dabo tibi gentes*
hereditatem tuam, et possessionem tuam terminos terrae ᶜ. Qui
iuxta hoc quod Deus est, cum Patre dat omnia, iuxta uero
hoc quod homo est, a Patre accipit omnia, sicut scriptum
est : *Potestatem dedit ei et iudicium facere, quia filius hominis*
20 *est* ᵈ. Et rursum scriptum est : *Sciens quia omnia dedit ei Pater*
in manus ᵉ. Vel sicut ipse dicit : *Omne quod dat mihi Pater,*
ad me ueniet ᶠ. Iam uero si quaeritur quid inter domum ac
tabernaculum distet, domus in habitatione est, tabernaculum
in itinere. Corda itaque gentilium quasi quaedam tabernacula
25 habuit ueniendo, sed ea per iustitiam firmans, domum fecit
habitando.

Et quia eorum uitam ad quos uenerat imitari despexit,
recte subiungitur :

68. a. Is 35, 1   b. Is 51, 3   c. Ps 2, 8   d. Jn 5, 27   e. Jn 13, 3   f. Jn 6, 37

1. Les quatre premières citations et la dernière sont uniques dans l'œuvre de
Grégoire. Seule l'avant-dernière (Jn 13, 3) reparaît dans une lettre adressée à
Euloge d'Alexandrie en août 600 (*Reg. ep.* X, 21), en vue de prouver que Jésus
sait tout. Ici, le but est différent : montrer que Jésus reçoit tout (*accipit omnia* ;
supprimer, entre ces deux mots, le *inter* inséré par M. Adriaen).

**Conversion
des païens**

XXIII, **68.** *Je lui ai donné une maison*   39, 6
*dans la solitude et une tente dans la terre
de sel.* Dans la Gentilité, en effet, en laquelle il n'y eut ni patriarche, ni prophète, ni personne qui
usât de la raison pour connaître Dieu, c'est à peine s'il y eut
un homme. C'est pourquoi Isaïe dit de cette solitude : *Le
désert et la terre inhabitée se réjouiront, la solitude exultera et
fleurira comme le lis*[a]. Et il dit encore à propos de l'Église : *Il
fera de son désert comme une terre de délices, et de sa solitude
comme un jardin du Seigneur*[b]. La terre de sel et la solitude
sont une seule et même réalité. Avant de connaître la vraie
sagesse de Dieu, la solitude présentait l'aspect d'une terre
de sel : cette terre ne produisant aucune plante verdoyante,
c'est-à-dire aucune intelligence du bien, avait le goût de la
perversité. Il a donc reçu une maison dans la solitude et une
tente dans la terre de sel, autrement dit : Dieu s'étant incarné
pour les hommes a délaissé les juifs pour gagner les cœurs
des païens. C'est pourquoi, selon le prophète, la voix du Père
lui dit : *Demande, et je te donnerai les nations en héritage, et
pour domaine les extrémités de la terre*[c]. En tant que Dieu, il
donne tout avec le Père ; en tant qu'homme, il reçoit tout de
son Père, selon ce mot de l'Écriture : *Il lui a donné le pouvoir
d'exercer le jugement, parce qu'il est le Fils de l'homme*[d]. Et il
est encore écrit : *Sachant que le Père lui avait tout donné entre
les mains*[e]. Ou, comme il le dit lui-même : *Tout ce que le Père
me donne viendra à moi*[f 1]. Mais maintenant, si l'on cherche ce
qui distingue la maison de la tente, c'est que la maison est une
demeure et que la tente est sur le chemin. A son arrivée, les
cœurs des païens étaient pour le Seigneur comme des sortes
de tentes ; mais quand il les eut consolidés par la justice, c'est
en y demeurant qu'il en fit une maison.

Et comme il a dédaigné d'imiter la vie des hommes chez
qui il allait, il est ajouté fort justement :

XXIV, **69.** *Contemnit multitudinem ciuitatis.* Id est :
Mores despicit humanae conuersationis. Homo quippe inter
homines factus, usum tenere hominum noluit. Idcirco namque inter nos homo factus est, ut non solum nos sanguine
5 fuso redimeret, sed etiam ostenso exemplo commutaret.
In conuersatione igitur nostra et ueniendo alia inuenit, et
uiuendo alia docuit. Studebant enim omnes superba Adam
stirpe progeniti, prospera uitae praesentis appetere, aduersa
deuitare, opprobria fugere, gloriam sequi. Venit inter eos
10 incarnatus Dominus aduersa appetens, prospera spernens,
opprobria amplectens, gloriam fugiens. Nam cum Iudaei
illum regem sibi constituere uoluissent, fieri rex refugit[a].
Cum uero eum interficere molirentur, sponte ad crucis patibulum uenit[b]. Fugit ergo quod omnes appetunt, appetiit
15 quod omnes fugiunt. Sed dum fugit quod omnes appetunt,
appetiit quod omnes fugiunt, fecit quod omnes mirarentur,
ut et mortuus ipse resurgeret et morte sua alios de morte
resuscitaret. Duae quippe uitae sunt hominis in corpore
consistentis, una ante mortem, alia post resurrectionem,
20 quarum unam omnes agendo nouerant, alteram nesciebant,
et humanum genus soli huic quam nouerat intendebat.
Venit per carnem Dominus, et dum suscepit unam, alteram
demonstrauit. Dum hanc nobis cognitam suscepit, illam
quae nobis est incognita ostendit. Moriendo quippe uitam
25 exercuit quam tenemus, resurgendo aperuit quam quaera-
mus ; exemplo suo nos docens quod haec uita quam ante
mortem ducimus non propter se amanda sit, sed propter

---

69. a. cf. Jn 6, 15   b. cf. Jn 18, 4

La vie après la mort XXIV, **69.** *Il méprise les foules de la* 39, 7
ville. C'est-à-dire détourne les yeux de la
conduite habituelle des hommes. S'étant
fait homme parmi les hommes, il n'a pas voulu observer les
manières des hommes. En effet, il est devenu homme parmi
nous, non seulement pour nous racheter par l'effusion de
son sang, mais aussi pour nous transformer par son exemple.
Quand il est venu parmi nous, il a rencontré un certain
style de vie ; en vivant parmi nous, il nous en a enseigné un
autre. Tous les hommes, issus de l'orgueilleuse race d'Adam,
avaient comme préoccupation de rechercher les succès de la
vie présente, d'en éviter les adversités, de fuir les opprobres,
de courir après la gloire. Le Seigneur incarné est venu parmi
eux, il a recherché les adversités et méprisé les succès ; il a
embrassé les opprobres et fui la gloire. Quand les juifs, en
effet, voulurent l'établir comme leur roi, il refusa de devenir
roi[a]. Et, quand ils complotèrent pour le faire mourir, il alla
de son plein gré au gibet de la croix[b]. Il a donc fui ce que
tous recherchent, il a recherché ce que tous fuient. Mais en
fuyant ce que tous recherchent et en recherchant ce que tous
fuient, il a fait ce qui plongerait tout le monde dans l'étonnement : d'une part, une fois mort, lui-même ressuscita et,
d'autre part, par sa propre mort, il en ramena d'autres de la
mort à la vie. L'homme en son existence corporelle a deux
vies : l'une précède la mort, l'autre suit la Résurrection. Tous
connaissaient la première par expérience ; ils ignoraient
la seconde. Aussi la race humaine n'avait-elle d'intérêt que
pour celle-là seule dont elle avait connaissance. Le Seigneur
est venu dans notre chair ; en revêtant la première, il a fait
voir la seconde ; en revêtant celle que nous connaissions, il
nous a montré celle qui nous était inconnue. En mourant, il
a fait l'expérience de la vie que nous menons ; en ressuscitant,
il nous a découvert celle que nous devons rechercher. Il nous
a appris par son exemple que cette vie que nous menons
avant la mort ne doit pas être aimée pour elle-même, mais

alteram toleranda. Quia ergo noua conuersatione usus inter homines, mores Babyloniae secutus non est, bene de eo
30 scriptum est : *Contemnit multitudinem ciuitatis.*

70. Vel certe quod multos per spatiosam uiam uagantes deseruit, et per angustam gradientes paucos elegit[a]. Multitudinem namque ciuitatis contemnere est humani generis partem quae latam uiam ingreditur, quae et pro abundantia
5 iniquitatis multa est[b], a regni sui sorte reprobare. Sequitur :

39, 7   XXV, **71.** *Clamorem exactoris non audit.* Sicut supra dictum est, quis hoc loco exactor accipi nisi diabolus potest ? Qui male suadendo spem contulit immortalitatis, sed decipiendo exigit tributum mortis ; qui suadendo intulit
5 culpam, saeuiendo exigit poenam. Huius exactoris sermo est ante mortem hominis astuta persuasio, clamor uero eius est uiolenta iam rapina post mortem. Quos enim ante mortem latenter intercipit, hos ad supplicii sui consortium post mortem uiolenter rapit. Sed quia ad mortem ueniens
10 Dominus, huius exactoris uiolentos impetus non expauit, sicut ipse ait : *Venit enim princeps huius mundi et in me non habet quicquam*[a] ; bene dicitur : *Clamorem exactoris non audit.* Venit quippe ad eum exactor humani generis, quia illum hominem uidit. Sed quem infirmitate despectum
15 hominem credidit, uirtute supra hominem sensit.

---

70. a. cf. Mt 7, 13   b. cf. Mt 24, 12
71. a. Jn 14, 30

---

1. L'*exactor* est le diable : retour et renvoi explicite à l'interprétation initiale (*Mor.* 30, 57), reprise presque mot à mot. A présent, cependant, la perspective

supportée en vue de l'autre. Parce qu'il a pratiqué parmi les hommes une nouvelle manière de vivre et qu'il n'a pas suivi les mœurs de Babylone, l'Écriture dit fort bien à son sujet : *Il méprise les foules de la ville.*

70. Ou encore, c'est qu'il a abandonné la foule de ceux qui erraient par la voie large et qu'il a élu le petit nombre de ceux qui progressaient par la voie étroite[a]. En effet, mépriser les foules de la ville, c'est refuser l'héritage de son Royaume à cette portion du genre humain qui suit la voie large, et elle est considérable, tant l'iniquité abonde[b] ! Le texte poursuit :

Ruse du diable   XXV, **71.** *Il n'entend pas le cri du percepteur.* N'est-ce pas le diable, comme nous l'avons dit plus haut, qui est figuré par ce percepteur[1] ? Par un conseil pervers, il a offert l'espérance de l'immortalité, mais c'est une tromperie, et il exige la mort en tribut ; c'est son conseil qui a poussé au péché, sa méchanceté exige donc une punition. Ce percepteur parle quand, avant la mort de l'homme, il cherche à le tromper par ses conseils ; il crie quand, après la mort, il emporte de force sa rapine. Ceux qu'il a interceptés subrepticement avant la mort, il les ravit de force après la mort pour en faire les compagnons de son supplice. Mais parce que le Seigneur marchant vers la mort n'a pas eu peur des violentes attaques de ce percepteur, ainsi qu'il l'affirme lui-même : *Le prince de ce monde vient, mais il n'a rien en moi*[a], il est fort bien dit : *Il n'entend pas le cri du percepteur.* Le percepteur du genre humain vint vers lui parce qu'il vit en lui un homme. Il pensait avoir affaire à un homme méprisable, parce que faible, mais il fit l'expérience d'une force dépassant celle de l'homme.

39, 7

---

est eschatologique, le cri du diable n'étant plus la tentation violente ici-bas, mais la condamnation aux peines éternelles.

72. Huius nimirum exactoris typum Laban tenuit, quando cum furore ueniens sua apud Iacob idola requisiuit[a]. Laban quippe interpretatur dealbatio. Dealbatio autem diabolus non inconuenienter accipitur, qui cum sit tenebrosus ex merito, transfigurat se uelut angelum lucis[b]. Huic seruiuit Iacob, id est ex parte reproborum iudaicus populus, ex cuius carne incarnatus Dominus uenit. Potest etiam per Laban mundus hic exprimi, qui cum furore Iacob persequitur, quia electos quosque, qui Redemptoris nostri membra sunt, persequendo opprimere conatur. Huius filiam, id est seu mundi, siue diaboli, Iacob abstulit, cum sibi Christus Ecclesiam ex gentilitate coniunxit[c]. Quam et de domo patris abstrahit, quia ei per prophetam dicit : *Obliuiscere populum tuum, et domum patris tui*[d]. Quid uero in idolis, nisi auaritia designatur ? Vnde per Paulum dicitur : *Et auaritia quae est idolorum seruitus*[e]. Laban ergo ueniens apud Iacob idolum non inuenit, quia ostensis mundi thesauris[f] diabolus in Redemptore nostro uestigia concupiscentiae terrenae non repperit. Sed quae Iacob non habuit, ea Rachel sedendo cooperuit[g]. Per Rachel quippe, quae et ouis dicitur, Ecclesia figuratur. Sedere autem est humilitatem paenitentiae appetere, sicut scriptum est : *Surgite postquam sederitis*[h]. Rachel ergo idola sedendo operuit, quia sancta Ecclesia Christum sequens terrenae concupiscentiae uitia paenitendo texit. De hac coopertione uitiorum per prophetam dicitur : *Beati quorum remissae sunt iniquitates et quorum tecta sunt peccata*[i]. Nos igitur Rachel illa signauit, qui idola sedendo premimus, si culpas auaritiae

72. a. cf. Gn 31, 17-35   b. cf. 2 Co 11, 14   c. cf. Ps 125, 2   d. Ps 44, 11   e. Col 3, 5 ; cf. Ep 5, 5   f. cf. Mt 4, 8-10 ; cf. Lc 4, 5-8   g. cf. Gn 31, 34   h. Ps 126, 2   i. Ps 31, 1

1. Cf. JÉRÔME, *Interpr. Hebr. nom.* 8, 6 : *Laban candidus.*

Laban, Jacob, Rachel   **72.** Laban est une figure de ce percepteur, quand il arrive, plein de fureur, auprès de Jacob pour récupérer ses idoles[a]. En effet, Laban signifie « action de blanchir[1] ». Ce terme ne manque pas de convenance appliqué au diable qui, bien qu'il soit ténébreux comme il le mérite, se transforme en ange de lumière[b]. Jacob fut au service de Laban ; Jacob, c'est-à-dire le peuple juif faisant partie des réprouvés, peuple dont est issu selon la chair le Seigneur incarné. Laban peut aussi figurer le monde présent, qui persécute avec rage Jacob, parce qu'il cherche à opprimer par des persécutions tous les élus qui sont les membres de notre Rédempteur. Jacob a enlevé la fille de Laban, c'est-à-dire la fille du monde ou celle du diable, quand le Christ a pris l'Église au milieu des païens pour en faire son épouse[c]. Il l'emmène loin de la maison de son père, selon ces paroles du prophète adressées à l'épouse : *Oublie ton peuple et la maison de ton père*[d]. Que désignent les idoles, sinon la cupidité ? Aussi Paul dit-il : *Ainsi que la cupidité, qui assujettit aux idoles*[e]. Laban vint donc chez Jacob et n'y trouva pas d'idole : quand le diable montra à notre Rédempteur tous les trésors du monde[f], il ne découvrit chez lui aucune trace de convoitise terrestre. Jacob n'avait pas les idoles, c'est Rachel qui les avait cachées en s'asseyant dessus[g]. Rachel, dont le nom signifie « brebis[2] », figure l'Église. Être assis, c'est rechercher l'humilité de la pénitence, selon ces paroles du psaume : *Levez-vous après vous être assis*[h]. Rachel a donc caché les idoles en s'asseyant dessus, car la sainte Église, en suivant le Christ, a couvert par la pénitence les vices de la convoitise terrestre. Au sujet de cette pénitence qui couvre les vices, le prophète a dit : *Heureux ceux dont les iniquités sont pardonnées et les péchés couverts*[i]. Nous sommes, nous aussi, figurés par cette Rachel, si nous couvrons nos idoles en nous asseyant dessus, c'est-à-dire si nous expions par la

2. Cf. JÉRÔME, *Interpr. Hebr. nom.* 9, 25 *et passim*.

paenitendo damnamus. Quae utique auaritia illis non solet
euenire, qui in uia Domini uiriliter currunt quibus dicitur :
30 *Viriliter agite et confortetur cor uestrum*[j] *;* sed his maxime qui
quasi effeminato gressu gradientes per blandimenta saeculi
resoluuntur. Vnde et illic eiusdem Rachelis haec uerba sunt :
Iuxta consuetudinem feminarum nunc accidit mihi[k]. Apud
Iacob ergo idola non repperit, quia exactor callidus quid
35 in Redemptore nostro reprehenderet non inuenit[l]. De hoc
exactore Redemptori nostro gentilitatem ab eius dominio
liberanti per prophetam dicitur : *Iugum enim oneris eius, et*
uirgam humeri eius, et sceptrum exactoris eius superasti, sicut
in die Madian[m]. Eripiens quippe gentilitatem Dominus
40 superauit iugum oneris eius, cum eam aduentu suo ab illa
daemonicae tyrannidis seruitute liberauit. Superauit uirgam
humeri eius, cum percussionem illius, quae ex peruerso opere
grauiter deprimebat, ab humano genere redempto com-
pescuit. Superauit sceptrum exactoris eius, cum regnum
45 eiusdem diaboli, qui pro pestifera perpetratione uitiorum
exigere consueuerat debita tributa poenarum, de fidelium
corde destruxit.

73. Sed quomodo haec acta sunt audiamus. Subiunctum
est ilico : *Sicut in die Madian*[a]. Non ab re arbitror si hoc
Madianitarum bellum, quod in comparatione aduentus
dominici a propheta uigilanter illatum est, aliquando la-
5 tius disseramus. In libro quippe Iudicum, Gedeon contra
Madianitas dimicasse describitur[b]. Is cum exercitus multitudinem ad bella produceret, diuina illi admonitione praeceptum est ut ad fluuium ueniens, omnes quos flexis genibus
aquas haurire conspiceret, a bellorum conflictu remoueret.
10 Actumque est et trecenti uiri tantummodo, qui stantes

72. j. Ps 30, 25   k. Gn 31, 35   l. cf. Jn 14, 30   m. Is 9, 4
73. a. Is 9, 4   b. cf. Jg 7

pénitence les péchés de la cupidité. Ceux qui courent avec courage dans la voie du Seigneur ne sont pas atteints par cette cupidité ; il leur est dit, en effet : *Agissez avec courage et que votre cœur soit ferme*[j]. Mais elle a surtout pour cible ceux dont la démarche est comme efféminée et qui se laissent amollir par les douceurs de ce monde. D'où, en ce passage, les paroles de cette même Rachel : *J'ai ce qui arrive aux femmes*[k]. Laban ne trouva donc pas ses idoles chez Jacob. Non, ce percepteur retors n'a rien trouvé à reprendre en notre Rédempteur[l]. Parlant de ce percepteur, le prophète s'adresse à notre Rédempteur qui libère les païens de sa tyrannie : *Son joug pesant, le bâton qui était sur son épaule et son sceptre de percepteur, tu en as triomphé comme au jour de Madian*[m]. Le Seigneur a triomphé de son joug pesant, quand, par sa venue, il a libéré les païens de l'esclavage tyrannique du démon. Il a triomphé du bâton qui était sur son épaule, quand il a écarté du genre humain racheté les coups du diable qui l'opprimait fortement par ses œuvres perverses. Il a triomphé du sceptre de ce percepteur, quand il a mis fin dans le cœur des fidèles au règne du diable qui, pour prix du funeste exercice des vices, avait coutume de réclamer, tel un dû, un tribut de peines.

Guerre contre les Madianites   **73.** Mais écoutons comment les choses se sont passées : *comme au jour de Madian*[a], est-il aussitôt ajouté. Il ne me semble pas hors de propos de disserter un peu longuement sur cette guerre contre les Madianites, attentivement mise par le prophète en comparaison avec l'avènement du Seigneur. Le Livre des Juges raconte que Gédéon fit la guerre aux Madianites[b]. Comme il se préparait à livrer bataille avec une très nombreuse armée, Dieu lui donna l'ordre qu'arrivé au fleuve, il élimine du choc des combats tous ceux qui s'agenouilleraient pour puiser de l'eau. Cela fut fait et il ne se trouva que trois cents hommes qui puisèrent de l'eau avec leurs mains en restant debout ;

manibus aquas hauserant, remanserunt. Cum his ad proelium
pergit, eosque non armis, sed tubis, lampadibus et lagenis
armauit. Nam sicut illic scriptum est, accensas lampades miserunt intra lagunculas, et tubas in dextra, lagenas autem
15 in sinistra tenuerunt ; et ad hostes suos cominus uenientes,
cecinerunt tubis, confregerunt lagunculas, lampades apparuerunt ; et hinc tubarum sonitu, illinc lampadum coruscatione territi hostes sunt in fugam uersi. Quid hoc est, quod
tale bellum per prophetam ad medium adducitur, et aduentui
20 Redemptoris nostri istius pugnae uictoria comparatur [c] ? An
indicare propheta nobis studuit, quod aduentum Redemptoris nostri contra diabolum illa sub Gedeon duce pugnae
uictoria designauit ? Talia illic nimirum acta sunt, quae
quanto magis usum pugnandi transeunt, tanto amplius a
25 prophetandi mysterio non recedunt. Quis enim umquam
cum lagenis et lampadibus ad proelium uenit ? Quis contra arma ueniens, arma deseruit ? Ridicula nobis haec
profecto fuerant, si terribilia hostibus non fuissent. Sed
uictoria ipsa attestante didicimus, ne parui haec quae facta
30 sunt perpendamus. Gedeon itaque ad proelium ueniens,
Redemptoris nostri signat aduentum, de quo scriptum est :
*Tollite portas principes uestras et eleuamini portae aeternales ;
et introibit rex gloriae. Quis est iste rex gloriae ? Dominus fortis
et potens, Dominus potens in proelio* [d]. Hunc Redemptorem
35 nostrum non solum opere, sed etiam nomine prophetauit.
Gedeon namque interpretatur circumiens in utero. Dominus
enim noster per maiestatis potentiam omnia complectitur, et
tamen per dispensationis gratiam intra uterum uirginis uenit.
Quid est ergo circumiens in utero, nisi omnipotens Deus sua

---

73. c. cf. Is 9, 3-7   d. Ps 23, 7-8

---

1. Cf. JÉRÔME, *Interpr. Hebr. nom.* 32, 20 : *Gedeon circuiens in utero siue
tentatio iniquitatis eorum.*

c'est avec ceux-là que Gédéon marcha au combat ; au lieu d'armes, il leur donna des trompettes, des torches et des cruches. Donc, ainsi qu'il est écrit, ils mirent les torches allumées dans les cruches ; de la main droite, ils tenaient les trompettes, et de la gauche, les cruches. Arrivés à proximité de leurs ennemis, ils sonnèrent de la trompette, ils brisèrent les cruches : les torches apparurent. Terrifiés et par le son des trompettes et par l'éclat des torches, les ennemis prirent la fuite. Pourquoi le prophète mentionne-t-il un tel combat et pourquoi compare-t-il la victoire remportée lors de cette bataille à l'avènement de notre Rédempteur[c] ? Le prophète n'a-t-il pas voulu nous indiquer que la grande victoire obtenue sous la conduite de Gédéon dans cette bataille était une figure de l'avènement de notre Rédempteur venu lutter contre le diable ? Ce qui s'est accompli alors est d'autant moins éloigné du mystère de la prophétie que la tactique de guerre utilisée est tout à fait insolite. Qui donc a jamais marché au combat avec des cruches et des torches ? Qui, pour aller à la rencontre d'hommes armés, a jamais déposé ses armes ? Ces instruments nous sembleraient dérisoires, s'ils n'avaient répandu la terreur chez les ennemis. Mais la victoire même qui s'ensuivit nous invite à ne pas juger insignifiant ce qui a été réalisé. Gédéon, donc, marchant au combat figure l'avènement de notre Rédempteur, au sujet duquel il est écrit : *Relevez vos portes, princes ; levez-vous, portes éternelles, et le roi de gloire entrera. Qui est ce roi de gloire ? C'est le Seigneur fort et puissant, le Seigneur qui est puissant dans les combats*[d]. Gédéon a prophétisé ce Rédempteur non seulement par son exploit, mais également par son nom. Gédéon, en effet, signifie « dans le ventre, il entoure[1] ». Notre Seigneur, effectivement, enveloppe toutes choses par la puissance de sa majesté, et cependant, par la bienveillance de sa providence, il est venu dans le ventre de la Vierge. Qui donc est désigné par « dans le ventre, il entoure », sinon le Dieu tout-puissant nous rachetant selon sa providence,

40 dispensatione nos redimens, diuinitate cuncta complectens,
et humanitatem intra uterum sumens ? In quo utero et incarnatus esset, et clausus non esset, quia et intra uterum fuit per
infirmitatis substantiam, et extra mundum per potentiam
maiestatis. Madian uero interpretatur de iudicio. Vt enim
45 hostes eius repellendi destruendique essent, non de uitio
repellentis, sed de iudicio iuste iudicantis fuit ᵉ. Et idcirco
de iudicio uocantur, quia alieni a gratia Redemptoris, iustae
damnationis meritum etiam in uocabulum nominis trahunt.

74. Contra hos Gedeon cum trecentis pergit ad proelium.
Solet in centenario numero plenitudo perfectionis intellegi.
Quid ergo per ter ductum centenarium numerum designatur,
nisi perfecta cognitio Trinitatis ? Cum his quippe Dominus
5 noster aduersarios fidei destruit, cum his ad praedicationis
bella descendit, qui possunt diuina cognoscere, qui sciunt
de Trinitate quae Deus est perfecta sentire. Notandum uero
est quia iste trecentorum numerus in tau littera continetur,
quae crucis speciem tenet. Cui si super transuersam lineam
10 id quod in cruce eminet adderetur, non iam crucis species,
sed ipsa crux esset. Quia ergo iste trecentorum numerus
in tau littera continetur, et per tau litteram, sicut diximus,
species crucis ostenditur, non immerito in his trecentis
Gedeonem sequentibus illi designati sunt, quibus dictum
15 est : *Si quis uult post me uenire, abneget semetipsum et tollat
crucem suam, et sequatur me* ᵃ. Qui sequentes Dominum
tanto uerius crucem tollunt, quanto acrius et se edomant, et
erga proximos suos caritatis compassione cruciantur. Vnde et
per Ezechielem prophetam dicitur : *Signa tau super frontes*

73. e. cf. Jn 16, 8 ; cf. Ap 19, 11
74. a. Mt 16, 24

1. Sens de *Madian* à peu près comme chez JÉRÔME, *ibid.* 70, 4 : *Madian in
iudicio uel ex iudicio.*
2. § 74-77 : Ce commentaire de l'histoire de Gédéon (Jg 7) est d'autant plus
intéressant que Grégoire ne semble pas s'être occupé de ce texte ailleurs.

enveloppant tout de sa divinité et assumant notre humanité dans le ventre de la Vierge ? Dans ce ventre, il s'incarnerait, mais sans en être prisonnier, car à la fois il fut dans le ventre selon la faiblesse de la nature humaine, et en dehors du monde par la puissance de sa majesté. Madian veut dire : « du fait du jugement [1] ». En effet, si les ennemis de Gédéon furent repoussés et anéantis, ce fut imputable, non au vice de celui qui les a repoussés, mais au jugement de celui qui juge en toute justice [c]. Ils sont appelés « du fait du jugement », parce qu'étrangers à la grâce du Rédempteur, même le nom qu'ils portent exprime leur juste condamnation.

74. Gédéon part combattre les Madianites avec trois cents hommes [2]. Le nombre cent marque habituellement la plénitude de la perfection. Multiplié par trois, que symbolise-t-il, si ce n'est la connaissance parfaite de la Trinité ? Ceux que notre Seigneur prend pour détruire les ennemis de la foi, ceux avec lesquels il descend pour combattre à l'aide des armes de la prédication, ce sont ceux qui peuvent connaître les réalités divines, ceux qui possèdent une intelligence parfaite de la Trinité, qui est Dieu. Il faut noter que ce nombre de trois cents est représenté par la lettre *tau*, qui figure une sorte de croix. Si l'on y ajoutait, au-dessus de la barre transversale, la partie haute de la croix, on n'aurait plus une sorte de croix, mais la croix elle-même. Comme ce nombre de trois cents est représenté par la lettre *tau*, et que cette lettre, comme on vient de le dire, figure une sorte de croix, on peut penser avec raison que les trois cents hommes engagés à la suite de Gédéon figurent ceux à qui le Seigneur a dit : *Si quelqu'un veut venir à ma suite, qu'il renonce à lui-même, qu'il prenne sa croix et qu'il me suive* [a]. Ceux qui suivent le Seigneur portent la croix avec d'autant plus de vérité que, d'une part, ils se maîtrisent plus sévèrement et que, d'autre part, ils sont crucifiés en compatissant par amour envers le prochain. C'est pourquoi il est dit par le prophète Ézéchiel : *Marque d'un*

20 *uirorum gementium et dolentium* [b]. Vel certe in his trecentis,
qui in tau littera continentur, hoc exprimitur, quod ferrum
hostium crucis ligno superetur. Ductique sunt ad fluuium,
ut aquas biberent, et quique aquas flexis genibus hauserunt,
a bellica intentione remoti sunt. Aquis namque, doctrina sa-
25 pientiae, stante autem genu, recta operatio designatur. Qui
ergo dum aquas bibunt, genuflexisse perhibentur, a bellorum
certamine prohibiti recesserunt, quia cum illis Christus
contra hostes fidei pergit ad proelium, qui cum doctrinae
fluenta hauriunt, rectitudinem operum non inflectunt.
30 Omnes quippe tunc bibisse aquam, sed non omnes recto
genu stetisse narrati sunt. Reprobatique sunt qui genua,
dum aquas biberent, inflexerunt, quia attestante Apostolo :
*Non auditores legis iusti sunt apud Deum, sed factores legis
iustificabuntur* [c]. Quia enim ut diximus, dissolutio operum in
35 ipsa genuum incuruatione signatur, recte rursum per Paulum
dicitur : *Remissas manus et dissoluta genua erigite, et gressus
rectos facite pedibus uestris* [d]. Hi igitur Christo duce ad bellum
prodeunt, qui hoc quod ore annuntiant opere ostendunt, qui
fluenta doctrinae spiritaliter hauriunt, nec tamen in prauis
40 operibus carnaliter inflectuntur, quia sicut scriptum est : *Non
est speciosa laus in ore peccatoris* [e].

75. Itum est ergo ad proelium cum tubis, cum lampadibus,
cum lagenis. Atque iste ut diximus fuit ordo proeliandi.
Cecinerunt tubis ; intra lagenas autem sunt missae lampades ; confractis uero lagenis lampades ostensae sunt, quarum
5 coruscante luce, hostes territi in fugam uertuntur. Designatur itaque in tubis clamor praedicationum, in lampadibus
claritas miraculorum, in lagenis fragilitas corporum. Tales
quippe secum dux noster ad praedicationis proelium duxit,

---

74. b. Ez 9, 4   c. Rm 2, 13   d. He 12, 12-13   e. Si 15, 9

tau sur le front les hommes qui gémissent et qui souffrent[b]. Ou bien encore : par ces trois cents, qui sont représentés par la lettre *tau*, il est signifié que le fer des ennemis est vaincu par le bois de la croix. Ils ont été menés au bord du fleuve pour y boire, et tous ceux qui se sont agenouillés pour puiser de l'eau ont été écartés du plan de combat. L'eau signifie la doctrine de la sagesse, les genoux non pliés désignent la droiture dans l'action. Ceux qui se sont agenouillés pour boire de l'eau se sont retirés, tenus à l'écart du combat, parce que le Christ va au combat contre les ennemis de la foi avec ceux qui puisent aux fleuves de la doctrine, sans infléchir la rectitude de leur conduite. Tous alors ont bu de l'eau, est-il rapporté, mais tous ne l'ont pas fait sans fléchir les genoux. Ceux qui se sont agenouillés pour boire de l'eau ont été rejetés, car, selon l'Apôtre : *Ce ne sont pas ceux qui écoutent la loi qui sont justes devant Dieu, mais ceux qui la mettent en pratique seront justifiés*[c]. Comme l'agenouillement signifie ici la dissolution des mœurs, ainsi que nous l'avons dit, Paul dit encore à juste titre : *Redressez les mains défaillantes et les genoux qui plient, et marchez droit*[d]. Ceux-là s'avancent donc au combat sous la conduite du Christ, qui montrent dans leurs actes ce qu'ils proclament de bouche, qui puisent selon l'esprit aux eaux de la doctrine, mais ne fléchissent pas selon la chair dans des œuvres mauvaises, parce que, comme il est écrit : *La louange est mal venue dans la bouche du pécheur*[e].

75. On alla donc au combat avec des trompettes, avec des torches, avec des cruches. Et voici, comme nous l'avons dit, quel fut l'ordre de la bataille : ils sonnèrent de la trompette ; dans les cruches ont été mises les torches ; une fois les cruches cassées, les torches apparurent ; terrifiés par leur lumière étincelante, les ennemis prirent la fuite. Les trompettes symbolisent la clameur des prédications ; les torches, l'éclat des miracles ; les cruches, la fragilité des corps. Notre chef a entraîné avec lui au combat de la prédication des hommes

qui despecta salute corporum, hostes suos moriendo proster-
10 nerent ; eorumque gladios non armis et gladiis, sed patientia
superarent. Armati enim uenerunt sub duce suo ad proelium
martyres nostri, sed tubis, sed lagenis, sed lampadibus. Qui
sonuerunt tubis, dum praedicant ; confregerunt lagenas,
dum soluenda in passione sua corpora hostilibus gladiis
15 opponunt ; resplenduerunt lampadibus, dum post solutionem corporum miraculis coruscauerunt. Moxque hostes
in fugam uersi sunt, quia dum mortuorum martyrum corpora miraculis coruscare conspiciunt, luce ueritatis fracti,
quod impugnauerunt, crediderunt. Cecinerunt ergo tubis
20 ut lagenae frangerentur ; lagenae fractae sunt ut lampades
apparerent ; apparuerunt lampades ut hostes in fugam uer-
terentur ; id est : praedicauerunt martyres donec eorum corpora in morte soluerentur ; corpora eorum in morte soluta
sunt, ut miraculis coruscarent ; coruscauerunt miraculis ut
25 hostes suos ex diuina luce prosternerent, quatenus nequaquam Deo erecti resisterent, sed eum subditi formidarent.

76. Et notandum quod steterunt hostes ante lagenas, fu-
gerunt ante lampades, quia nimirum persecutores sanctae
Ecclesiae, fidei praedicatoribus adhuc in corpore positis
restiterunt ; post solutionem uero corporum apparentibus
5 miraculis in fugam uersi sunt, quia pauore conterriti, a
persecutione fidelium cessauerunt. Praedicatione scilicet
tubarum, fractis lagenis corporum, uisis timuerunt lampadibus miraculorum.

capables, sans souci du salut de leur corps, de terrasser leurs
ennemis par leur mort ; de triompher des épées de ceux-ci
non par des armes et des épées, mais par leur patience. Sous
la conduite de leur chef, nos martyrs sont allés au combat,
armés, en effet, mais de trompettes, de cruches, de torches.
Ils ont sonné de la trompette en prêchant ; ils ont cassé leurs
cruches en offrant aux épées ennemies leurs corps destinés
à la mort dans la passion ; leurs torches ont répandu de la
lumière en brillant par des miracles, après la destruction de
leurs corps. Aussitôt leurs ennemis ont pris la fuite : quand
ceux-ci virent les corps des défunts martyrs briller de l'éclat
des miracles, terrassés par la lumière de la vérité, ils crurent
à ce qu'ils avaient combattu. Ainsi, les trompettes sonnèrent
pour que les cruches soient brisées ; les cruches furent brisées pour que paraissent les torches ; les torches parurent
pour que les ennemis prennent la fuite. En effet, les martyrs
ont prêché jusqu'à ce que leurs corps fussent détruits par la
mort ; leurs corps furent détruits par la mort afin de briller
de l'éclat des miracles ; ils brillèrent de l'éclat des miracles afin
que, par cette lumière divine, leurs ennemis fussent terrassés ;
ainsi, désormais, au lieu de se dresser pour résister à Dieu, ils
se soumettraient à lui avec crainte.

76. Il faut noter que les ennemis ont tenu bon à la vue des
cruches, mais qu'ils s'enfuirent à la vue des torches ; autrement dit : les persécuteurs de la sainte Église résistèrent aux
prédicateurs de la foi tant que ceux-ci demeuraient en leurs
corps ; mais, après la destruction de ces corps, quand apparurent les miracles, saisis d'épouvante, ils prirent la fuite et
cessèrent de persécuter les fidèles. C'est donc grâce aux trompettes de la prédication, grâce aux corps des martyrs brisés
comme les cruches, grâce à la vue des miracles brillant comme
des torches, qu'ils furent envahis par la crainte.

77. Intuendum est etiam id quod illic scriptum est, quia in dextra tubas, lagenas autem in sinistra tenuerunt. Pro dextro enim habere dicimur quicquid pro magno pensamus ; pro sinistro uero quod pro nihilo ducimus. Bene ergo illic scriptum
5 est quod in dextra tubas, lagenas in sinistra tenuerunt ; quia Christi martyres pro magno habent praedicationis gratiam, corporum uero utilitatem pro minimo. Quisquis enim plus facit utilitatem corporis, quam gratiam praedicationis, in sinistra tubam, atque in dextra lagenam tenet. Si enim priori
10 loco gratia praedicationis attenditur, et posteriori utilitas corporis, certum est quia dextris tubae, et sinistris lagenae teneantur. Hinc Dominus in Euangelio ait : *Neque accendunt lucernam, et ponunt eam sub modio, sed super candelabrum*[a]. In modio enim commodum temporale, in lucerna autem lux
15 praedicationis accipitur. Lucernam ergo sub modio ponere est propter temporale commodum gratiam praedicationis abscondere, quod nemo utique electorum facit. Et bene illic additur : *sed super candelabrum*[b]. In candelabro enim status corporis designatur, cui lucerna superponitur, dum eidem
20 corpori cura praedicationis antefertur. Bene itaque per prophetam dictum est : *Sceptrum exactoris eius superasti, sicut in die Madian*[c]. Sed quia exponendi prophetici testimonii gratia longe digressi sumus, ad operis nostri ordinem reuertamur.

Igitur postquam dictum est : *Clamorem exactoris non audit*,
25 quia uidelicet antiqui hostis insidias Dominus manifestatus in carne[d] despexit, quid etiam de electis suis fecerit recte subiungit, dicens :

---

77. a. Mt 5, 15   b. Mt 5, 15   c. Is 9, 4   d. cf. 1 Tm 3, 16

77. Il faut encore remarquer cette précision donnée par le texte : ils tenaient les trompettes de la main droite, mais les cruches de la main gauche. On dit, en effet, que nous portons de la main droite ce que nous estimons d'une grande valeur, et de la main gauche ce que nous tenons pour rien. Donc, il est fort bien écrit, dans ce passage, qu'ils tenaient les trompettes de la main droite, et les cruches de la main gauche, parce que les martyrs du Christ accordent beaucoup de valeur à la grâce de la prédication, et très peu aux intérêts du corps. Celui qui, au contraire, fait plus de cas des intérêts de son corps que de la grâce de la prédication tient la trompette de la main gauche, et la cruche de la main droite. Mais si l'on donne la priorité à la grâce de la prédication sur les intérêts du corps, il est vrai de dire qu'on tient la trompette de la main droite, et la cruche de la main gauche. C'est pourquoi le Seigneur dit dans l'Évangile : *Quand on allume une lampe, ce n'est pas pour la mettre sous le boisseau, mais sur le candélabre*[a]. Le boisseau figure les avantages temporels, et la lampe, la lumière de la prédication. Mettre la lampe sous le boisseau, c'est cacher la grâce de la prédication en vue d'obtenir des avantages temporels, ce que ne fait assurément aucun des élus. Et le texte ajoute fort bien : *mais sur le candélabre*[b]. Le candélabre figure la position droite du corps. On place la lampe dessus, quand on fait passer le souci de la prédication avant celui du corps. C'est pourquoi le prophète a dit avec pertinence : *Tu as triomphé du sceptre de ton percepteur, comme au jour de Madian*[c]. Mais, puisque nous avons fait une longue digression pour expliquer ce texte du prophète, reprenons maintenant le fil de notre ouvrage.

Après cette phrase : *Il n'entend pas le cri du percepteur*, qu'on peut entendre du Seigneur manifesté dans la chair[d] et déjouant les ruses de l'antique ennemi, le texte ajoute aussi avec raison ce qui concerne le sort des élus :

39, 8   XXVI, **78.** *Circumspicit montes pascuae suae.* Montes accipimus omnes elatos huius saeculi, qui in corde suo altitudine terrena tumuerunt. Sed quia etiam tales Dominus Ecclesiae suae corpori conuersos inuiscerat, eosque a priori
5 elatione commutans in sua membra transformat, isti montes pascuae eius sunt, quia nimirum de conuersione errantium, et de superborum humilitate satiatur, sicut ipse ait : *Meus cibus est, ut faciam uoluntatem eius qui misit me*[a]. Et sicut apostolis ad praedicationem missis praecepit, dicens : *Operamini*
10 *non cibum qui perit, sed qui permanet in uitam aeternam*[b]. De his montibus per prophetam dicitur : *Non repellet Dominus plebem suam, quoniam in manu eius sunt omnes fines terrae, et altitudines montium ipse conspicit*[c]. Altitudines enim montium elationes sunt utique superborum. Quas
15 Dominus conspicere dicitur, id est ab iniquitate sua in melius commutare. Conuertit namque eum quem conspicit Dominus. Vnde scriptum est : *Conuersus Dominus respexit Petrum, et recordatus Petrus uerbi Domini sicut dixit :* « *Quia priusquam gallus cantet, ter me negabis* » ; *et egressus foras*
20 *fleuit amare*[d]. Et sicut Salomon ait : *Rex qui sedet in solio iudicii, dissipat omne malum intuitu suo*[e]. De hoc respectu montium rursum per prophetam dicitur : *Montes sicut cera fluxerunt a facie Domini*[f], quia post peruersitatis suae duritiam diuina formidine liquefacti, ab illo prius rigido tumore
25 substrati sunt.

---

78. a. Jn 4, 34   b. Jn 6, 27   c. Ps 94, 3-4   d. Lc 22, 61-62   e. Pr 20, 8   f. Ps 96, 5

1. La première des paroles johanniques ci-dessus (Jn 4, 34) ne se rencontre que dans *Mor.* 21, 15, mais la seconde (Jn 6, 27) apparaît déjà dans *Mor.* 1, 27, et reparaîtra en *Mor.* 31, 106 et 35, 48 ; *Hom. Éz.* I, 10, 25. – Le regard

Les montagnes, figure des puissants

XXVI, **78.** *Il regarde alentour les montagnes, lieu de son pâturage.* Les montagnes figurent tous les grands de ce monde, dont le cœur s'est enflé d'une hauteur toute terrestre. Mais comme le Seigneur incorpore aussi à son Église de tels hommes après leur conversion, et que, d'orgueilleux qu'ils étaient, il les transforme en ses membres, ceux-ci sont les montagnes, lieu de son pâturage, parce qu'il se nourrit de la conversion des égarés et de l'humilité des orgueilleux, ainsi qu'il le dit lui-même : *Ma nourriture est de faire la volonté de celui qui m'a envoyé*[a]. Et, aux apôtres qu'il envoie en mission, il donne cet ordre : *Travaillez non pour la nourriture périssable, mais pour celle qui demeure en vie éternelle*[b]. Le prophète, de son côté, dit de ces montagnes : *Le Seigneur ne repoussera pas son peuple ; en sa main sont les extrémités de la terre, et il regarde les sommets des montagnes*[c]. Les sommets des montagnes sont, de toute évidence, les prétentions des superbes. On dit que le Seigneur les regarde, c'est-à-dire qu'il donne à ces orgueilleux de se détourner de leur péché vers le bien. Le Seigneur, en effet, convertit celui qu'il regarde. Aussi est-il écrit : *Le Seigneur, se retournant, posa son regard sur Pierre, et Pierre se rappela la parole que le Seigneur lui avait dite : « Avant que le coq chante, tu m'auras renié trois fois. » Il sortit et pleura amèrement*[d]. Et selon la parole de Salomon : *Le roi, quand il siège au tribunal, dissipe tout mal par son regard*[e]. Le prophète dit encore, en parlant de ce regard du Seigneur sur les montagnes : *Les montagnes ont fondu comme de la cire devant la face du Seigneur*[f], parce que la crainte de Dieu a comme liquéfié la dureté de leur malice et qu'ainsi ils ont perdu leur raideur et leur enflure passées[1].

39, 8

du Seigneur convertit Pierre (Lc 22, 61-62) : voir *Mor.* 8, 30 ; 9, 54 ; 32, 10 ; cf. *Hom. Ez.* I, 8, 2.

79. Intuendum etiam quod non ait : « Inspicit », sed : *Circumspicit montes pascuae suae.* In Iudaea quippe incarnatus est Dominus, quae posita in medio gentium fuit. Atque ideo circumspexit montes, quia elatos huius saeculi
5 circumquaque positos ex gentilitatis uniuersitate collegit. In his itaque montibus pascitur, quia bonis operibus conuersorum quasi herbis uirentibus satiatur. Hinc est quod ei sponsae uoce in Canticis canticorum dicitur : *Vbi pascas, ubi cubes in meridie*[a]. Pascitur quippe Dominus, cum nostris
10 actibus delectatur. Cubat uero in meridie, cum ex desideriis carnalibus ardenti corde reproborum apud electorum suorum pectora refrigerium inuenit cogitationis bonae. Mons enim quidam Matthaeus fuerat, quando in telonii lucris tumebat ; de quo et scriptum est quia postquam credidit, inuitato in
15 domum suam Domino, conuiuium magnum fecit[b]. Mons itaque iste huic onagro uirentis pascuae herbas protulit, quia et foris eum conuiuio, et intus epulis uirtutum pauit.

Quod adhuc plenissime expletur, cum subditur :

39, 8   XXVII, **80.** *Virentia quaeque perquirit.* Arentia enim deserit et uirentia quaeque perquirit. Arentia namque corda sunt hominum, quae in huius saeculi spe peritura plantata, aeternitatis fiduciam non habent. Virent autem quae
5 illi hereditati inhaerent, de qua Petrus apostolus dicit : *In hereditatem incorruptibilem, et incontaminatam, et immarcescibilem*[a]. Tanto enim quique uere uirentes sunt, quanto in hereditatis immarcescibilis sorte cogitationis radicem

79. a. Ct 1, 6   b. cf. Lc 5, 29
80. a. 1 P 1, 4

1. Même citation (1 P 1, 4) dans *Mor.* 27, 29 ; *Hom. Ez.* II, 2, 4.

79. Il faut encore remarquer qu'il n'est pas dit seulement : « Il regarde », mais : *Il regarde alentour les montagnes, lieu de son pâturage.* Car le Seigneur s'est incarné dans la Judée, qui est entourée de nations païennes. Il a donc regardé alentour les montagnes, car il a rassemblé de toute la Gentilité environnante les grands de ce monde. Le Seigneur se repaît sur ces montagnes, parce qu'il se nourrit – comme d'herbages verts – des bonnes œuvres de ceux qui se convertissent. C'est pourquoi l'épouse du Cantique des cantiques lui dit : *<Indique-moi> où tu te repais, où tu te couches à midi*[a]. Le Seigneur se repaît, quand il prend plaisir à nos bonnes œuvres ; il se couche à midi, quand il s'éloigne des réprouvés, dont le cœur est brûlant de désirs charnels, et trouve dans l'âme de ses élus le rafraîchissement de bonnes dispositions. Matthieu était l'une de ces montagnes, quand il était enflé de ses gains de péager ; mais l'Écriture rapporte qu'après avoir cru, il invita le Seigneur à un grand festin dans sa maison[b]. C'est pourquoi cette montagne-là a fourni le fourrage d'un pâturage verdoyant à notre onagre, car elle le nourrissait à la fois extérieurement par un repas, et intérieurement par le festin de ses vertus.

Exemple de Matthieu

Ce qui est exprimé plus complètement encore par ce qui suit :

XXVII, 80. *Il recherche du fourrage vert.* L'onagre, en effet, évite ce qui est desséché ; il recherche tout fourrage vert. Or, desséchés sont les cœurs des hommes qui, enracinés dans l'espérance de ce monde périssable, n'ont pas mis leur confiance dans l'éternité. Mais verdoyants sont ceux qui s'attachent à cet héritage dont l'apôtre Pierre affirme qu'*il ne peut se corrompre, ni se souiller, ni se flétrir*[a1]. Car ils sont d'autant plus verdoyants qu'ils fixent les racines de leur pensée dans cet héritage reçu qui ne peut se flétrir. Quiconque redoute

Aspirer à la patrie éternelle

39, 8

figunt. Quisquis itaque intrinsecus arere formidat, arentia
10 extrinsecus mundi huius desideria fugiat. Quisquis a Domino
perquiri desiderat, aeternam patriam appetens, in interna
cordis plantatione uiridescat.

81. Haec autem de onagro exposita sub duplici intellectu
sufficiant. Lectoris uero iudicio relinquendum est quid magis
duxerit eligendum. Et si utriusque expositionis intellegentiam
fortasse despexerit, libenter ipse lectorem meum subtilius
5 ueriusque sentientem, uelut magistrum discipulus, sequar ;
quia mihi proprie donatum credo, quicquid illum me melius
sentire cognosco. Omnes enim qui fide pleni de Deo aliquid
sonare nitimur, organa ueritatis sumus, et in eiusdem ueritatis
potestate est, utrum per me sonet alteri, an per alterum mihi.
10 Ipsa quippe in medium nostri, etiam non aeque uiuentibus
omnibus aequa est, et saepe alium tangit, ut bene audiat
quod per alium ipsa sonuerit ; saepe uero alium tangit, ut
bene quod ab aliis audiatur sonet.

82. Saepe doctori uerbum pro gratia tribuitur auditoris et
saepe propter auditoris culpam subtrahitur sermo doctori.
In his ergo quae ubertim praedicat doctor, nulla elatione
se efferat, ne fortasse non pro sua, sed pro auditoris gratia
5 eius repleatur lingua ; et in his quae doctor steriliter dicit,
auditor non succenseat, ne fortasse doctoris lingua non pro
sua, sed pro auditoris reprobatione torpescat. Pro auditoris
namque gratia datur bonus etiam malis sermo doctoribus,
sicut potuerunt pharisaeis suppetere uerba praedicationis,

de se dessécher intérieurement doit fuir les désirs extérieurs de ce monde qui sont desséchants. Quiconque souhaite être recherché par le Seigneur, qu'il soit verdoyant dans le jardin intérieur de son cœur en aspirant à la patrie éternelle.

81. Nous avons donné deux commen-
Au lecteur taires de ce passage concernant l'onagre :
de choisir cela doit suffire. Au lecteur de choisir l'interprétation qu'il pense préférable. Et si aucune des deux n'avait l'heur de lui plaire, je suivrais volontiers mon lecteur, comme un disciple suit son maître, dans son interprétation plus pertinente et plus exacte, parce que je considère comme un don fait à moi-même ce qu'à mon avis, il comprend mieux que moi. Nous tous qui, remplis de foi, essayons de faire retentir quelque chose de Dieu, nous sommes les instruments de la Vérité ; et il est au pouvoir de cette Vérité de retentir par ma voix pour autrui, ou par la voix d'autrui pour moi. Vérité qui, au milieu de nous, est semblable pour tous, même s'ils ne vivent pas de semblable façon ; souvent, elle touche l'un pour lui faire bien entendre ce qu'elle fait retentir par la voix d'un autre ; et souvent aussi elle touche l'un pour qu'il fasse bien retentir ce que d'autres doivent entendre.

82. Souvent la parole est accordée au
Humilité de maître pour le bien de l'auditeur ; souvent
l'exégète aussi, elle est retirée au maître à cause de la faute de son auditeur. Que le maître donc ne se glorifie nullement s'il prêche avec abondance : il se peut que la parole facile ne lui soit pas accordée à son profit, mais pour le bien de l'auditeur ; et là où le maître parle sans efficacité, que l'auditeur ne s'irrite pas : la langue du maître est peut-être engourdie, non pour sa propre punition, mais pour celle de l'auditeur. Pour le bien de l'auditeur, un langage efficace est accordé même à de mauvais maîtres ; c'est ainsi que la parole de la prédication a pu être donnée à ces pharisiens dont il

10 de quibus scriptum est : *Omnia ergo quaecumque dixerint uobis, seruate et facite ; secundum opera uero eorum nolite facere* [a]. Propter auditorum uero reprobationem bonis etiam doctoribus sermo subtrahitur, sicut ad Ezechielem contra Israel dicitur : *Linguam tuam adhaerere faciam palato tuo,*
15 *et eris mutus, nec quasi uir obiurgans, quia domus exasperans est* [b].

83. Aliquando autem sermo praedicationis propter utrosque datur, aliquando propter utrosque subtrahitur. Propter utrosque enim datur, sicut diuina uoce Paulo apud Corinthios dicitur : *Noli timere, sed loquere* [a]. Et paulo post : *Quia*
5 *populus multus est mihi in hac ciuitate* [b]. Propter utrosque uero subtrahitur, sicut Heli sacerdos et prauam filiorum cognouit actionem, et dignam increpationis non exercuit uocem ; cum profecto futurum esset ut in mortis supplicio et istos reatus flagitii, et illum silentii poena mulctaret [c].
10 Inter haec igitur cum uel pro quo sermo detur, uel propter quem subtrahatur, ignoramus, unum est salubre remedium, nec de his quae aliis maius accepimus, nosmetipsos extollere, nec de eo alterum quod minus acceperit irridere ; sed fixo humilitatis pede, grauiter et constanter incedere, quia in hac
15 uita tanto ueracius docti sumus, quanto doctrinam nobis a nobismetipsis suppetere non posse cognoscimus. Cur ergo quilibet de doctrina superbiat, qui occulto iudicio uel cui

---

82. a. Mt 23, 3   b. Ez 3, 26
83. a. Ac 18, 9   b. Ac 18, 10   c. cf. 1 S 3, 13.

est écrit : *Donc, tout ce qu'ils vous disent, observez-le et faites-le, mais n'agissez pas selon leurs œuvres*[a]. En revanche, pour punir les auditeurs, le don de la parole peut être retiré même à de bons maîtres ; ainsi, quand il fut dit à Ézéchiel, à l'adresse de la maison d'Israël : *Je ferai que ta langue se colle à ton palais et tu seras muet, et non plus comme un homme qui réprimande, parce que c'est une maison qui m'exaspère*[b][1].

83. Parfois la parole de la prédication est accordée à cause du prédicateur et des auditeurs, parfois, elle est retirée à cause de l'un et des autres. Elle est accordée à cause du prédicateur et des auditeurs, comme la voix divine le dit à Paul séjournant à Corinthe : *Sois sans crainte, continue de parler*[a]. Et un peu plus loin : *Car j'ai à moi un peuple nombreux en cette ville*[b]. À cause du prédicateur et des auditeurs elle est retirée : ainsi, le prêtre Héli, qui connaissait la mauvaise conduite de ses fils, s'abstint de les reprendre comme il aurait dû ; il en résulterait qu'ils subiraient la peine de mort comme châtiment, eux de leur infamie, lui de son silence[c]. En ce domaine donc, puisque nous ignorons pour le bien de qui est fait le don de la parole, et par la faute de qui il est retiré, il n'existe qu'un moyen sûr : ne pas nous glorifier des grâces que nous avons reçues en plus grande abondance que d'autres, et ne pas nous moquer d'autrui au motif qu'il en aurait moins reçu, mais marcher avec gravité et constance du pas ferme de l'humilité. Car en cette vie, nous sommes d'autant plus véritablement savants que nous savons que notre science ne peut venir de nous-mêmes. Pourquoi donc se glorifier de sa science, alors qu'on ignore à qui, par un jugement secret, elle est donnée

1. La parole du Seigneur au prophète (Ez 3, 26) est recensée dans *Hom. Ez.* I, 12, 8 et 14.

quando detur, uel quando cui subtrahatur ignorat ? Quamuis enim securitati timor semper longe uideatur abesse, nobis
20 tamen nihil est securius quam sub spe semper timere, ne
incauta mens aut desperando se in uitiis deiciat, aut extollendo de donis ruat. Ante districti enim ac pii iudicis oculos
quanto de se sub spe humilius trepidat, tanto in illo robustius
stat.

1. Évocation globale de l'histoire d'Heli, comme ici, dans *Hom. Ez*. I, 12, 16
et *Mor*. 5, 32. – Cette recommandation finale de l'humilité, particulièrement
nécessaire aux hommes supérieurs par leur talent ou leur situation, est un

ou retirée, et à quel moment ? Car, bien que la crainte semble toujours très éloignée de l'assurance, cependant rien n'est plus sûr pour nous que de demeurer dans la crainte sous la garde de l'espérance, afin que l'âme imprudente, perdant espoir parmi les vices, ne s'abaisse pas, ni ne tombe en se vantant de ses dons. Aux yeux de ce Juge, tout ensemble sévère et bon, plus on se défie avec humilité de soi-même, sous la garde de l'espérance, plus on trouve en lui un appui solide [1].

thème favori de Grégoire. Voir notamment *Mor.* 21, 21-24 ; 22, 10 ; 26, 47 ; 34, 47-56 ; *Hom. Ez.* I, 12, 17.

LIBER TRIGESIMVS PRIMVS

I, **1.** In paradisum sano homini diabolus inuidens superbiae uulnus inflixit, ut qui mortem non acceperat conditus,
mereretur elatus[a]. Sed quia diuinae potentiae suppetit, non
solum bona de nihilo facere, sed ea etiam ex malis quae
5 diabolus perpetrauerat reformare, contra hoc inflictum uulnus superbientis diaboli medicina apparuit inter homines
humilitas Dei ; ut auctoris exemplo humiliati surgerent, qui
imitatione hostis elati ceciderant. Contra ergo superbientem
diabolum apparuit inter homines homo factus humilis
10 Deus. Hunc potentes huius saeculi, id est membra diaboli
superbientis, eo despicabilem crediderunt, quo humilem
conspexerunt. Vulnus enim cordis eorum quanto magis
tumuit, tanto amplius medicamentum mite despexit. Repulsa igitur a uulnere superborum medicina nostra peruenit
15 ad uulnus humilium : *Infirma* quippe *mundi elegit Deus,
ut confundat fortia*[b] ; actumque est cum pauperibus quod
post etiam diuites elati mirarentur. Nam dum nouas in illis

---

1. a. cf. Gn 3   b. 1 Co 1, 27

LIVRE 31

Un Dieu humble I, **1.** Au paradis, l'envie du diable a infligé à l'homme bien portant la blessure de l'orgueil : l'homme qui, lors de sa création, n'avait pas reçu la mort en partage la mériterait pour avoir voulu s'élever[a]. Mais la puissance de Dieu est capable non seulement de créer des êtres bons à partir du néant, mais encore de les rétablir après le mal causé par le diable. C'est pourquoi, pour guérir la blessure infligée par le diable et son orgueil, un remède est apparu parmi les hommes : l'humilité de Dieu. Ainsi, grâce à l'exemple de leur Créateur, pourraient se relever en s'humiliant ceux qui, à l'imitation de l'Ennemi, étaient tombés en s'élevant. Oui, à l'encontre du diable plein de superbe, apparut parmi les hommes un Dieu humble qui s'est fait homme. Les puissants de ce monde, qui sont les membres du diable rempli d'orgueil, l'ont jugé méprisable parce qu'ils le voyaient humble. Plus la blessure de leur cœur s'est enflée, plus ils ont méprisé la douceur du médicament. Comme les orgueilleux n'ont pas voulu de notre remède pour leur blessure, il a été appliqué à celle des humbles, *car Dieu a choisi ce qui est faible dans le monde pour confondre ce qui est fort*[b]. Ce qui a été accompli à l'égard des pauvres serait ensuite, pour les riches orgueilleux eux-mêmes, un sujet d'étonnement : en les voyant reprendre des forces, ils furent

uirtutes aspiciunt, eorum quorum prius contempsere uitam, postmodum obstupuere miracula. Vnde mox pauidi ad
20 sua corda redeuntes, extimuerunt sanctitatem in miraculis,
quam despexerant in praeceptis. Per infirma ergo confusa
sunt fortia, quia dum in ueneratione uita surgit humilium,
elatio cecidit superborum.

Igitur quia beatus Iob sanctae Ecclesiae typum tenet, et
25 omnipotens Dominus praeuidet quod in primordiis nascentis Ecclesiae potentes huius saeculi leue eius iugum suscipere
crassa cordis ceruice recusarent, dicat :

39, 9   II, **2.** *Numquid uolet rhinoceros seruire tibi ?* Rhinoceros
enim indomitae omnino naturae est, ita ut si quando captus
fuerit, teneri nullatenus possit. Impatiens quippe ut fertur,
ilico moritur. Eius uero nomen latina lingua interpretatum
5 sonat, in nare cornu. Et quid aliud in nare nisi fatuitas, quid in
cornu nisi elatio designatur ? Nam quia in nare fatuitas solet
intellegi, Salomone attestante didicimus, qui ait : *Circulus
aureus in naribus suis, mulier pulchra et fatua* [a]. Haereticam
namque doctrinam nitore uidit eloquii resplendere nec ta-
10 men sapientiae apto intellectu congruere ; et ait : *Circulus
aureus in naribus suis,* id est pulchra et circumflexa locutio
in sensibus mentis stultae, cui ex eloquio aurum pendet, sed
tamen ex terrenae intentionis pondere, more suis, ad superiora
non respicit. Quod secutus exposuit, dicens : *Mulier pulchra
15 et fatua ;* id est, doctrina haeretica : pulchra per uerbum, fatua
per intellectum. In cornu uero, quia superbia frequenter
accipitur, propheta attestante didicimus, qui ait : *Dixi iniquis, nolite inique agere, et delinquentibus, nolite exaltare*

2. a. Pr 11, 22

stupéfaits des miracles accomplis par des gens dont autrefois ils méprisaient la vie. Rentrant aussitôt en eux-mêmes, tout effrayés, ils se mirent à craindre une sainteté manifestée par des miracles, alors qu'ils l'avaient dédaignée dans ses enseignements. Ce qui est fort a donc été confondu par ce qui est faible, quand la vie des humbles s'élève en objet de vénération, tandis qu'a été abattu l'orgueil des superbes.

Comme le bienheureux Job est ici la figure de la sainte Église, et que le Seigneur tout-puissant prévoyait qu'au temps de l'Église naissante les grands de ce monde refuseraient de soumettre la nuque épaisse de leur cœur à son joug léger, il dit :

Le rhinocéros, figure des orgueilleux
II, **2.** *Le rhinocéros voudra-t-il te servir ?* Le rhinocéros est d'une nature absolument indomptable ; quand il est capturé, il est impossible de le retenir ; on dit qu'il ne supporte pas sa captivité et meurt aussitôt. Son nom se traduit en latin par « une corne sur le nez ». Que désigne le nez, sinon la sottise, et la corne, sinon l'arrogance ? Que le nez désigne habituellement la sottise, nous l'avons appris par le témoignage de Salomon : *Une femme belle, mais sotte, est comme un anneau d'or au groin d'un pourceau*[a]. Il a vu, en effet, que la doctrine des hérétiques brillait de l'éclat de l'éloquence, mais cependant ne se conformait pas au bon sens de la sagesse, aussi a-t-il parlé d'*un anneau d'or au groin d'un pourceau*, pour signifier un beau discours bien tourné, mais issu de l'opinion d'un esprit sans intelligence : l'or semble suspendu à ses paroles, mais, à cause du poids de ses pensées terrestres, il ne peut, pas plus qu'un pourceau, tourner son regard vers les réalités d'en haut. Ce qu'il a expliqué ensuite en disant : *une femme belle, mais sotte,* c'est-à-dire la doctrine des hérétiques, qui est belle en paroles, mais sotte en son fond. La corne signifie souvent l'orgueil. Le prophète nous l'apprend : *J'ai dit aux méchants : « Ne faites pas le mal », et*

39, 9

cornu [b]. Quid ergo in rhinocerote hoc, nisi potentes huius
20 saeculi designantur, uel ipsae in eo summae principatuum
potestates, qui typho fatuae iactationis elati, dum falsis exterius inflantur honoribus, ueris miseriis intus inanescunt ?
Quibus bene dicitur : *Quid superbis, terra et cinis* [c] ? In ipsis
uero initiis nascentis Ecclesiae, dum contra illam diuitum
25 se potestas extolleret, atque in eius nece immensitate tantae
crudelitatis anhelaret ; dum tot cruciatibus anxia, tot persecutionibus pressa succumberet, quis tunc credere potuit
quod illa erecta, et aspera superborum colla sibi subiceret, et
iugo sancti timoris edomita mitibus fidei loris ligaret ? Diu
30 quippe in exordiis suis rhinocerotis huius cornu uentilata et
quasi funditus interimenda percussa est. Sed diuina gratia
dispensante, et illa moriendo uiuificata conualuit, et cornu
suum rhinoceros iste feriendo lassatus inclinauit ; quodque
impossibile hominibus fuit, Deo difficile non fuit, qui potes-
35 tates huius mundi rigidas non uerbis, sed miraculis fregit.

Ecce enim cotidie seruire rhinocerotas agnoscimus, dum
potentes mundi huius, qui in uiribus suis fatua dudum fuerant elatione confisi, Deo subditos iam uidemus. Quasi de
quodam indomito rhinocerote Dominus loquebatur, cum
40 diceret : *Diues difficile intrabit in regnum caelorum* [d]. Cui cum
responsum esset : *Et quis poterit saluus fieri* [e] ? Ilico adiunxit :
*Apud homines hoc impossibile est, apud Deum autem omnia
possibilia sunt* [f]. Ac si diceret : Rhinoceros iste humanis uiribus
mansuescere non potest, sed tamen diuinis subdi miraculis

---

2. b. Ps 74, 5   c. Si 10, 9   d. Mt 19, 23   e. Mt 19, 25   f. Mt 19, 26

1. Impuissance humaine et puissance divine comme dans les Évangiles Syn-
optiques (Mt 19, 26 ; Mc 10, 27 ; Lc 18, 27). Grégoire accentue le contraste
en disant que la chose fut non seulement possible à Dieu, mais facile. Les
miracles de Dieu abattent ses ennemis : cf. *Mor.* 27, 36-37 et 30, 6.

aux pécheurs : « *N'élevez pas votre corne* » [b]. Que figure donc ce rhinocéros, sinon les grands de ce monde, ou même les puissances suprêmes de ses souverains ? Ils s'élèvent par la boursoufflure de leur sotte vanité et ils s'enflent au dehors de faux honneurs, mais ils sont vides au dedans du fait de leurs vraies misères. Il leur est fort bien dit : *Pourquoi te remplir d'orgueil, toi qui es terre et cendre* [c] ? Lorsque, dans les débuts mêmes de l'Église naissante, la puissance des riches se dressait contre elle et aspirait à l'exterminer avec une rage démesurée, lorsque l'Église, opprimée par tant de tourments et pressée par tant de persécutions, était sur le point de succomber, qui aurait pu alors imaginer que cette même Église se relèverait, qu'elle se soumettrait les nuques intraitables de ces orgueilleux, leur imposerait le joug d'une sainte crainte et les enchaînerait des doux liens de la foi ? Longtemps, en effet, à ses débuts, elle a été secouée par la corne de ce rhinocéros et elle en a été frappée sans merci presque jusqu'à en périr. Mais, par une disposition de la grâce divine, d'une part, en mourant, elle a retrouvé la vie et a grandi en puissance, et, d'autre part, ce rhinocéros, fatigué de la frapper, a baissé sa corne. Ce qui était impossible aux hommes ne fut pas difficile pour Dieu : il a brisé les inflexibles puissances de ce monde, non par des paroles, mais par des miracles [1].

Les grands soumis à Dieu   Voici, en effet, que tous les jours nous voyons servir ces rhinocéros ; eux, les grands de ce monde, qui se confiaient en leurs propres forces avec une folle suffisance, nous les voyons désormais soumis à Dieu. Le Seigneur parlait, pour ainsi dire, d'un rhinocéros encore indompté, quand il disait : *Un riche entrera difficilement dans le royaume des cieux* [d]. Et comme on lui demandait : *Alors qui pourra être sauvé* [e] ?, il ajouta aussitôt : *Aux hommes c'est impossible, mais à Dieu tout est possible* [f]. C'est comme s'il disait : Les forces humaines sont incapables d'apprivoiser ce rhinocéros ; cependant, il peut être soumis par les miracles de Dieu. Aussi est-il dit

45 potest. Vnde hic quoque apte beato Iob sanctae Ecclesiae
typum tenenti dicitur : *Numquid uolet rhinoceros seruire*
tibi ? Subaudis : Vt mihi, qui eum praedicamentis quidem
hominum diu resistere pertuli, sed tamen repente, cum uolui,
miraculis straui. Ac si apertius dicat : Numquid hi qui fatua
50 elatione superbiunt sine meis adiutoriis tuae praedicationi
subduntur ? Per quem itaque praeualeas considera, et in
omne quod praeuales sensum elationis inclina. Vel certe ad
beati Iob notitiam pro humilianda eius uirtute deducitur,
quam mira quandoque per apostolos agantur, qui mundum
55 Deo subiciunt, eique edomitam potentum huius saeculi
superbiam flectunt ; ut tanto de se beatus Iob minus aestimet,
quanto aggregari Deo tam difficiles animas per alios uidet.
Dicat ergo : *Numquid uolet rhinoceros seruire tibi ?* Subaudis :
Sicut per eos quos misero seruiet mihi. Sequitur :

39, 9   III, **3.** *Aut morabitur ad praesepe tuum ?* Praesepe hoc
loco ipsa scriptura sacra non inconuenienter accipitur, in
qua uerbi pabulo animalia sancta satiantur, de quibus per
prophetam dicitur : *Animalia tua inhabitabunt in ea*[a]. Hinc
5 etiam natus Dominus a pastoribus in praesepe reperitur[b],
quia eius incarnatio, in ea quae nos reficiunt prophetarum
scripta cognoscitur. Rhinoceros itaque iste, uidelicet omnis
elatus in primordiis nascentis Ecclesiae, cum patriarcharum
dicta, cum prophetarum mysteria, cum Euangelii arcana
10 audiret, irridebat, quia tanto in praedicatorum praesepe
claudi satiarique contempserat, quanto in uoluptatibus propriis dimissus, desperationis suae campum tenebat. Quem

3. a. Ps 67, 11   b. cf. Lc 2, 16

1. Faut-il lire *reficiunt...scripta* (*CCL*) ou *refecit...scriptura* (*Mauristes*) ?

fort justement ici au bienheureux Job, qui est la figure de la sainte Église : *Le rhinocéros voudra-t-il te servir ?* Il faut sous-entendre : comme il me sert. J'ai toléré longtemps qu'il résiste aux enseignements des hommes, mais quand je l'ai voulu, je l'ai terrassé soudain par des miracles. C'est comme s'il disait en termes plus clairs : Ceux qui s'élèvent dans leur fol orgueil se soumettent-ils à ta prédication sans mon secours ? Considère donc qui te donne de les vaincre et rabaisse toute pensée d'orgueil dans tes succès. Ou bien encore, pour humilier la vertu du bienheureux Job, Dieu lui a fait connaître quelles actions admirables feraient un jour les apôtres pour soumettre le monde à Dieu et faire plier sous son joug la superbe indomptée des grands de ce monde ; le bienheureux Job aura de lui-même des sentiments d'autant plus humbles qu'il en voit d'autres que lui gagner des âmes si intraitables à Dieu, qui lui demande donc : *Le rhinocéros voudra-t-il te servir ?* Sous-entendu : Voudra-t-il te servir comme il me servira en la personne de ceux que j'aurai envoyés. Le texte poursuit :

III, **3. *Demeurera-t-il dans ton étable ?***   39, 9

L'étable, figure de l'Écriture   L'étable peut figurer dans ce passage la sainte Écriture elle-même ; que les saints animaux s'y repaissent à satiété du fourrage de la Parole, le prophète l'assure : *Tes animaux y habiteront*[a]. Voilà pourquoi c'est aussi dans une étable que les bergers trouvent le Seigneur qui vient de naître[b] ; nous connaissons, en effet, son Incarnation par ces écrits des prophètes qui nous restaurent[1]. Ce rhinocéros donc, c'est-à-dire tout orgueilleux, se moquait, dans les premiers temps de l'Église naissante, des paroles des patriarches, des mystères des prophètes et des secrets de l'Évangile qu'il entendait, car il tenait d'autant moins à se laisser enfermer dans l'étable des prédicateurs pour y recevoir sa nourriture qu'il se livrait à ses propres voluptés dans le vaste champ de son manque d'espoir. C'est

superborum campum bene Paulus insinuat, dicens : *Qui*
desperantes semetipsos tradiderunt impudicitiae in operatio-
15 *nem immunditiae omnis, in auaritiam*ᶜ. Tanto enim se quisque in malis praesentibus latius relaxat, quanto post hanc
uitam se assequi bona aeterna desperat. Sed omnipotens
Deus diu quidem rhinocerotam hunc per prauae uoluptatis
campum uagantem pertulit ; et tamen cum uoluit, repente
20 ad suum praesepe religauit, ut uitae pabulum bene clausus
accipiat, ne uitam funditus male liber amittat. Ecce enim
iam cernimus quod potentes huius saeculi, eiusque principes praedicamenta dominica libenter audiunt, constanter
legunt, passimque a praesepe non exeunt, quia praecepta
25 Dei, quae aut legendo, aut audiendo cognoscunt, nequaquam
uiuendo transcendunt, sed ad uerbi pabulum quasi clausi
stare aequanimiter tolerant, ut edendo et permanendo pin-
guescant. Quod cum Deo agente conspicimus, quid aliud
quam rhinocerotam hunc ad praesepe morantem uidemus ?
30   Quia uero post acceptum pabulum praedicationis rhinoceros iste fructum debet ostendere operis, recte subiungitur :

39, 10   IV, **4. *Numquid alligabis rhinocerotam ad arandum***
loro tuo ? Lora sunt Ecclesiae praecepta disciplinae. Arare
uero est per praedicationis studium humani pectoris terram
uomere linguae proscindere. Hic igitur rhinoceros quondam
5 superbus ac rigidus iam nunc loris fidei tenetur ligatus ;
atque a praesepe ad arandum ducitur, quia eam praedicationem qua ipse refectus est innotescere et aliis conatur.
Scimus enim rhinoceros iste, terrenus uidelicet princeps,
quanta prius contra Dominum crudelitate saeuierit ; et nunc

3. c. Ep 4, 19

au vaste champ des orgueilleux que Paul fait allusion, quand il dit : *Désespérant d'eux-mêmes, ils se sont livrés à toute sorte d'impureté et à l'avarice*[c]. En effet, on s'abandonne d'autant plus librement aux mauvaises actions durant la vie présente qu'on n'espère pas obtenir les biens éternels après cette vie. Dieu tout-puissant a certes longtemps toléré que ce rhinocéros erre dans le vaste champ des désirs coupables ; mais quand il l'a voulu, il l'a soudainement attaché dans son étable, afin que, bien enfermé, il reçoive le fourrage de la vie, au lieu de le laisser perdre irrémédiablement cette vie par un mauvais usage de sa liberté. Voici que désormais nous voyons les grands et les souverains de ce monde écouter volontiers les enseignements du Seigneur, les lire régulièrement et ne pas errer çà et là hors de l'étable ; ils ne transgressent pas par leur manière de vivre les préceptes de Dieu qu'ils connaissent par la lecture ou la prédication ; bien au contraire, ils acceptent avec sérénité d'être, pour ainsi dire, enfermés auprès du fourrage de la Parole pour s'en nourrir, s'y tenir et engraisser. Quand on voit cela s'accomplir par la grâce de Dieu, ne peut-on dire que ce rhinocéros demeure dans l'étable ?

Mais, comme après avoir reçu le fourrage de la prédication, ce rhinocéros doit montrer le fruit de ses œuvres, le texte ajoute fort bien :

Les préceptes, rênes de l'Église   **IV, 4. *Mettras-tu tes rênes au rhinocéros pour le faire labourer ?*** Les rênes de l'Église sont les commandements de la discipline. Labourer, c'est fendre la terre du cœur humain avec le soc de la langue par le moyen de la prédication. Ce rhinocéros, autrefois orgueilleux et inflexible, est maintenant tenu en bride par les rênes de la foi. On le fait sortir de l'étable pour labourer, parce qu'il veut faire entendre également aux autres la prédication dont il a été nourri. Nous savons, en effet, combien ce rhinocéros, c'est-à-dire le souverain terrestre, a sévi d'abord avec cruauté contre le

39, 10

10 agente Domino cernimus quanta se ei humilitate substernit.
Hic rhinoceros non solum ligatus, sed etiam ad arandum
ligatus est, quia uidelicet disciplinae loris adstrictus, non
solum se a prauis operibus retinet, sed etiam in sanctae
fidei praedicationibus exercet. Ecce enim sicut superius
15 dictum est, ipsos humanarum rerum rectores ac principes
dum metuere Deum in suis actionibus cernimus, quid aliud
quam loris ligatos uidemus ? Cum uero eam fidem, quam
dudum persequendo impugnauerant, nunc prolatis legibus
praedicare non cessant, quid aliud faciunt, nisi aratri labo-
20 ribus insudant ?

5. Libet uidere hunc rhinocerotam, id est terrae principem fidei loris ligatum, quemadmodum et cornu portat per
potentiam saeculi, et iugum fidei sustinet per amorem Dei.
Timeri iste rhinoceros ualde poterat, nisi ligatus esset. Cornu
5 quippe habet, sed ligatus est. Habent ergo in loris eius quod
humiles diligant, habent in cornu eius quod elati pertimescant. Strictus enim loris, seruat pietatem mansuetudinis, sed
fultus cornu terrenae gloriae exercet dominium potestatis.
Plerumque autem cum exigente ira ad feriendum rapitur,
10 diuino timore reuocatur. Et quidem per exasperatam potentiam in furore se eleuat, sed quia aeterni iudicis reminiscitur, cornu ligatus se inclinat. Saepe ipse uidisse me
memini, quod cum se ad feriendum grauiter hic rhinoceros
accenderet ; et quasi eleuato cornu bestiolis minimis mor-
15 tes, exsilia, damnationemque subiectis immensis terroribus
intemptaret, repente fronti signo crucis impresso, omne in
se incendium furoris exstinxit, conuersus minas deposuit ;
et quia ad deliberata progredi non posset, ligatus agnouit.
Et non solum in se iras edomat, sed in subiectorum etiam
20 sensibus omne quod rectum est inserere festinat, atque ut

Seigneur et maintenant, grâce à l'action du Seigneur, nous voyons avec quelle grande humilité il se soumet à lui. Non seulement ce rhinocéros a été lié, mais il l'a été pour labourer ; retenu par les rênes de la discipline, non seulement il s'abstient des œuvres mauvaises, mais, de plus, il se livre à la prédication de la sainte foi. Quand, ainsi que nous l'avons dit plus haut, nous reconnaissons à leurs actes que les dirigeants eux-mêmes et les souverains de ce monde craignent Dieu, ne les voyons-nous pas comme enserrés par des brides ? Et quand ils ne cessent de prêcher désormais, par les lois qu'ils édictent, la foi que jadis ils attaquaient et persécutaient, ne tirent-ils pas la charrue à la sueur de leur front ?

5. Il convient de voir comment le rhinocéros, c'est-à-dire le souverain de la terre, tenu en bride par les rênes de la foi, porte une corne à cause de la puissance qu'il exerce en ce monde et en même temps se charge du joug de la foi par amour de Dieu. Ce rhinocéros serait fort à craindre, s'il n'était lié. Il a une corne certes, mais il est lié. Donc les humbles peuvent l'aimer à cause de ses rênes, les orgueilleux ont sujet de le craindre à cause de sa corne. Retenu par ses rênes, il garde la douceur et la mansuétude ; fort de sa corne, qui est la gloire terrestre, il exerce son autorité et sa puissance. Quand sa colère le pousse à sévir, il arrive bien souvent que la crainte de Dieu l'en retienne ; quand on l'irrite, il est certes rempli de fureur, mais qu'il se souvienne du Juge éternel, sa corne se trouve liée et il s'incline. Je me rappelle avoir souvent vu moi-même ce rhinocéros violemment excité à sévir et, corne dressée pour ainsi dire, menacer de mort, d'exil et de condamnation de tout petits animaux en proie à des terreurs intenses ; un signe de croix sur le front a éteint d'un seul coup en lui le feu de sa colère et l'a fait renoncer à toutes ses menaces ; et, lié, il reconnut qu'il ne pouvait poursuivre son dessein. Et non seulement il dompte ses propres colères, mais il s'empresse d'inculquer à ses sujets le sens de ce qui est bien,

omnes sanctam Ecclesiam ex intima cogitatione uenerentur, exemplo ipse suae humilitatis demonstrat. Dicatur igitur beato Iob : *Numquid alligabis rhinocerotam ad arandum loro tuo ?* Ac si aperte dicat : Numquid potentes huius saeculi in
25 sua fatua elatione confidentes, ad laborem praedicationis dirigis, et sub disciplinae uincula restringis ? Subaudis : Vt ego, qui id egi cum uolui, qui persecutores meos, quos prius hostes pertuli, ipsos postmodum rectae fidei defensores feci. Sequitur :

39, 10   V, **6. *Aut confringet glebas uallium post te ?*** Solent excultae terrae superiacentes glebae iactata semina premere, et nascentia suffocare. Quibus glebis hoc loco illi signantur, qui per duritiam suam atque pestiferam uitam, nec ipsi
5 semina uerbi recipiunt, nec receptorum seminum fructus alios ferre permittunt. Sanctus enim quisque praedicator in mundum ueniens, euangelizando pauperibus[a], quasi molles uallium terras arauerat, sed quorumdam duritiam elatorum Ecclesia rumpere non ualens, eos quasi superiectas labori
10 suo glebas oppressa tolerabat. Multi enim peruersae mentis ipsa terrenorum principum infidelitate confisi, surgentem Ecclesiam male uiuendi pondere premebant ; cum diu quos possent modo damnabilibus exemplis, modo minis, modo blandimentis destruerent, ne terra cordis auditorum ad
15 spiritalis seminis fructum exculta perueniret. At cum omnipotens Deus hunc rhinocerotam loris suis subdidit, per eum ilico glebarum duritiam fregit. Mox quippe terrenum principatum suae fidei subiugauit, dura persequentium corda conteruit, ut quasi confractae glebae non iam obdu-

6. a. cf. Mt 11, 5 ; Lc 4, 18 et 7, 22

en montrant par l'exemple de sa propre humilité la vénération profonde que tous doivent manifester envers la sainte Église. Aussi cette parole est-elle adressée au bienheureux Job : *Mettras-tu tes rênes au rhinocéros pour le faire labourer ?* C'est comme s'il lui disait en termes clairs : Les puissants de ce monde, sûrs d'eux-mêmes en leur fol orgueil, leur fais-tu assumer le labeur de la prédication et les attaches-tu par les liens de la discipline ? Sous-entendu : comme moi qui l'ai fait quand je l'ai voulu, moi qui ai transformé en défenseurs de la vraie foi mes persécuteurs, ceux mêmes que j'ai eu d'abord à supporter comme ennemis ? Le texte poursuit :

La semence de la Parole   V, 6. *Brisera-t-il derrière toi les mottes de terre des vallées ?* Il arrive que les mottes à la surface d'une terre cultivée écrasent les graines semées et étouffent celles qui germent. Ces mottes de terre figurent ici ceux qui, par leur dureté et leur vie pernicieuse, à la fois ne reçoivent pas eux-mêmes la semence de la parole et ne permettent pas que la semence reçue porte du fruit chez les autres. En allant dans le monde évangéliser les pauvres[a], chaque saint prédicateur avait pour ainsi dire labouré les terres légères des vallées ; mais l'Église oppressée supportait, comme des mottes de terre répandues sur son labeur, des orgueilleux dont elle n'avait pu briser la dureté. Beaucoup d'esprits corrompus, s'appuyant sur l'incroyance des souverains terrestres, opprimaient l'Église naissante du poids de leur vie dépravée : en ruinant à la longue ceux qu'ils pouvaient, tantôt par leurs mauvais exemples, tantôt par les menaces, tantôt par la douceur, ils empêchaient que des fruits spirituels puissent naître de la semence jetée sur cette terre cultivée qu'est le cœur des auditeurs. Mais quand le Dieu tout-puissant a passé ses rênes au rhinocéros, il lui a fait briser instantanément la dureté des mottes de terre ; aussitôt il a soumis à la foi le pouvoir terrestre, il a broyé le cœur dur des persécuteurs, de sorte que ces mottes compactes, désor-

39, 10

20 ratae premerent, sed ad percepta uerbi semina resolutae
germinarent. Vnde recte nunc ait : *Aut confringet glebas
uallium post te ?* Ac si diceret sicut post me, qui postquam
mentem cuiuslibet elatae potestatis ingredior, non solum
eam mihi subditam reddo, sed etiam ad conterendos fidei
25 hostes exerceo, ut potentes huius saeculi meae formidinis
loris ligati, non solum in me credentes permaneant, sed pro
me et alieni cordis duritiam zelantes frangant.

7. Hoc autem quod de infidelibus diximus, in plerisque
etiam qui fidei nomine censentur uidemus. Multi namque
in medio humilium fratrum positi fidem uerbotenus tenent,
sed dum elationis typhum non deserunt ; dum quos possunt
5 illatis uiolentiis premunt ; dum fructificantibus aliis ipsi
nequaquam semina uerbi recipiunt, sed ab exhortantis uoce
aurem cordis auertunt ; isti quid aliud, quam obduratae
glebae in exaratis uallibus iacent ? Qui eo nequiores sunt,
quo nec ipsi humilitatis fructum proferunt, et quod est de-
10 terius, proferentes humiles premunt. Ad horum duritiam
dissoluendam nonnumquam sancta Ecclesia, quia propria
uirtute non sufficit, rhinocerotis huius, id est terreni principis
opitulationem quaerit ; ut ipse superiacentes glebas conterat,
quas ecclesiarum humilitas quasi planities uallium portat.
15 Has itaque glebas rhinoceros pede premit et comminuit,
quia prauorum potentiumque duritiam, cui ecclesiastica humilitas resistere non ualet, principalis religio ex potestate
dissoluit. Quod quia sola diuina uirtute agitur, ut terreni

mais comme émiettées, ont fait germer, une fois amollies, la semence de la Parole au lieu de l'étouffer. Aussi dit-il fort bien maintenant : *Brisera-t-il derrière toi les mottes de terre des vallées ?* C'est comme s'il disait : Le fera-t-il comme il l'a fait derrière moi ? Quand je pénètre dans l'esprit de quelque puissance orgueilleuse, non seulement je me la rends soumise, mais je m'en sers pour broyer les ennemis de la foi. Ainsi les puissants de ce monde, retenus par les rênes de la crainte que je leur inspire, ne se contentent-ils pas de croire en moi fermement, mais encore se montrent-ils pleins de zèle à mon service en brisant aussi la dureté des cœurs hostiles.

Les faux chrétiens   **7.** Ce que nous venons de dire des incroyants, nous le constatons souvent aussi chez ceux qui portent le nom de croyants. Nombreux sont ceux qui, vivant au milieu de frères humbles, gardent la foi en paroles, mais, comme ils n'abandonnent pas les fumées de l'orgueil ; comme ils oppriment par leur violence ceux qu'ils peuvent ; comme ils ne reçoivent aucunement les semences de la Parole, alors que les autres portent du fruit, mais qu'ils détournent l'oreille de leur cœur de la voix qui les exhorte ; que sont-ils, sinon des mottes de terre durcies gisant dans des vallées labourées ? Leur malice est d'autant plus grande que, non contents de ne pas produire eux-mêmes les fruits de l'humilité, ils oppriment – ce qui est plus grave – les humbles qui en produisent. Parfois la sainte Église, n'arrivant pas par sa seule force à amollir leur dureté, demande l'aide du rhinocéros, c'est-à-dire du souverain terrestre, pour qu'il broie lui-même ces mottes de terre laissées en surface, que supportent, tel le sol uni des vallées, les Églises en leur humilité. Le rhinocéros piétine et écrase ces mottes de terre, parce que, par son pouvoir, la piété du prince réduit à rien la dureté des méchants et des puissants auxquels l'humilité de l'Église ne peut résister. Et, comme seule la puissance de Dieu peut amener les souverains des royaumes terrestres à travailler au

regni culmina ad prouectum regni caelestis inclinentur, recte
20 nunc dicitur : *Aut confringet glebas uallium post te ?*

Vt uero de suis uirtutibus beatus Iob humilia sentiat,
adhuc de huius mundi potestatibus sub rhinocerotis nomine
sublimia cognoscat, sequitur :

39, 11   VI, **8.** *Numquid habebis fiduciam in magna fortitu-*
dine eius et derelinques ei labores tuos ? In rhinocerotis
fortitudine fiduciam Dominus habere se asserit, quia uires
quas temporaliter terreno principi contulit, ad cultum suae
5 uenerationis inclinauit ; ut ex accepta potestate, per quam
dudum contra Deum tumuerat, religiosum nunc Deo obsequium latius impendat. Quo enim in mundo plus potest,
eo pro mundi auctore plus praeualet. Nam quia a subiectis
ipse metuitur, tanto facilius persuadet, quanto et cum potes-
10 tate indicat qui uere metuatur. Dicatur ergo : *Numquid*
habebis fiduciam in magna fortitudine eius ? Ac si diceretur :
Vt ego, qui uires terrenorum principum meo cultui serui-
turas aspicio. Tanto ergo ea quae nunc agis, minora aestimo,
quanto iam praeuideo, quia et maiores huius mundi mihi
15 potestates inclinabo. Bene autem subditur : *Et derelinques ei*
labores tuos ? Labores enim suos huic rhinoceroti Dominus
reliquit, quia conuerso terreno principi eam quam sua morte
mercatus est, Ecclesiam credidit[a] : quia uidelicet in eius
manu quanta sollicitudine pax fidei sit tuenda commisit.
20 Sequitur :

8. a. cf. Ac 20, 28

progrès du royaume céleste, il est fort justement dit : *Brisera-t-il derrière toi les mottes de terre des vallées ?*

Et, pour que le bienheureux Job ait une humble opinion de ses vertus et reconnaisse encore, sous le nom de rhinocéros, la sublimité des puissances de ce monde, le texte poursuit :

Le souverain au service de l'Église
VI, **8.** *Auras-tu confiance en sa grande force et lui laisseras-tu faire tes travaux ?* Le Seigneur affirme avoir confiance en la force du rhinocéros, parce que la puissance **39, 11**
qu'il a confiée pour un temps au souverain terrestre, il l'a fait s'incliner avec vénération à son service ; avec la puissance reçue qu'il avait longtemps dressée contre Dieu, il s'acquitte maintenant généreusement de ses devoirs religieux envers Dieu. Plus grande, en effet, est sa puissance dans le monde, plus grande est l'activité qu'il peut déployer pour le Créateur du monde. Comme il se fait craindre lui-même de ses sujets, il a de grandes facilités pour leur montrer avec autorité celui qui seul est vraiment à craindre. Quand Dieu dit à Job : *Auras-tu confiance en sa grande force ?*, c'est comme s'il disait : comme je le fais, moi qui vois la puissance des souverains terrestres prête à se mettre à mon service ? Ce que tu fais présentement est d'autant moindre à mes yeux que je prévois déjà de faire plier devant moi les plus hautes puissances de ce monde. Et le Seigneur ajoute fort bien : *Lui laisseras-tu faire tes travaux ?* Le Seigneur a laissé ce rhinocéros faire ses travaux, parce qu'il a confié au souverain terrestre, une fois converti, l'Église qu'il a acquise au prix de sa propre mort [a] : c'est-à-dire qu'il s'en est remis à lui du soin de garder avec la plus grande sollicitude la paix de la foi. Le texte poursuit :

39, 12   VII, **9.** *Numquid credis ei quod reddat sementem tibi,*
et aream tuam congreget ? Quid aliud semen, nisi uerbum
praedicationis accipitur ? Sicut in Euangelio Veritas dicit :
Exiit qui seminat, seminare[a] ; et sicut propheta ait : *Beati*
5 *qui seminatis super omnes aquas*[b]. Quid aliud area nisi Ecclesia debet intellegi, de qua Praecursoris uoce dicitur : *Et*
permundabit aream suam[c] ? Quis ergo in initio nascentis
Ecclesiae crederet, dum contra eam ille indomitus principatus terrae tot minis et cruciatibus saeuiret, quia rhinoceros
10 iste Deo sementem redderet, id est acceptum praedicationis
uerbum operibus repensaret ? Quis posset tunc infirmorum
credere quod eius aream congregaret ? Ecce enim modo pro
Ecclesia leges promulgat, qui dudum contra eam per uaria
tormenta saeuiebat. Ecce quaslibet gentes capere potuerit
15 ad fidei illas gratiam suadendo perducit ; eisque aeternam
uitam indicat, quibus captis praesentem seruat. Cur hoc ?
Quia uidelicet nunc aream congregat, quam aliquando su-
perbo cornu dispergendo uentilabat. Audiat igitur beatus
Iob quid gentilitatis principes faciant, et nequaquam se apud
20 semetipsum de gloria tantae suae uirtutis extollat. Audiat rex
et potens, potentiores mundi reges quanta Deo deuotione
famulentur ; et uirtutem suam quasi pro singularitate non
trahat in elationis uitium, quae habet in aliis exemplum ;
quia etsi tunc ei similem Dominus non uidit[d], multos tamen
25 per quos eius gloriam retunderet praeuidit.

9. a. Mt 13, 3   b. Is 32, 20   c. Mt 3, 12   d. cf. 1 S 10, 24

Conversion des souverains païens

VII, **9.** *Attends-tu de lui qu'il te rende le grain que tu as semé et qu'il le rassemble sur ton aire ?* Que signifie donc la semence, sinon la Parole de la prédication, ainsi que la Vérité le dit dans l'Évangile : *Le semeur est sorti pour semer*[a] et, selon cette parole du prophète : *Heureux ceux qui sèment partout où il y a de l'eau*[b]. Et comment interpréter l'aire, sinon comme l'Église, ainsi que nous en assure la voix du Précurseur : *Il va nettoyer son aire*[c] ? En effet, dans les premiers temps de l'Église naissante, alors qu'encore indompté, ce pouvoir terrestre l'accablait de tant de menaces et de sévices, qui aurait cru que ce rhinocéros rendrait à Dieu la semence, c'est-à-dire payerait en retour par ses œuvres la Parole de la prédication qu'il avait reçue ? Qui parmi les faibles aurait pu croire alors qu'il rassemblerait le grain sur son aire ? Voici maintenant que promulgue des lois en faveur de l'Église celui qui autrefois la persécutait de mille manières. Voici qu'il amène par la persuasion à la grâce de la foi tous les peuples dont il a pu se rendre maître ; il laisse à ses prisonniers la vie sauve et leur fait connaître la vie éternelle. Pourquoi ? Parce que maintenant il rassemble le grain sur l'aire, alors qu'autrefois il le dispersait aux quatre vents avec sa corne orgueilleuse. Que le bienheureux Job apprenne donc ce que vont faire les souverains païens et qu'il ne se glorifie nullement de l'excellence de sa vertu. Qu'il apprenne, cet homme royal et puissant, l'empressement à servir Dieu que manifestent des rois de ce monde plus puissants que lui ; et qu'en voyant l'exemple des autres, il ne tire pas vanité de sa vertu comme d'un mérite singulier, parce que même si Dieu ne lui a pas alors trouvé d'égal[d], il a prévu pourtant que beaucoup feraient pâlir sa gloire.

10. Igitur quia terreni principes magna se Deo humilitate substernunt, praui homines qui dudum contra Ecclesiam in infidelitate positi aperta aduersitate saeuiebant, nunc ad alia fraudis argumenta uertuntur. Quia enim illos religionem
5 uenerari conspiciunt, ipsi cultum religionis assumunt et bonorum uitam sub despectis uestibus iniquis moribus premunt. Mundi quippe dilectores sunt hocque in se quod homines uenerentur ostendunt, atque eis qui uere semetipsos despiciunt, non mente, sed ueste copulantur. Quia enim
10 praesentem gloriam amantes assequi non possunt, quasi despicientes sequuntur. Quicquid sentiunt contra bonos ostenderent, si aptum nequitiae tempus inuenirent. Sed haec etiam argumenta prauorum ad electorum augmenta proficiunt. Sancta enim Ecclesia transire sine labore tempta-
15 tionis non potest tempora peregrinationis, quae etsi foris apertos hostes non habet, intus tamen tolerat fictos fratres. Nam contra uitia semper in acie est, et habet etiam pacis tempore bellum suum ; et fortasse grauius affligitur cum non extraneorum ictibus, sed suorum moribus impugnatur.
20 Siue itaque illo, seu isto tempore, est tamen semper in labore. Nam et in persecutione principum timet ne amittant boni quod sunt, et in conuersione principum tolerat, quia mali simulant bonos se esse, quod non sunt.

Vnde omnipotens Deus, quia rhinocerotam hunc loris
25 ligatum dixit, ilico prauorum hypocrisin subdidit, dicens :

Faux frères au sein de l'Église   **10.** Comme donc les souverains terrestres se soumettent à Dieu avec une profonde humilité, les hommes pervers qui persécutaient ouvertement l'Église avec cruauté quand ils vivaient au milieu de l'incroyance utilisent maintenant d'autres moyens pour lui faire du mal. Comme ils voient les souverains honorer la religion, ils se mettent eux aussi à la pratiquer et, tout en se couvrant de vêtements méprisables, ils déprécient la vie des justes par leur mauvaise conduite. Ils aiment le monde et font parade de tout ce qui peut attirer l'estime des hommes ; ce n'est pas par l'esprit, mais seulement par l'habit qu'ils sont en compagnie de ceux qui se méprisent sincèrement eux-mêmes. Puisque, ambitionnant la gloire du monde, ils ne peuvent l'obtenir, ils la recherchent en faisant semblant de la mépriser. Ils montreraient bien les vrais sentiments qu'ils nourrissent à l'égard des justes, si l'occasion de leur nuire se présentait. Mais cette tactique des méchants sert finalement au progrès des élus. La sainte Église, en effet, ne peut accomplir son pélerinage terrestre sans subir l'épreuve de la tentation ; si elle n'a pas d'ennemis extérieurs déclarés, elle a à supporter des faux frères en son sein. Elle est toujours prête au combat contre les vices et, même en temps de paix, il lui faut mener sa propre guerre ; peut-être même souffre-t-elle davantage quand ce ne sont pas les coups des étrangers qui l'atteignent, mais les mœurs des siens. Que ce soit en temps de persécution ou en temps de paix, elle est toujours mise à l'épreuve. Quand les souverains la persécutent, elle craint que les bons ne se pervertissent, et quand les souverains sont convertis, elle souffre, car les méchants simulent une bonté qu'ils n'ont pas.

Aussi, après avoir dit que ce rhinocéros était retenu par des rênes, Dieu tout-puissant mentionne aussitôt l'hypocrisie des pervers :

39, 13   VIII, **11.** *Penna struthionis similis est pennis herodii et accipitris.* Quis herodium et accipitrem nesciat aues reliquas quanta uolatus sui uelocitate transcendat ? Struthio uero pennae eorum similitudinem habet, sed uolatus eorum
5 celeritatem non habet. A terra quippe eleuari non ualet, et alas quasi ad uolatum specie tenus erigit ; sed tamen numquam se a terra uolando suspendit. Ita sunt nimirum omnes hypocritae, qui dum bonorum uitam simulant, imitationem sanctae uisionis habent, sed ueritatem sanctae actionis non
10 habent. Habent quippe uolandi pennas per speciem, sed in terram repunt per actionem ; quia alas per figuram sanctitatis extendunt, sed curarum saecularium pondere praegrauati, nullatenus a terra subleuantur. Speciem namque pharisaeorum reprobans Dominus, quasi struthionis pennam redar-
15 guit, quae in opere aliud exercuit, et in colore aliud ostendit, dicens : *Vae uobis, scribae et pharisaei hypocritae, quia similes estis sepulcris dealbatis, quae foris quidem apparent hominibus speciosa, intus uero plena sunt ossibus mortuorum ; ita et uos foras apparetis hominibus iusti, intus uero pleni estis auaritia*
20 *et iniquitate*[a]. Ac si diceret : Subleuare uos uidetur species pennae, sed in infimis uos deprimit pondus uitae. De hoc pondere per prophetam dicitur : *Filii hominum, usquequo graues corde*[b] ? Huius struthionis conuersurum se hypocrisin Dominus pollicetur, cum per prophetam dicit : *Glorificabunt*
25 *me bestiae agri, dracones et struthiones*[c]. Quid enim draconum nomine, nisi in aperto malitiosae mentes exprimuntur, quae per terram semper in infimis cogitationibus repunt ? Quid uero per struthionum uocabulum nisi hi qui se bonos simulant designantur, qui sanctitatis uitam quasi uolatus
30 pennam per speciem retinent, sed per opera non exercent ?

---

11. a. Mt 23, 27-28   b. Ps 4, 3   c. Is 43, 20

L'autruche, figure des hypocrites

VIII, **11.** *Les ailes de l'autruche ressemblent à celles du héron et de l'épervier.* Qui donc ignore que le héron et l'épervier ont un vol plus rapide que celui de tous les autres oiseaux ? L'autruche a des ailes qui ressemblent à celles du héron et de l'épervier, mais elle n'a pas leur vitesse de vol. Elle ne peut même pas s'élever de terre ; elle déploie ses ailes comme pour voler, mais jamais elle ne décolle du sol en volant. Tous les hypocrites font de même ; ils simulent la vie des justes, ils présentent l'image de la sainteté, mais ils n'ont pas la réalité d'une sainte vie. Ils ont des ailes pour voler quant à l'apparence, mais ils rampent sur le sol quant à leurs actes ; ils déploient leurs ailes pour se donner un extérieur de sainteté, mais, alourdis par le poids des affaires de ce monde, ils ne décollent aucunement du sol. Quand le Seigneur reproche aux pharisiens leur extérieur, c'est comme s'il critiquait les ailes de l'autruche, autres pour leur efficacité, autres pour leur coloris : *Malheur à vous,* dit-il, *scribes et pharisiens hypocrites, qui ressemblez à des sépulcres blanchis : à l'extérieur ils paraissent beaux, mais à l'intérieur ils sont pleins d'ossements de morts ; vous de même, au dehors vous offrez aux hommes l'apparence de justes, mais au dedans vous êtes pleins de convoitise et d'iniquité*[a]. C'est comme s'il disait : La beauté de vos ailes semble vous élever, mais le poids de votre vie vous rabaisse au plus bas. Le prophète dit au sujet de ce poids : *Fils d'homme, jusqu'à quand aurez-vous le cœur lourd*[b] ? Le Seigneur promet qu'il détournera cette autruche de son hypocrisie quand il dit par le prophète : *Les bêtes des champs, les dragons et les autruches me glorifieront*[c]. Que désigne le nom de dragons, sinon les âmes qui ne cachent pas leur malignité, qui rampent continuellement sur le sol par la bassesse de leurs pensées ? Que représente l'appellation d'autruche, sinon ceux qui feignent d'être bons, qui gardent en apparence une vie de sainteté comme des ailes pour voler, mais n'en pratiquent pas les œuvres ? Le Seigneur affirme

Glorificari itaque se Dominus a dracone uel struthione asserit, quia et aperte malos, et ficte bonos plerumque ad sua
obsequia ex intima cogitatione conuertit. Vel certe agri
bestiae, id est Dominum dracones struthionesque glori-
35 ficant, cum fidem quae in illo est ea quae in hoc mundo
dudum membrum diaboli fuerat gentilitas exaltat. Quam et
propter malitiam draconum nomine exprobrat, et propter
hypocrisin uocabulo struthionum notat. Quasi enim pennas
accepit gentilitas, sed uolare non potuit, quae et naturam
40 rationis habuit, et actionem rationis ignorauit.

12. Habemus adhuc quod in considerationem struthionis huius de accipitre et herodio attentius perpendamus.
Accipitris quippe et herodii parua sunt corpora, sed pennis
densioribus fulta, et idcirco cum celeritate transuolant,
5 quia eis parum inest quod aggrauat, multum quod leuat. At
contra struthio raris pennis induitur, et immani corpore grauatur ; ut etsi uolare appetat, ipsa pennarum paucitas molem
tanti corporis in aere non suspendat. Bene ergo in herodio
et accipitre electorum persona signatur, qui quamdiu in
10 hac uita sunt, sine quantulocumque culpae contagio esse
non possunt. Sed cum eis parum quid inest quod deprimit,
multa uirtus bonae actionis suppetit quae illos in superna
sustollit. At contra hypocrita, etsi qua facit pauca quae
eleuent, perpetrat multa quae grauent. Neque enim nulla
15 bona agit hypocrita, sed quibus ea ipsa deprimat, multa peruersa committit. Paucae igitur pennae corpus struthionis
non subleuant, quia paruum bonum hypocritae multitudo
prauae actionis grauat. Haec quoque ipsa struthionis penna
ad pennas herodii et accipitris similitudinem coloris habet,
20 uirtutis uero similitudinem non habet. Illorum namque

qu'il est glorifié par le dragon et par l'autruche, parce qu'il lui arrive souvent de convertir des méchants déclarés, aussi bien que de faux justes, pour le servir du fond du cœur. Ou, du moins, les bêtes des champs, c'est-à-dire les dragons et les autruches, glorifient le Seigneur quand les païens exaltent la foi en lui, eux qui furent pendant longtemps, en ce monde, les membres du diable. Sous le nom de dragons, il blâme leur malice et, par l'appellation d'autruche, il souligne leur hypocrisie. Car les païens ont eu comme des ailes, mais sans pouvoir voler, puisque, tout en ayant une nature raisonnable, ils n'ont pas connu une conduite raisonnable.

Épervier et héron, figures des élus **12.** Observant cette autruche, nous avons encore à examiner attentivement et de plus près ce qui concerne l'épervier et le héron. Le corps de l'épervier et celui du héron sont peu volumineux, mais des ailes très développées les soutiennent ; leur vol est rapide, parce qu'ils ont peu à porter et d'amples moyens de s'élever. L'autruche, en revanche, avec ses maigres ailes et son corps pesant, a beau vouloir prendre son vol, ses pauvres ailes ne lui permettent pas de soutenir en l'air la masse d'un si grand corps. Le héron et l'épervier représentent donc bien les élus qui, tant qu'ils sont en cette vie, ne peuvent échapper à la souillure – si infime soit-elle – du péché. Cependant, comme peu de chose les retient en bas, la grande valeur de leur activité vertueuse suffit à les élever dans les hauteurs. L'hypocrite, au contraire, tout en faisant quelques petites actions qui l'élèvent, en accomplit beaucoup d'autres qui l'alourdissent. Ce n'est pas que l'hypocrite ne fasse rien de bien, mais ce bien est rabaissé par toutes les actions perverses qu'il accomplit. Les rares plumes de l'autruche ne peuvent soulever son corps, ainsi une multitude d'actions mauvaises alourdit le peu de bien fait par l'hypocrite. Les plumes de l'autruche sont de la même couleur que celles du héron et de l'épervier, mais elles n'en ont pas la puissance.

conclusae et firmiores sunt, et uolatu aerem premere uirtute
suae soliditatis possunt. At contra struthionis pennae disso-
lutae, eo uolatum sumere nequeunt, quo ab ipso quem
premere debuerant aere transcenduntur. Quid ergo in his
25 aspicimus nisi quod electorum uirtutes solidae euolant, ut
uentos humani fauoris premant ? Hypocritarum uero actio
quamlibet recta uideatur, uolare non sufficit, quia uidelicet
fluxae uirtutis pennam humanae laudis aura pertransit.

13. Sed ecce cum unum eumdemque bonorum malo-
rumque habitum cernimus, cum ipsam in electis ac reprobis
professionis speciem uidemus, unde nostrae intellegentiae
suppetat ut electos a reprobis, ut a falsis ueros comprehen-
5 dendo discernat ? Quod tamen citius agnoscimus, si inteme-
rata in memoriam praeceptoris nostri uerba signamus, qui
ait : *Ex fructibus eorum cognoscetis eos*[a]. Neque enim pen-
sanda sunt quae ostendunt in imagine, sed quae seruant in
actione.
10   Vnde hic postquam speciem struthionis huius intulit, mox
facta subiungit, dicens :

39, 14   IX, **14.** *Quae derelinquit in terra oua sua.* Quid enim
per oua, nisi tenera adhuc proles exprimitur, quae diu fo-
uenda est, ut ad uiuum uolatile perducatur ? Oua quippe
insensibilia in semetipsis sunt, sed tamen calefacta, in uiuis
5 uolatilibus conuertuntur. Ita nimirum paruuli auditores ac
filii certum est, quod frigidi insensibilesque remaneant, nisi
doctoris sui sollicita exhortatione calefiant. Ne igitur dere-

13. a. Mt 7, 16-20

Car les plumes de ces derniers étant serrées et fermes, elles peuvent exercer une solide pression sur l'air en volant. Les plumes de l'autruche, au contraire, sont disjointes ; elles ne peuvent soutenir son vol, parce qu'elles sont traversées par l'air sur lequel elles devraient faire pression. Que voyons-nous donc par là, sinon que les solides vertus des élus les soulèvent, en refoulant au-dessous d'elles le vent des approbations humaines ? Quant aux actions des hypocrites, aussi droites qu'elles paraissent, elles ne peuvent les faire voler, car les plumes de leurs vertus chancelantes laissent passer le moindre souffle des louanges humaines.

Se défier des apparences
13. Mais alors que nous apercevons chez les bons et les méchants un extérieur identique et qu'apparemment nous voyons chez les élus et les réprouvés une même manière de vivre, qu'est-ce qui permettrait à notre esprit de distinguer les élus des réprouvés, les hommes sincères des menteurs ? Nous le reconnaissons bien vite si nous gravons fidèlement en notre mémoire les paroles de notre Maître : *Vous les reconnaîtrez à leurs fruits*[a]. Il ne faut pas juger en effet d'après l'apparence qu'ils veulent se donner, mais d'après les principes qu'ils observent dans leur conduite.

Aussi, après avoir décrit l'aspect extérieur de cette autruche, le texte parle aussitôt de ses mœurs :

Montrer l'exemple
IX, **14.** *Elle abandonne ses œufs à terre.* Que signifient les œufs, sinon la progéniture encore tendre, qui a besoin d'être longtemps tenue au chaud pour arriver à la perfection d'un oiseau vivant ? Les œufs sont en eux-mêmes privés de sensibilité, mais la chaleur les transforme en oiseaux pleins de vie. De même, il est certain que les auditeurs nouveau-nés et enfants demeurent froids et insensibles, s'ils ne sont réchauffés par les exhortations pleines de sollicitude de leur

39, 14

licti in sua insensibilitate torpescant, assidua doctorum uoce
fouendi sunt, quousque ualeant et per intellegentiam uiuere,
10 et per contemplationem uolare. Quia uero hypocritae quamuis peruersa semper operentur, loqui tamen recta non desinunt ; bene loquendo autem in fide uel conuersatione filios
pariunt, sed eos bene uiuendo nutrire non possunt, recte de
hac struthione dicitur : *Quae derelinquit in terra oua sua.*
15 Curam namque filiorum hypocrita neglegit, quia ex amore
intimo rebus se exterioribus subdit, in quibus quanto magis
extollitur, tanto minus de prolis suae defectu cruciatur. Oua
ergo in terra dereliquisse est natos per conuersionem filios
nequaquam a terrenis actibus interposito exhortationis ni-
20 do suspendere. Oua in terra dereliquisse est nullum caelestis
uitae filiis exemplum praebere. Quia enim hypocritae per
caritatis uiscera non calent, de torpore prolis editae, id est
de ouorum suorum frigore nequaquam dolent ; et quanto
se libentius terrenis actibus inserunt, tanto neglegentius eos
25 quos generant agere terrena permittunt.

Sed quia derelictos hypocritarum filios superna cura non
deserit, nonnullos namque etiam ex talibus intima electio-
ne praescitos, largitae gratiae respectu calefacit, recte subiungitur :

39, 14   X, **15.** *Tu forsitan in puluere calefacis ea ?* Ac si dicat :
Vt ego, qui illa in puluere calefacio, quia scilicet paruulorum
animas, et in medio peccantium positas, amoris mei igne
succendo. Quid enim puluis, nisi peccator accipitur ? Vnde
5 et ille hostis peccatoris huius perditione satiatur, de quo per

maître. Afin donc qu'abandonnés à eux-mêmes, ils ne languissent dans leur insensibilité, il faut que la voix de leurs maîtres les réchauffe continuellement, jusqu'à ce qu'ils soient capables et de vivre grâce à l'intelligence, et de voler grâce à la contemplation. Mais comme les hypocrites, tout en faisant le mal, ne cessent pas cependant de prêcher le bien, par leurs bonnes paroles ils engendrent des fils dans la foi et la conversion, mais ne peuvent les nourrir par l'exemple d'une vie bonne ; il est donc juste de dire de cette autruche : *Elle abandonne ses œufs à terre*. En effet, l'hypocrite néglige le soin de ses fils, car il s'adonne avec une secrète passion à l'amour des choses extérieures. Plus il y met sa fierté, moins il est affligé de la perte de ses enfants. Abandonner ses œufs à terre, c'est n'élever nullement, loin des comportements terrestres, à l'abri du nid de l'exhortation, les fils que l'on a mis au monde par la conversion. Abandonner ses œufs à terre, c'est n'offrir à ses fils aucun exemple de la vie céleste. Les hypocrites, en effet, ne brûlent pas de la chaleur des entrailles de la charité et n'éprouvent aucune peine de la torpeur des enfants qu'ils ont mis au monde, c'est-à-dire du froid de leurs œufs ; et plus ils s'impliquent volontiers dans les activités terrestres, plus ils tolèrent avec négligence que ceux qu'ils engendrent s'appliquent aux intérêts terrestres.

Mais la sollicitude divine ne délaisse pas ces enfants abandonnés des hypocrites : elle réchauffe même, par le fait de l'effusion de sa grâce, certains d'entre eux, élus dans le secret de sa prescience. C'est pourquoi le texte poursuit :

La poussière, figure du pécheur

X, **15.** *Est-ce toi par hasard qui les réchauffes dans la poussière ?* C'est-à-dire : comme je les réchauffe dans la poussière, moi qui embrase du feu de mon amour l'âme des petits, même lorsqu'ils vivent parmi les pécheurs. Qu'entendre par la poussière, sinon le pécheur ? Le prophète nous indique que l'ennemi du pécheur se repaît de sa perte,

39, 14

prophetam dicitur : *Serpenti puluis panis eius*[a]. Quid per
puluerem, nisi ipsa iniquorum instabilitas demonstratur ?
De qua Dauid ait : *Non sic impii, non sic, sed tamquam puluis
quem proicit uentus a facie terrae*[b]. Oua ergo Dominus in
10 puluere derelicta calefacit, quia paruulorum animas praedicatorum suorum sollicitudine destitutas, etiam in medio
peccantium positas amoris sui igne succendit. Hinc est enim
quod plerosque cernimus et in medio populorum uiuere, et
tamen uitam torpentis populi non tenere. Hinc est quod
15 plerosque cernimus, et malorum turbas non fugere et tamen
superno ardore fraglare. Hinc est quod plerosque cernimus,
ut ita dixerim, in frigore calere. Vnde enim nonnulli in terrenorum hominum torpore positi supernae spei desideriis inardescunt ; unde et inter frigida corda succensi sunt, nisi quia
20 omnipotens Deus derelicta oua scit etiam in puluere cale-
facere, et frigoris pristini insensibilitate discussa, per sensum
spiritus uitalis animare, ut nequaquam iacentia in infimis
torpeant ; sed in uiuis uolatilibus uersa sese ad caelestia con-
templando, id est uolando, suspendant ? Notandum uero est
25 quod in his uerbis non solum hypocritarum actio peruersa
reprobatur, sed bonorum etiam magistrorum, si qua fortasse
subrepserit elatio, premitur. Nam cum de se Dominus dicit
quod derelicta oua in puluere ipse calefaciat, profecto aperte
indicat quia ipse operatur intrinsecus per uerba doctoris,
30 qui et sine uerbis ullius hominis calefacit quos uoluerit in
frigore pulueris. Ac si aperte doctoribus dicat : Vt sciatis quia
ego sum qui per uos loquentes operor, ecce cum uoluero
cordibus hominum etiam sine uobis loquor. Humiliata igitur

15. a. Is 65, 25   b. Ps 1, 4

lorsqu'il dit : *La poussière est le pain du serpent*[a]. La poussière, en effet, ne signifie-t-elle pas l'instabilité des hommes injustes, selon David : *Il n'en est pas de même des impies, mais ils sont comme la poussière que le vent emporte de la surface de la terre*[b]. Le Seigneur réchauffe donc les œufs abandonnés dans la poussière lorsqu'il embrase du feu de son amour, même lorsqu'ils vivent parmi les pécheurs, l'âme des petits, privés de la sollicitude de leurs prédicateurs. Aussi en voyons-nous beaucoup qui, bien que vivant au milieu du monde, ne mènent pas la vie pleine de torpeur du monde. Aussi en voyons-nous beaucoup qui, sans fuir le commerce des méchants, brûlent cependant intérieurement d'un feu céleste. Ainsi en voyons-nous beaucoup qui, pour ainsi dire, rayonnent la chaleur au milieu du froid. D'où vient que certains, établis dans la torpeur de ce monde terrestre, espèrent le ciel avec des désirs brûlants ; d'où vient leur ardeur enflammée même parmi les cœurs froids, sinon de ce que Dieu sait réchauffer même dans la poussière ces œufs abandonnés et, après les avoir arrachés à l'insensibilité de leur froideur première, les animer de sensibilité et d'un souffle vital ? Désormais, ils ne seront plus comme engourdis de torpeur et gisant dans les bas-fonds, mais transformés en oiseaux doués de vie, ils s'élèveront, en volant, à la contemplation des réalités célestes. Mais il est à remarquer que, par ces paroles, non seulement l'agir pervers des hypocrites est réprouvé, mais qu'aussi celui des bons maîtres est rabaissé, dans le cas où quelque orgueil s'y glisserait. En effet, lorsque le Seigneur dit à son propre sujet qu'il réchauffe lui-même les œufs abandonnés dans la poussière, assurément il montre clairement que c'est lui qui agit intérieurement par les paroles du docteur, puisque, même sans les paroles d'aucun homme, il réchauffe ceux qu'il veut jusque dans le froid de la poussière. Comme s'il disait clairement aux docteurs : Pour que vous sachiez que c'est moi qui agis par votre parole, je parle, quand il me plaît, au cœur des hommes, même sans votre concours. Ayant donc humi-

cogitatione doctorum, ad exprimendum hypocritam sermo
35 conuertitur, et qua fatuitate torpeat, adhuc sub struthionis
facto plenius indicatur. Nam sequitur :

39, 15   XI, **16. *Obliuiscitur quod pes conculcet ea, aut bestia
agri conterat.*** Quid in pede, nisi transitus operationis accipitur ? Quid in agro, nisi mundus iste signatur ? De quo in
Euangelio Dominus dicit : *Ager autem est mundus*[a]. Quid
5 in bestia nisi antiquus hostis exprimitur, qui huius mundi
rapinis insidians, humana cotidie morte satiatur ? De qua
per prophetam, pollicente Domino, dicitur : *Et mala bestia
non transibit per eam*[b]. Struthio itaque oua sua deserens obliuiscitur quod pes conculcet ea, quia uidelicet hypocritae
10 eos quos in conuersatione filios genuerant derelinquunt, et
omnino non curant, ne aut exhortationis sollicitudine, aut
disciplinae custodia destitutos, prauorum operum exempla
peruertant. Si enim oua quae gignunt diligerent, nimirum
metuerent ne quis ea, peruersa opera demonstrando, calca-
15 ret. Hunc Paulus pedem infirmis discipulis, quasi ouis quae
posuerat, metuebat, cum diceret : *Multi ambulant, quos
saepe dicebam uobis, nunc autem et flens dico, inimicos crucis
Christi*[c]. Et rursum : *Videte canes, uidete malos operarios*[d].
Et rursum : *Denuntiamus uobis, fratres, in nomine Domini
20 nostri Iesu Christi, ut subtrahatis uos ab omni fratre ambulante
inordinate, et non secundum traditionem quam acceperunt
a nobis*[e]. Hunc pedem Ioannes Caio formidabat[f], qui cum
multa Diotrephis mala praemisisset, adiunxit[g] : *Carissime,
noli imitari malum, sed quod bonum est*[h]. Hunc ipse syna-
25 gogae dux infirmo suo gregi metuebat, dicens : *Quando*

16. a. Mt 13, 38   b. Is 35, 9   c. Ph 3, 18   d. Ph 3, 2   e. 2 Th 3, 6   f. cf.
3 Jn 1   g. cf. 3 Jn 9-10   h. 3 Jn 11

lié la pensée des docteurs, le discours revient à l'hypocrite et montre encore plus au long, à propos de l'autruche, quelle sottise le paralyse. En effet, le texte poursuit :

Craindre pour ses disciples **XI, 16. *Elle oublie qu'on les foulera aux pieds ou que la bête des champs les écrasera.*** Que signifie le pied, sinon le passage d'une action à l'autre ? Et le champ, sinon ce monde ? Selon cette parole du Seigneur dans l'Évangile : *Le champ, c'est le monde*[a]. Et la bête, n'est-ce pas la figure de l'antique ennemi, qui, tendant à l'homme les pièges de ce monde, se rassasie chaque jour de sa mort ? Le Seigneur parle de cette bête, quand il promet par la bouche du prophète : *La mauvaise bête n'y passera pas*[b]. L'autruche, en effet, quand elle abandonne ses œufs, oublie qu'on les foulera aux pieds ; ainsi les hypocrites délaissent les fils qu'ils avaient mis au monde par la conversion et ne se soucient absolument pas que, privés du soin de leurs exhortations et de la protection d'une règle de vie, ils soient corrompus par les mauvais exemples. Si, en effet, ils aimaient ces œufs qu'ils pondent, ils craindraient assurément que quelqu'un ne les écrase en leur montrant de mauvaises actions. C'est ce pied que Paul craignait pour ses disciples faibles, comme pour des œufs qu'il avait pondus, quand il disait : *Il y en a plusieurs, dont je vous ai souvent parlé et dont je vous parle encore avec larmes, qui marchent en ennemis de la croix du Christ*[c]. Et encore : *Gardez-vous des chiens, gardez-vous des mauvais ouvriers*[d]. Et encore : *Nous vous ordonnons, frères, au nom de Notre Seigneur Jésus-Christ, de vous séparer de tous nos frères qui se conduisent d'une manière déréglée et non selon la tradition qu'ils ont reçue de nous*[e]. Ce pied, Jean le redoutait pour Caius[f], puisqu'il ajoute, après avoir dit tout le mal commis par Diotrèphe[g] : *Mon bien-aimé, n'imite point le mal, mais le bien*[h]. Ce pied, le chef de la synagogue lui-même le craignait pour son faible troupeau, lorsqu'il lui disait : *Quand tu seras entré dans la terre que le*

39, 15

ingressus fueris terram quam Dominus Deus dabit tibi, caue
ne imitari uelis abominationes illarum gentium [i]. Obliuiscitur etiam quod bestia agri conterat, quia nimirum si diabolus
in hoc mundo saeuiens editos in bona conuersatione filios
30 rapiat, hypocrita omnino non curat. Hanc autem agri bestiam
Paulus ouis quae posuerat metuebat dicens : *Timeo, ne sicut*
serpens Euam seduxit astutia sua, ita corrumpantur sensus
uestri a castitate, quae est in Christo Iesu [j]. Hanc agri bestiam
discipulis metuebat Petrus, cum diceret : *Aduersarius uester*
35 *diabolus, quasi leo rugiens circuit, quaerens quem deuoret, cui*
resistite fortes in fide [k]. Habent ergo ueraces magistri super
discipulos suos timoris uiscera ex uirtute caritatis ; hypocritae autem tanto minus commissis sibi metuunt, quanto
nec sibimetipsis quid timere debeant deprehendunt. Et quia
40 obduratis cordibus uiuunt, ipsos etiam quos generant filios
nulla pietate debiti amoris agnoscunt.

Vnde adhuc sub struthionis specie subditur :

39, 16   XII, **17**. *Duratur ad filios suos, quasi non sint sui.* Quem
enim caritatis gratia non infundit, proximum suum etiam si
ipse hunc Deo genuit, extraneum respicit, ut profecto sunt
omnes hypocritae, quorum uidelicet mentes dum semper
5 exteriora appetunt, intus insensibiles fiunt ; et in cunctis
quae agunt, dum sua semper expetunt, erga affectum proximi nulla caritatis compassione mollescunt. O quam mollia
uiscera gestabat Paulus, quando circa filios suos tanto aestu
amoris inhiabat, dicens : *Nunc uiuimus, si uos statis in*

16. i. Dt 18, 9   j. 2 Co 11, 3   k. 1 P 5, 8-9

Seigneur ton Dieu te donnera, prends garde de vouloir imiter les abominations de ces nations[i]. On oublie aussi que la bête des champs écrasera les œufs ; en effet, si le diable, qui exerce sa fureur en ce monde, lui ravit les enfants qu'il a fait naître à une vie bonne, l'hypocrite ne s'en soucie nullement. Cette bête des champs, Paul la craignait pour les œufs qu'il avait pondus. *Je redoute*, disait-il, *que, comme le serpent séduisit Ève par son astuce, ainsi vos esprits ne se corrompent et ne dégénèrent de la pureté qui est dans le Christ Jésus*[j]. Cette bête des champs, Pierre la craignait pour ses disciples, lorsqu'il disait : *Votre adversaire, le diable, comme un lion rugissant, rôde autour de vous, cherchant qui dévorer. Résistez-lui, forts dans la foi*[k]. Donc, en vertu de la charité, les maîtres véritables éprouvent dans leurs entrailles de profonds sentiments de crainte pour leurs disciples. Quant aux hypocrites, ils éprouvent d'autant moins d'inquiétude pour ceux qui leur sont confiés qu'ils n'appréhendent même pas ce qu'ils devraient redouter pour eux-mêmes. Et parce qu'ils vivent avec un cœur endurci, ils considèrent même les fils qu'ils engendrent sans la tendresse et l'amour qu'ils leur devraient.

C'est pourquoi, en empruntant encore la figure de l'autruche, le texte poursuit :

Charité de Paul   XII, **17. *Elle est dure pour ses petits comme s'ils n'étaient pas les siens.*** En   **39, 16**
effet, celui qui n'est pas rempli de la grâce de la charité regarde son prochain comme un étranger, même s'il l'a lui-même fait naître à Dieu. Tels sont tous les hypocrites : leur esprit se porte continuellement vers les objets extérieurs et au dedans ils deviennent insensibles ; ils ne cherchent en toutes leurs actions que leurs propres intérêts et ne sont nullement attendris par une charité compatissante envers leur prochain. Ô combien étaient tendres les entrailles de Paul quand, embrasé d'un si ardent amour pour ses fils, il leur disait : *Nous vivons si vous demeurez fermes dans le*

10 *Domino*[a]. Et : *Testis mihi est Deus, quomodo cupiam omnes uos*
in uisceribus Christi Iesu[b]. Romanis quoque ait : *Testis mihi*
est Deus, cui seruio in spiritu meo, in euangelio Filii eius, quod
sine intermissione memoriam uestri facio semper in orationi-
bus meis, obsecrans si quo modo tandem aliquando prosperum
15 *iter habeam in uoluntate Dei ueniendi ad uos ; desidero enim*
uidere uos[c]. Timotheo quoque ait : *Gratias ago Deo meo, cui*
seruio a progenitoribus meis in conscientia pura, quam sine
intermissione habeam tui memoriam in orationibus meis,
nocte ac die desiderans te uidere[d]. Thessalonicensibus quoque
20 amorem suum indicans, dicit : *Nos autem, fratres, desolati a*
uobis ad tempus horae, aspectu, non corde, abundantius festi-
namus faciem uestram uidere cum multo desiderio[e]. Qui
duris persecutionibus pressus, et tamen de filiorum salute
sollicitus, adiunxit : *Misimus Timotheum fratrem nostrum,*
25 *et ministrum Dei in Euangelio Christi, ad confortandos uos ;*
et exhortandos pro fide uestra, ut nemo moueatur in tribu-
lationibus istis. Ipsi enim scitis quod in hoc positi sumus[f].
Ephesiis quoque ait : *Peto ne deficiatis in tribulationibus meis*
pro uobis quae est gloria uestra[g]. Ecce in tribulatione positus
30 alios exhortatur, et in hoc quod ipse sustinet alios roborat.
Non enim filiorum suorum fuerat more struthionis oblitus,
sed metuebat nimis ne eius discipuli in praedicatore suo tot
persecutionum probra cernentes, fidem in eo despicerent,
contra quam innumerae passionum contumeliae praeua-
35 lerent. Et idcirco minus dolebat in tormentis, sed magis
filiis de tormentorum suorum temptatione metuebat. Parui-
pendebat in se plagas corporis, dum formidaret in filiis plagas
cordis. Ipse patiendo suscipiebat uulnera tormentorum, sed
filios consolando, curabat uulnera cordium. Pensemus ergo

17. a. 1 Th 3, 8   b. Ph 1, 8   c. Rm 1, 9-11   d. 2 Tm 1, 3-4   e. 1 Th 2, 17
f. 1 Th 3, 2-3   g. Ep 3, 13

Seigneur[a]. Et ailleurs : *Dieu m'est témoin combien je vous aime tous dans les entrailles du Christ Jésus*[b]. Il écrit aussi aux Romains : *Dieu, que je sers en esprit pour l'Évangile de son Fils, m'est témoin que je fais sans cesse mémoire de vous dans mes prières, demandant que, par la volonté de Dieu, quelque voie favorable me soit ouverte enfin pour aller vers vous ; car je désire vous voir*[c]. Et encore à Timothée : *Je rends grâce à mon Dieu, qu'à l'exemple de mes ancêtres je sers avec une conscience pure, de ce que continuellement je me souviens de toi dans mes prières, nuit et jour désirant te voir*[d]. Aux Thessaloniciens, il exprime aussi son amour : *Pour nous, mes frères, ayant été séparé de vous pour un moment, de corps et non de cœur, nous avons d'autant plus hâte de revoir votre visage avec un grand empressement*[e]. Accablé par de rudes persécutions et cependant plein de sollicitude pour le salut de ses fils, il ajouta : *Nous vous avons envoyé Timothée, notre frère et le ministre de Dieu pour l'Évangile du Christ, afin qu'il vous affermisse, vous encourage dans votre foi et que personne ne soit ébranlé au milieu de ces épreuves. Car vous savez vous-mêmes que c'est à cela que nous sommes exposés*[f]. De même, aux Éphésiens : *Je vous prie de ne pas perdre courage en me voyant souffrir tant d'épreuves pour vous, car c'est votre gloire*[g]. Voilà comment, au milieu des tribulations, il exhorte les autres et les réconforte au sujet de ce qu'il souffre lui-même. Car il n'avait pas oublié ses fils, comme le fait l'autruche ; au contraire, il appréhendait beaucoup que ses disciples, voyant leur prédicateur subir tant de persécutions et d'injures, ne méprisent en sa personne une foi contre laquelle d'innombrables outrages et souffrances l'emportaient. C'est pourquoi il souffrait moins de ses tourments qu'il ne craignait pour ses fils l'épreuve causée par les tourments qu'il endurait. Il comptait pour peu de chose les coups qui lui étaient portés dans son corps, tandis qu'il redoutait les coups que pouvaient recevoir ses fils dans leur cœur. En souffrant, il endurait les blessures des tourments, mais en consolant ses fils, il guérissait les blessures de leur

40 cuius caritatis fuerit, inter dolores proprios aliis timuisse,
pensemus cuius caritatis sit, filiorum salutem inter sua
detrimenta requirere ; et statum mentis in proximis etiam ex
sua deiectione custodire.

18. Sed haec hypocritae caritatis uiscera nesciunt, quia eorum mens quanto per mundi concupiscentiam in exteriora
resoluitur, tanto per inaffectionem suam interius obduratur ;
et torpore insensibili frigescit intrinsecus, quia amore dam-
5 nabili mollescit foris ; seque ipsam considerare non ualet,
quia cogitare se minime studet. Cogitare uero se non potest,
quia tota apud semetipsam non est. Tota uero esse apud semetipsam non sufficit, quia per quot concupiscentias rapitur, per tot a semetipsa species dissipatur ; et sparsa in infimis
10 iacet, quae collecta, si uellet, ad summa consurgeret.

19. Vnde iustorum mens, quia per custodiam disciplinae a
cunctorum uisibilium fluxo appetitu constringitur, collecta
apud semetipsam intrinsecus integratur ; qualisque Deo
uel proximo esse debeat, plene conspicit, quia nihil suum
5 exterius derelinquit ; et quanto ab exterioribus abstracta
compescitur, tanto aucta in intimis inflammatur ; et quo
magis ardet, eo ad deprehendenda uitia amplius lucet. Hinc
est enim quod sancti uiri dum se intra semetipsos colligunt,
mira ac penetrabili acie occulta etiam aliena delicta depre-
10 hendunt. Vnde bene per Ezechielem prophetam dicitur :
Emissa similitudo manus apprehendit me in cincinno capitis

cœur. Considérons donc quelle charité c'était, au milieu de ses propres souffrances, de craindre pour autrui. Mesurons quelle charité c'est de rechercher le salut de ses fils au prix de ses propres tourments, et de garder chez son prochain la force d'âme, même au prix de son humiliation personnelle.

L'âme en proie aux convoitises
18. Quant aux hypocrites, ils ignorent ces entrailles de charité. Car plus leur âme se dissout au dehors par les convoitises de ce monde, plus elle s'endurcit au dedans par son manque d'affection. Elle se refroidit intérieurement dans la torpeur et l'insensibilité, parce qu'elle s'amollit au dehors sous l'effet d'un amour condamnable. Elle n'a plus la force de s'observer elle-même, car elle ne s'applique absolument pas à se penser. Et elle ne peut se penser, car elle n'est pas tout entière en elle-même. Or, elle est incapable d'être tout entière en elle-même, car elle est saisie par autant de convoitises qu'il y a d'objets extérieurs pour l'arracher à elle-même. Dispersée, elle gît dans les bas-fonds alors que, recueillie, elle s'élèverait, si elle le voulait, vers les sommets.

Ézéchiel
19. C'est pourquoi l'âme des justes, par l'observance de la règle, réprime le mouvement de convoitise qui la porte vers tous les biens visibles ; ainsi, rassemblée en elle-même, elle se renouvelle intérieurement. Ainsi, ne laissant rien échapper de soi au dehors, elle voit clairement ce qu'elle doit être vis-à-vis de Dieu et du prochain ; et plus elle se détache et se retire des réalités extérieures, plus elle se fortifie et s'enflamme au dedans ; et plus elle est embrasée, plus elle éclaire pour percevoir les fautes. Aussi, tandis que les saints se rassemblent en eux-mêmes, ils perçoivent avec un regard étonnamment pénétrant les fautes cachées, même chez les autres. C'est donc à juste titre que le prophète Ézéchiel dit : *La figure d'une main descendant sur moi me saisit par une mèche de cheveux ;*

mei ; et eleuauit me spiritus inter terram et caelum ; et adduxit
in Ierusalem in uisione Dei iuxta ostium interius, quod
respiciebat ad Aquilonem, ubi erat statutum idolum zeli, ad
15 *prouocandam aemulationem*[a]. Quid est enim cincinnus capitis, nisi collectae cogitationes mentis, ut non sparsae dif-
fluant, sed per disciplinam constrictae subsistant ? Manus
ergo desuper mittitur, et propheta per cincinnum capitis
eleuatur ; quia cum nostra mens sese per custodiam colligit,
20 uis superna sursum nos ab infimis trahit. Bene uero inter
terram et caelum sublatum se asserit, quia quilibet sanctus in
carne mortali positus, plene quidem adhuc ad superna non
peruenit, sed iam tamen ima derelinquit. In uisione uero Dei
in Ierusalem ducitur, quia uidelicet unusquisque proficiens
25 per caritatis zelum, qualis esse Ecclesia debeat contemplatur.
Bene quoque additur : *Quia iuxta ostium interius ductus*
est, quod respiciebat ad Aquilonem[b], quia nimirum sancti
uiri dum per aditum internae contemplationis aspiciunt,
plus praua intra Ecclesiam fieri quam recta deprehendunt ;
30 et quasi in Aquilonis parte oculos, id est ad solis sinistram
flectunt, quia contra uitiorum frigora caritatis se stimulis
accendunt. Vbi et recte subiungitur : *Quia illic erat statutum*
idolum zeli ad prouocandam aemulationem[c]. Dum enim
intra sanctam Ecclesiam a nonnullis specie sola fidelibus,
35 rapinas et uitia perpetrari considerant, quid aliud quam in
Ierusalem idolum uident ? Quod *idolum zeli* dicitur, quia
per hoc contra nos aemulatio superna prouocatur ; ut tanto
districtius delinquentes feriat, quanto nos carius Redemptor
amat.

19. a. Ez 8, 3   b. Ez 8, 3   c. Ez 8, 3

un esprit m'éleva entre terre et ciel et me transporta à Jérusalem,
en une vision divine, près de la porte intérieure qui regardait
du côté de l'Aquilon, où était placée l'idole de la jalousie pour
provoquer l'émulation[a]. Que signifie cette mèche de cheveux,
sinon que les pensées de l'esprit rassemblées ne se répandent
pas de-ci, de-là, mais demeurent, retenues par la règle ? Une
main descend donc d'en haut et soulève le prophète par une
mèche de cheveux ; ainsi, quand notre esprit se rassemble par
l'observance, une force céleste nous entraîne de bas en haut.
Le prophète affirme avec raison qu'il a été élevé entre terre
et ciel, car tant qu'il est l'hôte de la chair mortelle, le saint,
quel qu'il soit, ne parvient pas encore pleinement aux choses
d'en haut, mais déjà cependant il se sépare des choses d'en bas.
Dans une vision divine, il est transporté à Jérusalem, car tous
ceux qui sont poussés par le zèle de la charité contemplent
quelle doit être l'Église. Il est ajouté à juste titre : *Il a été*
transporté près de la porte intérieure qui regardait du côté de
l'Aquilon[b], car assurément, lorsque les saints regardent par
la porte de la contemplation intérieure, ils découvrent qu'il
se fait à l'intérieur de l'Église plus de mal que de bien et ils
tournent les yeux comme vers l'Aquilon, c'est-à-dire vers la
gauche du soleil ; en effet, sous l'aiguillon de la charité, ils
s'enflamment contre la froideur des vices. Le texte dit bien
encore que *là était placée l'idole de la jalousie pour provoquer*
l'émulation[c]. Car lorsqu'ils voient commettre des vols et des
crimes à l'intérieur de la sainte Église par certains qui n'ont
de fidèles que l'apparence, que voient-ils, sinon une idole
dans Jérusalem ? Et cette idole est appelée *idole de la jalousie,*
parce qu'elle provoque le zèle du ciel contre nous, si bien que,
si nous péchons, le Rédempteur nous frappe avec d'autant
plus de rigueur qu'il nous aime plus tendrement.

20. Hypocritae igitur, quia cogitationes mentis non colligunt, per cincinnum capitis minime tenentur. Et qui sua nesciunt, commissorum sibi quando delicta deprehendunt ? Hi itaque torpent a caelestibus, ad quae fraglare debuerant ; et
5 fraglant terrenis rebus anxie, a quibus laudabiliter torpuissent. Postposita quippe cura filiorum, saepe eos uideas se contra pericula immensi laboris accingere, maria transmeare, adire iudicia, pulsare principatus, palatia irrumpere, iurgantibus populorum cuneis interesse, et terrena patrimonia
10 laboriosa obseruatione defendere. Quibus si fortasse dicatur : « Cur ista uos agitis, qui saeculum reliquistis ? » Respondent ilico Deum se metuere, et idcirco tanto studio defendendis patrimoniis insudare.

Vnde bene adhuc de struthionis huius stulto labore sub-
15 iungitur :

39, 16   XIII, **21.** *Frustra laborauit, nullo timore cogente.* Illic
namque *trepidauerunt timore, ubi non erat timor*[a]. Ecce enim
diuina uoce praecipitur : *Si quis tibi tulerit tunicam, et uoluerit
tecum iudicio contendere, dimitte illi et pallium*[b]. Et rursum :
5 *Si quis quod tuum est tulerit ne repetas*[c]. Paulus quoque
apostolus discipulos suos cupiens exteriora despicere, ut ualeant interna seruare, admonet dicens : *Iam quidem omnino
delictum est in uobis, quod iudicia habetis inter uos, quare non
magis iniuriam accipitis, quare non magis fraudem patimini*[d] ?
10 Et tamen hypocrita, assumpto sanctae conuersationis habitu,
filiorum custodiam deserit, et temporalia quaeque defen-

---

21. a. Ps 13, 5   b. Mt 5, 40   c. Lc 6, 30   d. 1 Co 6, 7

1. Unique occurrence chez Grégoire de cette citation, faite de mémoire et déformée.

2. L'*habitus* mentionné ici n'est pas seulement l'état de vie monastique, mais bien l'habit distinctif du moine, comme on le voit plus loin (*Mor.* 31, 26), où Grégoire dit : *religionis uisione uestitur*, « son vêtement évoque … l'idée de la religion ».

20. Quant aux hypocrites, comme ils ne rassemblent pas les pensées de leur esprit, ils ne sont aucunement tenus par une mèche de cheveux. Et s'ils ignorent leurs propres fautes, quand percevront-ils les fautes de ceux qui leur sont confiés ? Ainsi ils restent de glace à l'égard des réalités célestes pour lesquelles ils devraient brûler de désir, et ils brûlent d'un désir anxieux pour les biens de la terre, vis-à-vis desquels leur froideur serait digne de louange. On les voit souvent, en effet, abandonner le soin de leurs fils pour affronter les risques d'un immense labeur, traverser les mers, se présenter devant les tribunaux, importuner les princes, se précipiter dans les palais, se mêler aux escouades de gens en procès et défendre leur patrimoine terrestre avec une attention laborieuse. Il peut se faire qu'on leur dise : « Pourquoi agissez-vous ainsi, vous qui avez renoncé au monde ? » Ils répondent aussitôt qu'ils craignent Dieu et que c'est pour cela qu'ils se donnent tant de peine pour défendre leur patrimoine.

C'est pourquoi, parlant encore du sot labeur de l'autruche, il est ajouté :

Les biens temporels

XIII, **21.** *Elle a travaillé en vain sans y être forcée par aucune crainte.* En effet, *ils ont été saisis d'une grande crainte, là où il* **39, 16** n'y avait pas sujet de craindre[a]. Car la voix divine prescrit : *Si quelqu'un t'a pris ta tunique et veut débattre avec toi en justice, abandonne-lui aussi ton manteau*[b][1]. Et encore : *Si quelqu'un prend quelque chose qui t'appartient, ne le lui réclame pas*[c]. L'apôtre Paul, lui aussi, désireux de voir ses disciples mépriser les biens extérieurs, afin de pouvoir conserver les biens intérieurs, les admoneste ainsi : *Déjà c'est absolument pour vous une faute que d'avoir des procès entre vous. Pourquoi ne supportez-vous pas plutôt d'être lésés ? Pourquoi ne souffrez-vous pas plutôt qu'on vous prenne votre bien*[d] ? Et cependant l'hypocrite, après avoir pris l'habit de la vie religieuse[2], abandonne la protection de ses fils et cherche à défendre tous ses

dere etiam iurgiis quaerit. Exemplo suo eorum perdere corda
non trepidat, et quasi per neglegentiam amittere patrimonia
terrena formidat. In errorem discipulus labitur, et tamen cor
15 hypocritae nullo dolore sauciatur. Ire in iniquitatis uoraginem commissos sibi conspicit, et haec quasi inaudita pertransit ; at si quod sibi leuiter inferri temporale damnum
senserit, in ultionis ira repente ab intimis inardescit. Mox
patientia rumpitur, mox dolor cordis in uocibus effrenatur ;
20 quia dum animarum damna aequanimiter tolerat, iacturam
uero rerum temporalium repellere etiam cum spiritus com-
motione festinat, cunctis ueraciter indicat teste mentis
perturbatione quid amat. Ibi quippe est grande studium defensionis, ubi et grauior uis amoris. Nam quanto magis terrena
25 diligit, tanto priuari eis uehementius pertimescit. Qua enim
mente in hoc mundo aliquid possidemus, non docemur, nisi
cum amittimus. Sine dolore namque amittitur, quicquid
sine amore possidetur. Quae uero ardenter diligimus habita,
grauiter suspiramus ablata. Quis autem nesciat quia nostris
30 usibus res terrenas Dominus condidit, suis autem animas
hominum creauit ? Plus ergo Deo se amare conuincitur, qui,
neglectis his quae eius sunt, propria tuetur. Perdere namque
hypocritae ea quae Dei sunt, id est animas hominum,
non timent ; et quae sua sunt amittere, uidelicet res cum
35 mundo transeuntes, quasi districto iudici posituri rationes
timent ; ac si placatum inueniant, cui desideratis rebus,
id est rationabilibus, perditis, insensibilia et non quaesita

biens temporels, même par des procès. Il ne craint pas de
perdre leur âme par son exemple, mais appréhende de perdre,
comme par négligence, son patrimoine terrestre. Le disciple
glisse dans l'erreur, et cependant le cœur de l'hypocrite n'est
blessé d'aucune douleur. Il voit tomber dans le gouffre de
l'iniquité ceux qui lui sont confiés, et il passe outre comme
s'il n'en savait rien ; en revanche, s'il croit qu'on lui cause le
moindre dommage temporel, aussitôt, au plus profond de
lui-même, il s'enflamme de colère et médite la vengeance.
Bientôt les digues de sa patience sont rompues, le tourment
de son cœur se répand sans frein en éclats de voix, car, alors
qu'il supporte tranquillement la perte d'âmes, quand il s'agit
de la perte de biens temporels, il s'empresse, avec emportement même, d'en écarter l'éventualité et le trouble de
son âme montre à tous, sans erreur possible, à quoi va son
amour. Car il est évident que l'on défend avec plus d'ardeur
ce que l'on aime davantage : plus on a d'attachement pour les
biens terrestres, plus on en redoute fortement la privation.
Nous ne savons dans quelles dispositions nous possédons les
choses de ce monde que lorsqu'il nous arrive d'en être privés.
L'on perd sans douleur ce que l'on possède sans amour.
Mais quand nous sommes attachés fortement à ce que nous
possédons, nous gémissons amèrement quand nous le perdons. Qui donc ignore que le Seigneur a créé les choses terrestres pour notre usage, mais qu'il a formé pour lui-même
les âmes des hommes ? Il donne donc la preuve de s'aimer
plus que Dieu celui qui, négligeant les intérêts de Dieu, ne
prend soin que des siens propres. Causer la perte des biens
de Dieu, c'est-à-dire des âmes humaines, les hypocrites ne le
craignent pas, mais perdre les biens qui leur appartiennent et
qui passent avec le monde, cela, ils le craignent comme s'ils
allaient avoir à en rendre compte à un juge sévère ; comme
s'ils allaient trouver apaisé celui pour qui, une fois perdus les
biens qu'il désire, c'est-à-dire ceux qui sont doués de raison,
ils conservent seulement ceux qui sont dépourvus de sens et

conseruant. Possidere in hoc mundo aliquid uolumus, et
ecce Veritas clamat : *Nisi quis renuntiauerit omnibus quae*
40 *possidet, non potest meus esse discipulus*[e].

22. Perfectus igitur christianus quomodo debet res terrenas iurgando defendere, quas non praecipitur possidere ? Itaque cum res proprias amittimus, si perfecte Deum sequimur,
in huius uitae itinere a magno onere leuigati sumus. Cum
5 uero curam rerum eiusdem nobis itineris necessitas imponit,
quidam dum eas rapiunt, solummodo tolerandi sunt ; quidam uero conseruata caritate prohibendi, non tamen sola
cura ne nostra subtrahant, sed ne rapientes non sua, semetipsos perdant[a]. Plus quippe ipsis raptoribus debemus
10 metuere, quam rebus irrationabilibus defendendis inhiare.
Illa namque etiam non rapta morientes amittimus, cum illis
uero et nunc conditionis ordine, et si corrigi studeant, post
perceptionem muneris, unum sumus. Quis autem nesciat
quia minus ea quibus utimur, et plus debemus amare quod
15 sumus ? Si ergo et pro sua utilitate raptoribus loquimur, iam
non solum nobis quae temporalia, sed ipsis etiam quae sunt
aeterna uindicamus.

23. Qua in re illud est sollerter intuendum, ne per necessitatis metum cupiditas subrepat rerum, et zelo succensa pro-
hibitio, impetu immoderatiore distensa, usque ad odiosae
turpitudinem contentionis erumpat. Dumque pro terrena re
5 pax a corde cum proximo scinditur, liquido apparet quia plus

21. e. Lc 14, 33
22. a. cf. Pr 11, 24

1. *Et si*, au lieu de *etsi* (*CCL*).
2. Détachement du chrétien à l'égard des richesses, qu'il perd sans émoi : un
exemple est donné dans *Dial*. IV, 20, 2-3.

qu'il ne demande pas. Nous voulons posséder quelque chose en ce monde et voici que la Vérité nous crie : *Quiconque ne renonce pas à tout ce qu'il a ne peut être mon disciple* [c].

Désirer les biens éternels   **22.** Comment donc le chrétien parfait doit-il défendre par des procès les biens terrestres que le Seigneur lui ordonne de ne point posséder ? Aussi, lorsque nous perdons nos biens, si nous suivons parfaitement Dieu, nous sommes alors allégés d'un pesant fardeau pour cheminer en cette vie. Il est vrai que, sur ce chemin, nous avons la nécessité de nous occuper des biens de ce monde ; si certains nous les ravissent, supportons-les tout simplement. Pour d'autres cependant, il faut les empêcher, la charité étant sauve, non par seul souci qu'ils ne nous ravissent nos biens, mais de peur qu'en prenant ce qui ne leur appartient pas, ils ne se perdent eux-mêmes [a]. Nous devons plutôt craindre pour les voleurs eux-mêmes que convoiter avec avidité des biens matériels qu'il faut défendre. Car, si ceux-ci ne nous sont pas ravis, nous les perdons en mourant, tandis qu'avec ceux-là, que ce soit maintenant, par la condition naturelle, que ce soit, s'ils [1] s'efforcent de se corriger, après l'obtention de la récompense éternelle, nous ne faisons qu'un. Or, qui donc ignore que nous devions aimer davantage ce que nous sommes que les choses dont nous nous servons ? Ainsi, lorsque nous nous adressons à ces voleurs, c'est aussi dans leur propre intérêt ; non seulement nous revendiquons pour nous maintenant des biens temporels, mais de plus pour eux des biens éternels [2].

23. Dans ce domaine, il faut soigneusement prendre garde que le désir des richesses ne se glisse sous le prétexte de la nécessité, et que le zèle chaleureux avec lequel nous les défendons ne nous emporte avec une impétuosité immodérée jusqu'à la honte d'odieuses contestations. Si, pour un bien de la terre, la paix cordiale avec le prochain est rompue, il est

res quam proximus amatur. Si enim caritatis uiscera etiam
circa raptorem proximum non habemus, nosmetipsos peius
ipso raptore persequimur ; grauiusque nos quam alter poterat deuastamus, quia dilectionis bonum sponte deserentes, a
10 nobis ipsis intus est quod amittimus, qui ab illo sola exteriora perdebamus. Sed hanc hypocrita formam caritatis ignorat, quia plus terrena quam caelestia diligens, contra eum qui
temporalia diripit sese in intimis immani odio inflammat.

24. Sciendum uero est quia sunt nonnulli quos caritatis
gremio nutriens mater Ecclesia tolerat, quousque ad spiritalis
aetatis incrementa perducat, qui nonnumquam et sanctitatis
habitum tenent, et perfectionis meritum exsequi non ualent.
5 Ad dona namque spiritalia minime assurgunt, et idcirco his
qui sibi coniuncti sunt ad tuenda ea quae terrena sunt seruiunt ; et nonnumquam in defensionis eiusdem iracundia
excedunt. Hos nequaquam credendum est in hypocritarum
numerum incurrere, quia aliud est infirmitate, aliud malitia
10 peccare. Hoc itaque inter hos et hypocritas distat, quod isti
infirmitatis conscii malunt a cunctis de culpa sua redargui,
quam de ficta sanctitate laudari ; illi uero et iniqua se
agere certi sunt, et tamen apud humana iudicia de nomine
sanctitatis intumescunt. Isti non metuunt prauis hominibus
15 etiam de bona actione displicere, dum supernis tantummodo iudiciis placeant ; illi uero numquam quid agant, sed
quomodo de actione qualibet hominibus possint placere

clair que l'on aime davantage ce bien que le prochain. Si nous n'avons pas les entrailles de la charité envers notre prochain, même voleur, c'est nous-mêmes, plus encore que le voleur, que nous nous acharnons à poursuivre ; nous nous faisons plus de mal que l'autre n'aurait pu nous en faire, puisque, abandonnant volontairement le bien de la dilection, ce que nous perdons par notre propre faute est intérieur, alors que par sa faute nous ne perdions que des biens extérieurs. Mais l'hypocrite ignore cette forme de charité, parce qu'aimant plus les choses de la terre que celles du ciel, il s'enflamme au fond de lui-même d'une haine violente contre celui qui lui ravit les biens temporels.

Sainteté feinte des hypocrites **24.** Or, il faut savoir qu'il existe des personnes que l'Église nourrit comme une mère au sein de sa charité et qu'elle supporte jusqu'à ce qu'elle les ait amenées aux progrès de l'âge spirituel. Elles observent quelquefois les dehors d'une vie sainte, mais elles ne sont pas capables d'atteindre au mérite de la vie parfaite. Comme elles ne s'élèvent pas jusqu'aux dons spirituels, elles s'occupent à servir ceux qui se sont joints à elles en vue de protéger les biens qui sont terrestres ; elles s'emportent même parfois en les défendant, jusqu'à des excès de colère. Ces personnes-là ne doivent pas être mises au nombre des hypocrites, car ce n'est pas la même chose de pécher par infirmité et de pécher par malice. Il y a une différence entre ceux-ci et les hypocrites : les premiers, conscients de leur infirmité, préfèrent être repris par tous de leur faute qu'être loués pour une sainteté feinte ; les seconds, au contraire, tout en sachant qu'ils font mal, s'enflent d'être appelés saints au jugement des hommes. Les premiers ne craignent pas de déplaire aux méchants même en faisant le bien, pourvu seulement qu'ils plaisent au Juge céleste ; les seconds, en revanche, ne considèrent jamais ce qu'ils devraient faire, mais comment ils pourront plaire aux

considerant. Isti iuxta modum suae intellegentiae etiam in
rebus saeculi militant causis Dei ; illi etiam per causas Dei
20 intentioni deseruiunt saeculi, quia in ipsa quoque quae se
agere sancta opera ostendunt, non conuersionem quaerunt
hominum, sed auras fauorum.

25. Igitur cum quosdam non despectae conuersationis
uiros iracunde uel nimie defendere terrena conspicimus,
debemus hoc in illis per caritatem reprehendere ; nec tamen
eos reprehendendo desperare, quia plerumque uni eidem-
5 que homini et insunt quaedam iudicabilia quae apparent,
et magna quae latent. In nobis autem saepe magna in facie
prodeunt, et nonnumquam quae reprehendenda sunt occultantur. Hinc ergo humilianda est nostrae mentis elatio, quia
et illorum infirma sunt publica, et nostra secreta ; et rursum
10 fortia illorum secreta sunt, et in publico nostra uulgantur.
Quos ergo de aperta infirmitate reprehendimus, superest
ut de occultae fortitudinis aestimatione ueneremur ; et si
se de aperta infirmitate nostra mens eleuat, occulta sua infirma considerans, sese in humilitate premat. Saepe enim
15 nonnulli multis praeceptis obsequuntur, et quaedam pauca
praetereunt, et nos multa praetermittimus cum pauca serua-
mus. Vnde fit plerumque ut quia quod seruare nos nouimus, hoc praeterire alios uidemus, ilico nostra se in elatione
mens eleuat, obliuiscens quam multa praetereat, cum ualde
20 sint pauca quae seruat. Necesse est igitur ut in quibus alios
reprehendimus, elationem sollicitae nostrae cogitationis
inclinemus ; quia si sublimiorem se ceteris noster animus

hommes en toutes leurs actions. Les premiers militent, il est vrai, même dans les affaires de ce monde, selon la mesure de leur intelligence, pour la cause de Dieu ; les autres, même sous le couvert de la cause de Dieu, se consacrent au service du siècle ; car même dans les œuvres saintes qu'ils font avec ostentation, ils ne cherchent pas la conversion des hommes, mais la brise de la faveur.

Reprendre autrui avec charité **25.** Et donc quand nous voyons des gens bien considérés défendre avec emportement et excès leurs biens temporels, nous devons les en reprendre avec charité, mais, en les reprenant, ne pas désespérer d'eux, car souvent coexistent dans un seul et même homme des défauts apparents et de grandes qualités cachées. Chez nous, au contraire, c'est souvent ce qui est grand qui est mis en avant, tandis que ce qui est répréhensible est parfois dissimulé. C'est pourquoi il faut humilier l'orgueil de notre esprit en considérant que les faiblesses des autres sont publiques, alors que les nôtres sont secrètes ; et, inversement, que leurs mérites sont secrets, alors que les nôtres se montrent en public. Ainsi donc nous devons respecter et estimer le mérite caché de ceux que nous reprenons pour un défaut évident ; et si notre esprit s'enorgueillit en voyant un défaut évident, qu'il s'abaisse à plus d'humilité en considérant ses propres faiblesses cachées. Souvent certaines personnes observent beaucoup de préceptes et en négligent peu, mais nous, nous en négligeons beaucoup et n'en observons que peu. Ainsi, sachant que nous observons des préceptes que nous voyons les autres négliger, il arrive bien souvent qu'aussitôt notre esprit se dresse dans son orgueil, jusqu'à oublier combien il en néglige, alors que c'est seulement un petit nombre qu'il observe. Il est donc nécessaire, sur les points où nous reprenons les autres, d'abaisser l'orgueil de notre pensée soucieuse. Car si notre âme s'estime

conspicit, quasi in praccipiti singularitatis ductus, eo peius
ruit.

25   Sed cur hypocrita caelestia lucra deserens terrenis elaboret,
sub struthionis adhuc nomine subiungit, dicens :

39, 17   XIV, **26.** *Priuauit eam Deus sapientia, nec dedit illi*
intellegentiam. Quamuis aliud sit priuare, aliud non dare,
hoc tamen repetiit subdendo : *Non dedit*, quod praemisit :
Priuauit. Ac si diceret : Quod dixi : *Priuauit*, non iniuste
5 sapientiam abstulit, sed iuste non dedit. Vnde et pharaonis
cor Dominus obdurasse describitur[a], non quod ipse duritiam contulit, sed quod, exigentibus eius meritis, nulla
illud desuper infusi timoris sensibilitate molliuit. Sed nunc
hypocrita, quod sanctum se simulat, quod sub imagine boni
10 operis occultat, sanctae Ecclesiae pace premitur, et idcirco
ante nostros oculos religionis uisione uestitur. Si qua uero
temptatio fidei erumpat, statim lupi mens rabida habitu se
ouinae pellis exspoliat[b], quantumque contra bonos saeuiat,
persequens demonstrat. Vnde et recte subditur :

39, 18   XV, **27.** *Cum tempus fuerit, in altum alas erigit ; deri-*
det equitem et ascensorem eius. Quid enim alas huius struthionis accipimus, nisi pressas hoc tempore quasi complicatas
hypocritae cogitationes, quas cum tempus fuerit, in altum
5 eleuat ? Quia opportunitate comperta, eas superbiendo manifestat. Alas in altum erigere est per effrenatam superbiam

26. a. cf. Ex 7, 3 ; 4, 21 ; 10, 1 ; 14, 4.17   b. cf. Mt 7, 15

supérieure aux autres, comme poussée dans le précipice de sa suffisance, elle fait la pire des chutes.

Mais le texte ajoute pourquoi l'hypocrite, renonçant aux avantages du ciel, travaille pour ceux de la terre, en disant encore de l'autruche :

Le loup déguisé en brebis   XIV, **26.** *Dieu l'a privée de sagesse et ne lui a point donné d'intelligence.*   39, 17

Bien qu'il y ait une différence entre priver et ne pas donner, le texte se répète cependant en ajoutant : *Il n'a point donné*, après avoir dit : *Il l'a privée*. Comme s'il disait : Parce que j'ai dit : *Il l'a privée*, cela ne signifie pas qu'il lui ait injustement enlevé la sagesse, mais qu'avec justice il ne la lui a pas donnée. De même, il est dit que le Seigneur a endurci le cœur du pharaon[a], non parce qu'il a lui-même conféré cette dureté, mais parce que, selon ce que méritait le pharaon, il n'a pas amolli son cœur en y répandant d'en haut quelque sentiment de crainte. Quant à l'hypocrite, s'il fait actuellement le saint, s'il se cache sous l'apparence d'une bonne conduite, c'est qu'il y est obligé par la paix de la sainte Église et, pour cette raison, son vêtement évoque à nos yeux l'idée de religion. Mais s'il survient quelque attaque contre la foi, aussitôt l'esprit rapace de ce loup se dépouille de sa peau de brebis[b] et se révèle un persécuteur en s'acharnant, ô combien, contre les bons. C'est pourquoi le texte poursuit à juste titre :

La fausse humilité   XV, 27. *Quand il est temps, elle dresse les ailes en haut, elle se rit du cavalier et de celui qui est au-dessus de lui.*   39, 18

Que faut-il entendre par les ailes de l'autruche, sinon les pensées de l'hypocrite qui sont maintenant comprimées comme des ailes repliées, mais qu'à son heure il dresse en haut ? Autrement dit, il les manifeste avec orgueil quand il en trouve l'occasion. En effet, dresser ses ailes, c'est dévoiler ses pensées avec un

cogitationes aperire. Nunc autem quia sanctum se simulat,
quia in semetipso stringit quae cogitat, quasi alas in corpore
per humilitatem plicat. Notandum uero est quod non ait :
10 *Deridet* equum et ascensorem, sed : *equitem et ascensorem
eius.* Equus quippe est unicuique sanctae animae corpus
suum, quod uidelicet nouit et ab illicitis continentiae freno
restringere, et rursum caritatis impulsu in exercitatione
boni operis relaxare. Equitis ergo nomine anima sancti
15 uiri exprimitur, quae iumentum corporis bene subditum
regit. Vnde et Ioannes apostolus in Apocalypsi Dominum
contemplatus ait : *Et exercitus qui sunt in caelo, sequebantur
eum in equis albis*[a]. Multitudinem quippe sanctorum quae
in hoc martyrii bello sudauerat, recte exercitum uocat, qui
20 idcirco in equis albis sedere referuntur, quia nimirum eorum
corpora et luce iustitiae et castimoniae candore claruerunt.
Deridet ergo hypocrita equitem, quia cum ipse in aperto
iniquitatis eruperit, electorum despicit sanctitatem ; et elatus
fatuos appellat, quos pace pressus fidei, callida arte simulabat.
25 Quis uero alius huius ascensor est equitis, nisi omnipotens
Deus, qui et ea quae non erant praeuidens condidit, et ea
quae sunt possidens regit ? Ascendit quippe equitem, quia
iusti uniuscuiusque uiri animam possidet sua bene membra
possidentem. Huic ergo hypocritae deridere est equitem
30 sanctos despicere ; deridere uero est ascensorem equitis pro-
silire usque ad iniuriam creatoris.

27. a. Ap 19, 14

orgueil démesuré. Mais à présent, en simulant la sainteté, en resserrant ses pensées en lui-même, il replie pour ainsi dire ses ailes sur son corps comme par humilité. Cependant, il faut remarquer qu'il n'est pas dit : *Elle se rit* du cheval et de celui qui est au-dessus de lui, mais *du cavalier et de celui qui est au-dessus de lui,* car, pour chaque âme sainte, le cheval, c'est son propre corps qu'elle sait retenir à l'abri des actions illicites par le frein de la continence et, à l'inverse, détendre dans l'exercice des bonnes œuvres sous l'impulsion de la charité. Par le terme de cavalier, il faut donc entendre l'âme d'un saint qui gouverne son corps comme un cheval bien dressé. Ainsi, dans l'Apocalypse, l'apôtre Jean, qui a contemplé le Seigneur, dit-il : *Les armées qui sont dans le ciel le suivaient sur des chevaux blancs*[a]. Il appelle à juste titre « armée » la multitude des saints qui ont lutté dans ce combat du martyre ; il les dit montés sur des chevaux blancs, car leurs corps ont brillé de la lumière de la justice et de la candeur de la chasteté. L'hypocrite se rit donc du cavalier car, dès lors qu'il s'est livré lui-même publiquement à l'iniquité, il méprise la sainteté des élus ; dans son orgueil, il traite de fous ceux qu'il feignait d'imiter avec un art astucieux, lorsqu'il y était contraint par la paix qu'assure la foi. Mais quel est l'autre qui est au-dessus du cavalier, sinon Dieu tout-puissant qui, voyant dans sa prescience les êtres qui n'existaient pas, les a créés et, tenant en son pouvoir ceux qui existent, les gouverne ? Il est au-dessus du cavalier, car il tient en son pouvoir l'âme de chaque juste qui maîtrise parfaitement son corps. Pour cet hypocrite, se rire du cavalier, c'est donc mépriser les saints ; et se rire de celui qui est au-dessus du cavalier, c'est s'enhardir jusqu'au mépris du Créateur.

28. Quia enim in unoquoque lapsu a minimis semper incipitur, et succrescentibus defectibus ad grauiora perue-nitur, recte hypocritae huius iniquitas per supposita detri-menta distinguitur ; ut dicatur prius bonum se quod non
5 sit ostendere, postmodum uero bonos aperte despicere, ad extremum quoque usque ad iniuriam conditoris exsilire. Numquam quippe illic anima quo ceciderit iacet, quia uo-luntarie semel lapsa, ad peiora pondere suae iniquitatis impellitur, ut in profundum corruens, semper adhuc pro-
10 fundius obruatur. Eat ergo hypocrita et nunc suas laudes appetat ; postmodum uitam proximorum premat, et quan-doque se in irrisione sui conditoris exerceat, ut quo elatiora semper excogitat, eo se suppliciis atrocioribus immergat. O quam multos tales nunc sancta Ecclesia tolerat, quos cum
15 tempus eruperit, temptatio aperta manifestat. Qui uolun-tates suas, quia contra eam modo non exerunt, quasi com-plicatas interim alas cogitationum premunt. Quia enim bonis malisque haec uita communiter ducitur, nunc Eccle-sia ex utrorumque numero uisibiliter congregatur ; sed Deo
20 inuisibiliter iudicante discernitur, atque in exitum suum a reproborum societate separatur. Modo uero esse in ea nec boni sine malis, nec mali sine bonis possunt. Hoc enim tempore coniuncta utraque pars sibi necessario congruit, ut et mali mutentur per exempla bonorum et boni purgentur
25 per temptamenta malorum. Atque ideo Dominus postquam sub struthionis specie multa de hypocritarum reprobatione intulit, mox ad electorum sortem uerba conuertit, ut qui in

Mélange des bons **28.** Comme, dans toutes les chutes, on
et des méchants commence toujours par de très petites
dans l'Église fautes, puis, multipliant les défaillances,
on en arrive à des fautes plus graves ;
l'iniquité de cet hypocrite se discerne donc bien à travers les
torts qu'il accumule. D'abord, afin qu'on le dise, il se montre
bon, alors qu'il ne l'est pas ; puis il méprise ouvertement
les bons ; à la fin même, il s'enhardit jusqu'au mépris du
Créateur. Jamais, en effet, l'âme ne demeure au lieu où elle
est tombée : ayant glissé une première fois volontairement,
le poids même de son péché la pousse dans des péchés de
plus en plus importants ; sombrant dans les profondeurs,
elle s'y engloutit toujours encore plus profondément. Qu'il
aille donc, l'hypocrite : qu'il recherche maintenant les louanges humaines, opprime ensuite la vie de son prochain
et s'emporte un jour jusqu'à se moquer de son Créateur :
plus il s'efforcera de toujours s'élever, plus atroces seront les
supplices dans lesquels il sera plongé. Oh ! combien sont
nombreux de tels gens que la sainte Église supporte actuellement et que l'épreuve révèlera ouvertement, quand sera
venu le temps. Comme ils ne déploient pas encore leurs
desseins contre l'Église, on peut dire qu'ils serrent repliées
contre eux, pour le moment, les ailes de leurs pensées. Car
la vie sur terre étant menée en commun par les bons et par
les méchants, l'Église est à présent visiblement composée de
nombre des uns et des autres ; mais, au jugement de Dieu,
elle est invisiblement distinguée et, à son terme, séparée de
la compagnie des réprouvés. Mais à présent, il ne peut y avoir
en elle ni bons sans méchants, ni méchants sans bons. Car,
dans le temps présent, le mélange convient fort bien aux uns
et aux autres : en effet, les méchants seront transformés par
l'exemple des bons, et les bons purifiés par les épreuves venues
des méchants. C'est pourquoi, après avoir parlé longuement,
sous l'image de l'autruche, de la réprobation des hypocrites, le
Seigneur tourne maintenant son discours vers le sort des élus.

illis audierant quod fugientes tolerent, in istis audiant quod imitantes ament. Sequitur :

29. *Numquid praebebis equo fortitudinem, aut circumdabis collo eius hinnitum ?* Sed fortasse prius quam huius equi fortitudinem hinnitumque disseramus, ab aliquibus quaeritur ut aliter etiam, moralitate postposita, et rhino-
5 cerotis uirtus, et struthionis huius fatuitas exponatur. Manna quippe est uerbum Dei, et quicquid bene uoluntas suscipientis appetit, hoc profecto in ore comedentis sapit[a]. Terra est uerbum Dei, quam quanto labor inquirentis exigit, tanto largius fructum reddit. Debet ergo intellectus sacri eloquii
10 multiplici inquisitione uentilari, quia et terra, quae saepius arando uertitur, ad frugem uberius aptatur. Quae igitur et aliter de rhinocerote[b] ac struthione[c] sentimus, sub breuitate perstringimus, quia ad ea quae obligatiora sunt, enodanda properamus.
15 Rhinoceros iste, qui etiam monoceros graecis exemplaribus nominatur, tantae esse fortitudinis dicitur, ut nulla uenantium uirtute capiatur ; sed sicut hi asserunt, qui describendis naturis animalium laboriosa inuestigatione sudauerunt, uirgo ei puella proponitur, quae uenienti sinum
20 aperit, in quo ille omni ferocitate postposita, caput deponit, sicque ab eis a quibus capi quaeritur, repente uelut inermis inuenitur. Buxei quoque coloris esse describitur, qui etiam cum elephantis quando certamen aggreditur, eo cornu quod in nare singulariter gestat, uentrem aduersantium ferire per-
25 hibetur, ut cum ea quae molliora sunt uulnerat, impugnantes

---

29. a. cf. Sg 16, 20   b. cf. Jb 39, 9s   c. cf. Jb 39, 13s

1. Parvenu à l'exposé de Jb 39, 19, Grégoire revient en arrière et reprend le commentaire à partir de Jb 39, 9, cf. *supra* Mor. 31, 2s.

2. Grégoire mêle, dans sa présentation de « l'unicorne », des traits attribués au rhinocéros et d'autres attribués à la licorne.

Ainsi, ayant appris des premiers ce que l'on a tout ensemble à fuir et à supporter, qu'on apprenne des seconds ce qu'il faut aimer et imiter. Le texte poursuit :

Le rhinocéros, figure du peuple juif   **29. *Donneras-tu de la force au cheval ou environneras-tu son cou de hennisse-ments ?* Mais** avant de discourir sur la force   **39, 19**
et le hennissement de ce cheval, peut-être en est-il qui souhaiteraient que, remettant à plus tard l'exposé du sens moral, nous expliquions encore autrement et la puissance du rhinocéros et la sottise de cette autruche. C'est une manne que la Parole de Dieu et tout ce que désire selon le bien la volonté de celui qui l'accueille devient vraiment savoureux au palais de celui qui la mange[a]. C'est une terre que la Parole de Dieu ; elle donne d'autant plus de fruit que le labeur de celui qui cherche est plus exigeant. Le sens du texte sacré doit donc être exploré en de multiples investigations, puisque plus la terre est souvent retournée par le labour, plus elle devient apte à fournir une riche moisson. Nous allons donc exposer l'autre sens que nous donnons à ce qui a été dit du rhinocéros[b] et de l'autruche[c], mais en peu de mots, car il faut nous hâter de dénouer ce qui est plus embrouillé[1].

Le rhinocéros, qui est aussi appelé « monoceros[2] » dans les exemplaires grecs, est doué, dit-on, d'une force si prodigieuse qu'aucun chasseur n'a la capacité de le capturer ; mais, en revanche, ceux qui, par une recherche assidue, ont mis tout leur soin à décrire la nature des animaux assurent que si on lui présente une jeune vierge qui lui découvre son sein quand il se dirige sur elle, toute la férocité du rhinocéros se calme et il y pose la tête ; ainsi ceux qui cherchent à le capturer le trouvent subitement comme désarmé. On dit aussi dans sa description qu'il est couleur de buis et on rapporte que, lorsqu'il combat contre les éléphants, il frappe le ventre de ses adversaires avec cette corne unique qu'il porte sur le nez. Ayant ainsi blessé les parties les plus molles, il renverse facile-

se facile sternat. Potest ergo per hunc rhinocerotam, uel certe monocerotam, scilicet unicornem, ille populus intellegi qui dum de accepta lege non opera, sed solam inter cunctos homines elationem sumpsit, quasi inter ceteras bestias cornu
30 singulare gestauit. Vnde Passionem suam Dominus propheta canente, pronuntians, ait : *Libera me de ore leonis, et a cornibus unicornuorum humilitatem meam*[d].

Tot quippe in illa gente unicornes, uel certe rhinocerotes exstiterunt, quot contra praedicamenta Veritatis de legis
35 operibus, singulari et fatua elatione confisi sunt. Beato igitur Iob sanctae Ecclesiae typum tenenti dicitur :

39, 9

XVI, **30.** *Numquid uolet rhinoceros seruire tibi ?* Ac si apertius dicatur : Nunquid illum populum, quem superbire in nece fidelium stulta sua elatione consideras, sub iure tuae praedicationis inclinas ? Subaudis ut ego, qui et contra me
5 illum singulari cornu extolli conspicio, et tamen mihi cum uoluero protinus subdo. Sed hoc melius ostendimus, si de genere ad speciem transeamus. Ille ergo ex hoc populo et prius in superbia, et postmodum praecipuus testis in humilitate nobis ad medium Paulus ducatur, qui dum
10 contra Deum se quasi de custodia Legis nesciens extulit, cornu in nare gestauit. Vnde et hoc ipsum naris cornu per humilitatem postmodum inclinans, dicit : *Qui prius fui blasphemus, et persecutor, et contumeliosus ; sed misericordiam consecutus sum, quia ignorans feci*[a]. In nare cornu gestabat,
15 qui placiturum se Deo de crudelitate confidebat, sicut ipse postmodum semetipsum redarguens dicit : *Et proficiebam in Iudaismo supra multos coaetaneos in genere meo, abundantius*

---

29. d. Ps 21, 22
30. a. 1 Tm 1, 13

---

1. Grégoire, qui écrit *unicornem, unicornes*, garde, dans sa citation du Ps 21, 22, le génitif *unicornuorum* du Psautier romain (Vg : *unicornium*).

ment ceux qui l'attaquent. Dans ce rhinocéros, appelé à juste titre « monocéros », car il porte une seule corne, on peut donc voir ce peuple qui, au lieu d'œuvres, n'a tiré de la Loi qu'il a reçue qu'une raison de s'élever avec orgueil au-dessus du reste des hommes, comme si, parmi toutes les autres bêtes, il portait une corne unique. C'est pourquoi le Seigneur prédisant sa Passion a dit par le chant du prophète : *Délivre-moi de la gueule du lion et préserve ma faiblesse de la corne des unicornes*[d][1].

Il y a eu, en effet, dans cette nation autant d'unicornes, ou du moins de rhinocéros, que de gens qui, en leur stupide et singulier orgueil, se sont confiés dans les œuvres de la Loi, à l'encontre des enseignements de la Vérité. Le Seigneur dit donc au bienheureux Job, qui est la figure de la sainte Église :

Conversion de Paul XVI, **30.** *Le rhinocéros voudra-t-il te servir ?* Comme s'il lui était dit clairement : Soumets-tu à l'autorité de ta prédication ce peuple que tu vois se glorifier avec un sot orgueil du meurtre des fidèles ? Sous-entendu : comme moi-même, qui le vois dresser contre moi sa corne unique et qui néanmoins l'assujettis sur le champ dès que je le veux. Mais nous montrons mieux cela, si nous passons du général au particulier. Issu de ce peuple, Paul nous est proposé comme exemple remarquable d'abord de l'orgueil et ensuite de l'humilité, lui qui à son insu s'est élevé contre Dieu sous prétexte d'observer la Loi et a porté ainsi une corne sur le nez. Aussi, abaissant ensuite cette corne par l'humilité, dit-il : *Moi qui étais auparavant blasphémateur, persécuteur et insulteur, j'ai obtenu miséricorde, parce que j'ai agi par ignorance*[a]. Il portait une corne sur le nez, lui qui croyait plaire à Dieu par sa cruauté, comme il le dit par la suite en se le reprochant : *Et je me signalais dans le judaïsme au-dessus d'un grand nombre de mes contemporains au sein de ma nation, montrant un zèle*

aemulator exsistens paternarum mearum traditionum[b]. Huius
autem rhinocerotis fortitudinem omnis uenator extimuit,
20 quia Saulis saeuitiam unusquisque praedicator expauit.
Scriptum namque est : *Saulus autem adhuc spirans minarum*
et caedis in discipulos, accessit ad principem sacerdotum, et
petiit ab eo epistolas in Damascum ad synagogas, ut si quos
inuenisset huius uiae uiros ac mulieres, uinctos perduceret in
25 *Ierusalem*[c]. Cum flatus nare reddendus trahitur, inspiratio
uocatur, et illud saepe per odorem nare deprehendimus,
quod oculis non uidemus. Rhinoceros ergo iste nare gestabat
cornu quo percuteret, quia minarum et caedis inspirans,
postquam praesentes interfecerat, absentes quaerebat. Sed
30 ecce omnis ante illum uenator absconditur, omnis homo id
est rationale sapiens, opinione timoris eius effugatur. Vt ergo
hunc rhinocerotam capiat, sinum suum uirgo, id est secretum
suum ipsa per se inuiolata in carne Dei Sapientia expandat.
Scriptum quippe est quod cum Damascum pergeret, *subito*
35 *circumfulsit illum die media lux de caelo*[d] ; et uox facta est,
dicens : *Saule, Saule, quid me persequeris*[e] ? Qui prostratus
in terra respondit : *Quis es, Domine ?* Cui ilico dicitur : *Ego*
sum Iesus Nazarenus, quem tu persequeris[f]. Virgo nimirum
rhinoceroti sinum suum aperuit, cum Saulo incorrupta Dei
40 Sapientia Incarnationis suae mysterium de caelo loquendo
patefecit ; et fortitudinem suam rhinoceros perdidit, quia
prostratus humi omne quod superbum tumebat amisit. Qui
dum sublato oculorum lumine, manu ad Ananiam ducitur[g],
patet iam rhinoceros iste, quibus Dei loris astringitur, quia
45 uidelicet uno in tempore caecitate, praedicatione, baptis-
mate ligatur. Qui etiam ad Dei praesepe moratus est, quia

---

30. b. Ga 1, 14   c. Ac 9, 1-2   d. cf. Ac 22, 6 ; 9, 3   e. Ac 22, 7 ; 9, 4   f.
Ac 22, 8 ; 9, 5   g. cf. Ac 22, 11s ; 9, 8s

---

1. La citation scripturaire mêle ici des éléments confluents d'Ac 9, 3 et d'Ac
22, 6.

démesuré pour les traditions de mes pères[b]. Tous les chasseurs craignaient la force de ce rhinocéros, c'est-à-dire que tous les prédicateurs redoutaient la fureur de Saul. Comme il est dit dans l'Écriture : *Saul, respirant encore menaces et meurtres contre les disciples, alla trouver le chef des prêtres et lui demanda des lettres pour les synagogues de Damas afin que, s'il trouvait des hommes et des femmes de cette secte, il les conduisît enchaînés à Jérusalem*[c]. Lorsqu'on attire l'air par le nez pour l'expulser ensuite, on appelle cela une aspiration, et notre nez nous fait souvent découvrir par l'odeur des choses que nos yeux ne voient pas. Le rhinocéros dont nous parlons portait donc sur le nez une corne avec laquelle il frappait. En effet, ne respirant que menaces et meurtres, non content d'avoir tué les disciples qui étaient là, il allait à la recherche de ceux qui étaient absents. Mais voici que tous les chasseurs se cachent devant lui, c'est-à-dire que tout homme intelligent doué de raison s'enfuit à cause de sa réputation qui inspirait la terreur. Afin donc de capturer ce rhinocéros, il fallut qu'une vierge lui dévoilât son sein, c'est-à-dire que la Sagesse de Dieu elle-même, immaculée par nature, lui découvrît ses secrets dans la chair qu'elle avait assumée. Car il est encore écrit que, comme il approchait de Damas, *soudain en plein midi une lumière venue du ciel l'environna d'une grande clarté*[d][1]. Une voix se fit entendre : *Saul, Saul pourquoi me persécutes-tu ?* Et lui, terrassé, répondit : *Qui es-tu, Seigneur*[e] *?* Il lui fut répondu aussitôt : *Je suis Jésus de Nazareth que tu persécutes*[f]. La vierge découvrit son sein au rhinocéros, lorsque la Sagesse incorruptible de Dieu, lui parlant du haut du ciel, découvrit à Saul le mystère de son Incarnation ; et le rhinocéros a perdu sa force, puisque Saul terrassé renonça à toute l'enflure de sa superbe. Quand, privé de la lumière des yeux, il est conduit par la main vers Ananie[g], on sait clairement désormais par quelles rênes Dieu retient ce rhinocéros : car, en un seul instant, il est lié par la cécité, par la parole entendue et par le baptême. Il demeura même dans l'étable de Dieu, ne

ruminare uerba Euangelii dedignatus non est. Ait enim :
Ascendi Ierosolymam cum Barnaba, assumpto et Tito. Ascendi
autem secundum reuelationem, et contuli cum illis euan-
50 *gelium* [h]. Et qui prius ieiunus audierat : *Durum tibi est contra*
stimulum calcitrare [i] ; mira postmodum uirtute praesidentis
pressus, ex uerbi pabulo uires obtinuit, et calcem superbiae
amisit.

31. Loris quoque Dei non tantum a feritate restringitur,
sed quod magis sit mirabile, ad arandum ligatur, ut non
solum homines crudelitatis cornu non impetat, sed eorum
etiam refectioni seruiens, aratrum praedicationis trahat.
5 Ipse quippe de euangelizantibus quasi de arantibus dicit :
Debet enim in spe qui arat arare ; et qui triturat, in spe fructus
percipiendi [a]. Qui igitur tormenta prius fidelibus irrogauerat,
et pro fide postmodum flagella libenter portat, qui scriptis
etiam epistolis humilis ac despectus praedicat, quod dudum
10 terribilis impugnabat [b] ; profecto bene ligatus sub aratro de-
sudat ad segetem, qui uiuebat in campo male liber a timore.
De quo recte dicitur :

39, 10   XVII, **32.** *Aut confringet glebas uallium post te ?* Iam
scilicet Dominus quorumdam mentes intrauerat, qui illum
ueraciter humani generis Redemptorem credebant. Qui tamen cum nequaquam a pristina obseruatione recederent,
5 cum dura litterae praedicamenta custodirent, eis praedicator egregius dicit : *Si circumcidamini, Christus uobis nihil*
proderit [a]. Qui ergo in humili mente fidelium legis duritiam
redarguendo conteruit, quid aliud quam in ualle post Domi-

30. h. Ga 2, 1-2   i. Ac 9, 5 ; 26, 14
31. a. 1 Co 9, 10   b. cf. Ga 1, 23
32. a. Ga 5, 2

négligeant pas de ruminer les paroles de l'Évangile. Il dit en effet : *Je montai à Jérusalem avec Barnabé, ayant aussi pris Tite avec moi. Or j'y montai suivant une révélation et je leur exposai mon évangile*[h]. Et lui qui, à jeun, avait auparavant entendu : *Il t'est dur de regimber contre l'aiguillon*[i], écrasé ensuite par la merveilleuse puissance de son maître, reprit des forces grâce au fourrage de la Parole et perdit l'éperon de sa superbe.

31. Or, il n'est pas seulement freiné dans sa férocité par les rênes de Dieu, mais, ce qui est plus admirable encore, il est attelé à la charrue pour labourer. Aussi, bien loin de lancer la corne de sa cruauté contre les hommes, il travaille même à leur réfection en tirant la charrue de la prédication. En effet, il assimile lui-même ceux qui évangélisent à des laboureurs, en disant : *Celui qui laboure doit labourer dans l'espérance, et celui qui bat le grain doit le faire dans l'espérance de recueillir la moisson*[a]. Ainsi donc celui qui auparavant avait infligé des tourments aux fidèles en arrive désormais à supporter volontiers d'être frappé de verges pour la foi ; humble et méprisé, il prêche aussi, par les lettres qu'il écrit, ce qu'auparavant il combattait en semant la terreur[b] ; solidement attelé, certes, à la charrue, il travaille à la sueur de son front en vue de la moisson, lui qui vivait dans le vaste champ, libre hélas de toute crainte. À son sujet, il est dit à propos :

L'observance de la Loi

XVII, **32.** ***Brisera-t-il derrière toi les mottes de terre des vallées ?*** Le Seigneur était déjà entré certes dans l'âme de quel-ques-uns qui le croyaient véritablement le Rédempteur du genre humain ; mais n'ayant pas renoncé à leurs anciennes observances, ils en gardaient encore à la lettre les durs pré-ceptes, et c'est à eux que s'adresse l'insigne prédicateur : *Si vous vous faites circoncire, le Christ ne vous servira de rien*[a]. Celui qui brise dans l'âme humble des fidèles la dureté de la Loi en les reprenant, que fait-il d'autre, sinon écraser les

39, 10

num glebas fregit ? Ne uidelicet grana seminum quae excisus
10 aratro fidei sulcus cordis exciperet per custodiam litterae
pressa deperirent. De quo bene adhuc subditur :

39, 11   XVIII, **33.** *Numquid fiduciam habebis in magna*
fortitudine eius, et derelinques ei labores tuos ? In rhinocerotis huius fortitudine fiduciam Deus habuit, quia quanto
illum crudelius dura sibi inferentem pertulit, tanto pro se
5 constantius tolerantem aduersa praesciuit. Cui labores etiam
quos ipse in carne pertulerat dereliquit, quia conuersum
illum usque ad imitationem propriae Passionis traxit. Vnde
et per eumdem rhinocerotam dicitur : *Suppleo ea quae desunt*
passionum Christi in carne mea[a]. De quo adhuc subditur :

39, 12   XIX, **34.** *Numquid credes ei quod reddat sementem tibi,*
et aream tuam congreget ? Consideremus Saulum quis fuerit, cum ab ipsa adolescentia lapidantium adiutor exsisteret,
cum alia Ecclesiae loca uastaret, et acceptis epistolis uastanda
5 alia peteret[a], cum mors ei fidelium nulla sufficeret, sed
semper ad aliorum interitum aliis exstinctis anhelaret[b] ; et
profecto cognoscimus quia nullus tunc fidelium crederet,
quod ad iugum Deus suae formidinis uim tantae elationis
inclinaret. Vnde et Ananias uoce dominica hunc et postquam
10 conuersum audiuit, extimuit, dicens : *Domine, audiui a mul-*
tis de uiro hoc quanta mala sanctis tuis fecerit in Ierusalem[c].
Qui tamen repente commutatus, ab hoste praedicator efficitur, et in cunctis mundi partibus Redemptoris sui nomen
insinuat, supplicia pro ueritate tolerat, pati se quae irrogauerat
15 exsultat ; alios blandimentis uocat, alios ad fidem terroribus

33. a. Col 1, 24
34. a. cf. Ac 7, 57-59 ; 9, 1-2 ; 22, 20   b. cf. Ac 9, 1-2 ; 22, 5   c. Ac 9, 13

mottes de terre dans la vallée à la suite du Seigneur ? Ainsi les grains de semence, reçus dans les sillons du cœur creusés par la charrue de la foi, ne périront pas étouffés par l'observance de la lettre. À ce sujet, il est ajouté encore avec raison :

Imiter la Passion du Christ

XVIII, **33.** *Auras-tu confiance en sa grande force et lui laisseras-tu faire tes travaux ?* Dieu a eu confiance en la force de ce rhinocéros. Autant il le supporta lorsqu'il agissait contre lui avec violence, autant il l'estima capable de supporter pour lui, à l'avenir, les adversités avec constance. Il lui laissa même les peines qu'il avait lui-même supportées dans sa chair, puisqu'après l'avoir converti, il l'attira jusqu'à l'imitation de sa propre Passion, selon ce que dit ce même rhinocéros : *J'accomplis dans ma chair ce qui reste à souffrir des souffrances du Christ*[a]. Le texte poursuit encore à son sujet :

39, 11

Paul prédicateur

XIX, **34.** *Attendras-tu de lui qu'il te rende le grain que tu as semé et qu'il le rassemble sur ton aire ?* Considérons qui a été Saul ; dès son adolescence, il aidait ceux qui lapidaient les fidèles, il ravageait l'Église en certains lieux, puis, muni de lettres, il allait la ravager en d'autres lieux[a] ; la mort des fidèles ne lui suffisait pas, mais toujours il aspirait, ceux-là une fois morts, à en faire mourir d'autres[b]. Nous savons bien qu'alors aucun fidèle ne pouvait croire que Dieu soumettrait au joug de sa crainte la puissance d'un si grand orgueil. C'est pourquoi Ananie, entendant le Seigneur parler de lui, même après qu'il fut converti, prit peur et dit : *Seigneur, j'ai appris de bien des gens au sujet de cet homme combien de maux il a infligés à tes saints dans Jérusalem*[c]. Cependant, soudainement changé, d'ennemi il devient prédicateur : il publie dans toutes les parties du monde le nom de son Rédempteur, il supporte les tourments pour la vérité, il se réjouit d'endurer les maux qu'il avait jadis infligés ; il appelle les uns à la foi par

39, 12

reuocat. Istis regnum pollicetur caelestis patriae, illis minatur ignis gehennae. Hos per auctoritatem corrigit, illos ad uiam rectitudinis per humilitatem trahit ; atque in omni latere ad manum se sui rectoris inclinat, et tanta arte Dei aream
20 congregat, quanta illam prius elatione uentilabat.

35. Sed neque hoc abhorret a Paulo, quod rhinoceros buxei coloris dicitur, et elephantorum uentres cornu ferire perhibetur. Quia enim uiuere sub rigore legis assueuit, artius in illum ceteris custodia uniuscuiusque uirtutis in-
5 oleuit. Quid enim per colorem buxeum, nisi abstinentiae pallor exprimitur ? Cui ipse se tenaciter adhaerere testatur, dicens : *Castigo corpus meum, et seruituti subicio, ne forte aliis praedicans ipse reprobus efficiar* [a]. Qui diuinae legis eruditione praeditus, dum aliorum ingluuiem redarguit,
10 cornu elephantes in uentrem ferit. In uentrem quippe ele-phantes percusserat, cum dicebat : *Multi ambulant, quod saepe dicebam uobis ; nunc autem et flens dico, inimicos crucis Christi, quorum finis interitus, quorum uenter deus, et gloria in confusione ipsorum* [b]. Et rursum : *Huiusmodi Christo Do-*
15 *mino non seruiunt, sed suo uentri* [c]. Cornu suo igitur rhino-ceros iste non iam homines, sed bestias percutit, quando illa Paulus doctrinae suae fortitudine nequaquam perimendos humiles impetit, sed superbos uentris cultores occidit. Quae ergo in Paulo scripta cognouimus, superest ut facta et in aliis
20 credamus. Multi quippe ad humilitatis gratiam ex illius po-puli elatione conuersi sunt, quorum saeuitiam Dominus dum

35. a. 1 Co 9, 27   b. Ph 3, 18-19   c. Rm 16, 18

la douceur, il y ramène les autres par la crainte. Il promet aux uns le royaume de la céleste patrie et il menace les autres du feu de la géhenne. Il corrige les uns avec autorité, il attire les autres avec humilité dans le droit chemin ; enfin, il se tourne de tous côtés, suivant la main de celui qui le conduit, et il met autant d'industrie à amasser le grain dans l'aire de Dieu qu'il mettait auparavant d'orgueil à le disperser.

35. Ce qu'on dit du rhinocéros, à savoir qu'il est couleur de buis et qu'il transperce de sa corne le ventre des éléphants, s'applique sans difficulté à Paul. En effet, étant accoutumé à vivre sous la rigueur de la Loi, l'observance de chaque vertu était implantée plus strictement chez lui que chez les autres. Que nous indique en effet la couleur du buis, sinon la pâleur de l'abstinence ? Il témoigne d'ailleurs de son grand attachement à cette vertu par ces paroles : *Je traite durement mon corps et je le réduis en servitude, de peur qu'après avoir prêché aux autres, je ne sois moi-même réprouvé*[a]. Quand, doté d'une solide connaissance de la Loi divine, il reprend la gloutonnerie des autres, il transperce de sa corne le ventre des éléphants ? Oui, il avait frappé de sa corne le ventre des éléphants, quand il disait : *Il y en a beaucoup dont je vous ai souvent parlé et dont je vous parle encore avec larmes, qui se conduisent en ennemis de la croix du Christ, dont la fin sera la damnation, dont le dieu est le ventre, qui mettent leur gloire dans leur propre honte*[b]. Et encore : *De tels hommes ne servent pas le Christ Seigneur, mais leur ventre*[c]. Ce rhinocéros frappe donc de sa corne non plus des hommes, mais des bêtes, lorsque cette rigueur de son enseignement, Paul ne s'en sert pas pour faire périr les faibles, mais pour tuer les orgueilleux adorateurs de leur ventre. Et ce que nous savons qui a été écrit à propos de Paul, il faut aussi que nous croyions que cela s'est réalisé à propos d'autres que lui. Beaucoup en effet ont été convertis de l'orgueil de ce peuple à la grâce de l'humilité. En domptant leur cruauté

sub iugo inspirati timoris edomuit, nimirum rhinocerotis sibi fortitudinem subegit.

Sed quia mira Dei potentia quid de electis egerit audiui-
25 mus, nunc mira eius patientia in his quos reprobans tolera-
uerit audiamus :

39, 13

XX, **36.** *Penna struthionis similis est pennis herodii et accipitris.* Quid struthionis nomine, nisi Synagoga signatur ? Quae alas legis habuit, sed corde in infimis repens, numquam se a terra subleuauit. Quid uero per herodium et accipitrem,
5 nisi antiqui patres exprimuntur, qui ad ea quae potuerunt intellegenda perspicere, ualuerunt etiam uiuendo peruolare ? Penna igitur struthionis, herodii et accipitris pennis est simi-lis, quia Synagogae uox priorum doctrinam loquendo tenuit, sed uiuendo nesciuit. Vnde et eiusdem Synagogae populos
10 de pharisaeis atque scribis Veritas admonet, dicens : *Super cathedram Moysi sederunt. Omnia ergo quaecumque dixerint uobis seruate et facite, secundum opera uero eorum nolite facere*[a]. Multa autem dicere de herodii uita potuimus, sed quia penna eius tantummodo ad memoriam deducitur, de
15 uita loqui prohibemur.

39, 14

XXI, **37.** *Quae derelinquit in terra oua sua, tu forsitan in puluere calefacis ea ?* In ouis aliud est quod cernitur, aliud quod speratur ; et uideri spes non potest, Paulo attestante qui ait : *Quod enim uidet quis, quid sperat*[a] ? Quid ergo per
5 struthionis oua nisi Synagogae carne editi apostoli desi-gnantur, qui dum se in mundo despectos atque humiles exhibent, sperari gloriam in supernis docent ? Abiecti nam-

36. a. Mt 23, 2-3
37. a. Rm 8, 24

sous le joug de la crainte qu'il leur inspirait, le Seigneur s'est soumis, peut-on dire, la force du rhinocéros.

Après avoir appris avec quelle puissance admirable Dieu a agi en faveur des élus, écoutons maintenant avec quelle patience admirable il a supporté ceux qu'il réprouvait.

L'autruche, figure de la Synagogue XX, 36. *Les ailes de l'autruche ressem-* 39, 13 *blent à celles du héron et de l'épervier.* Que voir sous le nom d'autruche, sinon la Synagogue ? Elle a eu, en effet, les ailes de la Loi, mais, son cœur rampant dans les réalités d'en bas, elle n'a jamais pu s'élever de terre. Qu'est-ce qui est signifié par le héron et l'épervier, sinon les anciens Pères ? Les réalités qu'ils ont pu pénétrer par leur intelligence, ils ont pu également voler jusqu'à elles par leur vie. Les ailes de l'autruche ressemblent donc à celles du héron et de l'épervier, parce que la Synagogue, dans son enseignement, a observé la doctrine des Anciens, mais elle l'a ignorée dans la vie. C'est pourquoi la Vérité donne un avertissement aussi aux peuples de cette même Synagogue au sujet des pharisiens et des scribes, en leur disant : *Ils sont assis sur la chaire de Moïse : observez donc et faites tout ce qu'ils vous disent, mais ne faites pas comme ils font* [a]. Nous aurions pu dire beaucoup de choses de la vie du héron, mais, puisque seules ses ailes sont mentionnées, nous sommes dispensés de parler de sa vie.

Les œufs, figure des apôtres XXI, 37. *Quand elle abandonne ses* 39, 14 *œufs à terre, est-ce toi par hasard qui les réchauffes dans la poussière ?* Dans un œuf, il y a ce qu'on voit et ce qu'on espère ; ce qu'on espère ne peut être vu, comme l'atteste l'apôtre Paul : *Ce que l'on voit, comment l'espérer* [a] ? Que désignent donc les œufs de l'autruche, sinon les apôtres enfantés selon la chair par la Synagogue ? Se montrant humbles et méprisés dans ce monde, ils nous apprennent que la gloire est à espérer dans le ciel. Gens

que et quasi nullius momenti apud elatos habiti, in terra
uelut oua iacuerunt ; sed intus in eis latebat unde uiuerent, et
10 subleuati spei pennis ad caelestia uolarent. Quae oua struthio
in terra derelinquit, quia eos quos carne genuerat Synagoga
apostolos audire contemnens, uocandae gentilitati deseruit.
Mira autem potentia Dominus haec eadem in puluere oua
calefacit, quia uiuos apostolorum fetus in illa abiecta dudum
15 gentilitate suscitauit ; et quos Synagoga uelut insensatos
inuiuificatosque despexerat, ipsi nunc in ueneratione gentium per doctrinae magisterium uiuentes uolant. Oua sua
struthio in puluere dereliquit, quia omnes quos praedicando
Synagoga genuit, a terrenis desideriis minime suspendit.
20 Quae nimirum desideria quia antiquus hostis concepta in
corde inuenit, obsessas mentes etiam in sceleribus rapit.
Vnde et subditur :

39, 15   XXII, **38.** ***Obliuiscitur quod pes conculcet ea, et bestia
agri conterat.*** Tunc oua pes calcat, et bestia agri conterit,
cum in terra deseruntur ; quia uidelicet humana corda dum
semper terrena cogitare, semper quae ima sunt agere appe-
5 tunt, ad conterendum se agri bestiae, id est diabolo, sternunt ;
ut cum diu infima cogitatione abiecta sunt, quandoque etiam
maiorum criminum perpetratione frangantur. Synagoga ergo
oua quae genuit, a terra suspendere bene uiuendo neglexit.
Sed omnipotens Deus multos eius filios, quamuis in terrenis
10 desideriis mortuos ac frigidos repperit, calore tamen sui
amoris animauit. Sed uitam quam filiis Synagoga non dedit,

vils et considérés par les superbes comme sans importance, ils gisaient à terre comme des œufs ; mais en eux était caché à l'intérieur ce par quoi ils vivraient et, soulevés par les ailes de l'espérance, s'élèveraient jusqu'aux réalités célestes. Et ces œufs, l'autruche les abandonne à terre, c'est-à-dire que la Synagogue, ne daignant pas écouter les apôtres qu'elle avait enfantés selon la chair, rend service à l'appel des Gentils. Et le Seigneur, avec une puissance merveilleuse, a réchauffé ces mêmes œufs dans la poussière, car de cette Gentilité autrefois méprisée il a suscité aux apôtres des enfants pleins de vie. Et ceux que la Synagogue avait considérés avec dédain comme des gens insensés et privés de vie, ceux-là mêmes maintenant, en vénération parmi les nations, volent bien vivants par l'enseignement de la doctrine. L'autruche a abandonné ses œufs dans la poussière : ainsi tous ceux qu'elle a enfantés par sa prédication, la Synagogue ne les élève pas au-dessus des désirs terrestres. Et bien sûr, ces désirs, si l'antique ennemi les trouve conçus dans le cœur, il assiège ces âmes aussi pour les entraîner jusqu'au crime. D'où ce qui suit :

XXII, **38.** *Elle oublie que le pied les* **39, 15**
foulera et que la bête des champs les
écrasera. Le pied foule les œufs et la

La bête des champs, figure du diable

bête des champs les écrase lorsqu'ils sont abandonnés à terre ; ainsi, quand le cœur des hommes n'a de pensées que pour les biens terrestres et n'agit qu'en vue des réalités d'en bas, il se couche devant la bête des champs, c'est-à-dire le diable, pour être écrasé ; et s'étant longtemps avili en des pensées très basses, il est brisé enfin en perpétrant des crimes plus grands encore. Ainsi la Synagogue a négligé d'élever au-dessus de la terre par une vie bonne les œufs qu'elle a pondus. Mais le Dieu tout-puissant, bien qu'il ait trouvé beaucoup de ses enfants dans le froid de la mort au milieu des désirs terrestres, les a ranimés par la chaleur de son amour. Mais cette vie que la Synagogue n'a pas su donner

hanc postmodum inuidit, dum moliretur persequendo exstinguere quos se ad bona opera non meminerat fouendo
genuisse. Vnde et apte de hoc struthione subditur :

39, 16 **39. *Duratur ad filios quasi non sint sui*.** Quasi non suos
respicit quos aliter uiuere quam docuit ipsa deprehendit,
et durescente saeuitia terrores admouet, seque in eorum
cruciatibus exercet ; atque inuidiae facibus inflammata, in
5 quibus non laborauit ut possint uiuere, laborat ut debeant
interire ; et cum Domini membra persequitur, placere se per
hoc Dominum suspicatur. Vnde et eisdem struthionis ouis
Veritas dicit : *Venit hora ut omnis qui interficit uos arbitretur
se obsequium praestare Deo* [a].
10 Quia ergo dum crudelitate ad persequendum Synagoga
ducitur, hoc se agere impulsu diuini timoris arbitratur, recte
subiungitur :

39, 16 **40. *Frustra laborauit, nullo timore cogente*.** In labore
quippe illam persecutionis anhelare non timor, sed crudelitas coegit. Sed quia plerumque uitia, colore uirtutum
tincta, tanto nequiora sunt, quanto et esse uitia minime
5 cognoscuntur, eo in persecutione durior Synagoga exstitit,
quo religiosiorem se fieri fidelium mortibus aestimauit ;
et idcirco quae ageret discernere omnino non potuit, quia
lumen sibi intellegentiae per superbiae obiectionem clausit.
Vnde et bene subditur :

39. a. Jn 16, 2

à ses fils, elle la leur a ensuite enviée, travaillant à faire mourir par des persécutions les enfants qu'elle avait oublié de mettre au monde, en les couvant, en vue d'œuvres bonnes. C'est pourquoi il est dit justement de cette autruche :

Cruauté de la Synagogue — **39. *Elle est dure pour ses petits comme s'ils n'étaient pas les siens.*** Elle ne considère pas comme siens ceux dont elle constate qu'ils vivent autrement qu'elle n'a enseigné et, se faisant de plus en plus cruelle et dure, elle en vient à les menacer, puis elle entreprend de les tourmenter ; enfin, enflammée du feu de la jalousie, elle travaille à faire périr ceux qu'elle ne s'est point efforcée de faire vivre ; et tandis qu'elle persécute les membres du Seigneur, elle s'imagine faire ce qui plaît au Seigneur. Aussi la Vérité dit-elle à ces œufs de l'autruche : *L'heure vient où quiconque vous fait mourir croira rendre hommage à Dieu* [a].

39, 16

Donc, puisque la Synagogue, quand elle est poussée à la persécution par sa cruauté, s'imagine agir sous la motion de la crainte de Dieu, il est fort bien dit ensuite :

Avènement de l'Antichrist — **40. *Elle a travaillé en vain, sans y être forcée par aucune crainte.*** En effet, ce n'est pas la crainte, mais la cruauté qui a amené la Synagogue à être assoiffée de persécution. Car bien souvent les vices, teintés de la couleur des vertus, sont d'autant plus pernicieux qu'ils ne sont pas tenus pour des vices ; ainsi, la Synagogue a été d'autant plus dure dans la persécution qu'elle a cru, en faisant mourir les fidèles, observer plus parfaitement la religion, et elle a été tout à fait impuissante à discerner ce qu'elle faisait, parce que son orgueil faisait écran et lui cachait la lumière de l'intelligence. La suite du texte le dit bien :

39, 16

39, 17   **41. *Priuauit enim eam Deus sapientia, nec dedit illi in-*
tellegentiam.** Districtum quippe est occultae retributionis
examen ; et quia sciens humilitatem perdidit, etiam ueritatis
intellegentiam nesciens amisit. Valde autem minora sunt uul-
5 nera quae in Redemptoris aduentu fidelibus intulit, quam ea
quibus sanctam Ecclesiam adhuc per aduentum Antichristi
ferire contendit. Ad illud namque se tempus praeparat, ut
uitam fidelium coaceruatis uiribus premat. Vnde et apte
subditur :

39, 18   XXIII, **42. *Cum tempus fuerit, in altum alas erigit ;*
deridet equitem et ascensorem eius.** In altum struthio alas
erigit, quando suo conditori Synagoga non ut antea formi-
dando, sed aperte iam repugnando contradicit. In mem-
5 bra quippe diaboli transiens, et mendacii hominem Deum
credens, contra fideles tanto in altum extollitur, quanto et
Dei corpus se esse gloriatur. Quae quia non solum humanitatem Domini, sed ipsam etiam diuinitatem despicit, non
tantum equitem, sed ascensorem etiam equitis irridet. Nam
10 custodita unitate personae ualet intellegi, quia Verbum Dei
tunc equitem ascendit, quando animatam carnem sibi intra
uterum uirginis condidit. Tunc equitem ascendit, quando
humanam animam propriae carni praesidentem, diuino
cultui semetipsum creando subiugauit. Carnem quippe di-
15 uinitas anima mediante suscepit ; et per hoc totum simul
equitem tenuit, quia in semetipso non solum illam quae
regebatur, sed hanc etiam quae regebat astrinxit. Iudaea igitur per aduentum superbientis Antichristi laqueo seductio-

Combat contre l'Antichrist **41.** *Car Dieu l'a privée de sagesse et ne lui a pas donné d'intelligence.* Elle est rigoureuse, la balance de la rétribution secrète ; et puisque sciemment la Synagogue a perdu l'humilité, à son insu elle a été aussi privée de l'intelligence de la vérité. Cependant les maux qu'elle a infligés aux fidèles au moment de la venue du Rédempteur sont bien moindres que les coups dont elle s'efforce de frapper encore la sainte Église, par l'avènement de l'Antichrist. En effet, elle se prépare pour ce moment-là, où, rassemblant ses forces, elle s'acharnera contre la vie des fidèles. C'est pourquoi le texte poursuit :

39, 17

XXIII, **42.** *Quand il est temps, elle dresse les ailes en haut, elle se rit du cavalier et de celui qui est au-dessus de lui.* L'autruche dresse ses ailes en haut, lorsque la Synagogue s'oppose à son Créateur, non plus en le craignant comme autrefois, mais en lui résistant désormais ouvertement. Car, en devenant un des membres du diable et en prenant pour Dieu l'homme de mensonge, elle s'élève avec d'autant plus d'orgueil contre les croyants qu'elle se glorifie d'être le corps de Dieu. Et comme elle méprise non seulement l'humanité du Seigneur, mais aussi sa divinité même, il est vrai de dire qu'elle se rit non seulement du cavalier, mais aussi de celui qui est au-dessus du cavalier. Oui, en sauvegardant l'unité de personne, il est possible de reconnaître que le Verbe de Dieu est monté au-dessus du cavalier quand il s'est créé, dans le ventre de la Vierge, une chair animée. Il est monté au-dessus du cavalier lorsqu'en créant une âme humaine régissant sa propre chair, il s'est soumis lui-même à la révérence envers Dieu. En effet, la divinité a assumé la chair par la médiation de l'âme, et par ce moyen, elle s'est assujetti le cavalier tout entier : de ce fait, il a lié étroitement en lui-même non seulement cette chair qui était régie, mais aussi cette âme qui la régissait. Ainsi donc, lors de la venue de l'orgueilleux Antichrist, la Judée, prise au piège de sa séduction, se rit du

39, 18

nis capta, quia Redemptorem nostrum humilem fuisse inter
20 homines despicit, deridet equitem, quia eius in omnibus
diuinitati contradicit, deridet nihilominus ascensorem. Sed
Redemptor noster unus idemque et eques, et equitis ascensor ; et cum in mundum uenit, fortes contra mundum praedicatores exhibuit ; et cum in mundi termino Antichristi
25 fallaciam tolerat, uirtutem pro se certantibus subministrat ;
ut cum antiquus hostis in illa sua citius finienda libertate
laxatur, fideles nostri tanto maiores uires accipiant, quanto
contra aduersarium solutum pugnant.

Vnde hic cum struthio alas eleuare, ascensorem et equitem
30 deridere describitur, ilico fortium praedicatorum memoria
subrogatur, et dicitur :

39, 19   XXIV, **43.** *Numquid praebebis equo fortitudinem,*
aut circumdabis collo eius hinnitum ? In scriptura sacra
equi nomine aliquando lubrica uita prauorum, aliquando
dignitas temporalis, aliquando hoc ipsum praesens saeculum,
5 aliquando praeparatio rectae intentionis, aliquando sanctus
praedicator exprimitur.

Equi enim nomine lubrica prauorum uita signatur, sicut
scriptum est : *Nolite fieri sicut equus et mulus* [a]. Et sicut per
prophetam alium dicitur : *Equi amatores, et emissarii facti*
10 *sunt, unusquisque ad uxorem proximi sui hinniebat* [b].

Equi nomine dignitas temporalis accipitur, Salomone
attestante, qui ait : *Vidi seruos in equis, et principes ambu-*
lantes quasi seruos super terram [c]. Omnis quippe qui peccat
seruus est peccati, et serui in equis sunt cum peccatores
15 praesentis uitae dignitatibus efferuntur. Principes uero quasi
serui ambulant, cum multos dignitate uirtutum plenos

43. a. Ps 31, 9   b. Jr 5, 8   c. Qo 10, 7

cavalier en méprisant notre Rédempteur d'avoir été humble parmi les hommes. Elle se rit non moins de celui qui est au-dessus, en combattant de toutes les manières sa divinité. Mais notre seul et unique Rédempteur, à la fois le cavalier et celui qui est au-dessus, lors de sa venue dans le monde, a envoyé des prédicateurs intrépides face au monde ; et quand, au terme du monde, il tolère les tromperies de l'Antichrist, il donne du courage à ceux qui combattent pour lui. Ainsi, lorsque cet antique ennemi est laissé libre, pour peu de temps, d'agir à sa guise, les fidèles, les nôtres, reçoivent des forces d'autant plus grandes qu'ils combattent contre un adversaire déchaîné.

Aussi, après avoir décrit comment l'autruche élève ses ailes et se rit de celui qui est au-dessus et du cavalier, il est fait aussi-tôt mention des courageux prédicateurs, quand il est dit :

Sens divers du cheval   XXIV, **43.** *Donneras-tu de la force au cheval ou environneras-tu son cou de hennissements ?* Dans la sainte Écriture, on évoque parfois sous le nom de cheval la vie impure des dépravés, parfois les dignités temporelles, parfois le siècle présent lui-même, parfois la disposition d'une intention droite, parfois un saint prédicateur.   **39, 19**

Sous le nom de cheval est désignée la vie impure des dé-pravés, selon ce texte : *Ne devenez pas semblables au cheval et au mulet*[a]. Et dans un autre prophète : *Ils sont devenus comme des chevaux ardents et lancés après des cavales, chacun hennissait après la femme de son prochain*[b].

Le nom de cheval signifie les dignités temporelles comme l'attestent ces paroles de Salomon : *J'ai vu des esclaves sur des chevaux et des princes marchant à terre comme des esclaves*[c]. Tout homme qui pèche est esclave du péché, de sorte qu'on peut dire que les esclaves sont à cheval, lorsque des pécheurs sont élevés aux dignités de la vie présente. Les princes, eux, marchent à pied comme des esclaves lorsque, malgré la digni-té que confèrent les vertus, beaucoup ne sont élevés à aucun

nullus honor erigit, sed summa hic aduersitas uelut indignos
deorsum premit. Hinc rursum dicitur : *Dormitauerunt qui
ascenderunt equos*[d] ; id est, in morte animae mentis oculos
20 a ueritatis luce clauserunt, qui in praesentis uitae honore
confisi sunt.

Equi nomine hoc ipsum praesens saeculum designatur,
sicut Iacob uoce dicitur : *Fiat Dan coluber in uia, cerastes in
semita, mordens ungulas equi, ut cadat ascensor eius retro*[e].
25 Quo in testimonio quid equus significet melius ostendimus,
si et ea quae circumstant paulo subtilius exponamus. Nonnulli enim de tribu Dan uenire Antichristum ferunt, pro eo
quod hoc loco Dan et coluber asseritur et mordens. Vnde
et non immerito dum israeliticus populus terras in castro-
30 rum partitione susciperet, primus Dan ad Aquilonem castra-
metatus est[f], illum scilicet signans, qui in corde suo dixerat :
*Sedebo in monte Testamenti, in lateribus Aquilonis ; ascen-
dam super altitudinem nubium, similis ero Altissimo*[g]. De
quo et per prophetam dicitur : *A Dan auditus est fremitus*
35 *equorum eius*[h]. Qui non solum coluber, sed etiam cerastes
uocatur. Κέρατα enim graece cornua dicuntur ; serpensque
hic cornutus esse perhibetur, per quem digne Antichristi
aduentus asseritur, quia contra uitam fidelium cum morsu
pestiferae praedicationis armatur etiam cornibus potestatis.
40 Quis autem nesciat semitam angustiorem esse quam uiam ?
Fit ergo Dan coluber in uia, quia in praesentis uitae latitudine eos ambulare prouocat, quibus quasi parcendo blanditur ; sed in uia mordet, quia eos quibus libertatem tribuit,
erroris sui ueneno consumit. Fit cerastes in semita, quia

---

43. d. Ps 75, 7   e. Gn 49, 17   f. cf. Nb 2, 25   g. Is 14, 13-14   h. Jr 8,
16

honneur, mais au contraire, comme des gens indignes, sont opprimés ici-bas par la pire adversité. C'est pour cela qu'il est dit encore : *Ils se sont endormis, ceux qui montaient des chevaux*[d]. C'est-à-dire : par la mort de l'âme, ils ont fermé les yeux de l'esprit à la lumière de la vérité, eux qui ont mis leur confiance dans les honneurs de cette vie.

Le nom de cheval désigne aussi le siècle présent lui-même, comme dans ces paroles de Jacob : *Que Dan devienne une couleuvre sur le chemin, un céraste dans le sentier, mordant les pieds du cheval, afin que son cavalier tombe à la renverse*[e]. Nous allons mieux montrer ce qu'évoque le cheval dans ce passage, si nous exposons avec un peu plus de précision le contexte. Certains prétendent en effet que l'Antichrist doit venir de la tribu de Dan, parce qu'en ce passage il est affirmé que Dan est une couleuvre et qu'elle mord. C'est pourquoi, lorsque le peuple d'Israël reçut une terre à répartir en campements, la tribu de Dan, la première, eut en partage, non sans l'avoir mérité, le côté de l'Aquilon[f], désignant ainsi celui qui avait dit en son cœur : *Je m'assiérai sur la montagne du Testament, du côté de l'Aquilon, je m'élèverai sur la hauteur des nues, je serai semblable au Très-Haut*[g]. C'est encore à son sujet que le prophète dit : *Le bruit de ses chevaux a été entendu du côté de Dan*[h]. Or il n'est pas seulement appelé « couleuvre », mais aussi « céraste ». Car Κέρατα en grec signifie « cornes » et l'on sait que ce serpent a des cornes. Aussi sous l'image de ce serpent affirme-t-on avec justesse l'avènement de l'Antichrist qui, pour faire périr les fidèles, à la morsure d'une prédication empoisonnée joint en outre les cornes de la puissance. Qui donc ignore qu'un sentier est plus étroit qu'un chemin ? Par conséquent, Dan est une couleuvre dans le chemin : afin d'attirer les hommes dans la voie large de cette vie, il les traite avec douceur comme s'il voulait les épargner ; mais une fois sur le chemin, il les mord ; en effet, leur ayant donné la liberté, il les corrompt par le venin de son erreur. Il est un céraste dans le sentier, car, lorsqu'il trouve

45 quos fideles repperit, et sese ad praecepti caelestis angusta
itinera constringentes, non solum nequitia callidae persuasionis impetit, sed etiam terrore potestatis premit, et in
persecutionis angore, post beneficia fictae dulcedinis, exercet
cornua potestatis. Quo in loco equus hunc mundum insinuat,
50 qui per elationem suam in cursum labentium temporum
spumat. Et quia Antichristus extrema mundi apprehendere
nititur, cerastes iste equi ungulas mordere perhibetur. Vn-
gulas quippe equi mordere est extrema saeculi feriendo
contingere. *Vt cadat ascensor eius retro*[i]. Ascensor equi est
55 quisquis extollitur in dignitatibus mundi. Qui retro cadere
dicitur, et non in faciem, sicut Saulus cecidisse memoratur[j].
In faciem enim cadere est in hac uita suas unumquemque
culpas agnoscere, easque paenitendo deflere. Retro uero,
quo non uidetur, cadere, est ex hac uita repente decedere,
60 et ad quae supplicia ducatur ignorare. Et quia Iudaea erroris
sui laqueis capta, pro Christo Antichristum exspectat, bene
Iacob eodem loco repente in electorum uoce conuersus est,
dicens : *Salutare tuum exspectabo, Domine*[k] ; id est, non
sicut infideles Antichristum, sed eum qui in redemptionem
65 nostram uenturus est, uerum credo fideliter Christum.

　　Equi nomine praeparatio rectae intentionis accipitur,
sicut scriptum est : *Equus paratur in diem belli, sed Dominus
salutem tribuit*[l], quia contra temptationem quidem se animus praeparat, sed nisi adiuuetur desuper, salubriter non
70 decertat.

　　Equi nomine sanctus quisque praedicator accipitur, propheta attestante, qui ait : *Misisti in mari equos tuos, turbantes
aquas multas*[m]. Quietae quippe aquae iacuerunt, quia huma-

43. i. Gn 49, 17   j. cf. Ac 9, 4   k. Gn 49, 18   l. Pr 21, 31   m. Ha 3, 15

des fidèles qui se maintiennent dans la voie étroite des divins préceptes, il ne se contente pas de les attaquer par la fourberie d'habiles persuasions, mais de plus il les opprime par la terreur de sa puissance. Après les avoir fait bénéficier d'une douceur feinte, il dresse les cornes de sa puissance dans les tourments de la persécution. Le cheval est ici l'image de ce monde qui écume d'orgueil en parcourant les temps qui s'écoulent. Et comme l'Antichrist s'efforce de s'emparer du monde à sa fin, il est dit que le céraste mord le sabot du cheval. Mordre le sabot du cheval, c'est en effet atteindre de ses coups le siècle présent en sa fin. *Afin que son cavalier tombe à la renverse*[i]. Quiconque s'élève dans les dignités du monde peut être appelé cavalier. Il est dit tomber à la renverse et non sur la face, comme il est rapporté de la chute de Saül[j]. En effet, tomber sur la face, c'est pour chacun reconnaître ses fautes en cette vie, et les pleurer par la pénitence. Mais tomber à la renverse, là où l'on ne voit pas, c'est sortir subitement de cette vie et ignorer vers quels supplices l'on est conduit. Et parce que la Judée, prise dans les filets de son erreur, attend l'Antichrist à la place du Christ, c'est avec raison que Jacob, s'étant tout à coup mis à parler au nom des élus, ajoute dans le même passage : *J'attendrai ton salut, Seigneur*[k], c'est-à-dire j'attends non comme les infidèles l'Antichrist, mais celui qui viendra pour notre rédemption, le Christ véritable, comme je le crois avec foi.

Le nom de cheval signifie aussi la disposition d'une intention droite, comme dans ces paroles de l'Écriture : *On prépare le cheval pour le jour du combat, mais c'est le Seigneur qui donne le salut*[l]. En effet, certes l'esprit se dispose à lutter contre la tentation, mais s'il n'est aidé d'en haut, il ne combat pas avec efficacité.

On peut comprendre par le nom de cheval tout saint prédicateur, comme l'atteste le prophète : *Tu as envoyé dans la mer tes chevaux qui ont troublé beaucoup d'eau*[m]. Les eaux sonts restées tranquilles, car l'esprit des hommes a longtemps

nae mentes diu sub uitiorum suorum torpore sopitae sunt.
75 Sed equis Dei mare turbatum est, quia missis sanctis praedicatoribus, omne cor quod pestifera securitate torpuit, im-
pulsa salutiferi timoris expauit. Hoc itaque loco equi nomine
sanctus praedicator accipitur, cum beato Iob dicitur : *Numquid praebebis equo fortitudinem, aut circumdabis collo eius*
80 *hinnitum ?*

44. Sed quid est quod huic equo Dominus prius se dare
fortitudinem, et postmodum collo eius hinnitum circum-
dare asserit ? Hinnitu enim uox praedicationis exprimitur.
Verus autem quisque praedicator ante fortitudinem, et post
5 hinnitum accipit, quia cum in se prius uitia exstinxerit, tunc
pro erudiendis aliis ad uocem praedicationis uenit. Equus iste
habet fortitudinem, quia aduersa constanter tolerat. Habet
hinnitum quia ad superna blandiens uocat. Huic equo Dominus et fortitudinem se et hinnitum dare testatur, quia in
10 praedicatore eius nisi et uita et sermo conuenerit, nequaquam
uirtus perfectionis apparebit. Non enim multum prodest si
sublimis uitae operatione suffultus sit, si tamen loquendo
non ualet ad hoc alios excitare quod sentit. Vel quid prodest
bene loquendo alios accendere, si semetipsum indicat male
15 uiuendo torpuisse ? Quia ergo in praedicatore necesse est
ut ad perfectionem utraque conueniant, equo suo Dominus
et cum actionis fortitudine hinnitum uocis et cum hinnitu
uocis fortitudinem ministrat actionis. Et notandum cur hinnitus, qui interius nimirum per guttur ducitur, equi collo
20 circumdari, id est quasi per gyrum trahi exterius, dicatur, quia

somnolé dans la torpeur de ses vices. Mais la mer fut troublée par les chevaux de Dieu, car, par l'envoi des saints prédicateurs, tous les cœurs qui somnolaient dans une sécurité mortelle prirent peur sous l'impulsion d'une crainte salutaire. Sous le nom de cheval, c'est donc le saint prédicateur qui est désigné ici, quand il est dit au bienheureux Job : *Donneras-tu de la force au cheval ou environneras-tu son cou de hennissements ?*

La voix de la prédication   **44.** Mais pourquoi le Seigneur dit-il d'abord qu'il donne de la force à ce cheval et ensuite qu'il environne son cou de hennissements ? Sinon parce que le hennissement signifie la voix de la prédication. Tout vrai prédicateur, en effet, reçoit d'abord la force et ensuite le hennissement, car c'est après avoir éteint les vices en lui-même qu'il en vient alors à faire entendre sa prédication pour l'instruction des autres. Ce cheval a de la force, parce qu'il supporte avec constance les adversités. Il a le hennissement, parce qu'il invite avec charme aux biens célestes. Il est affirmé que le Seigneur donne à ce cheval et la force et le hennissement, parce que si la vie et la parole ne concordent pas chez son prédicateur, jamais on ne verra en lui une perfection achevée. En effet, cela ne sert pas à grand-chose qu'il soit soutenu par l'opération d'une vie sublime, s'il n'est pas capable, par sa parole, d'éveiller chez les autres ses propres sentiments. Ou, que lui sert d'enflammer les autres par de bonnes paroles, s'il se montre lui-même engourdi par une vie mauvaise ? Il est donc nécessaire que ces deux conditions se rencontrent chez un prédicateur pour qu'il soit parfait ; aussi le Seigneur accorde-t-il à son cheval et le hennissement de la parole avec le courage de l'action, et le courage de l'action avec le hennissement de la parole. Il faut remarquer de plus pour quelle raison il est dit que le hennissement, qui vient certes du dedans par la gorge, environne le cou du cheval, c'est-à-dire est entraîné au dehors comme pour en faire le tour. C'est que la voix de la prédication

uidelicet praedicationis uox de internis emanat, sed extra circumdat. Nam quo alios ad bene uiuendum suscitat, eo ad bene agendum et opera praedicantis ligat, ne extra sermonem actio transeat, ne uoci uita contradicat. Collo ergo equi hin-
25 nitus circumducitur, quia ne ad peruersa opera prodeat, suis uocibus etiam uita praedicantis obsidetur. Hinc est enim quod potenter dimicantibus in munere torques datur, ut quia signa uirtutum gestant, maiora semper exerceant, et debilitatis crimen incurrere metuant, dum in semetipsis iam
30 fortitudinis est praemium, quod ostentant. Vnde et recte in laude sapientiae auditori cuilibet per Salomonem dicitur : *Coronam gratiarum accipies capiti tuo, et torquem auream collo tuo*[a]. Sequitur :

39, 20   XXV, **45.** ***Numquid suscitabis eum quasi locustas ?***
Locustarum nomine aliquando iudaeorum populus, ali-quando conuersa gentilitas, aliquando adulantium lingua, aliquando uero per comparationem resurrectio dominica,
5 uel praedicatorum uita signatur.

Quia enim Iudaeorum populum locustae exprimant, uita Ioannis signat, de quo scriptum est : *Locustas et mel siluestre edebat*[a]. Ioannes quippe eum quem prophetiae auctoritate pronuntiat, etiam specie ciborum clamat. In semetipso enim
10 designauit Dominum, quem praeuenit. Qui nimirum in redemptionem nostram ueniens, quia infructuosae gentili-tatis dulcedinem sumpsit, mel siluestre edidit. Quia uero Iudaeorum plebem in suo corpore ex parte conuertit, in cibo locustas accepit. Ipsos namque locustae significant subitos
15 saltus dantes, sed protinus ad terram cadentes. Saltus enim dabant cum praecepta Domini se implere promitterent, sed citius ad terram cadebant, cum per praua opera haec se audisse

44. a. Pr 1, 9
45. a. Mc 1, 6

vient du dedans, mais rayonne à l'extérieur. L'effort du prédicateur pour exciter les autres à bien vivre l'oblige, lui aussi, à bien agir, afin que ses actions ne contrastent pas avec son discours, et que sa vie ne contredise pas ses paroles. De même donc que le cou du cheval est environné de hennissements, les paroles du prédicateur assiègent en quelque sorte sa vie, afin qu'elle ne s'égare pas en de mauvaises actions. Voilà en effet pourquoi l'on donne en récompense un collier à ceux qui ont vaillamment combattu : ainsi, portant les insignes de leurs exploits, ils poursuivent toujours de plus grandes luttes et ils craignent d'encourir le reproche de faiblesse, alors qu'ils arborent déjà sur eux la récompense de leur courage. C'est pourquoi, à la louange de la sagesse, Salomon dit fort bien à qui veut l'entendre : *Tu recevras une couronne de grâce sur ta tête et un collier d'or autour de ton cou*[a]. Et le texte poursuit :

Sens divers des sauterelles — XXV, **45.** *Le feras-tu bondir comme les sauterelles ?* On désigne sous le nom de sauterelles parfois le peuple juif, parfois la Gentilité convertie, parfois la langue des flatteurs et quelquefois aussi, par analogie, la Résurrection du Seigneur ou la vie des prédicateurs.

39, 20

Les sauterelles figurent le peuple juif, comme le montre la vie de Jean, dont il est écrit : *Il mangeait des sauterelles et du miel sauvage*[a]. Jean, à la vérité, proclame même par son genre de nourriture celui qu'il annonce par l'autorité de sa prophétie. Il a fait voir en sa personne le Seigneur dont il fut le précurseur. Venu pour notre rédemption, le Seigneur a mangé du miel sauvage, parce qu'il a assumé la douceur de l'infructueuse Gentilité. Mais, puisqu'il a converti en son corps une partie du peuple juif, il s'est nourri de sauterelles. En effet, les sauterelles, qui font des sauts brusques, mais retombent aussitôt à terre, représentent bien les juifs. Ils faisaient des sauts quand ils promettaient d'accomplir les préceptes du Seigneur, mais ils retombaient aussitôt à terre

denegarent. Videamus in eis quasi quemdam locustarum
saltum : *Omnia uerba quae locutus est Dominus, et faciemus*
20 *et audiemus*[b]. Videamus autem quomodo citius ad terram
ruunt : *Vtinam mortui essemus in Aegypto, et non in hac uasta
solitudine. Vtinam pereamus, et non inducat nos Dominus in
terram istam*[c]. Locustae ergo erant, quia habebant saltum
per uocem, et casum per actionem.

46. Locustarum quoque nomine gentilitas designatur,
Salomone attestante, qui ait : *Florebit amygdalus, impingua-
bitur locusta, dissipabitur capparis*[a]. Amygdalus quippe florem
prius cunctis arboribus ostendit. Et quid in flore amygdali
5 nisi sanctae Ecclesiae primordia designantur ? Quae in praedicatoribus suis primitiuos uirtutum flores aperuit, et ad
inferenda poma bonorum operum, uenturos sanctos, quasi
arbusta sequentia praeuenit. In qua mox locusta impinguata
est, quia sicca gentilitatis sterilitas pinguedine est gratiae
10 caelestis infusa. Capparis dissipatur, quia cum gratiam fidei
uocata gentilitas attigit, Iudaea, in sua sterilitate remanens,
bene uiuendi ordinem amisit. Hinc rursum per eumdem
Salomonem dicitur : *Regem locusta non habet, et egreditur
uniuersa per turmas*[b] ; quia uidelicet derelicta gentilitas
15 aliena dudum a diuino regimine exstitit, sed tamen ordinata
postmodum contra aduersantes spiritus ad fidei bellum
processit.

47. Locustae uocabulo lingua adulantis exprimitur ; quod
exhibitae caelitus Aegypti plagae testantur, quae exigentibus
meritis corporaliter semel illatae sunt ; sed quae mala prauas

45. b. Ex 24, 3   c. Nb 14, 3
46. a. Qo 12, 5   b. Pr 30, 27

quand, par leurs œuvres mauvaises, ils niaient les avoir entendus. Voyons comme un bond de sauterelle dans cette promesse : *Nous accomplirons et nous écouterons toutes les paroles que le Seigneur a dites* [b]. Voyons ensuite comment ils retombent aussitôt à terre : *Si seulement nous étions morts en Égypte, et non dans cette vaste solitude. Si seulement nous périssions et que le Seigneur ne nous introduise pas dans cette terre-là* [c]. C'étaient donc bien des sauterelles, puisqu'ils sautaient par leurs paroles et retombaient par leur conduite.

46. La Gentilité aussi est parfois désignée sous le nom de sauterelles, comme l'attestent les paroles de Salomon : *L'amandier fleurira, la sauterelle engraissera, le caprier sera détruit* [a]. L'amandier est le premier de tous les arbres à montrer sa fleur. Et que nous indique la fleur de l'amandier, sinon les commencements de la sainte Église ? En ses prédicateurs, celle-ci a ouvert ses premières fleurs de vertus, et produisant les fruits des bonnes œuvres, elle a précédé les saints à venir, tels des arbres qui viendraient ensuite. En elle, la sauterelle s'est bientôt engraissée, lorsque la sécheresse et la stérilité de la Gentilité ont été arrosées par l'onction de la grâce céleste. Le caprier est détruit, car la Gentilité, appelée, est parvenue à la grâce de la foi, tandis que la Judée, demeurant dans sa stérilité, a perdu les principes d'une vie conforme au bien. Aussi est-il dit encore par ce même Salomon : *Les sauterelles n'ont pas de roi et elles sortent toutes par bandes* [b], car la Gentilité, laissée à elle-même, est demeurée longtemps, il est vrai, à l'écart du gouvernement de Dieu, mais ensuite, rangée en ordre de bataille, elle s'est élancée pourtant dans le combat pour la foi contre les esprits ennemis.

47. Le terme de sauterelle désigne la langue du flatteur, comme l'attestent les plaies d'Égypte, qui ont été envoyées du ciel une première fois de manière corporelle comme châtiment mérité, mais ont depuis signifié au sens spirituel

mentes cotidie feriant, spiritaliter signauerunt. Scriptum
namque est : *Ventus urens leuauit locustas, quae ascenderunt*
super uniuersam terram Aegypti, operueruntque uniuersam
faciem terrae, uastantes omnia. Deuorata est igitur herba
terrae, et quicquid pomorum in arboribus fuit[a]. Eis enim
Aegyptus plagis affecta est, in quibus exteriore percussione commota, dolensque, perpenderet quae deuastationis
damna interius neglegens toleraret ; ut dum foras perire
minima, sed amplius dilecta cerneret, per eorum speciem
et quae intus pertulerat grauiora sentiret. Quid autem per
significationem locustae portendunt, quae plus quam cetera
minuta quaeque animantia humanis frugibus nocent ; nisi
linguas adulantium, quae terrenorum hominum mentes,
si quando bona aliqua proferre conspiciunt, haec immoderatius laudando corrumpunt ? Fructus quippe Aegyptio-
rum est operatio cenodoxorum, quam locustae exterminant,
dum adulantes linguae ad appetendas laudes transitorias
cor operantis inclinant. Herbam uero locustae comedunt,
quando adulatores quique uerba loquentium fauoribus ex-
tollunt. Poma quoque arborum deuorant, quando uanis
laudibus quorundam iam quasi fortium et opera eneruant.

48. Locustae nomine per comparationem Redemptoris
nostri resurrectio designatur. Vnde et uoce eius per prophetam dicitur : *Excussus sum sicut locusta*[a]. Teneri enim se a
persecutoribus usque ad mortem pertulit, sed sicut locusta
excussus est, quia ab eorum manibus saltu subitae resurrectionis euolauit.

47. a. Ex 10, 13-15
48. a. Ps 108, 23

les maux qui frappent tous les jours les esprits dépravés. Il est écrit en effet : *Le vent brûlant souleva des sauterelles qui montèrent sur toute la terre d'Égypte, elles couvrirent la face entière de la terre, ravageant tout : l'herbe de la terre fut dévorée, ainsi que tous les fruits qui étaient sur les arbres*[a]. L'Égypte fut donc frappée de ces plaies afin qu'ébranlée par ce fléau extérieur, elle mesurât avec douleur l'importance des ravages intérieurs qu'elle supportait sans y prendre garde ; et que, voyant périr au dehors les plus infimes des biens, aimés cependant davantage, elle prît conscience, à la vue de leur perte, des dommages plus graves qu'elle avait subis au dedans d'elle-même. Or, que signifient les sauterelles, qui nuisent aux fruits du travail de l'homme plus que toutes les autres bestioles, sinon la langue des flatteurs qui corrompent par leurs louanges immodérées les âmes des hommes terrestres, s'ils les voient produire parfois quelque œuvre bonne ? Le fruit des Égyptiens, en effet, représente l'œuvre des personnes avides de vaine gloire, œuvre que détruisent les sauterelles, c'est-à-dire les langues des flatteurs, en inclinant vers le désir des louanges passagères le cœur de ceux qui agissent. Les sauterelles mangent l'herbe, quand les flatteurs exaltent par leurs applaudissements les discours des orateurs. Elles dévorent aussi les fruits des arbres, lorsqu'en couvrant de vains éloges des gens quelconques comme s'ils étaient déjà estimables, ils ôtent tout ressort à leurs actions.

48. Sous le nom de sauterelle est désignée par analogie la Résurrection de notre Rédempteur. C'est pourquoi le prophète, parlant en son nom, dit : *J'ai bondi comme la sauterelle*[a]. En effet, il a supporté jusqu'à la mort d'être captif de ses persécuteurs, mais il a bondi comme une sauterelle quand, échappant à leurs mains, il s'est envolé par le brusque saut de sa Résurrection.

49. Quod referri quoque ad praedicatorum numerum potest. In ipsis quippe uelut locusta excussus est, quia Iudaea
in sua persecutione saeuiente, dum per diuersa fugiunt,
quasi quosdam recessionis suae saltus dederunt. Quia uero
5 ille praedicator ad perfectionis culmen erigitur, qui non
actiua solummodo, sed etiam contemplatiua uita solidatur ;
recte ipsa praedicatorum perfectio locustis exprimitur,
quae quotiens se in aere attollere conantur, primum se cru-
ribus impellentes subleuant, et postmodum alis uolant. Ita
10 nimirum sunt sancti uiri, qui dum superna appetunt, primum quidem actiuae uitae bonis operibus innituntur ; et
tunc demum se ad sublimia per contemplationis saltum uolando suspendunt. Crura figunt et alas exserunt, quia recta
agendo se stabiliunt, et ad alta uiuendo subleuantur. Qui in
15 hac uita positi, diu in diuina contemplatione manere non
possunt, sed, quasi locustarum more, a saltu quem dederant
in pedibus suis se excipiunt, dum post contemplationum
sublimia ad necessaria actiuae uitae opera reuertuntur, nec
tamen in eadem uita actiua remanere contenti sunt. Sed dum
20 ad contemplationem desideranter exsiliunt, quasi rursus aera
uolantes petunt ; uitamque suam uelut locustae ascendentes
descendentesque peragunt, dum sine cessatione semper et
summa uidere ambiunt, et ad semetipsos naturae corruptibilis
pondere reuoluuntur.

**Les sauterelles,
figure des
prédicateurs**

49. Cela peut être appliqué aussi à bon nombre de prédicateurs. En eux, il a bondi comme la sauterelle : en effet, tandis que sévissait la persécution en Judée, fuyant en divers lieux, ils ont fait comme des sauts pour s'écarter. Et, puisque le prédicateur qui s'élève aux sommets de la perfection est celui qui s'affermit non seulement dans la vie active, mais aussi dans la vie contemplative, la perfection des prédicateurs est fort bien exprimée par les sauterelles qui, chaque fois qu'elles s'efforcent de s'élever en l'air, prennent d'abord leur appui sur leurs jambes afin de se soulever, puis volent en se servant de leurs ailes. Il en est assurément de même pour les saints : lorsqu'ils aspirent aux biens du ciel, ils prennent d'abord appui sur les bonnes œuvres de la vie active, et alors seulement ils se suspendent dans leur vol vers les réalités sublimes par le saut de la contemplation. Ils se campent sur leurs jambes et déploient leurs ailes, parce qu'en agissant avec rectitude, ils ont un ferme équilibre et, en vivant, ils se soulèvent vers les biens d'en haut. Cependant, tant qu'ils sont en cette vie, ils ne peuvent demeurer longtemps dans la contemplation des réalités divines ; aussi, à la manière des sauterelles, après le saut qu'ils ont fait, ils retombent sur leurs pieds. Autrement dit, après les sublimités de la contemplation, ils retournent aux exigences de la vie active. Et cependant ils ne trouvent pas satisfaction à demeurer en cette vie active. Mais, quand ils bondissent de nouveau avec toute l'ardeur de leur désir vers la contemplation, ils cherchent pour ainsi dire à remonter dans les airs en volant ; comme les sauterelles, ils passent leur vie à monter et à descendre, car ils aspirent sans cesse à voir les réalités supérieures, et toujours ils retombent sur eux-mêmes à cause de la pesanteur de leur nature corruptible.

50. Est adhuc aliud quod locustae simile sanctis praedicatoribus gerunt. Matutinis namque horis, id est teporis
tempore uix a terra se subleuant ; cum uero aestus exarserit,
tanto altius, quanto alacrius uolant. Sanctus autem quisque
5 praedicator cum quieta fidei tempora conspicit, humilis
ac despectus aspicitur, et locustae more quasi uix a terra
subleuatur. Si autem persecutionis ardor incandeat, corde
caelestibus inhaerens, mox quantae sit sublimitatis ostendit,
et pulsatus alis in altum rapitur, qui quietus in imis torpuisse
10 credebatur. De hoc ergo equo, id est praedicatore suo, beato
Iob Dominus dicat : *Numquid suscitabis eum quasi locustas ?*
Subaudis ut ego, qui eo illum ad altiora excitando subleuo,
quo grauiore persecutionis aestu excruciari permitto, ut tunc
in illo robustior uirtus euigilet, cum se ei ardentior infidelium
15 crudelitas illidet.

Sed cum multa exterius sanctus praedicator patitur, cum
dira persequentium uexatione cruciatur, quis intueri ualet
quid est quod intus conspicit, qui tot sua exterius damna non
sentit ? Nisi enim essent mira quae salubriter intus pasce-
20 rent, ea procul dubio quae admouentur exterius usque ad cor
tormenta peruenirent. Sed in arce spei se animus subleuat et
idcirco obiectae obsidionis iacula minime formidat.

Vnde et hoc loco Dominus, ut ostendat equus iste quam
suauia iam de internis odoretur, cum tot aduersa in exterio-
25 ribus patitur, recte subiungit :

50. Les sauterelles ont encore une autre ressemblance avec les saints prédicateurs : aux heures matinales, c'est-à-dire quand la température est fraîche, elles ont peine à s'élever de terre, mais grâce à la montée de la chaleur, elles deviennent de plus en plus alertes et volent d'autant plus haut. Ainsi le saint prédicateur apparait sous des dehors humbles et méprisables quand il connait des jours de paix pour la foi et, comme la sauterelle, ils semble s'élever à peine de terre. Mais si une violente persécution s'embrase, alors, le cœur attaché aux réalités célestes, il fait bientôt connaître quelle est sa sublimité et, battant des ailes, il s'élève rapidement dans les hauteurs, lui qui, en temps de paix, semblait engourdi dans les choses d'ici-bas. Le Seigneur dit donc au bienheureux Job au sujet de ce cheval, son prédicateur : *Le feras-tu bondir comme les sauterelles ?* Il faut sous-entendre : comme je le fais. Je l'excite et le soulève d'autant plus haut que je permets qu'il soit tourmenté par le feu d'une plus pénible persécution ; ainsi sa vertu est d'autant plus stimulée que la cruauté des infidèles sévit contre lui avec plus d'ardeur.

Mais quand le saint prédicateur endure de nombreux maux extérieurs, quand il est tourmenté par les cruelles vexations de ses persécuteurs, qui peut discerner l'objet de sa contemplation intérieure, lui qui n'est pas affecté par tant d'afflictions extérieures ? Si ce qui le nourrit intérieurement avec efficacité n'était merveilleux, sans aucun doute ces tourments qui lui adviennent de l'extérieur pénétreraient jusqu'au fond de son cœur. Mais l'esprit s'élève dans la citadelle de l'espérance, aussi ne craint-il nullement les traits lancés contre lui par ses assiégeants.

C'est pourquoi, en ce passage, le Seigneur, voulant montrer la grande suavité des parfums intérieurs que respire ce cheval, alors qu'il subit tant d'adversités extérieures, poursuit fort justement :

XXVI, **51.** *Gloria narium eius terror.* In scriptura sacra uocabulo narium aliquando fatuitas, aliquando antiqui
hostis instigatio, aliquando uero praescientia solet intellegi.
Naribus namque fatuitas designatur, sicut iam superius
5 Salomone attestante docuimus qui ait : *Circulus aureus in*
*naribus suis mulier pulchra et fatua*ᵃ. Narium nomine exha-
lantes insidiae atque instigatio antiqui hostis accipitur, quod
in hoc eodem libro de illo Dominus attestatur, dicens :
*De naribus eius procedit fumus*ᵇ. Ac si dicat : De peruersa
10 instigatione illius in humanis cordibus caligo nequissimae
cogitationis surgit, per quam uidentium oculi tenebrescunt.
Naribus quoque praescientia designatur, sicut per prophetam
dicitur : *Quiescite ab homine, cuius spiritus est in naribus*
*eius, quia excelsus reputatus est ipse*ᶜ. Saepe enim id quod
15 non uidemus odore comprehendimus, ita ut nonnullae res
etiam cum longe iaceant fragrantia nobis suae qualitatis in-
notescant, dumque per nares spiritum ducimus, plerumque
aliqua et inuisa praescimus. Redemptoris ergo nostri spiritus
esse in eius naribus dicitur, ut uidelicet scientia illius esse
20 in praescientia designetur, quia quaecumque se scire in
natura humanitatis innotuit, haec nimirum ante saecula ex
diuinitate praesciuit. Quia unde spiritum in naribus habuerit,
mox propheta subiungit, dicens : *Quia excelsus reputatus est*
*ipse*ᵈ. Ac si diceret : In inferioribus uentura desuper praescit,
25 quia ad ima de caelestibus uenit. Sancti etiam uiri, quia ab
illo audita crediderunt, ipsi quoque iam uentura praesciunt ;
dumque eius fideliter praeceptis inseruiunt, aduentum illius
spe certa praestolantur. Vnde et hoc loco equi huius naribus,
praedicatoris sancti praescientia ac praestolatio designatur.
30 Dum enim uenire extremum iudicium, ostendi caelestem

---

51. a. Pr 11, 22   b. Jb 41, 11   c. Is 2, 22   d. Is 2, 22

Sens divers des narines

XXVI, **51.** *La terreur est la gloire de* **39, 20**
ses narines. Il est habituel dans l'Écriture
sainte de désigner par le terme de narines
parfois la sottise, parfois les instigations de l'antique ennemi,
parfois aussi la prescience. Les narines indiquent, en effet, la
sottise, comme nous l'avons déjà enseigné plus haut, selon
ce qu'attestent ces paroles de Salomon : *Un anneau d'or aux
narines, telle est la femme belle et sotte* [a]. Par le terme de narines,
on entend encore les exhalaisons et les suggestions traîtresses
de l'antique ennemi, comme l'atteste à son sujet le Seigneur
dans ce même livre : *De ses narines sort une fumée* [b]. Autrement
dit : Ses instigations perverses font surgir dans le cœur humain
le brouillard d'une pensée très vile, obscurcissant les yeux de
ceux qui regardent. Enfin, les narines signifient la prescience,
ainsi que le dit le prophète : *Laissez en repos l'homme dont le
souffle est en ses narines, car il a été estimé élevé* [c]. Souvent nous
identifions par l'odeur ce que nous ne voyons pas, si bien
qu'il y a des objets même éloignés qui nous font connaître
ce qu'ils sont par leur parfum : ainsi, en aspirant l'air par les
narines, nous connaissons le plus souvent à l'avance même
ce qui n'est pas à portée de vue. Il est donc dit que le souffle
(*spiritus*) de notre Rédempteur est en ses narines, c'est-à-dire
que sa science est contenue dans sa prescience, car tout ce
qu'il a révélé connaître en sa nature humaine, il l'avait connu
par avance avant tous les siècles du fait de sa divinité. D'où
a-t-il tiré ce souffle dans ses narines ? Le prophète l'indique
ensuite lorsqu'il ajoute : *Car il a été estimé élevé* [d]. Comme s'il
disait : Ce qui doit arriver ici-bas, il le connaît d'en haut par
avance, car des régions célestes il est venu ici-bas. De plus, les
saints qui ont cru ce qu'ils ont entendu de lui, connaissent,
eux aussi déjà, l'avenir ; et tandis qu'ils observent fidèlement
ses préceptes, ils attendent avec une espérance certaine son
avènement. C'est pourquoi les naseaux du cheval désignent
dans ce passage la prescience et l'attente du saint prédicateur.
Car lorsqu'il désire que vienne le Jugement dernier, que soit

patriam, persolui iustis praemia appetit, quasi per nares
spiritum de futuris trahit.

52. Sed *gloria narium eius terror est,* quia uisionem districti
iudicis, quam iustus uehementer exspectat, iniustus uenire
formidat. Iste namque labores suos considerans, mercedem
retributionis quaerit ; et causae suae meritum sciens, prae-
5 sentiam iudicis expetit, eumque ut ueniat in flamma ignis,
dans uindictam impiis[a], et contemplationis suae speciem
in retributionem deferens piis, summo ardore concupiscit.
Ille uero qui iniustitiae suae meminit, uenire in iudicium
perhorrescit, actusque suos examinari metuit, quia damnari
10 se, si examinetur, nouit. *Gloria* ergo *narium eius terror est,*
quia iustus inde gloriatur, unde peccator addicitur. Videamus
equum quomodo de his quae adhuc non uidet iam per nares
spiritum trahit ; uideamus quanta gloria attollitur cum iam
uentura praestolatur. Ecce labores suos intuens praedicator
15 egregius dicit : *Ego iam delibor et tempus meae resolutionis
instat. Bonum certamen certaui, cursum consummaui, fidem
seruaui. De reliquo reposita est mihi corona iustitiae quam
reddet mihi Dominus in illa die iustus iudex*[b]. Vbi et apte
subiungit : *Non solum autem mihi, sed et his qui diligunt
20 aduentum eius*[c]. Ac si dicat : Sed et omnibus qui sibi de bona
operatione sunt conscii. Aduentum enim iudicis non diligunt,
nisi qui in causa sua habere se iustitiae meritum sciunt. Quia
igitur unde gloriatur iustus, inde terretur iniustus, dicatur
recte : *Gloria narium eius terror.* Sed sanctus iste praedi-
25 cator, dum uenturam gloriam praestolatur, dum uenire ante

52. a. cf. 2 Th 1, 8   b. 2 Tm 4, 6-8   c. 2 Tm 4, 8

1. Périphrase habituelle chez Grégoire pour désigner l'apôtre Paul.

montrée la patrie céleste et que soient accordées aux justes leurs récompenses, il aspire comme par ses narines le souffle quant à l'avenir.

Le juste glorifié, le pécheur condamné   **52.** Mais *la terreur est la gloire de ses narines*, car la vue du Juge sévère que le juste désire passionnément, l'injuste en appréhende la venue. En effet, le premier, considérant ses travaux, demande sa récompense ; et connaissant la valeur de sa cause, il souhaite la présence de son Juge : il brûle en effet d'un ardent désir de le voir venir dans un feu flamboyant se venger des impies[a] et récompenser les fidèles en leur offrant de pouvoir le contempler. Mais, au contraire, le second, qui se souvient de son iniquité, frémit d'horreur à la pensée de passer en jugement : il craint que ses actes ne soient examinés, sachant qu'il sera condamné à la suite de cet examen. Donc *la terreur est la gloire de ses narines*, puisque là où le juste se glorifie, le pécheur est condamné. Voyons comment le cheval aspire déjà par ses naseaux le souffle (*spiritus*) des objets qu'il ne voit pas encore, et voyons quelle grande gloire l'exalte, tandis qu'il est dans l'attente des biens déjà à venir. Considérant ses travaux, voici que l'insigne prédicateur[1] dit : *Pour moi, je suis déjà répandu en libation et le temps de mon départ approche. J'ai combattu le bon combat, j'ai achevé ma course, j'ai gardé la foi. Il reste que m'est préparée la couronne de justice que le Seigneur me donnera au jour de son juste jugement*[b]. Puis il ajoute avec raison : *Non seulement à moi, mais aussi à ceux qui aiment son avènement*[c]. Comme s'il disait : à tous ceux aussi dont la conscience rend témoignage de leurs bonnes œuvres. L'avènement du Juge, en effet, ne peut être aimé que par ceux qui, dans leur cause, sont assurés d'avoir le mérite de leur justice. Car là où le juste se glorifie, l'injuste est rempli de terreur ; c'est pourquoi il est dit à propos : *La terreur est la gloire de ses narines*. Mais tandis que le saint prédicateur attend la gloire future, qu'il est pressé de

faciem iudicis nititur, dumque a laboris sui adhuc mercede differtur, in hac uita interim positus quid agat audiamus. Sequitur :

39, 21   XXVII, **53.** *Terram ungula fodit.* Solet in equi ungula laboris fortitudo cognosci. Quid ergo per ungulam nisi in praedicatore sancto uirtutum perfectio demonstratur ? Quia uidelicet ungula terram fodit, dum de corde audientium
5 exemplo suorum operum terrenas cogitationes eicit. Vngula terram fodit, quia auditorum corda a saecularibus curis euacuat, cum doctor bonus contemni saeculum opere ostentat. Videamus Paulum terram cordis audientium qua ostensae uirtutis ungula fodiat. Ipse namque discipulis dicit : *Haec*
10 *cogitate, quae et didicistis et accepistis et audistis et uidistis in me ; haec agite, et Deus pacis erit uobiscum*[a]. Et rursum : *Imitatores mei estote, fratres, sicut et ego Christi*[b]. Qui igitur exemplo sui operis alios corrigit, nimirum ungula terram fodit. Habemus aliud quod adhuc subtilius de huius ungulae
15 effossione tractemus.

Sancti enim uiri quamuis intento mentis oculo in supernis euigilent, quamuis cuncta quae in ima praeterfluunt pede rigidi contemptus calcent, ex corruptione tamen terrenae carnis, cui adhuc illigati sunt, plerumque cogitationum pul-
20 uerem in corde patiuntur. Cumque foras aliis ad appetenda caelestia persuadent, semetipsos semper intrinsecus subtili inquisitione discutiunt, ne qua immorante in se diu infima cogitatione polluantur. Equus ergo iste ungula terram fodit cum praedicator quisque inquisitione forti terrenas in se
25 cogitationes discutit. Equus ungula terram fodit quando is

53. a. Ph 4, 8-9   b. 1 Co 4, 16 ; 11, 1

se présenter devant son Juge et que la récompense due à son labeur est encore différée, écoutons ce qu'il fait entre temps dans la vie présente. Le texte poursuit :

Perfection des vertus

XXVII, **53.** *Il creuse du sabot la terre.*   39, 21
On connaît d'ordinaire dans le sabot du cheval quelle est sa résistance à l'effort. Qu'est-il donc signifié par le sabot, sinon la perfection des vertus chez le saint prédicateur ? Il creuse du sabot la terre assurément lorsque par l'exemple de ses actions il chasse du cœur des auditeurs les pensées terrestres ; il creuse du sabot la terre, c'est-à-dire qu'il purge le cœur des auditeurs des soucis de ce monde, lorsqu'en bon maître il montre par sa conduite qu'il méprise le siècle. Considérons Paul qui, par l'exemple de sa vertu, creuse comme du sabot la terre, c'est-à-dire le cœur des auditeurs. En effet, il dit lui-même à ses disciples : *Pensez à ce que vous avez appris, reçu et entendu de moi, à ce que vous avez vu en moi. Pratiquez-le. Alors le Dieu de la paix sera avec vous*[a]. Et encore : *Soyez mes imitateurs, frères, comme je le suis moi-même du Christ*[b]. Certes, il creuse du sabot la terre, lui qui corrige les autres par l'exemple de sa conduite. Mais nous pouvons expliquer d'une manière plus subtile encore cette action de creuser avec le sabot.

Les saints, bien qu'ils veillent avec l'œil de leur esprit dirigé vers les biens d'en haut, bien qu'ils foulent d'un pied ferme, par leur mépris, toutes les réalités fluctuantes d'ici-bas, cependant, à cause de la corruption de la chair mortelle à laquelle ils sont encore liés durant cette vie, ont souvent à supporter une poussière de pensées dans leur cœur. Tout en persuadant au dehors les autres de désirer les biens célestes, ils ne cessent de se scruter eux-mêmes au dedans par un examen scrupuleux, de peur d'être souillés par quelque basse pensée qui s'attarderait encore en eux. Ce cheval creuse donc du sabot la terre, lorsque les prédicateurs scrutent par un examen sérieux les pensées terrestres qui sont en eux. Le

cui iam Dominus praesidet quae sibi moles congeritur ex
uetusta cogitatione considerat, seque ab illa flendo euacuare
non cessat. Vnde bene et Isaac apud alienam gentem puteos
fodisse describitur^c. Quo uidelicet exemplo discimus ut in
30 hac peregrinationis aerumna positi, cogitationum nostrarum
profunda penetremus ; et quousque nobis uerae intellegentiae aqua respondeat, nequaquam nostrae inquisitionis
manus ab exhaurienda cordis terra torpescat. Quos tamen
puteos allophyli insidiantes replent^d, quia nimirum im-
35 mundi spiritus cum nos studiose cor fodere conspiciunt,
congestas nobis temptationum cogitationes mergunt. Vnde
semper mens euacuanda est incessanterque fodienda, ne
si indiscussa relinquitur, usque ad tumorem peruersorum
operum, cogitationum super nos terra cumuletur. Hinc ad
40 Ezechielem dicitur : *Fili hominis, fode parietem*^e ; id est, cordis duritiam crebris perscrutationum ictibus rumpe. Hinc
ad Isaiam Dominus dicit : *Ingredere in petram, abscondere*
fossa humo, a facie timoris Domini, et a gloria maiestatis eius^f.
Petram quippe ingredimur, cum torporis nostri duritiam
45 penetramus ; atque a facie timoris Domini fossa humo abs-
condimur, si terrenas cogitationes egerentes ab ira districti
iudicis in humilitate nostrae mentis celamur. Quo enim plus
terra fodiendo proicitur, eo pauimentum semper inferius
demonstratur. Vnde et nos si a nobis studiosius terrenas
50 cogitationes eicimus, quo apud nosmetipsos abscondamur,
humilius inuenimus.

53. c. cf. Gn 26, 14-25   d. cf. Gn 26, 15   e. Ez 8, 8   f. Is 2, 10

cheval creuse du sabot la terre, quand celui dont le Seigneur est désormais le maître considère quelle masse de pensées venant du vieil homme s'amoncelle en lui, et ne cesse de s'en libérer par ses larmes. C'est pourquoi il est dit à juste titre qu'Isaac creusa des puits en pays étranger[c]. Par cet exemple, nous apprenons que, pendant l'épreuve de notre pèlerinage ici-bas, nous avons à pénétrer dans les profondeurs de nos pensées ; et que, jusqu'au moment où jaillira pour nous l'eau de la véritable intelligence, notre recherche, telle une main, ne doit jamais se lasser d'épuiser la terre de notre cœur. Mais les étrangers à l'affût comblent ces puits[d], car, bien sûr, les esprits immondes nous voyant creuser avec soin notre cœur, nous submergent d'une accumulation de pensées tentatrices. Ce qui nous oblige à toujours creuser et vider sans cesse notre âme ; en effet, si l'on néglige de l'examiner, la terre des pensées s'accumule sur nous jusqu'à produire une enflure d'œuvres perverses. C'est pourquoi il est dit à Ézéchiel : *Fils d'homme, perce la muraille*[e], c'est-à-dire brise la dureté de ton cœur sous les coups répétés des examens attentifs. C'est pourquoi le Seigneur dit aussi à Isaïe : *Entre dans le rocher, reste caché dans une fosse creusée dans la terre devant la face redoutable du Seigneur et la gloire de sa majesté*[f]. Nous entrons dans un rocher quand nous perçons la dureté de notre inertie ; nous nous cachons dans une fosse creusée dans la terre devant la face redoutable du Seigneur, lorsqu'écartant les pensées terrestres, nous nous mettons à couvert de la colère du Juge sévère dans l'humilité de notre esprit. En effet, plus on ôte de terre en creusant, toujours plus profond est le sol qu'on met au jour. De même, plus nous rejetons avec ardeur les pensées terrestres de notre cœur, plus nous découvrons avec humilité ce qui nous dissimule à nous-mêmes.

54. Ecce enim quia diuini iudicii dies imminet, quasi ipsa iam timoris eius facies apparet ; tantoque magis necesse est ut unusquisque illum terribilius timeat, quanto iam gloria maiestatis eius appropinquat. Quid ergo agendum est, quo-
5 ue fugiendum ? Quo enim quis latere potest eum qui ubi- que est ? Sed ecce petram ingredi, fossa humo occultari praecipimur, ut uidelicet cordis nostri duritiam dirumpentes, eo iram inuisibilem declinemus, quo ab amore rerum uisi- bilium apud nosmetipsos in corde subtrahimur ; ut cum
10 prauae cogitationis terra eicitur, mens apud semetipsam tanto tutius quanto et humilius abscondatur. Hinc israelitico populo per Moysen a Domino iubetur ut cum egreditur ad requisita naturae, mittat paxillum in balteo, et fossa humo abscondat quae egesta fuerint [a]. Naturae enim corruptibilis
15 pondere grauati, a mentis nostrae utero quaedam cogita- tionum superflua quasi uentris grauamina erumpunt. Sed portare sub balteo paxillum debemus, ut uidelicet ad repre- hendendos nosmetipsos semper accincti, acutum circa nos stimulum compunctionis habeamus, qui incessanter terram
20 mentis nostrae paenitentiae dolore confodiat, et hoc quod a nobis fetidum erumpit abscondat. Ventris quippe egestio fossa humo per paxillum tegitur, cum mentis nostrae super- fluitas subtili redargutione discussa, ante Dei oculos, per compunctionis suae stimulum celatur. Quia igitur sancti uiri
25 quaecumque inutilia cogitant reprehendere ac diiudicare non cessant, de equo suo Dominus dicat : *Terram ungula fodit*, id est quicquid in mente sua terrenum uersari conspicit, hoc nimirum superductae paenitentiae duris percussionibus rumpit. Cum uero se interius districta subtilitate diiudicant,

54. a. cf. Dt 23, 12-13

L'aiguillon de la componction **54.** Voici que le jour du Jugement divin est imminent et que, pour ainsi dire, la face redoutable du Seigneur lui-même paraît déjà ; et chacun doit le redouter avec d'autant plus de crainte que la gloire de sa majesté déjà s'approche davantage. Que faire ? Où fuir ? Où donc peut-on se cacher de celui qui est partout ? Mais voici qu'on nous ordonne d'entrer dans le rocher, de nous cacher dans une fosse creusée dans la terre, c'est-à-dire de briser la dureté de notre cœur et d'éviter la colère invisible pour que, nous détournant de l'amour des biens visibles, nous cherchions refuge en nous-mêmes, dans notre cœur ; ainsi une fois rejetée la terre de notre pensée dépravée, l'âme trouve en elle-même une cachette d'autant plus sûre qu'elle est plus humble. C'est pourquoi le Seigneur, par l'intermédiaire de Moïse, ordonne au peuple d'Israël, lorsqu'il sort pour les besoins de la nature, de mettre un pieu à la ceinture et de cacher dans une fosse creusée dans la terre ses déjections[a]. Car nous sommes alourdis du poids de notre nature corruptible, si bien que du sein de notre esprit sortent les pensées superflues, comme d'un ventre les charges qui l'incommodent. Mais nous devons porter un pieu à la ceinture ; autrement dit, toujours armés pour nous reprendre nous-mêmes, ayons à notre portée l'aiguillon pointu de la componction, pour creuser sans cesse la terre de notre âme par la douleur de la pénitence et recouvrir la matière puante qui sort de nous. Les déjections du ventre sont en effet enfouies et recouvertes par la fosse creusée dans la terre grâce au pieu, lorsque les superfluités décelées dans notre esprit par une fine critique sont cachées aux yeux de Dieu grâce à l'aiguillon de la componction. Parce que les saints ne cessent de reprendre et retrancher toutes leurs pensées inutiles, le Seigneur dit de son cheval : *Il creuse du sabot la terre*, c'est-à-dire que tout ce qu'il voit dans son âme tenir à la terre, il le brise par les coups violents de la pénitence qu'il s'impose. Or, quand ils se jugent intérieurement avec

30 iam nihil est quod exterius pertimescant. Tanto enim minus ad mala praesentia trepidant, quanto semetipsos plenius
bonis uenturis parant. Vnde et subditur :

39, 21   XXVIII, **55. *Exsultat audacter, in occursum pergit
armatis.*** *Exsultat audacter*, quia sic aduersis non frangitur,
sicut nec prosperis eleuatur. Aduersa namque non deiciunt,
quem prospera nulla corrumpunt. Equus itaque iste et fortis
5 et sub freno est. Ne ergo prematur aduersis, habet uim
fortitudinis ; ne eleuetur prosperis, habet pondus desuper
insidentis. Decurrunt quippe tempora, sed idcirco iustum
trahere non ualent, quia leuare non possunt. Illos nimirum
trahunt, quos leuant ; irata deiciunt, quos blanda sustollunt.
10 Vir autem bene Deo subditus scit inter transeuntia stare,
scit inter lapsus decurrentium temporum mentis gressum
figere, scit nec ad subiecta se erigere, nec ad obiecta trepidare.
Plerumque autem quia exerceri se utilius contritionis suae
laboribus nouit, aduersis hilarescit, quae dum constanter pro
15 ueritate patitur, augeri sibi uirtutis meritum laetatur. Hinc
est quod tunc apostolos exsultasse legimus, cum pro Christo
illos contigit flagella tolerasse, sicut scriptum est : *Ibant
gaudentes a conspectu concilii, quoniam digni habiti sunt pro
nomine Iesu contumeliam pati*[a]. Hinc Paulus cum duris in
20 Macedonia fuisset persecutionibus pressus, in eo quod se
afflictum insinuat, etiam iucundatum demonstrat, dicens :
*Nam cum uenissemus Macedoniam, nullam requiem habuit
caro nostra*[b]. Ac si aperte diceret quia spiritus requiem habuit
dum per profectum animae persecutionum supplicia caro

55. a. Ac 5, 41   b. 2 Co 7, 5

une fine perspicacité, il n'est plus rien qu'ils craignent au dehors. En effet, ils tremblent d'autant moins en face des maux
présents qu'ils se préparent plus complètement au bonheur
futur. Aussi le texte poursuit-il :

Le courage spirituel   XXVIII, **55.** *Il bondit avec audace, il*   39, 21
s'élance à la rencontre des hommes armés.

Il bondit avec audace, parce que l'adversité
ne peut le décourager, non plus que la prospérité l'enorgueillir.
L'adversité, en effet, n'abat pas celui qu'aucune prospérité ne
corrompt. Ce cheval est donc à la fois et fort, et soumis au
frein. L'adversité ne peut le renverser, il possède une force
vigoureuse ; la prospérité ne peut l'élever, il a au-dessus de lui
le poids de son cavalier. Les événements se succèdent, mais
ils ne peuvent entraîner le juste dans leur course, parce qu'ils
sont incapables de l'élever. C'est qu'ils entraînent ceux qu'ils
élèvent ; que les contrariétés abattent ceux que les flatteries
élèvent. Mais l'homme bien soumis à Dieu sait rester debout
au milieu de ce qui passe ; il sait diriger fermement la marche
de son esprit au milieu de la course rapide des événements ;
il sait ne pas s'enorgueillir de ce qui dépend de lui et ne pas
trembler devant ce qui lui résiste. Souvent, reconnaissant qu'il
y a plus de profit pour lui à être exercé par les épreuves du
malheur, il jubile dans l'adversité et, souffrant avec constance
pour la vérité, il se réjouit de voir grandir le mérite de sa
vertu. Ainsi nous lisons que les apôtres ont exulté quand il
leur a été donné d'être flagellés pour le Christ, comme il est
dit dans l'Écriture : *Ils sortaient du Conseil pleins de joie de ce
qu'ils avaient été jugés dignes de souffrir des outrages pour le
nom de Jésus*[a]. De même Paul, qui avait été accablé de dures
persécutions en Macédoine, témoigne dans son récit de la joie
qu'il a éprouvée au sein même de son affliction : *En effet,* dit-
il, *lorsque nous sommes arrivés en Macédoine, notre chair n'a
connu aucun repos*[b]. Comme s'il disait clairement que l'esprit
a connu le repos tandis que, pour le profit de l'âme, la chair

25 tolerauit. Contra hunc itaque equum ab aduersariis sanctae
Ecclesiae parantur gladii de dolore poenarum, parantur
arma de patrociniis saecularium potestatum. Solent namque
haeretici potentum mundi defensionibus, quasi quibusdam
armis, se tegere ; solent omnes infideles praedicationem fidei
30 excitatis etiam saeculi potestatibus impugnare. Sed equus
Dei exsultat audacter, et exteriora tormenta non metuit, quia
internam delectationem quaerit ; potestatum mundi iracun-
diam non formidat, quia ipsius quoque uitae praesentis desiderium per mentis excessum calcat. Hinc per Salomonem
35 dicitur : *Non contristabit iustum quicquid ei acciderit*[c]. Hinc
in eo rursum scriptum est : *Iustus quasi leo confidens absque
terrore erit*[d]. In occursum bestiarum idcirco leo non trepidat, quia praeualere se omnibus non ignorat. Vnde iusti
uiri securitas recte leoni comparatur, quia contra se cum
40 quoslibet insurgere conspicit, ad mentis suae confidentiam
redit ; et scit quia cunctos aduersantes superat, quia illum
solum diligit, quem inuitus nullo modo amittat. Quisquis
enim exteriora, quae et nolenti subtrahuntur, appetit sua se
sponte extraneo timori substernit. Infracta autem uirtus est
45 concupiscentiae terrenae contemptus, quia et in alto mens
ponitur, cum a rebus infimis spei suae iudicio subleuatur,
atque a cunctis aduersantibus tanto minus attingitur quanto
in supernis sita tutius munitur.

56. Equus itaque iste non solum contra se uenientes
minime metuit, sed eis etiam in occursum pergit. Vnde bene
hic additur : *In occursum pergit armatis*. Plerumque enim
quieti atque inconcussi relinquimur, si obuiare prauis pro

55. c. Pr 12, 21   d. Pr 28, 1

a supporté les tourments des persécutions. Contre ce cheval, les adversaires de la sainte Église apprêtent donc, pour épées, les souffrances des châtiments et, pour armes, la faveur des puissances séculières. Car les hérétiques ont l'habitude d'utiliser comme armes pour leur défense la protection des grands de ce monde, et c'est également en faisant appel aux puissants de ce monde que les infidèles combattent généralement la prédication de la foi. Mais le cheval de Dieu exulte avec audace et ne craint pas les tourments du dehors, parce qu'il cherche la joie intérieure ; il ne redoute pas les colères des puissants de ce monde, parce que, dans le transport de son esprit, il foule aux pieds le désir de la vie présente elle-même. Ce qui fait dire à Salomon : *Rien ne contristera le juste quoiqu'il lui arrive*[c]. Et, plus loin, il est écrit encore : *Le juste, comme un lion plein de confiance, sera sans crainte*[d]. Le lion ne redoute la rencontre d'aucune bête, car il n'ignore pas qu'il est le plus fort. Aussi l'assurance du juste est-elle à bon droit comparée à celle du lion, car qui que ce soit qui se dresse contre lui, il recourt à la confiance de son cœur : il sait, en effet, qu'il surpasse tous ses ennemis, car il aime celui-là seul qu'à moins de le vouloir, on ne peut perdre d'aucune manière. De fait, quiconque recherche les biens extérieurs, qui nous sont enlevés malgré nous, s'expose volontairement à une crainte venue du dehors. Au contraire, une force invincible naît du mépris des désirs terrestres ; l'âme, en effet, parvient à un état sublime, quand elle s'élève, par le discernement de son espérance, au-dessus des réalités inférieures. Elle est d'autant moins atteinte par tous ceux qui sont ses adversaires qu'établie dans les hauteurs elle est plus sûrement protégée.

56. Or ce cheval est si loin de craindre ceux qui viennent l'attaquer qu'il s'élance même à leur rencontre, c'est pourquoi il est ajouté à propos ici : *Il s'élance à la rencontre des hommes armés*. Le plus souvent, nous sommes laissés tranquilles et en paix, si nous n'avons pas à cœur de résister aux méchants

5 iustitia non curamus. Sed si ad aeternae uitae desiderium
animus exarsit ; si iam uerum lumen intrinsecus respicit ; si
in se flammam sancti feruoris accendit, in quantum locus
admittit, in quantum causa exigit, debemus pro defensione
iustitiae nosmetipsos obicere, et peruersis ad iniusta erum-
10 pentibus, etiam cum ab eis non quaerimur, obuiare. Nam
cum iustitiam, quam nos amamus, in aliis feriunt, nos
nihilominus sua percussione confodiunt, etiam si uenerari
uideantur. Quia ergo uir sanctus prauis ac male agentibus
sese etiam cum non quaeritur opponit, recte de equo Dei
15 dicitur : *In occursum pergit armatis.*

57. Intueri libet illum sessoris sui calcaribus excitatum
contra armatos hostes, quantus Paulum feruor accenderat,
quando eum Ephesi ad irrumpendas theatri turbas zeli
flamma rapiebat. Scriptum quippe est : *Repleti sunt ira,*
5 *et exclamauerunt dicentes : Magna Diana Ephesiorum ; et*
impleta est ciuitas confusione, et impetum fecerunt uno animo
in theatro, rapto Caio et Aristarcho Macedonibus, comitibus
Pauli [a]. Atque mox subditur : *Paulo autem uolente intrare in*
populum non permiserunt discipuli. Quidam autem et de Asiae
10 *principibus, qui erant amici eius, miserunt ad eum, rogantes ne*
se daret in theatrum [b]. In quibus profecto uerbis agnoscimus
quo impetu contra cuneos aduersantes irrueret, nisi eum per
amicos et discipulos caritatis frena tenuissent.

---

57. a. Ac 19, 28-29   b. Ac 19, 30-31

pour la justice. Mais si notre âme s'est enflammée du désir de la vie éternelle, si désormais elle regarde intérieurement la lumière véritable, si elle attise en elle la flamme d'une sainte ferveur, nous devons alors, autant que la situation le permet, autant que la cause l'exige, nous interposer nous-mêmes pour la défense de la justice et nous opposer aux pervers qui se répandent en injustices, quand bien même nous ne serions pas attaqués par eux. Car quand ils blessent chez d'autres la justice que nous aimons, c'est nous en vérité qu'ils transpercent de leurs coups, même si apparemment ils nous témoignent de la vénération. Donc, comme le saint s'oppose aux méchants et à ceux qui font le mal, même s'ils ne s'attaquent pas à lui, il est dit à juste titre de ce cheval de Dieu : *Il s'élance à la rencontre des hommes armés.*

Le cheval, figure de Paul   **57.** On aime à voir, dans ce cheval excité par les éperons de son cavalier contre les ennemis en armes, quelle grande ferveur avait embrasé Paul quand, à Éphèse, un zèle enflammé l'entraînait à affronter les foules du théâtre. Il est écrit en effet : *Ils furent remplis de colère et s'exclamèrent : « Grande est la Diane des Éphésiens ! » Le désordre gagna la ville entière et ils firent irruption tous ensemble dans le théâtre, y entraînèrent Caius et Aristaque, Macédoniens qui avaient accompagné Paul*[a]. Le texte poursuit : *Or, Paul voulait pénétrer au milieu du peuple, mais les disciples l'en empêchèrent. Et même certains Asiarques, qui étaient ses amis, lui envoyèrent des gens pour le prier de ne point se présenter au théâtre*[b]. Nous voyons, par ces paroles, avec quelle impétuosité Paul se serait jeté contre les troupes de ses adversaires, si ne l'avait retenu, grâce à ses amis et à ses disciples, le mors de la charité.

58. Sed si obuiare hostibus, si ultro pugnam petere, si nosmetipsos semper relinquere in cursum nostri feruoris debemus, quid est quod idem praedicator egregius de semet-ipso fatetur, dicens : *Damasci praepositus gentis Arethae regis* 5 *custodiebat ciuitatem Damascenorum, ut me comprehenderet, et per fenestram in sporta demissus sum per murum, et effugi manus eius*[a] ? Quid est quod equus iste modo sponte arma-torum cuneos impetit, et modo se ab armatis hostibus quasi trepidus abscondit ; nisi hoc, quod necesse est ut in 10 eius artificiosa uirtute discamus aduersariorum pugnam et constanter aliquando appetere, et prudenter aliquando decli-nare ? Necesse quippe est ut per omne quod agimus in mentis trutina positum hinc pondus, illinc fructum nostri laboris aestimemus ; et cum pondus fructum superat, laborem 15 quisque innoxie declinet, dummodo se in aliis exerceat, in quibus lucro fructuum pondus laboris uincat. Cum uero sub sequenti quantitate fructuum mensura laboris aut aequatur, aut uincitur, labor non sine graui culpa declinatur. Vnde praedicator sanctus, cum Damasci ualde obstinatas mentes 20 persequentium cerneret, eorum noluit aduersitati confligere, quia et semetipsum, quem profuturum multis nouerat, ui-dit posse deficere, et aut nullis se illic aut paucis prodesse. Secessum ergo a certamine petiit, et pugnaturum felicius ad alia se bella seruauit. Non enim loco uirtus, sed locus uirtuti 25 defuit, et idcirco fortissimus miles ab obsidionis angustia certaminis campum quaesiuit. Vbi autem subiuganda regi proprio multa aduersariorum colla conspexit, subire bellum

58. a. 2 Co 11, 32-33

58. Mais si nous devons affronter nos ennemis, si nous devons de nous-mêmes chercher la bataille, si toujours nous devons nous oublier nous-mêmes dans l'élan de notre ferveur, comment se fait-il que l'insigne prédicateur parle de lui-même comme il suit : *A Damas, le gouverneur du pays établi par le roi Arétas faisait garder la ville des Damascéniens pour m'arrêter et l'on me descendit par une fenêtre dans une corbeille le long de la muraille ; et j'échappai de ses mains*[a] ? Comment se fait-il que ce cheval attaque parfois spontanément les troupes d'hommes en armes et parfois se dérobe à la vue d'ennemis en armes comme s'il tremblait de peur, sinon parce qu'il nous est nécessaire d'apprendre par son courage plein d'habileté tantôt à attaquer l'ennemi avec vaillance, tantôt à l'éviter avec prudence ? Il est, en effet, indispensable, en tout ce que nous faisons, de peser sur la balance de notre esprit d'une part le poids de notre travail, et de l'autre le profit qui en est retiré ; et lorsque le poids du travail dépasse le profit qu'on en peut retirer, on pourra s'en abstenir sans commettre de faute, à condition de poursuivre d'autres travaux dans lesquels le bénéfice que l'on retire de ses profits excède le poids du travail. Mais quand la quantité du travail est égale ou inférieure aux profits qui en découlent, on ne peut s'en dispenser sans grande faute. C'est pourquoi le saint prédicateur, constatant à Damas que les esprits de ses persécuteurs étaient obstinés à l'extrême, ne voulut pas entrer en conflit avec eux. En effet, alors qu'il savait qu'il serait utile à beaucoup, il vit qu'il risquait de les abandonner à leur sort, et qu'il ne rendrait là service à personne ou presque. Il se retira donc de la lutte et se garda pour combattre avec plus de succès dans d'autres batailles. Ce n'est pas le courage qui lui a manqué en cette occasion, mais l'occasion qui a manqué à son courage. Aussi le vaillant guerrier, délaissant l'exiguité d'un espace assiégé, chercha un vaste champ de bataille. Or, dès qu'il s'aperçut qu'il pouvait mettre sous le joug de leur vrai roi le cou de nombreux ennemis, il ne craignit pas,

uel cum morte non timuit ; sicut ipse cum Ierosolymam
pergeret, eumque discipuli, passione illius per prophetiam
30 praescita, prohiberent, sibimetipsi attestatur, dicens : *Ego
enim non solum alligari, sed et mori in Ierusalem paratus
sum pro nomine Domini Iesu*[b]. *Neque enim facio animam
meam pretiosiorem quam me*[c]. Qui igitur hic hostiles cuneos
etiam praescita passione sua imperterritus petiit, illic de dis-
35 pensatione fuisse docuit, non de timore quod fugit.

59. Qua in re pensandum est quia ille labores quosdam
per dispensationis iudicium laudabiliter declinat, qui pro
Deo maiores alios fortiter tolerat. Nam saepe ab hominibus
timor debilis cauta dispensatio uocatur, et quasi prudenter
5 impetum declinasse se asserunt, cum fugientes turpiter in
terga feriuntur. Vnde necesse est ut in causa Dei, cum res
dispensationis agitur, metus cordis subtilissima libratione
pensetur ; ne per infirmitatem timor subrepat, et sese per
dispensationis imaginem rationem fingat, ne culpa se pru-
10 dentiam nominet ; iamque nec ad paenitentiam animus
redeat, quando hoc quod inique perpetrat uirtutem uocat.
Restat igitur ut in dubiis quisque deprehensus, cum quaelibet sibi aduersitas imminet, prius intra semetipsum contra
formidinem et praecipitationem pugnet, quatenus nec formi-
15 dolose se subtrahat, nec praecipitanter opponat. Valde enim
praeceps est qui semper se aduersis obicit, et ualde pauidus
qui semper abscondit.

---

58. b. Ac 21, 13   c. Ac 20, 24

---

1. Paul s'enfuit de Damas : cet épisode des *Actes* (Ac 9, 24-25), évoqué par
Paul lui-même (2 Co 11, 32-33), est commenté pareillement par Grégoire
dans *Dial.* II, 3, 11, où il sert à justifier la démarche de Benoît, qui se retire
dans la solitude après la tentative d'empoisonnement dont il a été l'objet de
la part d'une communauté de mauvais moines. A deux reprises au moins, un

même aux dépens de sa vie, d'entreprendre la guerre ; ainsi l'atteste-t-il aux disciples qui, prévenus de sa passion par une prophétie, voulaient l'empêcher d'aller à Jérusalem : *Pour moi, je suis prêt non seulement à être lié, mais même à mourir à Jérusalem pour le nom du Seigneur Jésus* [b]. *Et ma vie ne m'est pas plus précieuse que moi-même* [c]. Lui que nous voyons ici se lancer avec intrépidité à l'assaut des troupes ennemies, malgré l'annonce de sa passion, prouve donc bien que si, là-bas, il a fui, c'était par sagesse, non par peur [1].

59. En cette circonstance, il faut bien reconnaître que celui qui, par une sage et louable décision, évite certains labeurs, en supporte avec courage pour Dieu d'autres plus grands. La faiblesse de la peur, en effet, est souvent appelée par les hommes sage précaution et ils se vantent d'avoir évité l'assaut des ennemis comme si c'était de la prudence, alors que, fuyant, ils sont frappés honteusement dans le dos. C'est pourquoi il est nécessaire, quand on délibère sur la manière d'agir pour la cause de Dieu, de peser avec une balance très précise la crainte de notre cœur. Ainsi, la peur ne s'y glissera pas par l'intermédiaire de la faiblesse, ni ne se fera passer pour la raison en donnant l'apparence d'une sage conduite, et la faute ne se couvrira pas du nom de prudence ; car l'âme ne saurait plus revenir à la pénitence, quand elle appelle vertu le mal qu'elle commet. Donc, en définitive, tous ceux qui sont saisis par le doute, si quelque adversité les menace, qu'ils combattent d'abord en eux-mêmes à la fois la crainte et la précipitation pour ne pas se retirer craintivement ni s'engager précipitamment. Bien impétueux, en effet, est celui qui se jette toujours au-devant des adversaires, et bien craintif, celui qui se dérobe toujours.

écho verbal (*fructum...laboris* et *certaminis campum quaesiuit*) montre que Grégoire se souvient des *Morales* en écrivant les *Dialogues*.

60. Sed haec melius in bellis spiritalibus discimus, si formam exercitii a corporalibus bellis trahamus. Neque enim ille dux sapiens est, qui contra hostiles cuneos exercitum praeceps admouet ; neque ille dux fortis, qui semper hunc ab
5 hostis facie cauendo subducit. Scire namque dux debet modo ab hostili impetu exercitum caute subtrahere, modo hostem circumfusis cornibus coartare. Quod nimirum sollicite perfecti praedicatores exhibent, cum modo persecutionis rabiem declinantes, nouerunt sapienter sed non eneruiter
10 cedere ; modo autem persecutionis impetum contemnentes, nouerunt ei fortiter, sed non praecipitanter obuiare. Quia autem sanctus uir, cum congruum cernit, ictibus pectus obicit ; et uenientia iacula uel moriens retundit, recte dicitur : *In occursum pergit armatis.* De quo adhuc bene subditur :

39, 22   XXIX, **61.** ***Contemnit pauorem, nec cedit gladio.*** Videamus quomodo pauorem despiciat, qui ipsos aduersariorum gladios enumerans calcat. Ait enim : *Quis nos separabit a caritate Dei ? Tribulatio an angustia, an fames, an persecutio*[a] ?
5 In pauore autem uentura poena metuitur, in gladio uero iam dolor de praesenti percussione sentitur. Quia ergo uir sanctus uentura aduersa non metuit, pauorem despicit ; quia uero nec superueniente percussione uincitur, nequaquam gladiis cedit. Contra hunc itaque equum tot sunt gladii hostium,
10 quot genera persecutionum ; quae cuncta obuians superat, quia amore uitae sese ad interitum parat. Sed quia tam robustissimum pectus quomodo se iaculis opponat audiuimus, nunc quid ab aduersariis agatur audiamus. Sequitur :

61. a. Rm 8, 35

Exemple des **60.** Mais nous saurons mieux com-
guerres terrestres ment mener ces guerres spirituelles si
nous prenons un exemple dans ce qui se
pratique lors des guerres terrestres. Car ce n'est pas le fait d'un
capitaine prudent que de lancer avec précipitation son armée
contre les troupes ennemies ; de même, un vaillant capitaine
ne bat pas toujours en retraite, par précaution, devant l'ennemi. Le chef doit savoir tantôt faire reculer avec prudence ses
troupes devant l'assaut ennemi, tantôt encercler l'ennemi en
déployant les ailes de son armée. Voilà ce qu'imitent avec soin
les prédicateurs parfaits, lorsque, tantôt fuyant la rage de la
persécution, ils savent avec sagesse, mais sans lâcheté, céder
la place, ou tantôt méprisant la violence de la persécution, ils
savent lui résister avec courage, mais sans témérité. Parce que
le saint présente sa poitrine aux coups quand il voit que c'est
nécessaire et que, même mourant, il s'oppose aux traits qui
l'assaillent, il est dit avec raison : *Il s'élance à la rencontre des
hommes armés*. À son sujet, il est ajouté à juste titre :

XXIX, **61.** *Il méprise la crainte et ne cède pas au glaive.*   39, 22
Voyons comment il méprise la crainte, lui qui foule aux pieds
les glaives mêmes de ses adversaires qu'il énumère ainsi : *Qui
nous séparera de la charité du Christ ? Est-ce la tribulation, ou
l'angoisse, ou la faim, ou la persécution*[a] *?* La crainte nous fait
redouter les maux à venir, mais le glaive nous fait éprouver la
douleur d'une blessure actuelle. Ainsi donc, comme le saint
ne craint pas l'adversité à venir, il méprise la peur ; comme les
coups survenant à l'improviste ne triomphent pas non plus
de lui, les glaives ne peuvent le vaincre en aucune manière.
Or, autant de glaives ennemis contre ce cheval, autant de
genres de persécutions. Toutes, il les surmonte de front, car,
par amour de la vie, il se prépare à la mort. Mais après avoir
entendu avec quel immense courage il expose sa poitrine aux
traits de l'adversaire, écoutons maintenant ce que font ses
ennemis. Le texte poursuit :

39, 23　　　XXX, **62. *Super ipsum sonabit pharetra.*** In scriptura
sacra pharetrae nomine aliquando iustum Dei occultumque
consilium, aliquando uero clandestina prauorum machinatio designatur. Per pharetram iustum Dei occultumque
5 consilium exprimitur, sicut idem beatus Iob superiore parte
testatur, dicens : *Pharetram enim suam aperuit et afflixit me*ᵃ.
Id est : occultum suum consilium detexit, et publica me percussione uulnerauit. Sicut enim in pharetra sagittae, sic in
occulto Dei consilio latent sententiae ; et quasi ex pharetra
10 sagitta educitur, quando ex occulto consilio apertam Deus
sententiam iaculatur. Pharetrae quoque nomine prauorum
machinatio designatur, sicut per prophetam dicitur : *Para-
uerunt sagittas suas in pharetra, ut sagittent in obscuro rectos
corde*ᵇ. Iniqui enim cum dolos quos bonis excogitant se-
15 cretis machinationibus occultant, quasi in pharetra sagittas
parant ; et in hac praesentis uitae caligine, uelut in obscuro,
rectos corde feriunt, quia malitiosa eorum iacula et sentiri per
uulnus possunt, et tamen uenientia deprehendi non possunt.
Igitur quia equus Dei nulla aduersitate terretur, eique quo
20 magis obuiatur, eo ui intentionis suae super armatos hostes feruentior ducitur ; persecutores eius, qui se etiam fe-
rientes uinci sentiunt, turbati ad consilium reuertuntur,
dolos praeparant, et uelut ex longinquo mittendo uulnera
occultant. Vnde recte nunc dicitur : *Super ipsum sonabit*
25 *pharetra* ; ut eum ex absconsa machinatione longe feriant,
cui apertis congressionibus inaniter appropinquant. Haec
tunc super equum Dei pharetra sonuerat, cum quadraginta
uiri qui in eius morte coniurauerant educi de carcere Paulum

62. a. Jb 30, 11　　b. Ps 10, 3

**Sens divers
du carquois**

XXX, 62. *Sur lui retentira le bruit du*   39, 23
carquois. Dans la sainte Écriture, sous le
nom de carquois sont désignés parfois le
projet juste et secret de Dieu, parfois les machinations clan-
destines des méchants. Le carquois signifie le projet juste et
secret de Dieu, comme le bienheureux Job l'atteste plus haut :
Car il a ouvert son carquois et il m'a abattu[a]. C'est-à-dire : Il
a découvert le secret de son projet divin et il m'a blessé en
me frappant aux yeux de tous. Comme les flèches dans un
carquois, ainsi les jugements de Dieu sont cachés dans le
secret du projet divin ; et comme on extrait une flèche du
carquois, Dieu émet son jugement publiquement, à partir de
son secret projet. Le mot de carquois désigne aussi les machinations des méchants, comme le dit le prophète : *Ils ont préparé leurs flèches dans le carquois pour percer dans l'obscurité
les hommes au cœur droit*[b]. En effet, quand les impies cachent
en de secrètes machinations les ruses qu'ils trament contre
les bons, ce sont comme des flèches qu'ils apprêtent dans le
carquois ; et dans les ténèbres de la vie présente, c'est-à-dire
dans l'obscurité, ils en percent les hommes au cœur droit.
Leurs traits pleins de malice peuvent être perçus au moment
où ils blessent, et cependant ils ne peuvent être interceptés
lorsqu'ils arrivent. Donc, comme ce cheval de Dieu n'est
effrayé par aucune adversité, plus on l'attaque, plus il se
jette avec impétuosité, sous l'effet de sa détermination, sur
les ennemis en armes ; ses persécuteurs se sentent vaincus,
même quand leurs coups portent ; déconcertés, ils tiennent
à nouveau conseil, lui préparent des embûches et pour ainsi
dire dissimulent leurs coups en les portant de loin. C'est
pourquoi il est dit maintenant : *Sur lui retentira le bruit du
carquois*, c'est-à-dire qu'ils frapperont de loin en une secrète
machination celui qu'ils approchent vainement en terrain
découvert. Le bruit de ce carquois avait retenti sur le cheval
de Dieu, lorsque les quarante hommes qui avaient juré sa
mort cherchaient à tirer Paul de sa prison : ils voulaient du

quaerebant, ut consiliorum suorum ictibus quasi saltim
30 sagittarum dolo interficerent quem congressione persecutionis publicae superare nequaquam possent[c]. Pharetra
ergo sonuit, quia occultae machinationis ad Paulum causa
peruenit.

63. Quamuis si uigilanter quaerimus, adhuc in pharetrae
sonitu aliquid subtilius inuenimus. Saepe enim aduersarii
consilia contra bonos ineunt, prauis inuentionibus innituntur, ad excogitandos dolos se conferunt ; sed tamen qui
5 eosdem dolos prodere bonis debeant, ipsi instituunt, latenter
ipsi transmittunt, ut credulis suppliciorum praeparatio dum
quasi furtiue innotescitur, amplius timeatur, et audientis
animum plus suspecta uulnera quam percepta perturbent.
In pharetra enim sagittae dum latent et sonant mortem
10 etiam non uisae denuntiant. Pharetra ergo contra equum
sonitum reddit, cum contra praedicatorem sanctum occulta
prauorum machinatio consilium suum, quod fraudulenter
operit, fraudulentius innotescit ; ut praemissis minis quasi
ex sonitu pharetrae terreant, cum praedicator Dei apertas
15 contumelias uelut cominus ferientia iacula non formidat.
Cum uero eisdem minis minime terretur, mox persecutorum crudelitas ad supplicia manifesta perducitur.

Vnde bene postquam dictum est : *Super ipsum sonabit
pharetra*, ilico additur :

---

62. c. cf. Ac 23, 12-16

moins faire périr sous les coups de leurs stratagèmes, comme par des flèches secrètes, celui qu'ils ne pouvaient absolument pas dominer dans la lutte d'une persécution ouverte[c]. Le bruit du carquois retentit donc, parce que le projet de ce complot secret parvint jusqu'à Paul.

63. Mais si nous cherchons attentivement, nous trouvons une autre interprétation, plus subtile encore, au bruit du carquois. Souvent, en effet, leurs adversaires forment des desseins hostiles aux hommes bons, ils ont recours à des machinations perverses, ils tiennent des conciliabules pour inventer des ruses. Cependant eux-mêmes forment et envoient secrètement des émissaires qui devront révéler aux hommes bons ces mêmes ruses, en sorte que le crédule, apprenant comme à la dérobée les supplices qu'on lui prépare, en conçoive plus de crainte et que, pour celui qui en entend parler, les blessures qu'il redoute tourmentent plus son esprit que celles qu'il reçoit. Car les flèches, dans le carquois où elles sont cachées et font retentir leur bruit, même invisibles, annoncent la mort. Donc, le carquois émet un son contre le cheval, quand les méchants, après avoir machiné secrètement de fourbes desseins contre le saint prédicateur, mettent le comble à leur fourberie en les lui découvrant ; ils veulent d'abord le terrifier par des menaces, comme par le bruit du carquois, puisque le prédicateur de Dieu ne craint pas les outrages déclarés qui frappent de près comme des javelots. Comme il n'est pas le moins du monde effrayé par ces menaces, la cruauté des persécuteurs en arrive bientôt aux supplices effectifs.

C'est pourquoi, après avoir dit avec raison : *Sur lui retentira le bruit du carquois*, le texte ajoute aussitôt :

39, 23　　　　XXXI, **64.** *Vibrabit hasta.* Contra praedicatorem Dei
post pharetrae sonitum hasta uibratur, quando post terrores exhibitos e uicino iam feriens aperta poena producitur.
Praedicatores autem sancti, cum pro defensione fidei sup-
5　plicia subeunt, ad eamdem fidem, quos ualent, rapere et
inter uerbera non desistunt ; et cum patienter uulnera suscipiunt, prudenter contra corda infidelium sagittas praedicationis reddunt. Vnde nonnumquam agitur ut ipsi qui in
persecutione saeuiunt non tam doleant quod cor praedi-
10　catoris non emolliunt quam quod per eius uerba etiam alios
amittant. Quia igitur eum feriendo non superant, ne fortasse
et alii qui illum audiunt derelinquant, mox contra loquentis
uerba scutum responsionis parant.

　　Vnde cum diceret : *Vibrabit hasta*, recte subiungit :

39, 23　　　　**65.** *Et clipeus.* Persecutor enim saeuiens postquam praedicatoris corpus supplicio percutit, auditorum cor quasi
clipeo uerbis suae disputationis munit. Vir igitur sanctus ut
feriri debeat, hasta uibratur ; sed ne audiri possit, clipeus op-
5　ponitur. Habent namque defensores Dei in proelio sagittas
suas quas eo citius auditorum cordibus iniciunt, quo illas de
spiritali arcu, id est de intima cordis tensione distringunt.
His quippe se in bello fidei Paulus armauerat, cum dicebat :
Laboro usque ad uincula quasi male operans, sed uerbum Dei
10　*non est alligatum* [a]. Ac si diceret : Hasta quidem suppliciorum

　　65. a. 2 Tm 2, 9

**La lance de
la persécution**

XXXI, 64. *La lance sera brandie.* 39, 23
Après le bruit du carquois, la lance est
brandie en direction du prédicateur de
Dieu, quand, après l'effroi entrevu, c'est de près maintenant
que se produit le choc manifeste de la douleur. Mais pendant que les saints prédicateurs endurent des supplices
pour la défense de la foi, ils ne cessent pas, même au milieu
des tourments, de gagner à cette même foi tous ceux qu'ils
peuvent ; et, tout en supportant ces blessures avec patience,
ils retournent avec habileté les flèches de leur prédication en
direction du cœur des infidèles. Aussi arrive-t-il parfois que
ceux-là mêmes qui s'acharnent dans la persécution s'affligent
non pas tant de ne pouvoir fléchir le courage du prédicateur
que de voir d'autres leur échapper aussi à cause de ses paroles.
C'est pourquoi lorsqu'ils ne parviennent pas à le dominer
en le frappant, pour éviter que d'autres en l'entendant ne
désertent, ils apprêtent aussitôt le bouclier de leur réponse
contre les paroles du prédicateur.

Aussi, après avoir dit : *La lance sera brandie*, le texte ajoute-
t-il justement :

**Le bouclier
des paroles**

65. *Et le bouclier.* Car le persécuteur 39, 23
acharné, après le supplice qu'il inflige au
corps du prédicateur, protège le cœur
des auditeurs comme d'un bouclier au moyen des paroles
de son argumentation. Pour frapper le saint homme, la
lance est brandie, mais, pour empêcher qu'on ne l'entende,
un bouclier est interposé. En effet, dans le combat, les
défenseurs de Dieu ont leurs propres flèches ; ils les lancent
d'autant plus rapidement dans le cœur des auditeurs qu'ils
les décochent de leur arc spirituel, c'est-à-dire de leur cœur
intimement tendu. De ces flèches, Paul s'était armé dans le
combat de la foi, lorsqu'il disait : *Je souffre jusqu'à être dans
les chaînes comme un malfaiteur, mais la parole de Dieu n'est
pas enchaînée*[a]. Comme s'il disait : Certes je suis frappé par

ferior, sed tamen uerborum sagittas emittere non desisto. Vul-
nera crudelitatis accipio, sed cor infidelium uera loquendo
transfigo. Dicatur ergo : *Super ipsum sonabit pharetra, uibra-*
bit hasta et clipeus. Contra equum quippe Dei, quia prauorum
15 consilia perstrepunt, pharetra sonat ; quia aperta poena
exquiritur, hasta uibratur ; quia uero ei etiam disputatione
resistitur, clipeus antefertur. Sed numquid a feruore suo per
ista compescitur ? Vir enim sanctus quo maiore persecutione
premitur, eo ad praedicandam ueritatem acrius instigatur ; et
20 cum patienter persecutores tolerat, ardenter ad se auditores
trahere festinat.

Vnde et bene adhuc de equo Dei subditur :

XXXII, **66. *Feruens et fremens sorbet terram, nec re-***
putat tubae sonare clangorem. Primo namque peccanti homini dictum est : *Terra es, et in terram ibis*[a]. Tubae autem
clangunt, cum huius saeculi potestates loqui sanctos terri-
5 biliter prohibent. Quia igitur praedicator zelo sancti Spiritus
inflammatus, uel inter supplicia positus, quoslibet peccatores
ad se trahere non desistit, feruens procul dubio terram sorbet ;
quia uero persecutorum minas minime formidat, clangorem
tubae sonare non reputat. Tuba enim, quae discrimen belli
10 denuntiat, quid est aliud quam uox saecularium potestatum,
quae contempta resistentibus mortis certamen parat ?

66. a. Gn 3, 19

la lance des supplices, mais je ne cesse pas pour autant de tirer les flèches de la parole. Je reçois de cruelles blessures, mais, par la vérité de mes paroles, je transperce le cœur des incroyants. Aussi est-il dit : *Sur lui retentira le bruit du carquois ; la lance sera brandie, et le bouclier.* Contre le cheval de Dieu, lorsque les desseins des méchants font grand bruit, le bruit du carquois retentit ; lorsqu'on réclame ouvertement un châtiment, la lance est brandie ; lorsqu'on lui résiste aussi par l'argumentation, on lui oppose un bouclier. Mais tout ceci peut-il diminuer sa ferveur ? Plus la persécution dont il fait l'objet le presse, plus le saint en éprouve d'ardeur pour prêcher la vérité ; et tandis qu'il supporte avec patience ses persécuteurs, il se hâte ardemment d'attirer à lui ceux qui l'écoutent.

C'est pourquoi, de ce cheval de Dieu, il est encore dit à juste titre :

L'instant décisif du combat   XXXII, 66. *Bouillonnant et frémis-*   39, 24
sant, il hume la terre et ne songe pas que le son de la trompette retentit. Il a été dit au premier homme après son péché : *Tu es terre et tu retourneras en terre*[a]. Le son des trompettes retentit, lorsqu'avec de terribles menaces, les puissances de ce siècle défendent aux saints de prêcher. Et parce que le prédicateur, enflammé du zèle de l'Esprit saint ne cesse, même au milieu des tourments, d'attirer à lui les pécheurs quels qu'ils soient, à n'en pas douter, bouillonnant, il hume la terre ; et, parce qu'il ne craint nullement les menaces des persécuteurs, il ne songe pas que le son de la trompette retentit. Car la trompette qui annonce l'instant décisif du combat, qu'est-ce d'autre ici que le cri des puissances du siècle qui, méprisé, prépare une lutte à mort contre ceux qui résistent ?

67. Haec a principibus sacerdotum tuba sonuerat, cum flagellatos apostolos de Deo loqui prohibebant, sicut scriptum est : *Caesis denuntiauerunt, ne loquerentur in nomine Iesu* [a]. Sed uideamus quomodo equum Dei clangor tubae non terreat. Ait Petrus : *Oboedire oportet Deo magis quam hominibus* [b]. Qui aliis quoque persequentibus dicit : *Non enim possumus quae uidimus et audiuimus, non loqui* [c]. Equus ergo clangorem tubae non metuit, quia praedicator egregius despectis potestatibus saeculi, nullos minarum sonitus pertimescit.

68. Videamus alium equum Dei quomodo terram sorbeat, quomodo nullus eum tubae terror attingat. Scriptum est : *Superuenerunt autem quidam ab Antiochia et Iconio Iudaei, et persuasis turbis, lapidantes Paulum traxerunt extra ciuitatem, aestimantes eum mortuum esse. Circumdantibus autem eum discipulis, surgens intrauit in ciuitatem, et postera die profectus est cum Barnaba in Derben. Cumque euangelizassent ciuitati illi, et docuissent multos, reuersi sunt Lystra et Iconio et Antiochia, confirmantes animas discipulorum* [a]. Perpendamus ergo quae hunc equum possent minae compescere, quando eum ab intentione sua non ualet mors ipsa prohibere. Ecce lapidibus obruitur, nec tamen a ueritatis sermone remouetur. Occidi potest, superari non potest ; uelut exstinctus extra urbem proicitur, sed intra urbem die alio illaesus praedicator inuenitur. O quam fortis huic uiro inest infirmitas ! O quam uictrix poena ! O quam dominatrix patientia ! Ad agendum repulsione prouocatur, ad praedicandam salutem plagis erigitur, ad propellendam laboris lassitudinem poena refouetur. Quae ergo hunc aduersitas superet, quem poe-

---

67. a. Ac 5, 40   b. Ac 5, 29   c. Ac 4, 20
68. a. Ac 14, 18-21

67. Les princes des prêtres avaient fait retentir le son de cette trompette, lorsqu'après avoir flagellé les apôtres, ils leur avaient défendu de parler de Dieu, ainsi qu'il est écrit : *Après les avoir roués de coups, ils leur défendirent de parler au nom de Jésus*[a]. Mais voyons comment le son de la trompette n'effraie pas le cheval de Dieu : *Il faut obéir à Dieu plutôt qu'aux hommes*, dit Pierre[b]. Et il dit encore à d'autres persécuteurs : *Nous ne pouvons pas ne pas parler de ce que nous avons vu et entendu*[c]. Le cheval n'a donc pas craint le son de la trompette, puisque l'insigne prédicateur, dédaignant les puissances du siècle, ne redoute aucune clameur menaçante.

Paul, cheval de Dieu

68. Voyons maintenant comment un autre cheval de Dieu hume la terre, sans être du tout terrifié par le son de la trompette. Il est écrit : *Survinrent alors d'Antioche et d'Iconium des juifs qui gagnèrent les foules ; ils lapidèrent Paul et le traînèrent hors de la ville, croyant qu'il était mort. Mais tandis que les disciples l'entouraient, il se leva et rentra dans la ville. Le jour suivant, il partit pour Derbé avec Barnabé. Et lorsqu'ils eurent annoncé l'Évangile à cette ville et instruit un grand nombre de personnes, ils retournèrent à Lystres, à Iconium et à Antioche, affermissant les âmes des disciples*[a]. Pesons donc bien quelles menaces pourraient freiner ce cheval que la mort elle-même est impuissante à détourner de son but. Le voici écrasé sous les pierres, et cependant il ne renonce pas à annoncer la vérité. On peut le tuer, on ne saurait le vaincre ; tenu pour mort, il est jeté hors de la ville, mais le lendemain on le trouve indemne, prêchant à l'intérieur de la ville. Ô que la faiblesse est forte en cet homme ! Ô que la souffrance y est victorieuse ! Ô que la patience y est souveraine ! Si on s'oppose à lui, cela le pousse à agir, les tourments lui donnent le courage de prêcher le salut, la souffrance lui rend des forces pour repousser la lassitude devant l'effort. Quelle adversité peut donc abattre celui à qui la souffrance donne du courage ? Mais il est le cheval de Dieu

20 na fouet ? Sed equus Dei est et pharetrae sagittas despicit,
quia malitiae consilia contemnit ; uibratam hastam superat,
quia et contra apertae persecutionis uulnera pectus firmat ;
oppositum clipeum rumpit, quia disputationem resistentium
ratiocinando subigit ; terram sorbet, quia peccatores in suo
25 corpore exhortando conuertit ; clangorem buccinae sonare
non reputat, quia uocem quamlibet terribilis prohibitionis
calcat. Minus est autem quod dicitur, quia fortis perseuerat
in laboribus, adhuc, quod maius est, exsultat aduersis. Vnde
et sequitur :

39, 25 XXXIII, **69.** ***Vbi audierit buccinam, dicit : « Vah ! »***
Quibus profecto uerbis et illud ostenditur, quod hoc loco
a Domino de equo irrationabili nil dicatur. Neque enim
uah dicere brutum animal potest, sed dum asseritur dicere
5 quod omnino dicere non ualet, innuitur quem designet. Vah
quippe sermo exsultationis est. Equus ergo, audita buccina,
uah dicit, quia fortis quisque praedicator cum certamen
passionis sibi propinquare considerat, de exercitio uirtutis
exsultat ; nec terretur pugnae periculo, quia uictoriae laetatur
10 triumpho. Equo itaque est uah dicere, praedicatori sancto de
uentura passione gaudere. Sed si praedicator fortis gloriam
passionis appetit, si discrimen mortis subire pro Domino
laetus quaerit, quid est quod ipsi fortissimo praedicatori, qui
ex robusto corde uirtutem traxit in nomine, Petro Veritas
15 dixit : *Cum senueris, extendes manus tuas, et alius te cinget, et*
ducet quo non uis [a]. Quomodo de passione gaudet, qui, cinctus
ab alio, ire quo ducitur non uolet ? Sed si pensamus qualiter

69. a. Jn 21, 18

et se moque des flèches du carquois, parce qu'il méprise les mauvais desseins. Il triomphe de la lance qu'on brandit, parce qu'il affermit son cœur contre les blessures d'une persécution ouverte ; il brise le bouclier qu'on lui oppose, car il confond par sa sagesse les arguments de ceux qui lui résistent. Il hume la terre, parce qu'il convertit les pécheurs en les exhortant par son propre corps ; il ne songe pas que le son de la trompette retentit, parce qu'il foule aux pieds la voix, quelque terrible interdiction que ce soit. Mais le moins qu'on puisse dire, c'est qu'il persévère avec courage dans ses travaux et, mieux encore, qu'il exulte de joie dans l'adversité. C'est pourquoi le texte poursuit :

Exemple de Pierre XXXIII, **69.** *Dès qu'il entend la* 39, 25 *trompette, il s'écrie : « Vah ! »* Ces paroles marquent bien que le Seigneur ne parle pas du tout ici d'un cheval dépourvu de raison. Car un animal stupide ne saurait prononcer ce mot « Vah ! » ; mais en affirmant qu'il dit ce qu'il ne peut absolument pas dire, on suggère qui il représente. « Vah ! » est une expression de joie. Ainsi donc ce cheval, entendant sonner la trompette, s'écrie « Vah ! », parce que tout prédicateur courageux, voyant approcher pour lui le combat de la passion, exulte d'avoir à exercer son courage ; et, bien loin de s'effrayer du danger de la lutte, il se réjouit du triomphe de la victoire. Pour ce cheval, dire « Vah ! », c'est pour le saint prédicateur être heureux de sa future passion. Mais si le prédicateur courageux aspire à la gloire de la passion, si, joyeux, il désire subir pour le Seigneur l'instant décisif de la mort, comment se fait-il que la Vérité ait dit à un prédicateur aussi vaillant que Pierre, qui a tiré son nom de la robustesse de son cœur : *Lorsque tu seras vieux, tu étendras les mains et un autre te ceindra et il te mènera où tu ne veux pas*[a]. Comment peut-on dire qu'il se réjouit de sa passion celui qui, ceint par un autre, est mené où il ne veut pas aller ? Mais si nous considérons comment son

animus appropinquante passione et mortis metu quatitur,
et tamen de uenturo regni praemio laetatur, intellegimus
20 quomodo gloriosi certaminis subire periculum uolens nolit,
quia et in morte considerat quod tolerans paueat, et in fructu
mortis aspicit quod appetens quaerat.

70. Videamus Paulum quomodo amet quod refugit, quomodo refugiat quod amat. Ait enim : *Desiderium habens
dissolui, et cum Christo esse*[a]. Et : *Mihi uiuere Christus est,
et mori lucrum*[b]. Et tamen dicit : *Qui sumus in hoc habi-*
5 *taculo, ingemiscimus grauati, eo quod nolumus exspoliari,
sed superuestiri, ut absorbeatur quod mortale est a uita*[c].
Ecce et mori desiderat, et tamen carne exspoliari formidat.
Cur hoc ? Quia etsi uictoria in perpetuum laetificat, ipsa
nihilominus ad praesens poena perturbat ; et quamuis
10 uincat amor subsequentis muneris, tangit tamen non sine
maerore animum pulsus doloris. Sicut enim uir fortis, cum
uicino iam belli certamine armis accingitur, et palpitat et
festinat, tremit et saeuit, quasi pauere per pallorem cernitur,
sed per iram uehementer urguetur, ita uir sanctus, cum pas-
15 sioni propinquare se conspicit, et naturae suae infirmitate
concutitur, et spei suae soliditate roboratur ; et de uicina
morte trepidat, et tamen quod moriendo uerius uiuat, exsultat. Ad regnum quippe non potest nisi interposita morte
transire ; et idcirco et confidendo quasi ambigit, et quasi
20 ambigendo confidit ; et gaudens metuit et metuens gaudet,

70. a. Ph 1, 23   b. Ph 1, 21   c. 2 Co 5, 4

âme, à l'approche de la passion, est en même temps ébranlée par l'appréhension de la mort et cependant heureuse de la récompense du Royaume qui lui sera bientôt donnée, nous comprenons pourquoi tout à la fois il veut et ne veut pas affronter le danger de ce glorieux combat. En effet, d'un côté, il voit, dans la mort, des tourments qui l'épouvantent et, de l'autre, il envisage, dans le fruit de cette mort, ce qu'il cherche et désire.

"Vivre, c'est le Christ" **70.** Voyons comment Paul aime ce qu'il fuit, comment il fuit ce qu'il aime. Il dit en effet : *Je désire être dégagé des liens du corps et être avec le Christ*[a]. Et : *Car pour moi, vivre, c'est le Christ, et mourir m'est un gain*[b]. Et pourtant il affirme : *Nous qui sommes sous cette tente, nous gémissons accablés parce que nous ne voulons pas être dépouillés, mais revêtus par-dessus, en sorte que ce qu'il y a de mortel soit absorbé par la vie*[c]. Ainsi il désire mourir et cependant il redoute d'être dépouillé de la chair. Pourquoi cela ? parce que, même si la victoire réjouit en vue de l'éternité, néanmoins les souffrances présentes plongent dans un grand trouble ; et, bien que l'amour de la récompense future domine, cependant l'âme est atteinte, non sans tristesse, par le choc de la douleur. En effet, de même que l'homme courageux qui s'arme pour un combat guerrier tout proche sent battre son cœur et se hâte, tremble et s'excite, semble alors manifester de la crainte par sa pâleur, mais en même temps est poussé avec impétuosité par la colère ; de même, le saint, quand il voit approcher le moment de sa passion, est à la fois ébranlé par la faiblesse de sa nature et affermi par la solidité de son espérance ; d'une part, il tremble à la pensée de la mort prochaine, d'autre part cependant, il exulte parce qu'en mourant, il accède à une vie plus vraie. En effet, il ne peut parvenir au Royaume sans franchir l'obstacle de la mort. C'est pourquoi, tout en ayant confiance, il est comme dans l'inquiétude et, tout en étant inquiet, il a confiance ; il craint

quia scit quod ad brauium quietis non perueniat, nisi hoc
quod interiacet cum labore transcendat. Sic nos, cum mor-
bos a corpore repellere cupimus, tristes quidem amarum
purgationis poculum sumimus, certi autem de subsequenti
25 salute gaudemus. Quia enim peruenire corpus aliter ad salutem non ualet, in potu libet etiam quod taedet. Cumque
amaritudini inesse uitam animus conspicit, maerore tur-
batus hilarescit. Dicatur ergo : *Vbi audierit buccinam, dicit :
« Vah ! »*, quia praedicator fortis cognito certaminis nun-
30 tio, etsi ut homo ad uim percussionis trepidat, per spei tamen
certitudinem ad praemium remunerationis exsultat. Sed nequaquam ad hoc passionis bellum inconcussus exsisteret,
nisi eamdem passionem intenta cogitatione meditando prae-
ueniret. Malum namque quod consilio praeuenitur, decer-
35 tanti contra se animo ex ratione subicitur, quia tanto quisque
minus aduersitate uincitur, quanto contra illam praesciendo
paratus inuenitur. Saepe enim graue timoris pondus usu
leuigatur, saepe mors ipsa sicut inopinata perturbat, ita deli-
beratione praeuenta laetificat.
40   Vnde et recte de hoc equo subiungitur :

39, 25   71. *Procul odoratur bellum.* Ac si apertius dicatur : Idcirco quodlibet certamen exsuperat, quia mentem certamini
ante certamen parat. Bellum quippe procul odorari est aduersa quaeque longe adhuc posita cogitando praenoscere,
5 ne fortasse ualeant improuisa superare. Hoc bellum procul
odorari discipulos Paulus admonebat, cum diceret : *Vosmet-*

en se réjouissant et se réjouit en craignant, car il sait qu'il
ne peut parvenir à la récompense du repos, s'il ne franchit
dans la peine l'intervalle qui l'en sépare. Nous de même,
quand nous voulons éloigner une maladie corporelle, nous
absorbons le breuvage amer de la médecine avec mauvaise
humeur certes, mais l'assurance d'une prochaine guérison
nous réjouit. Puisque, en effet, le corps ne peut revenir à la
santé autrement, même la potion qui nous répugne nous
plaît. Comme notre esprit considère que la vie dépend de
cette saveur amère, il ressent de la joie malgré son trouble et
son dégoût. On peut donc dire : *Dès qu'il entend la trompette,
il s'écrie : « Vah ! »*, car le prédicateur courageux à l'annonce
du combat, même s'il tremble, en homme, à la pensée de
la violence des coups, exulte de joie cependant dans l'espérance certaine de la récompense éternelle. Mais il ne pourrait
jamais soutenir avec fermeté ce combat de la passion, s'il ne
s'était préparé en y réfléchissant dans une intense méditation.
Car si la réflexion précède le malheur, celui-ci est soumis par
la raison à l'âme qui lutte contre lui : en effet, on risque d'autant moins d'être vaincu par l'adversité qu'on s'y est préparé
avec prévoyance. Car souvent le fardeau pesant de la crainte
s'allège avec l'accoutumance. Souvent la mort même, qui apporte le trouble quand elle survient à l'improviste, est source
de joie lorsqu'on y a réfléchi à l'avance.

C'est pourquoi il est dit ensuite avec raison à propos de ce
cheval :

71. *Il sent de loin l'odeur de la guerre.* 39, 25

**Hérésies
et persécutions**

Comme si, plus clairement, il était dit :
S'il est victorieux dans tous les combats,
c'est que, dès avant le combat, il prépare son âme au combat. Sentir de loin l'odeur de la guerre, c'est prévoir par la
réflexion tous les maux encore lointains, car, imprévus, ils
pourraient nous terrasser. Paul donnait l'avertissement à ses
disciples de sentir de loin l'odeur de cette guerre, lorsqu'il

*ipsos temptate si estis in fide, ipsi uos probate*ᵃ. Ac si aperte
praeciperet, dicens : Persecutionum certamina ad mentem
reducite, et cordis uestri intima atque occulta pensantes,
10 quales inter supplicia exsistere ualeatis inuenite. Hoc bellum
sancti uiri procul odorantur, quando et in pace uniuersalis
Ecclesiae positi, uel haereticorum bella, uel imminentia ab
infidelibus persecutionum tormenta conspiciunt. Qui dum
recte uiuunt, saepe pro bonis mala recipiunt, detractionum
15 contumelias aequanimiter ferunt ; ut si persecutionis occasio
suppetat, tanto illos fortiores aperti hostes inueniant, quanto
eos et intra Ecclesiam falsorum fratrum iacula non expugnant.
Nam qui ab statu patientiae ante linguarum uulnera corruit,
ipse sibi testis est quia contra manifestae persecutionis gla-
20 dios non subsistit. Quia ergo uir Dei exercitatus praesentibus
contra uentura, et exercitatus minimis contra maiora nititur,
recte de equo dictum est, quod bellum procul odoratur.
Sequitur :

39, 25   XXXIV, 72. ***Exhortationem ducum, et ululatum exercitus.*** Duces aduersae partis sunt erroris auctores, de quibus
per psalmistam dicitur : *Effusa est contentio super principes
eorum, et seduxerunt eos uana eorum, et errare fecit eos in
5 inuio, et non in uia*ᵃ. De quibus per semetipsam Veritas dicit :
*Caecus si caeco ducatum praestet, ambo in foueam cadunt*ᵇ.
Hos autem duces exercitus sequitur prauorum scilicet turba,
quae iniquis eorum praeceptionibus famulatur. Notandum
quoque quod duces exhortari, exercitum uero dicit ululare,

71. a. 2 Co 13, 5
72. a. Ps 106, 40   b. Mt 15, 14

leur disait : *Examinez-vous vous-mêmes pour savoir si vous êtes dans la foi ; mettez-vous vous-mêmes à l'épreuve*[a]. Comme s'il leur recommandait clairement : Remettez-vous en mémoire les combats des persécutions et, pesant avec soin les dispositions intimes et secrètes de votre cœur, voyez de quel comportement vous serez capables au milieu des tourments. Les saints flairent de loin l'odeur de cette guerre quand, même en temps de paix pour l'Église universelle, ils aperçoivent soit les attaques des hérétiques, soit les tourments menaçants de persécutions de la part des incroyants. Eux qui vivent avec rectitude, ils reçoivent souvent des maux en échange des biens, ils supportent patiemment le dénigrement et les outrages ; ainsi, lorsque survient un temps de persécution, leurs ennemis déclarés les trouvent d'autant plus forts que même les traits lancés par les faux frères au sein de l'Église ne peuvent les vaincre. En effet, celui qui se départit de son attitude de patience devant les morsures des langues, se rend à lui-même témoignage que, face aux glaives d'une persécution déclarée, il ne peut pas tenir bon. Donc, puisque l'homme de Dieu se sert des difficultés présentes pour s'entraîner à résister aux difficultés futures, et des plus petites pour s'entraîner à résister aux plus grandes, c'est avec raison qu'il est dit du cheval qu'il sent de loin l'odeur de la guerre. Et le texte poursuit :

Les maîtres d'erreur

XXXIV, 72. ***Les exhortations des chefs et les hurlements de l'armée.*** Les chefs du parti adverse sont les maîtres d'erreur ; c'est eux dont parle le psalmiste : *Des rivalités se sont répandues parmi leurs princes, leur vanité les a séduits et les a fait errer dans des lieux sans chemins et hors de la voie*[a]. À leur sujet, la Vérité dit elle-même : *Si un aveugle en conduit un autre, ils tombent tous deux dans la fosse*[b]. L'armée, c'est-à-dire la foule des méchants, suit ces chefs. Elle obéit à leurs pernicieux préceptes. Il faut aussi remarquer qu'il est dit que les chefs

39, 25

10 quia uidelicet hi qui infidelibus uel haereticis praesunt praua
quae teneri praecipiunt quasi ex ratione persuadent. Turba
uero eis subdita, quia sine iudicio eorum uoces sequitur, dum
per confusionis insaniam perstrepit, bestiali mente ululare
perhibetur. Lupis quippe proprie ululatus conuenit. Et quia
15 cateruae reproborum contra uitam moresque fidelium soli
rapacitati inhiant, quasi per ululatum clamant. Equus ergo
Dei exhortationem ducum et ululatum exercitus procul odoratur, dum sanctus quisque praedicator longe ante considerat
quid uel auctores errorum contra electos ualeant praecipere,
20 uel turba eis subdita quam possit immaniter insanire. Hanc
exhortationem ducum odorabatur Paulus, cum diceret : *Per
dulces sermones et benedictiones seducunt corda innocentium*[c].
Hunc ululatum exercitus odorabatur, dicens : *Intrabunt
post discessionem meam lupi graues in uos*[d]. Exhortationem
25 ducum odoratus est Petrus, cum de quibusdam discipulos
admoneret, dicens : *In auaritia fictis uerbis de uobis negotia-
buntur*[e]. Vlulatum quoque exercitus odorabatur, cum prae-
mitteret, dicens : *Et multi sequentur eorum luxurias, per quos
uia ueritatis blasphematur*[f].

73. Igitur quia sanctus quisque praedicator atque in persecutionis bello dux fidei, qualem se possit exhibere narrauimus,
nunc sub huius equi specie unumquemque Christi militem
describamus, ut et qui ad praedicationis culmen necdum se
5 peruenisse considerat, hac tamen uoce dominica, si iam bene
uiuere coeperit, expressum se esse cognoscat, quatenus hinc

72. c. Rm 16, 18   d. Ac 20, 29   e. 2 P 2, 3   f. 2 P 2, 2

exhortent et que l'armée hurle ; en effet, ceux qui sont à la tête des incroyants ou des hérétiques les persuadent que les préceptes pervers qu'ils leur commandent d'observer sont conformes à la raison. Mais comme la foule qui leur est soumise suit sans discernement leurs dires et qu'elle éclate en bruits confus et privés de sens, on dit qu'elle hurle comme ferait une bête. Car hurler est le propre des loups. Et comme les bataillons des réprouvés n'ouvrent la bouche contre la vie et les vertus des fidèles qu'à seule fin de les leur ravir, leur clameur est comme le hurlement des loups. Le cheval de Dieu sent donc de loin l'odeur des exhortations des chefs et des hurlements de l'armée, quand un saint prédicateur prévoit longtemps à l'avance, soit ce que les maîtres d'erreur peuvent ordonner contre les élus, soit ce que peut manifester d'horrible folie la foule qui leur est soumise. Paul sentait l'odeur de ces exhortations des chefs, quand il disait : *Par de douces paroles et flatteries, ils séduisent les âmes simples*[c]. Il sentait l'odeur de ces hurlements de l'armée, quand il disait : *Après mon départ, s'introduiront parmi vous des loups ravisseurs*[d]. Pierre a senti l'odeur des exhortations des chefs, quand il donnait cet avertissement à ses disciples à propos de certains : *Par avarice, ils trafiqueront de vous au moyen de paroles artificieuses*[e]. Il sentait aussi l'odeur des hurlements de l'armée lorsqu'il disait auparavant : *Et beaucoup suivront les débauches de ceux par qui la voie de la vérité est blasphémée*[f].

Le soldat du Christ   **73.** Après avoir fait connaître comment peut se comporter un saint prédicateur et, dans la guerre de la persécution, un chef de la foi, décrivons maintenant, sous la figure de ce cheval, chaque soldat du Christ. Ainsi, celui aussi qui considère qu'il n'est pas encore parvenu au sommet de la prédication, saura qu'il est pourtant question de lui dans ces paroles du Seigneur, si déjà il a commencé à bien vivre. Il peut en conclure combien il serait connu de Dieu s'il parvenait à une

colligat quantum Deo notus sit, si ad maiora peruenerit, quem signate Deus eloqui nec in minimis praetermittit. Singula itaque quae de equo dicta sunt repetentes, inti-
10 memus quomodo miles Dei a primaeua conuersatione proficiat, quomodo a minimis ad maiora succrescat, uel quibus gradibus ab infimis ad superna perueniat. Dicat ergo :

39, 19   XXXV, **74.** *Numquid praebebis equo fortitudinem, aut circumdabis collo eius hinnitum ?* Vnicuique animae, cui misericorditer Dominus praesidet, ante omnia fidei fortitudinem praebet, de qua Petrus ait : *Aduersarius uester diabolus,*
5 *sicut leo rugiens, circuit quaerens quem deuoret ; cui resistite fortes in fide*[a]. Huic autem fortitudini hinnitus iungitur, dum fit quod scriptum est : *Corde creditur ad iustitiam, ore autem confessio fit ad salutem*[b]. Sequitur :

39, 20   XXXVI, **75.** *Numquid suscitabis eum quasi locustas ?* Vnusquisque qui Deum sequitur, in ipso suo exordio ut locusta suscitatur, quia etsi in quibusdam actionibus locustarum more flexis poplitibus terrae inhaeret, in quibusdam
5 tamen expansis alis sese in aera suspendit. Conuersionum quippe initia bonis moribus malisque permixta sunt, dum et noua iam per intentionem agitur, et uetus adhuc uita ex usu retinetur. Tanto autem minus permixtis interim malis laedimur, quanto contra illa cotidie sine cessatione
10 pugnamus. Nec suos nos iam culpa uindicat, cuius prauo usui nostra sollicite mens resultat. Minus itaque nobis incohantibus terrena opera officiunt, quia in nobis diutius

74. a. 1 P 5, 8-9   b. Rm 10, 10

plus grande perfection, lui dont clairement Dieu n'omet pas
de parler, même à ce plus humble degré. C'est pourquoi en
reprenant tout ce qui a été dit au sujet du cheval, faisons savoir
comment le soldat de Dieu peut progresser dès les premiers
temps de sa conversion, comment il croît des plus petites aux
plus grandes vertus et par quels échelons il parvient d'en bas
jusqu'aux sommets. Qu'il dise par conséquent :

**La force
de la foi**   XXXV, 74. ***Donneras-tu de la force***   **39, 19**
au cheval ou environneras-tu son cou
de hennissements ? À chaque âme qu'il
prend miséricordieusement sous sa protection Dieu accorde
avant tout la force de la foi, selon cette parole de Pierre : *Votre
adversaire, le diable, comme un lion rugissant, rôde autour de
vous, cherchant qui dévorer. Résistez-lui, forts dans la foi*[a]. A
cette force se joint le hennissement, lorsque se réalise ce que
Paul a écrit : *On croit de cœur pour être justifié et l'on confesse
de bouche pour être sauvé*[b]. Le texte poursuit :

**Débuts de
la conversion**   XXXVI, 75. *Le feras-tu bondir comme*   **39, 20**
des sauterelles ? Quiconque suit Dieu
s'élève même au tout début à la manière
d'une sauterelle ; en effet, si, dans certains de ses comportements, il adhère à la terre, genoux pliés, à la manière des
sauterelles, en d'autres cependant, ailes étendues, il se maintient dans les airs. Les débuts d'une conversion sont en effet
mêlés de bonnes et de mauvaises mœurs, car si l'on mène déjà
une vie nouvelle par le désir, la vie ancienne est encore ancrée
en nous par l'habitude. Mais les mauvaises actions qui s'y
entremêlent nous nuisent d'autant moins que nous menons
contre elles une lutte quotidienne et incessante. Désormais
le péché ne nous revendique plus pour siens, puisque notre
esprit résiste avec vigilance à toute habitude mauvaise.
Aussi les œuvres terrestres sont-elles un moindre obstacle
aux débutants que nous sommes, puisque nous ne leur per-

demorari prohibentur. Proinde quoniam in ipso nostrae
conuersionis initio infirma quaedam pie de nobis Dominus
15 tolerat, ut nos quandoque ad caelestia ex perfectione perducat, quasi locustas nos in exordio suscitat ; quia et in
uolatu uirtutis subleuat, et non tamen de terreni operis casu
desperat. Sequitur :

39, 20   XXXVII, 76. *Gloria narium eius terror.* Pro eo quod non
uisa res odore deprehenditur, non immerito narium nomine
spei nostrae cogitationes exprimuntur, quibus uenturum
iudicium, quod etsi oculis adhuc non cernimus, iam tamen
5 sperando praeuidemus. Omnis autem qui bene uiuere incipit,
audiens quod per extremum iudicium iusti ad regnum uo-
centur, hilarescit ; sed quia quaedam mala adhuc ex reliquiis
sibi inesse considerat, hoc ipsum iudicium, de quo exsultare
incohat, appropinquare formidat. Vitam quippe suam bonis
10 malisque permixtam conspicit, et cogitationes suas aliquo
modo spe et timore confundit. Nam cum audit quae sint
regni gaudia, mox mentem laetitia subleuat ; et rursum cum
respicit quae sint gehennae tormenta, mox mentem formido
perturbat. Bene ergo *gloria narium eius terror* dicitur, quia
15 inter spem et metum positus, dum futurum iudicium mente
conspicit, hoc ipsum timet unde gloriatur. Ipsa ei sua gloria
terror est, quia incohatis iam bonis, spe de iudicio laetus est ;
et necdum finitis omnibus malis, perfecte securus non est.
Sed inter haec sollicite ad mentem reuertitur, et procellas
20 tantae formidinis renuens, seque in solius pacis tranquilli-

mettons pas de s'attarder longtemps en nous. Comme, au commencement même de notre conversion, le Seigneur tolère avec bonté quelques faiblesses de notre part pour nous élever un jour aux réalités célestes par la perfection, on peut dire qu'au début il nous fait sauter comme des sauterelles : en effet, il nous soulève par le vol des vertus, et ne perd cependant pas espoir après notre rechute dans des actions terrestres. Le texte poursuit :

Espoir et crainte à propos du Jugement
XXXVII, 76. *La terreur est la gloire de ses narines.* Comme nous identifions par l'odeur des objets que nous ne voyons pas, par narines l'on peut fort bien entendre les intuitions de notre espoir qui nous permettent de voir par avance en espérance le Jugement à venir, même si nous ne le discernons pas encore de nos yeux. Quiconque commence à vivre bien, apprenant que, par le Jugement dernier, les justes seront appelés au Royaume, exulte de joie. Mais, considérant en lui des restes de péchés, ce Jugement à propos duquel il commence à exulter, il en appréhende l'approche. Il voit, en effet, que sa vie est un mélange de bien et de mal, aussi ses pensées sont-elles mélangées d'espoir et de crainte. Oui, lorsqu'il entend parler de la félicité du Royaume, aussitôt la joie soulève son âme et, inversement, lorsqu'il envisage les affreux tourments de la géhenne, aussitôt la crainte trouble son âme. Il est donc dit avec justesse : *La terreur est la gloire de ses narines* car, tandis qu'il contemple en esprit le Jugement futur, oscillant entre l'espoir et la crainte, il redoute cela même dont il se fait gloire. Sa propre gloire est donc bien pour lui terreur : en effet, à cause du bien qu'il a commencé à pratiquer, en espérance il est rempli de joie à la pensée du Jugement ; cependant, comme il n'a pas encore mis un terme à tout péché, il ne se sent pas en pleine sécurité. Mais, en cette alternative, il rentre avec insistance en lui-même et, voulant écarter les tempêtes d'une peur aussi fâcheuse et se procurer

39, 20

tate disponens, totis uiribus a districto iudice inueniri liber conatur. Seruile quippe aestimat dominicam praesentiam formidare ; ac ne conspectum patris metuat, illa agit per quae se filium recognoscat. Discit ergo iudicem tota exspectatione 25 diligere, atque, ut ita dixerim, timendo renuit timere. Oriri autem cordi formidinem pro carnali actione considerat, et idcirco ante omnia carnem forti edomatione castigat.

Vnde postquam dictum est : *Gloria narium eius terror*, recte subiungitur :

39, 21   XXXVIII, 77. *Terram ungula fodit.* Vngula namque terram fodere est districta abstinentia carnem domare. Quo autem plus caro premitur, eo de caelesti spe animus securius laetatur. Vnde effossa terra apte subnectitur : *Exsultat* 5 *audacter.* Quia enim ualenter reprimit quod impugnat, audacter exsultat de his quae in aeterna pace desiderat ; tantoque mens melius ad superna appetenda componitur, quanto ab illicitis artius corpus edomatur. Vnde recte per Salomonem dicitur : *Diligenter exerce agrum tuum, ut postea* 10 *aedifices domum tuam*[a]. Ille quippe bene mentis domum aedificat, qui prius agrum corporis ab spinis uitiorum purgat, ne si desideriorum sentes in carnis agro proficiant, intus tota uirtutum fabrica fame boni crescente destruatur. In ipso autem quisque belli certamine positus, tanto subtilius 15 fraudem hostium conspicit, quanto et districtius corpus proprium quasi quemdam hostium adiutorem premit.

Vnde post contritionem corporis, post laetitiam cordis recte subiungitur :

---

77. a. Pr 24, 27

la tranquillité de la seule paix, il fait tous ses efforts pour que le Juge sévère trouve en lui un homme libre. Il considère comme servile la crainte de la présence du Seigneur et, pour ne pas craindre le regard de son père, il agit de manière à se reconnaître comme fils. Ainsi il apprend à aimer son Juge, souhaitant de tout son cœur sa venue, et, si je puis dire, en le craignant il se refuse à le craindre. Il voit en la peur qui naît en son cœur une réaction charnelle ; c'est pourquoi, avant toutes choses, il châtie sa chair en la domptant vigoureusement.

Aussi, après avoir dit : *La terreur est la gloire de ses narines*, le texte ajoute fort bien :

Dompter la chair | XXXVIII, 77. ***Il creuse du sabot la terre.*** De fait, creuser la terre du sabot, c'est dompter la chair par une rigoureuse abstinence. Or, plus la chair est mortifiée, plus l'âme trouve de joie en toute sécurité dans l'espérance du ciel. Aussi il est fort bien ajouté qu'après avoir creusé la terre, *il exulte de joie avec assurance*. Parce qu'en effet il repousse fortement toute attaque, il exulte de joie avec assurance à la pensée des biens qu'il espère dans la paix de l'éternité. Son âme est d'autant mieux disposée à désirer les réalités célestes que son corps est plus sévèrement dompté par rapport aux choses illicites. Ce qui fait dire à Salomon avec sagesse : *Cultive soigneusement ton champ afin qu'ensuite tu bâtisses ta maison*[a]. Car celui-là bâtit bien la maison de son âme qui débarrasse d'abord le champ de son corps des épines des vices, de peur que, si les ronces des désirs croissaient dans le champ de la chair, tout l'édifice des vertus ne se trouve détruit intérieurement par la privation croissante du bien. Engagé dans le combat de cette guerre, tout homme découvre d'autant mieux les tromperies de son ennemi qu'il traite plus rudement son propre corps, comme un allié de l'ennemi.

Et c'est pourquoi, après la mortification du corps et la joie du cœur, il est fort bien ajouté :

39, 21

39, 21   XXXIX, 78. *In occursum pergit armatis*. Hostes armati
sunt immundi spiritus, innumeris contra nos fraudibus
accincti. Qui cum suadere nobis iniqua nequeunt, ea sub
uirtutum specie nostris obtutibus opponunt ; et quasi sub
5 quibusdam armis se contegunt, ne in sua malitia a nobis
nudi uideantur. Quibus armatis hostibus in occursum pergimus, quando eorum insidias longe praeuidemus. Effossa igitur terra, armatis hostibus in occursum pergere, est edomita
carnis superbia, dolos immundorum spirituum mirabiliter
10 explorare. Effossa terra armatis hostibus in occursum pergere, est deuicta carnali nequitia contra spiritalia uitia certamen subire. Nam qui adhuc secum eneruiter pugnat, frustra
contra se bella extra posita suscitat. Qui enim semetipsum
carnalibus subiugat, quomodo spiritalibus uitiis resultat ?
15 Aut quomodo de labore externi certaminis triumphare appetit, qui adhuc apud semetipsum domestico libidinis bello
succumbit.

79. Vel certe armatis hostibus in occursum pergimus,
quando per exhortationis studium eorum insidias et in alieno corde praeuenimus. Quasi enim ex loco in quo fuimus ad
locum alium obuiam hostibus uenimus, quando nostra cura
5 ordinate postposita, accessum immundorum spirituum a
proximi mente prohibemus. Vnde fit plerumque ut hostes callidi militem Dei iam etiam de intestino bello uictorem tanto
de semetipso terribilius temptent, quanto illum contra se et
in alieno corde praeualere fortiter uident ; ut dum illum ad se

Combattre les vices spirituels XXXIX, 78. *Il s'élance à la rencontre des hommes armés.* Les ennemis armés sont les esprits impurs, équipés contre nous de stratagèmes sans nombre. Ne pouvant nous persuader de faire le mal, ils le présentent à nos regards sous l'apparence de la vertu et se cachent comme sous des boucliers pour n'être pas vus à découvert dans leur malice. Nous nous élançons à la rencontre de ces ennemis armés, quand nous prévoyons de loin leurs embûches. S'élancer à la rencontre d'ennemis armés après avoir creusé la terre, c'est donc, après avoir dompté l'orgueil de la chair, observer remarquablement les ruses des esprits immondes. S'élancer à la rencontre d'ennemis armés après avoir creusé la terre, c'est, après avoir vaincu les désordres de la chair, endurer le combat contre les vices spirituels. En effet, celui qui lutte encore mollement avec lui-même, c'est en vain qu'il provoque contre lui-même des guerres au dehors ; car celui qui est assujetti aux vices de la chair, comment peut-il résister aux vices spirituels ? Ou comment espère-t-il triompher dans l'épreuve d'un combat extérieur, lui qui, à l'intérieur de lui-même, succombe encore dans la guerre intestine du désir charnel ?

79. On peut dire aussi que nous nous élançons à la rencontre d'ennemis armés quand, par l'ardeur de nos exhortations, nous prévenons également leurs embûches dans le cœur des autres. Nous passons, pour ainsi dire, du lieu où nous étions, afin d'aller à la rencontre de nos ennemis, dans un autre lieu, lorsque, mettant d'une manière ordonnée au second plan le souci de notre âme, nous empêchons les esprits impurs d'entrer dans l'âme de notre prochain. Aussi les ennemis rusés souvent tentent-ils personnellement le soldat de Dieu, même déjà victorieux dans la guerre intestine, de façon d'autant plus terrible pour eux-mêmes qu'ils le voient prévaloir courageusement contre eux aussi dans le cœur d'autrui. En l'obligeant à veiller à sa propre défense, ils

10 tuendum reuocant, aliena corda liberius quae exhortatione
eius protegebantur, inuadant. Cumque eum superare non
possunt, saltim occupare conantur, quatenus dum miles Dei
de semetipso concutitur, non ipse, sed is quem defendere
consueuerat, perimatur. Sed mens in Deum immobiliter fixa
15 temptationum spicula despicit, nec cuiuslibet terroris iacula
pertimescit. Supernae enim gratiae fretus auxilio, sic uulnera
infirmitatis suae curat, ut aliena non deserat. Vnde et bene de
hoc equo subiungitur :

39, 22   XL, **80.** *Contemnit pauorem, nec cedit gladio.* Contemnit pauorem, quia nullius temptationis formidine ad hoc
usque terretur ut taceat. Nec cedit gladio, quia etsi uiolenta
illum temptatio percutit, a cura tamen proximi non repellit.
5 Vnde et Paulus exemplum nobis inuictae conuersationis in-
sinuans, et quos ab hoste gladios suscipiat dicit, et quomodo
eisdem gladiis non cedat ostendit. Omni enim iam carnalis
operis pugna superata, carnalis temptationis gladium ab hoste
susceperat, qui dicebat : *Video aliam legem in membris meis*
10 *repugnantem legi mentis meae, et captiuum me ducentem in lege*
peccati, quae est in membris meis [a]. Sed eidem gladio quem in
se uicerat etiam in aliis non cedebat, cum profecto proximis
diceret : *Non regnet peccatum in uestro mortali corpore ad*
oboediendum desideriis eius [b]. Et rursum : *Mortificate membra*
15 *uestra quae sunt super terram, fornicationem, immunditiam,*
libidinem, concupiscentiam malam [c]. Grauis illum temptationum gladius feriebat, de quibus ipse ait : *In laboribus pluri-*
mis, in carceribus abundantius, in plagis supra modum, in
mortibus frequenter. A Iudaeis quinquies quadragenas una

80. a. Rm 7, 23   b. Rm 6, 12   c. Col 3, 5

envahissent plus facilement le cœur d'autrui, qui auparavant était protégé par ses exhortations. Comme ils ne peuvent le vaincre, ils s'efforcent au moins de l'occuper ; ainsi, pendant que le soldat de Dieu est troublé en ce qui le concerne lui-même, ce n'est pas lui, mais celui qu'il était accoutumé à défendre qui va périr. Mais l'âme solidement fixée en Dieu méprise les flèches des tentations et n'est pas épouvantée par les traits d'une terreur quelconque. Appuyée sur le secours de la grâce divine, elle s'applique à guérir les blessures de sa propre infirmité, sans pour cela abandonner celles d'autrui. Aussi est-il bien dit ensuite au sujet de ce cheval :

Le glaive de la tentation XL, 80. *Il surmonte la peur et ne cède pas au glaive.* Il surmonte la peur, car la crainte des tentations, quelles qu'elles soient, ne peut l'effrayer au point de le faire taire. Et il ne cède pas au glaive, parce que, si violente que soit la tentation qui l'attaque, elle ne le détourne pas du soin de son prochain. Paul lui-même nous donne un exemple de cette conduite invincible, à la fois en nous parlant des coups de glaive qu'il reçoit de l'ennemi et en nous montrant avec quelle fermeté il y résiste. En effet, après avoir déjà gagné tous les combats contre les œuvres charnelles, il avait encore eu à soutenir contre l'ennemi le glaive de la tentation charnelle, lui qui disait : *Je sens dans mes membres une autre loi qui combat la loi de mon esprit et me rend captif de la loi du péché, qui est dans mes membres*[a]. Mais victorieux en lui-même de ce glaive, il y résistait aussi dans les autres quand assurément il disait à ses proches : *Que le péché ne règne pas en votre corps mortel pour vous faire obéir à ses désirs*[b]. Et encore : *Faites mourir les membres de l'homme terrestre qui est en vous, la fornication, l'impureté, la luxure, les mauvais désirs*[c]. La rude épée des tentations le frappait, lui qui disait à ce sujet : *En des travaux, en des emprisonnements innombrables, en une infinité de coups, en de fréquents périls de mort. Cinq fois j'ai reçu des juifs qua-*

39, 22

20 *minus accepi ; ter uirgis caesus sum, semel lapidatus sum,*
ter naufragium feci, nocte et die in profundum maris fui[d]*,* et
cetera, quae ipse tolerare potuit, et nos enumerare lassamur.
Sed quomodo eidem gladio in proximi dilectione non cedat,
post multa ipse subiungit : *Praeter illa quae extrinsecus sunt,*
25 *instantia mea cotidiana, sollicitudo omnium ecclesiarum*[e].
Equus ergo Dei gladio percutitur, nec tamen percussione
eadem a cursu prohibetur, dum fortis spiritalis certaminis
miles et ipse uulnera ab hoste suscipit ; et tamen ad salutem
alios stringit. Sed erga tam durum caelestis militis pectus
30 antiquus hostis tanto acutiora spicula perquirit, quanto se
despici robustius conspicit. Vnde et sequitur :

39, 23

XLI, **81.** ***Super ipsum sonabit pharetra, uibrabit hasta***
et clipeus. Quia enim uidet sanctae mentis studium contra
se et aliis prodesse, multiplicata hanc satagit temptatione
confodere. Vnde saepe contingit ut hi qui regendis aliis prae-
5 sunt temptationum certamina fortiora patiantur, quatenus
corporalium more bellorum dum dux ipse ad fugam uertitur
resistentis exercitus constipata unanimitas sine labore dis-
sipetur. Hostis itaque callidus contra caelestem militem diuersa percussionum uulnera exquirens, modo ex pharetra
10 per insidias eum sagitta uulnerat ; modo ante eius faciem
hastam uibrat, quia uidelicet uitia et alia sub uirtutum specie
contegit, et alia ut sunt aperta eius oculis opponit. Vbi enim
infirmari Dei militem conspicit, illic fraudis uelamina non
requirit. Vbi autem sibi resistere fortem considerat, illic

80. d. 2 Co 11, 23-25   e. 2 Co 11, 28

rante coups de fouet moins un ; trois fois j'ai été battu de verges,
j'ai été lapidé une fois, trois fois j'ai fait naufrage, j'ai passé une
nuit et un jour dans les eaux profondes de la mer[d], et tous les
autres maux qu'il a eu le courage de supporter et que nous
nous épuiserions à énumérer. Mais, après son énumération,
lui-même ajoute comment, par amour du prochain, il ne cède
pas à ce même glaive : *Outre ces maux extérieurs, la sollicitude*
de toutes les Églises m'assaille chaque jour[e]. Le cheval de Dieu
est donc frappé par le glaive et pourtant, malgré les coups, il
n'est pas arrêté dans sa course. En effet, ce courageux soldat
du combat spirituel, tout en recevant personnellement les
coups blessants de l'ennemi, entraîne cependant les autres vers
le salut. Mais l'antique ennemi invente, contre la poitrine si
ferme du soldat du ciel, des traits d'autant plus aiguisés qu'il
se voit plus énergiquement méprisé. C'est pourquoi il est dit
ensuite :

| Ruses de l'ennemi | XLI, **81**. *Sur lui retentira le bruit du carquois, la lance sera brandie et le bouclier.* | 39, 23 |

Comme l'antique ennemi voit
le zèle de cette âme sainte à lui résister pour aider aussi les
autres, il s'efforce de la cribler de tentations multipliées. En
effet, ceux qui sont chargés de gouverner les autres subissent
fréquemment l'assaut de tentations plus violentes, dans
la mesure où, comme dans les guerres terrestres, quand le
chef en personne prend la fuite, l'armée, qui résistait grâce
à l'unanimité de sa cohésion, est facilement mise en déroute.
Aussi cet ennemi rusé, cherchant à diversifier les blessures
de ses attaques contre le soldat du ciel, tantôt le blesse par
surprise d'une flèche tirée de son carquois, tantôt brandit
sa lance devant sa face ; c'est dire que parfois il couvre certains vices de l'apparence de vertus, parfois il en propose
ouvertement d'autres à ses yeux pour ce qu'ils sont. Dès qu'il
voit le soldat de Dieu faiblir, il n'invente pas de voiles à sa
ruse. Mais, s'il constate sa courageuse résistance, il n'hésite pas

15 contra uires procul dubio dolos parat. Nam cum infirmum
quempiam in carnis illecebra uidet, aperte speciem corporis
quae concupisci ualeat eius obtutibus obicit. Si autem fortasse ualidum contra auaritiam cernit, importune eius cogitationibus domesticorum suorum inopiam suggerit ; ut dum
20 mens ad prouisionis curam quasi pie flectitur, seducta furtim
in rerum ambitu inique rapiatur. Equum ergo Dei sagitta per
insidias impetit, quando ei hostis callidus sub uirtute uitium
abscondit. Hasta autem cominus uulnerat, cum manifesta
nequitia etiam scientem temptat.

82. Saepe uero caelesti militi uno eodemque tempore
utrumque ab hoste obicitur, ut in qualibet una percussione
perimatur. Dolosus namque aduersarius ferire simul nititur,
et aperte saeuiens, et in insidiis latens, ut dum de occulto
5 sagitta metuitur, minus ante faciem hasta timeatur ; uel dum
ante faciem hastae resistitur, nequaquam ex occulto ueniens
sagitta uideatur. Saepe enim temptationem proponit de
libidine, et subito fraudulentius cessans, elationem suggerit
de seruata castitate. Et sunt nonnulli qui dum multos ex
10 castitatis arce in elationis foueam cecidisse conspiciunt,
uitae suae custodiam neglegentes, in immunditiam libidinis
demerguntur. Sunt uero e diuerso nonnulli qui dum libidinis
immunditiam fugiunt, per castitatis culmen in uoraginem
elationis ruunt. Quasi ergo aperte feriens hasta est culpa de
15 uitio, et quasi ex occulto uulnerans de pharetra sagitta est
culpa de uirtute. Sed equus Dei et ante faciem hastam superat

à employer des ruses pour réduire ses forces. En effet, s'il voit un homme faible vis-à-vis des attraits de la chair, ouvertement il présente à ses regards quelque beauté corporelle susceptible d'exciter sa convoitise. Si, par hasard, il trouve quelqu'un qui soit délibérément opposé à l'avarice, il insinue à tort dans ses pensées le dénuement de sa famille, en sorte que son esprit, fléchi par une apparente affection, soit persuadé qu'il doit pourvoir à leur entretien et, séduit par cet artifice, se trouve injustement entraîné dans la poursuite des richesses. Ainsi, la flèche atteint par traîtrise le cheval de Dieu, quand l'ennemi rusé lui cache un vice sous l'apparence d'une vertu. Mais il le blesse de près avec la lance lorsqu'il le tente, même s'il en a conscience, par des vices manifestes.

Le piège de l'orgueil **82.** Or, souvent, l'ennemi s'oppose au soldat du ciel de l'une et l'autre manière en même temps, afin de l'anéantir dans l'une ou l'autre attaque. Cet adversaire rusé s'efforce de le frapper tout à la fois, et en l'attaquant ouvertement, et en se cachant en embuscade, afin que, pendant qu'il se méfie de la flèche tirée en secret, il se défie moins de la lance qui est devant sa face ; ou afin qu'occupé à résister à la lance qui est devant lui, il ne voie pas arriver la flèche tirée en secret. Souvent, en effet, cet adversaire présente une tentation de désir charnel, puis, usant d'un surcroît de ruse, il y met fin subitement et inspire l'orgueilleuse satisfaction d'avoir conservé la chasteté. Certains, constatant que beaucoup tombent de la citadelle de la chasteté dans le précipice de l'orgueil, négligent la surveillance de leur propre conduite et se laissent engloutir dans l'impureté du désir charnel. D'autres, au contraire, fuyant l'impureté du désir charnel, sont précipités du sommet de la chasteté dans le gouffre de l'orgueil. Ainsi, pour ainsi dire, la lance qui frappe ouvertement est le péché qui vient du vice, et la flèche qui, tirée en secret du carquois, blesse est le péché occasionné par la vertu. Mais le cheval de Dieu,

cum libidinem calcat, et a latere sagittam circumspicit cum
in castitatis munditia se ab elatione custodit. Vnde bene in
utraque certanti per Salomonem dicitur : *Dominus erit in*
20 *latere tuo, et custodiet pedem tuum ne capiaris*[a]. Pes namque
in anteriora tendit. Anteriora autem non uidet, qui ea quae
sunt a latere conspicit. Rursumque qui pedis custodiam
praeuidens anteriora cernit, circumspectionem lateris deserit.
Dum uero ante faciem positae uirtutis aliquid agimus, quasi
25 quo pes debeat poni praeuidemus ; sed dum ex uirtute eadem
furtiue culpa suboritur, quasi dum in anteriora respicitur,
ad sagittam latus nudatur. Saepe uero dum suborientem
culpam metuimus, uirtutem quae agenda est declinamus ;
et quasi dum latus circumspicitur, nequaquam cernitur pes
30 in anteriora quomodo ponatur. Bene ergo dicitur : *Dominus*
erit in latere tuo, et custodiet pedem tuum ne capiaris[b], quia
miles Dei diuinae gratiae clipeo protectus ; et quae ex latere
possint prodire circumspiciendo considerat ; et gressum ante
faciem ferre proficiendo non cessat. Cui fraudulentus hostis
35 inuidens, quia per pharetram et hastam nequaquam se praeualere conspicit, clipeum opponit, ut si resistentis pectus
feriendo non perforat, saltim quibusdam obiectionibus pro-
ficientis iter intercludat. Quasdam namque difficultates ipsis
eius conatibus obicit ; et cum superare non ualet, uel resistit.
40   Sed quid contra tot argumenta bellorum equus Dei agat
audiamus :

82. a. Pr 3, 26   b. Pr 3, 26

d'une part, triomphe de la lance qui est devant sa face, quand il dompte le désir charnel, et, d'autre part, observe la flèche lancée de côté, lorsqu'en gardant la chasteté, il se préserve de l'orgueil. Salomon dit justement à celui qui lutte entre ces deux excès : *Le Seigneur sera à ton côté et il gardera ton pied pour que tu ne sois pas pris au piège*[a]. Le pied, en effet, se dirige vers l'avant. Mais l'on ne voit pas ce qui est devant soi lorsqu'on guette ce qui est sur le côté. Inversement, celui qui regarde en avant avec prévoyance pour surveiller son pied, celui-là cesse d'observer sur les côtés. Accomplir un acte de vertu placé devant nous, c'est comme prévoir où il faut poser le pied ; mais quand de cette même vertu naît furtivement une faute, c'est comme si, en regardant en avant, on laissait son côté exposé aux flèches. Souvent, craignant la naissance d'une faute, nous nous écartons d'une vertu qu'il fallait pratiquer ; c'est comme si, observant sur le côté, l'on ne voyait nullement comment poser le pied en avant. Il est donc bien dit : *Le Seigneur sera à ton côté, et il gardera ton pied pour que tu ne sois pas pris au piège*[b]. Car le soldat de Dieu, protégé par le bouclier de la grâce divine, observe avec circonspection ce qui peut venir de côté et en même temps ne cesse de progresser en portant ses pas en avant. Comme l'ennemi rusé, rempli de jalousie contre lui, voit qu'il ne peut nullement en triompher ni par les flèches, ni par la lance, il lui oppose son bouclier, afin que, s'il ne parvient pas à percer de ses coups la poitrine de celui qui lui résiste, il puisse du moins barrer par quelque obstacle son chemin quand il fait des progrès. En effet, il oppose aux efforts mêmes de celui-ci des difficultés à surmonter ; et puisqu'il n'est pas assez fort pour le vaincre, du moins lui résiste-t-il.

Mais écoutons ce que fait le cheval de Dieu devant toutes ces déclarations de guerre :

XLII, **83.** *Feruens et fremens sorbet terram, nec repu-*
tat tubae sonare clangorem. Contra equum clangor tubae
insonat, quando electi mentem in eo quod agit fortiter e
uicino quaedam posita culpa terribiliter temptat. Sed fer-
5 uens et fremens sorbet terram, quia nimio ardore semetipsum discutit, et quicquid in se terrenum reperit, cotidie
proficiendo consumit. Et clangorem tubae sonare non reputat, quia consideratione forti omne uitium quod de uirtutis
gloria nascitur sollicitus declinat. Sonare enim clangorem
10 tubae reputaret, si fortasse propter aliud quod praue suboritur alia agere recta metueret. Quia ergo ad agenda fortia
ante insonantia temptamenta non trepidat, in feruore suo
positus clangorem tubae minime formidat. Saepe autem dum
prosperari se uirtutibus conspicit, ne ipsa illum uirtutum
15 prosperitas eleuet, pulsari se temptationibus gaudet. Vnde et
apte subiungitur :

XLIII, **84.** *Vbi audierit buccinam, dicit : « Vah ! »*
Multos enim sua peius felicitas strauit, multos diuturna
pax inertes reddidit ; eoque illos inopinatus hostis grauius
perculit, quo longo quietis usu neglegentes inuenit. Vnde
5 sancti uiri cum multa se proficere uirtutum prosperitate
considerant, quodam dispensationis supernae moderamine
exerceri se etiam temptationibus exsultant, quia tanto robustius acceptam uirtutum gloriam custodiunt, quanto
temptationis impulsu concussi infirmitatem suam humilius

**Courage de
l'âme des élus**

XLII, 83. *Bouillonnant et frémissant,
il hume la terre et ne songe pas que le
son de la trompette retentit.* Le son de
la trompette retentit contre le cheval quand, là où elle se
conduit avec courage, l'âme d'un élu est terriblement tentée
par un vice tout proche. Mais, bouillonnant et frémissant,
il hume la terre, c'est-à-dire il s'examine lui-même avec une
grande ardeur et tout ce qu'il trouve en lui de terrestre, il le
consume en progressant chaque jour. Et il ne songe pas que
le son de la trompette retentit, c'est-à-dire qu'avec une grande
prudence il est soucieux d'éviter tout vice qui pourrait naître
de la gloire de la vertu. En effet, il songerait que le son de la
trompette retentit si, à cause de quelque faute qui pourrait
en découler, il craignait de pratiquer la vertu. Comme donc
il ne redoute pas de faire le bien avec courage malgré le bruit
des tentations, on peut dire que, dans l'ardeur qui l'anime,
il n'éprouve pas la moindre peur du son de la trompette. Et
souvent, voyant son progrès dans les vertus, dans la crainte
que ce progrès ne le rende orgueilleux, il se réjouit d'être
secoué par les tentations. C'est pour cela qu'à juste titre il est
ajouté :

39, 24

**Dangers
du bonheur**

XLIII, 84. *Dès qu'il entend la trompette, il s'écrie : « Vah ! »* Le bonheur en
a terrassé beaucoup de la pire des façons ;
une paix prolongée en a rendu beaucoup nonchalants. L'ennemi qu'ils n'attendaient pas les a frappés d'autant plus violemment qu'il les a surpris insoucieux, habitués qu'ils étaient
à une tranquillité prolongée. C'est pourquoi, quand les saints
s'aperçoivent qu'ils font de grands progrès par leur avance-
ment dans les vertus, ils se réjouissent d'être, eux aussi, selon
une certaine disposition du plan divin, éprouvés par des
tentations ; car alors ils conservent avec d'autant plus de
fermeté la gloire acquise par leurs vertus que, secoués par
l'attaque de la tentation, ils reconnaissent plus humblement

39, 25

10 agnoscunt. Equus ergo, audita buccina, uah dicit, quia uidelicet proeliator Dei, cum uim temptationis incumbere conspicit, utilitatem supernae dispensationis considerans, ex
ipsa ualidius aduersitate confidit. Cuius aduersitatis certamina idcirco illum non superant, quia numquam improuisa
15 temptant. Longe quippe praenotat ex unaquaque re, cuius
uitii pugna succrescat. Vnde et sequitur :

39, 25   XLIV, **85.** *Procul odoratur bellum.* Bellum namque
procul odorari est ex causis praecedentibus quae uitiorum
pugnae subsequantur agnoscere. Quia enim, sicut saepe iam
dictum est, odore res non uisa cognoscitur, bellum procul
5 odorari, est sicut flatu narium, sic prouisione cogitationum, nequitias latentes indagare. De quo odoratu Dominus
recte in Ecclesiae suae laudibus dicit : *Nasus tuus sicut turris,*
*quae est in Libano*ᵃ. Per nasum namque odores fetoresque
discernimus. Et quid per nasum, nisi prouida sanctorum
10 discretio designatur ? Turris uero speculationis in altum
ponitur, ut hostis ueniens longe uideatur. Recte ergo nasus
Ecclesiae turri in Libano similis dicitur, quia sanctorum
prouida discretio dum sollicite circumquaque conspicit in
altum posita, priusquam ueniat culpa deprehendit ; eamque
15 quo uigilanter praenotat, eo fortiter declinat. Hinc Habacuc
ait : *Super custodiam meam stabo*ᵇ. Hinc uniuscuiusque
electi animam Ieremias admonuit, dicens : *Statue tibi specu-*
*lam, pone tibi amaritudines*ᶜ. Speculam quippe sibi statuere
est uentura uitiorum certamina ex alta consideratione prae-

85. a. Ct 7, 4   b. Ha 2, 1   c. Jr 31, 21

leur fragilité. Donc, le cheval, dès qu'il entend la trompette, s'écrie : « Vah ! », c'est-à-dire : Quand le combattant de Dieu voit une violente tentation s'appesantir sur lui, considérant l'utilité de cette disposition divine, il tire de cette adversité même une confiance plus ferme. Il n'est pas abattu par les attaques de l'adversité, parce qu'elles ne le tentent jamais à l'improviste. En effet, il pressent de loin, en chaque cas, quel vice va l'attaquer plus intensément. Aussi le texte poursuit-il :

Discernement et prévoyance   XLIV, **85.** *Il sent de loin l'odeur de la guerre.* En effet, sentir de loin l'odeur de la guerre, c'est déduire des causes qui précèdent quels combats les vices vont engager. En effet, comme nous l'avons souvent dit, on connaît à son odeur un objet qu'on ne voit pas, sentir de loin l'odeur de la guerre, c'est donc dépister par la prévoyance de la réflexion, comme par le souffle des narines, les malices cachées. Au sujet de cet odorat, le Seigneur dit fort bien à la louange de son Église : *Ton nez est comme la tour qui est sur le mont Liban*[a]. Par le nez, nous distinguons les bonnes et les mauvaises odeurs. Que signifie donc le nez, sinon le discernement et la prévoyance des saints ? Or la tour de guet est située sur une hauteur, afin qu'on puisse voir de loin l'arrivée de l'ennemi. Le nez de l'Église est donc à juste titre comparé à la tour sur le mont Liban, parce que ce discernement et cette prévoyance des saints leur font soigneusement observer comme d'un lieu élevé tous les alentours. De cette manière, ils aperçoivent le péché avant qu'il n'arrive et l'évitent avec d'autant plus de force qu'ils l'avaient décelé auparavant avec plus de vigilance. Aussi Habacuc dit-il : *Je me tiendrai à mon poste de garde*[b]. Aussi Jérémie exhorte-t-il l'âme de chaque élu, en disant : *Établis-toi une tour de guet, représente-toi des amertumes*[c]. Établir pour soi une tour de guet, c'est prévoir d'un point de vue élevé les vices qui viendront nous combattre. L'esprit de

39, 25

20 noscere. Sibique electi mens amaritudines ponit, quando et
in uirtutum pace constituta, dum mala insidiantia conspicit,
secura quiescere non consentit.

86. Primo autem ne mala quaelibet, secundo uero loco
considerat ne bona incaute faciat ; et postquam praua sub-
egerit, ipsa etiam sibi subicere recta contendit, ne si mentis
dominium transeant, in elationis culpam uertantur. Quia
5 enim, sicut superius dictum est, plerumque ex bonis per
incuriae uitium mala nascuntur, uigilanti studio contemplatur quomodo ex doctrina arrogantia, ex iustitia crudelitas, ex pietate remissio, ex zelo ira, ex mansuetudine torpor
oriatur. Cumque bona haec agit, quod hic contra se hostes
10 per haec exsurgere ualeant conspicit. Nam cum adipiscendis
doctrinae studiis elaborat, mentem sollicite contra certamen arrogantiae praeparat. Cum culpas delinquentium iuste
ulcisci desiderat, sagacissime euitat ne modum iustitiae crudelitas uindictae transcendat. Cum pietate frenare se nititur,
15 sollerter prospicit ne qua disciplinae dissolutione uincatur.
Cum se recti zeli stimulis excitat, summopere praeuidet ne
plus quam necesse est irae se flamma succendat. Cum magna
mansuetudinis tranquillitate se temperat, uigilanter obseruat
ne torpore frigescat. Quia ergo spiritalis militis cogitatione
20 omne uitium prius quam subripere possit aspicitur, recte de
equo Dei dicitur : *Procul odoratur bellum.* Perpendit etiam
quae turba iniquitatum proruat, si mala ad se ingredi uel
pauca permittat. Vnde et sequitur :

l'élu se représente des amertumes quand, même établi dans la paix des vertus, il ne peut se résoudre, à la vue des maux qui le guettent, à se laisser aller en toute sécurité au repos.

Un mal peut naître d'un bien **86.** Premièrement, il prend bien garde de ne commettre aucun mal et, en second lieu, de ne pas faire le bien sans précaution. Ainsi, après avoir vaincu les vices, il s'efforce d'être maître aussi des actions vertueuses elles-mêmes, de peur que, si elles échappent à l'emprise de l'esprit, elles ne se transforment en péché d'orgueil. Car, selon ce qui a été dit plus haut, il arrive souvent que, par une négligence coupable, des maux naissent de biens : il considère donc avec un soin vigilant comment la science peut engendrer la présomption, la justice la cruauté, la bonté la faiblesse, le zèle la colère, la douceur la mollesse. Aussi, lorsqu'il pratique ces vertus, il prend conscience qu'à cette occasion, ses ennemis, les vices, peuvent s'élever contre lui. En effet, quand il travaille à acquérir un savoir, il prépare avec soin son esprit à combattre la présomption. Quand il se propose de punir en toute justice les fautes des coupables, il évite avec discernement que la rigueur du châtiment ne dépasse la mesure de la justice. Quand il veut se maintenir dans la bonté, il veille avec circonspection à ne pas se laisser entraîner à quelque relâchement dans la discipline. Quand il est animé par l'aiguillon du bon zèle, il évite par dessus tout de se laisser embraser plus que de raison par les flammes de la colère. Quand il se modère avec toute la tranquillité que donne la douceur, il veille attentivement à ne pas tomber dans la tiédeur et la mollesse. Aussi, parce que le soldat spirituel considère en pensée tout vice avant qu'il ne puisse se glisser en son âme, il est dit à juste titre de ce cheval de Dieu : *Il sent de loin l'odeur de la guerre.* Il pèse avec soin aussi quelle foule de péchés fera irruption, s'il permet au mal de pénétrer en lui, si peu que ce soit. C'est pourquoi le texte poursuit :

39, 25   XLV, **87**. *Exhortationem ducum, et ululatum exercitus.*
Temptantia quippe uitia, quae inuisibili contra nos proelio
regnanti super se superbiae militant, alia more ducum prae-
eunt, alia more exercitus subsequuntur. Neque enim culpae
5   omnes pari accessu cor occupant. Sed dum maiores et paucae
neglectam mentem praeueniunt, minores et innumerae ad
illam se cateruatim fundunt. Ipsa namque uitiorum regina
superbia cum deuictum plene cor ceperit, mox illud septem
principalibus uitiis, quasi quibusdam suis ducibus deuastan-
10 dum tradit. Quos uidelicet duces exercitus sequitur, quia ex
eis procul dubio importunae uitiorum multitudines oriuntur. Quod melius ostendimus, si ipsos duces atque exercitum
specialiter, ut possumus, enumerando proferamus. Radix
quippe cuncti mali superbia est, de qua, scriptura attestante,
15 dicitur : *Initium omnis peccati superbia* [a]. Primae autem eius
soboles, septem nimirum principalia uitia, de hac uirulenta
radice proferuntur, scilicet inanis gloria, inuidia, ira, tristitia,
auaritia, uentris ingluuies, luxuria. Nam quia his septem superbiae uitiis nos captos doluit, idcirco Redemptor noster
20 ad spiritale liberationis proelium Spiritu septiformis gratiae
plenus uenit.

87. a. Si 10, 15

1. Grégoire reproduit ici, en la modifiant, la liste des huit vices principaux
énumérés par CASSIEN, *Inst.* V, 1, et ensuite étudiés par celui-ci l'un après
l'autre (*Inst.* V-XII). Renversant l'ordre établi par Évagre (*Pract.*) et suivi par
Cassien, Grégoire commence par les deux derniers vices (orgueil et vaine
gloire), puis remplace l'*acedia* (dégoût, lassitude) par l'envie, garde la colère et

Les sept vices capitaux   XLV, 87. *Les exhortations des chefs et les hurlements de l'armée.* En effet, par-   39, 25 mi les vices qui nous tentent et mènent contre nous un combat invisible au service de l'orgueil qui règne sur eux, les uns marchent en tête ainsi que des chefs, et les autres suivent comme la troupe. Car tous les péchés n'approchent pas de la même manière d'un cœur pour s'en rendre maîtres. Tandis que les plus grands, en petit nombre, entrent les premiers dans une âme négligente, les plus petits, innombrables, fondent en foule sur elle. Lorsque celui-même qui règne sur tous les vices, l'orgueil, a assujetti un cœur et en a pris pleinement possession, alors il le livre aussitôt aux sept vices capitaux comme à ses chefs d'armée, pour qu'ils le dévastent. Et bien sûr l'armée suit ces chefs, parce que de ces sept vices capitaux sort évidemment la multitude désastreuse des vices. Cela, nous le montrerons mieux si nous faisons, dans la mesure du possible, une énumération détaillée de ces chefs et de leurs troupes. La racine, en effet, du mal tout entier est l'orgueil, comme l'atteste l'Écriture : *Le commencement de tout péché, c'est la superbe*[a]. Les premiers rejetons qui sortent de cette racine empoisonnée sont assurément les sept vices capitaux : c'est-à-dire la vaine gloire, la jalousie, la colère, la tristesse, l'avarice, la gourmandise, la luxure. Et parce que notre Rédempteur eut pitié de nous voir captifs de ces sept vices issus de l'orgueil, il vint, rempli de la grâce de l'Esprit septiforme, pour mener le combat spirituel de notre libération[1].

---

la tristesse, place l'avarice après ces dernières et non avant, et enfin termine par les deux premiers vices (gourmandise et luxure).

88. Sed habent contra nos haec singula exercitum suum. Nam de inani gloria inoboedientia, iactantia, hypocrisis, contentiones, pertinaciae, discordiae, et nouitatum praesumptiones oriuntur. De inuidia, odium, susurratio,
5 detractio, exsultatio in aduersis proximi, afflictio autem in prosperis nascitur. De ira, rixae, tumor mentis, contumeliae, clamor, indignatio, blasphemiae proferuntur. De tristitia, malitia, rancor, pusillanimitas, desperatio, torpor circa praecepta, uagatio mentis erga illicita nascitur. De auaritia,
10 proditio, fraus, fallacia, periuria, inquietudo, uiolentiae, et contra misericordiam obdurationes cordis oriuntur. De uentris ingluuie, inepta laetitia, scurrilitas, immunditia, multiloquium, hebetudo sensus circa intellegentiam propagantur. De luxuria, caecitas mentis, inconsideratio, in-
15 constantia, praecipitatio, amor sui, odium Dei, affectus praesentis saeculi, horror autem uel desperatio futuri generatur. Quia ergo septem principalia uitia tantam de se uitiorum multitudinem proferunt, cum ad cor ueniunt, quasi subsequentis exercitus cateruas trahunt. Ex quibus uidelicet
20 septem, quinque spiritalia, duoque carnalia sunt.

89. Sed unumquodque eorum tanta sibi cognatione iungitur, ut non nisi unum de altero proferatur. Prima namque superbiae soboles inanis est gloria, quae dum oppressam mentem corruperit, mox inuidiam gignit ; quia nimirum
5 dum uani nominis potentiam appetit, ne quis hanc alius adipisci ualeat tabescit. Inuidia quoque iram generat, quia quanto interno liuoris uulnere animus sauciatur, tanto etiam mansuetudo tranquillitatis amittitur ; et quia quasi dolens membrum tangitur, idcirco oppositae actionis manus uelut

Affinités des vices entre eux

88. Mais chacun de ces vices a ses troupes levées contre nous. En effet, de la vaine gloire naissent la désobéissance, la vantardise, l'hypocrisie, les rivalités, l'opiniâtreté, les discordes et la présomption d'innover en tout. De la jalousie sortent la haine, le murmure, le dénigrement, la joie des malheurs du prochain et le chagrin de sa prospérité. De la colère jaillissent les querelles, l'agitation de l'esprit, les injures, les cris, l'irritation, les blasphèmes. De la tristesse viennent la malice, la rancœur, la pusillanimité, le désespoir, la tiédeur à l'égard des préceptes, la divagation de l'esprit à propos des choses illicites. De l'avarice s'élèvent la trahison, la ruse, la fausseté, les faux serments, l'inquiétude, la violence et l'endurcissement du cœur à l'égard de la miséricorde. La gourmandise engendre la joie niaise, les bouffonneries, l'impureté, le bavardage, l'hébétude de l'esprit à l'égard de la réflexion. De la luxure naissent l'aveuglement de l'âme, le défaut de réflexion, l'inconstance, la précipitation, l'amour de soi, la haine de Dieu, l'attachement au siècle présent, l'aversion ou le manque d'espérance pour le siècle futur. Comme les sept vices capitaux prolifèrent en un si grand nombre de vices, l'on peut dire qu'en entrant dans un cœur, ils attirent derrière eux de grandes troupes de soldats. Et parmi ces sept vices, cinq sont spirituels et deux charnels.

89. Mais chacun d'eux est uni à eux par une parenté si étroite qu'à l'exception d'un seul il procède d'un autre. Ainsi le premier rejeton de l'orgueil est la vaine gloire qui, dès qu'elle a vaincu et corrompu l'âme, engendre aussitôt l'envie ; en effet, celui qui convoite l'influence d'un vain renom est rongé d'envie à la pensée que quelqu'un d'autre puisse l'acquérir. L'envie à son tour enfante la colère, car plus le cœur est rongé intérieurement par la blessure de la jalousie, plus il perd la douceur que donne la tranquillité d'âme ; de même que le contact de la main sur un membre douloureux, ainsi

10 grauius pressa sentitur. Ex ira quoque tristitia oritur, quia
turbata mens quo se inordinate concutit, eo addicendo confundit ; et cum dulcedinem tranquillitatis amiserit, nihil
hanc nisi ex perturbatione subsequens maeror pascit. Tristitia quoque ad auaritiam deriuatur, quia dum confusum cor
15 bonum laetitiae in semetipso intus amiserit, unde consolari
debeat, foras quaerit ; et tanto magis exteriora bona adipisci
desiderat, quanto gaudium non habet ad quod intrinsecus
recurrat. Post haec uero duo carnalia uitia, id est uentris
ingluuies et luxuria, supersunt. Sed cunctis liquet quod de
20 uentris ingluuie luxuria nascitur, dum in ipsa distributione
membrorum uentri genitalia subnixa uideantur. Vnde dum
unum inordinate reficitur, aliud procul dubio ad contumelias
excitatur.

90. Bene autem duces exhortari dicti sunt, exercitus
ululare, quia prima uitia deceptae menti quasi sub quadam
ratione se inserunt, sed innumera quae sequuntur ; dum
hanc ad omnem insaniam pertrahunt, quasi bestiali clamore
5 confundunt. Inanis namque gloria deuictum cor quasi ex
ratione solet exhortari, cum dicit : « Debes maiora appetere,
ut quo potestate ualueris multos excedere, eo etiam ualeas
et pluribus prodesse. » Inuidia quoque deuictum cor quasi ex ratione solet exhortari, cum dicit : « In quo illo uel
10 illo minor es ? Cur ergo eis uel aequalis, uel superior non
es ? Quanta uales quae ipsi non ualent ? Non ergo tibi aut
superiores esse, aut etiam aequales debent. » Ira etiam

la pression de l'adversité est-elle ressentie plus lourdement. La colère également engendre la tristesse, car l'esprit troublé, du fait qu'il s'agite d'une façon désordonnée, tombe dans la confusion, lorsqu'il juge. Et lorsqu'il a perdu la douceur que donne la tranquillité, le chagrin qui s'ensuit ne le nourrit plus que d'anxiété. La tristesse dégénère aussi en avarice, parce que le cœur confus, ayant perdu à l'intérieur de lui-même le bien de sa joie, va chercher au dehors des sujets de consolation ; et il désire d'autant plus acquérir les biens extérieurs qu'il ne possède pas la joie à laquelle il puisse avoir recours en son for intérieur. Après ceux-là, il reste encore les deux vices charnels, la gourmandise et la luxure. Mais personne n'ignore que la luxure est engendrée par la gourmandise, parce que, dans l'organisation elle-même des parties du corps, il est clair que les organes génitaux sont attachés au ventre. Aussi quand on satisfait l'une sans mesure, l'autre est inévitablement entraînée à des actes honteux.

Aveuglement de la raison **90.** Il est dit à juste titre de ces chefs qu'ils exhortent et de l'armée qu'elle hurle, parce que les premiers vices s'introduisent comme sous une apparence de raison dans l'âme abusée, mais innombrables sont ceux qui les suivent. Or, tandis qu'ils l'entraînent à toutes sortes de folies, ils la troublent par des hurlements semblables à ceux des bêtes. En effet, la vaine gloire exhorte habituellement, comme au nom de la raison, le cœur déjà vaincu : « Tu dois, lui dit-elle, avoir de plus grandes ambitions ; parce que tu as été capable d'en surpasser beaucoup en puissance, tu le seras aussi d'être utile à plus encore. » La jalousie, elle aussi, exhorte habituellement le cœur déjà vaincu, comme au nom de la raison : « En quoi, dit-elle, es-tu inférieur à celui-ci ou à celui-là ? Pourquoi donc ne leur es-tu pas égal ou supérieur ? De quoi n'es-tu pas capable, alors qu'ils en sont incapables ? Ils ne doivent donc pas être au-dessus de toi, ni même au même niveau. » La colère aussi

deuictum cor quasi ex ratione solet exhortari, cum dicit :
« Quae erga te aguntur aequanimiter ferri non possunt,
15 haec immo patienter tolerare peccatum est ; quia etsi non
eis cum magna exasperatione resistitur, contra te deinceps
sine mensura cumulantur. » Tristitia quoque deuictum cor
quasi ex ratione solet exhortari, cum dicit : « Quid habes
unde gaudeas, cum tanta mala de proximis portas ? Perpende
20 cum quo maerore omnes intuendi sunt qui in tanto contra
te amaritudinis felle uertuntur. » Auaritia quoque deuictum
animum quasi ex ratione solet exhortari, cum dicit : « Valde
sine culpa est, quod quaedam habenda concupiscis, quia non
multiplicari appetis sed egere pertimescis, et quod male alius
25 retinet, ipse melius expendis. » Ventris quoque ingluuies
deuictum cor quasi ex ratione solet exhortari, cum dicit :
« Ad esum Deus munda omnia condidit, et qui satiari cibo
respuit, quid aliud quam muneri concesso contradicit ? »
Luxuria quoque deuictum cor quasi ex ratione solet exhor-
30 tari, cum dicit : « Cur te in uoluptate tua modo non dilatas, cum quid te sequatur ignoras ? Acceptum tempus in
desideriis perdere non debes, quia quam citius pertranseat
nescis. Si enim misceri Deus hominem in uoluptate coitus
nollet, in ipso humani generis exordio masculum et femi-
35 nam non fecisset [a]. » Haec est ducum exhortatio quae
dum incaute ad secretum cordis admittitur, familiarius iniqua persuadet. Quam uidelicet exercitus ululans sequitur,
quia infelix anima semel a principalibus uitiis capta, dum

90. a. cf. Gn 1, 27

exhorte habituellement, comme au nom de la raison, le cœur déjà vaincu : « Il n'est pas possible, dit-elle, que tu supportes d'une âme égale ce que l'on te fait ; c'est même un tort que de supporter cela avec patience ; parce que si tu ne repousses pas ces procédés avec une violente irritation, par la suite on les accumulera sans mesure à tes dépens. » La tristesse, elle aussi, exhorte habituellement le cœur déjà vaincu, comme au nom de la raison : « Quel sujet, lui dit-elle, as-tu de te réjouir alors que ton prochain t'accable de tant de maux ? Mesure la tristesse avec laquelle tu dois considérer tous ceux qui sont animés contre toi d'un zèle si amer. » L'avarice, à son tour, exhorte habituellement, comme au nom de la raison, l'âme déjà vaincue : « Il n'y a absolument aucune faute, dit-elle, de ta part à convoiter la possession de certains biens ; car ce n'est pas pour t'enrichir, mais par crainte de tomber dans l'indigence. Et toi-même, tu dépenses de façon plus profitable ce qu'un autre conserve à tort. » La gourmandise aussi exhorte habituellement, comme au nom de la raison, le cœur déjà vaincu : « Dieu, dit-elle, a créé toutes choses pures et propres à la nourriture ; celui qui répugne à se rassasier de nourriture, que fait-il donc sinon rejeter un don accordé ? » La luxure, de même, exhorte habituellement, comme au nom de la raison, le cœur déjà vaincu : « Pourquoi, dit-elle, ne cherches-tu pas maintenant à t'épanouir dans les plaisirs, puisque tu ne sais pas ce qui peut t'arriver par la suite ? Tu ne dois pas perdre en regrets le temps qui t'est donné, puisque tu ne sais pas avec quelle rapidité il passe. Car si Dieu ne voulait pas que l'homme s'engageât dans le plaisir de l'union charnelle, il n'aurait pas créé, au début même du genre humain, l'homme et la femme [a]. » Voilà l'exhortation des chefs ; accueillie imprudemment au fond du cœur, elle fait admettre plus facilement des actions indignes. La troupe suit évidemment en hurlant, car la malheureuse âme, une fois captive des vices capitaux et rendue folle par ses multiples

multiplicatis iniquitatibus in insaniam uertitur, ferali iam
40 immanitate uastatur.

91. Sed miles Dei, quia sollerter praeuidere uitiorum certamina nititur, bellum procul odoratur ; quia mala praeeuntia,
quid menti persuadere ualeant, cogitatione sollicita respicit,
exhortationem ducum naris sagacitate deprehendit. Et quia
5 longe praesciendo subsequentium iniquitatum confusionem
conspicit, quasi ululatum exercitus odorando cognoscit.

Igitur quia uel praedicatorem Dei, uel quemlibet spiritalis
certaminis militem descriptum equi narratione cognouimus,
nunc eumdem iterum in auis significatione uideamus ; ut
10 qui per equum didicimus eius fortitudinem, etiam per auem
discamus illius contemplationem. Quia enim descripta equi
magnitudine audiuimus quantum contra certamina uitiorum uir sanctus per patientiam tolerat, nunc per auium speciem cognoscamus quantum per contemplationem uolat.
15 Sequitur :

39, 26   XLVI, **92.** *Numquid per sapientiam tuam plumescit*
accipiter, expandens alas suas ad Austrum ? Quia per annos
singulos pennam ueterem accipiter noua nascente proiciat,
ac sine intermissione plumescat, paene nullus ignorat. Non
5 autem hic illud plumae tempus dicitur, quo in nido uestitur,
quia tunc nimirum adhuc uidelicet pullus ad Austrum
alas expandere non ualet, sed illa annua pluma describitur,
quae laxata ueteri penna renouatur. Et quidem domesticis
accipitribus quo melius plumescere debeant munita ac te-

iniquités, est maintenant dévastée avec une monstrueuse sauvagerie.

L'oiseau, figure de la contemplation **91.** Mais le soldat de Dieu qui s'efforce avec circonspection de prévoir les attaques des vices sent de loin l'odeur de la guerre : puisqu'il considère d'un pensée inquiète ce que peuvent inspirer à son esprit les vices qui marchent en tête, il saisit par la finesse de son odorat les exhortations des chefs. Et, prévoyant de loin, il envisage le désordre des iniquités qui suivent ces vices : il a, peut-on dire, connaissance des hurlements de l'armée, grâce à son odorat.

Sous le portrait du cheval, nous constatons donc qu'est décrit le prédicateur de Dieu et même tout soldat du combat spirituel, voyons-le maintenant sous la figure de l'oiseau. Par le cheval, nous avons appris quelle est sa force, par l'oiseau apprenons de plus quelle est sa contemplation. Puisque nous avons entendu, quand était décrit le courage du cheval, tout ce que le saint doit supporter avec patience dans son combat contre les vices, découvrons maintenant sous la figure des oiseaux à quelle hauteur il s'envole par la contemplation. Le texte poursuit :

Se dépouiller du vieil homme XLVI, **92.** *Est-ce par ta sagesse que l'épervier se couvre de plumes, lorsqu'il étend ses ailes vers le midi ?* Que l'épervier 39, 26 rejette tous les ans son ancien plumage au moment où apparaît le nouveau et qu'ainsi il lui pousse sans cesse des plumes, presque personne ne l'ignore. Il ne s'agit pas ici du moment où il se couvre de plumes dans le nid, puisqu'il est évident qu'à cette époque, l'oisillon n'est pas encore capable d'étendre ses ailes vers le midi, mais il est question des plumes qui lui poussent chaque année après la chute de l'ancien plumage. Et pour que la mue des éperviers apprivoisés s'effectue dans les meilleures conditions, des lieux protégés et tièdes sont requis.

¹⁰ pentia loca requiruntur. Agrestibus uero moris est ut flante
Austro alas expandant, quatenus eorum membra ad laxandam
pennam ueterem uenti tepore concalescant. Cum uero
uentus deest, alis contra radium solis expansis atque percussis,
tepentem sibi auram faciunt, sicque apertis poris uel ueteres
¹⁵ exsiliunt, uel nouae succrescunt. Quid est ergo accipitrem
in Austro plumescere, nisi quod unusquisque sanctorum
tactus flatu sancti Spiritus concalescit ; et usum uetustae
conuersationis abiciens, noui hominis formam sumit ? Quod
Paulus admonet, dicens : *Exspoliantes uos ueterem hominem*
²⁰ *cum actibus suis, et induentes nouum*ᵃ. Et rursum : *Licet is*
qui foris est noster homo corrumpitur, tamen is qui intus est
*renouatur de die in diem*ᵇ. Vetustam autem pennam proicere
est inueterata studia dolosae actionis amittere, et nouam
pennam sumere est mitem ac simplicem bene uiuendi sen-
²⁵ sum tenere. Penna namque ueteris conuersationis grauat, et
pluma nouae immutationis subleuat, ut ad uolatum tanto
leuiorem quanto nouiorem reddat.

93. Et bene ait : *Expandit alas suas ad Austrum*. Alas
quippe nostras ad Austrum expandere est per aduentum
sancti Spiritus nostras confitendo cogitationes aperire, ut
iam non libeat defendendo nos tegere, sed accusando pu-
⁵ blicare. Tunc ergo accipiter plumescit, cum ad Austrum
alas expanderit, quia tunc se unusquisque uirtutum pennis
induit, cum sancto Spiritui cogitationes suas confitendo
substernit. Qui enim uetera fatendo non detegit, nouae uitae
opera minime producit, qui nescit lugere quod grauat, non
¹⁰ ualet proferre quod subleuat. Ipsa namque compunctionis

92. a. Col 3, 9-10   b. 2 Co 4, 16

Quant aux éperviers sauvages, ils ont coutume d'étendre leurs ailes au vent du midi afin que leurs membres, se réchauffant sous l'effet du vent tiède, laissent tomber l'ancien plumage. Quand il n'y a pas de vent, ils exposent leurs ailes aux rayons du soleil et, par des battements d'ailes, ils se procurent de l'air tiède qui, ouvrant les pores de la peau, facilite à la fois la chute des anciennes plumes et la croissance des nouvelles. Que signifie donc le fait que l'épervier se couvre de plumes au vent du midi, sinon que chaque saint touché par le souffle du Saint-Esprit, s'emplit de ferveur, et, rejetant les habitudes de son ancienne vie, revêt la forme d'un homme nouveau ? Ainsi nous y exhorte Paul, en disant : *Dépouillez-vous du vieil homme avec ses œuvres, et revêtez-vous du nouveau* [a]. Et encore : *Bien qu'en nous l'homme extérieur se détruise, cependant l'homme intérieur se renouvelle de jour en jour* [b]. Or, perdre son ancien plumage, c'est se défaire de ses anciens penchants pour une conduite coupable, et se couvrir d'un nouveau plumage, c'est avoir dans la douceur et la simplicité la notion d'une vie bonne. Les plumes de l'ancienne vie alourdissent, et celles de la nouvelle mue soulèvent et rendent le vol d'autant plus léger qu'il est plus nouveau.

93. Il est fort bien dit : *Il étend ses ailes vers le midi*, car étendre nos ailes vers le midi, c'est découvrir nos pensées en les confessant grâce à la venue du Saint-Esprit, en sorte qu'au lieu de les cacher pour nous défendre, désormais nous les rendons publiques pour nous accuser. De même que l'épervier se couvre de plumes quand il étend les ailes vers le midi, chacun de nous revêt les plumes des vertus lorsqu'il soumet au Saint-Esprit ses pensées en les confessant. Car celui qui ne met pas à nu, en les avouant, les actions du vieil homme, ne produit jamais les œuvres de la vie nouvelle ; celui qui ne sait pas déplorer ce qui l'alourdit ne peut susciter ce qui le soulèverait. Sous l'influence de la componction, les pores

La confession

uis poros cordis aperit, et plumas uirtutum fundit ; cumque
se studiose mens de pigra uetustate redarguit, alacri nouitate
iuuenescit. Dicatur ergo beato Iob : *Numquid per sapientiam
tuam plumescit accipiter, expandens alas suas ad Austrum ?* id
15 est : Numquid cuilibet electo tu intellegentiam contulisti, ut
flante sancto Spiritu, cogitationum alas expandat, quatenus
pondera uetustae conuersationis abiciat, et uirtutum plumas
in usum noui uolatus sumat ? Vt hinc uidelicet colligat quia
uigilantiam sensus in semetipso ex se non habet, qui hanc
20 ex se conferre aliis nequaquam ualet. Potest etiam per hunc
accipitrem renouata gentilitas designari, ac si beato Iob aperte
diceretur : Futuras uirtutum plumas in gentilitate respice, et
uetustas superbiae pennas amitte. Sequitur :

39, 27   XLVII, **94. *Numquid ad praeceptum tuum eleuabitur
aquila et in arduis ponet nidum sibi ?*** In scriptura sacra
uocabulo aquilae aliquando maligni spiritus raptores animarum, aliquando praesentis saeculi potestates, aliquando
5 uero uel subtilissimae sanctorum intellegentiae, uel incarnatus
Dominus ima celeriter transuolans, et mox summa repetens
designatur.

Aquilarum nomine insidiatores spiritus exprimuntur, Ieremia attestante, qui ait : *Velociores fuerunt persecutores nostri
10 aquilis caeli*[a]. Persecutores enim nostri aquilis caeli uelo-
ciores sunt, cum tanta contra nos maligni homines faciunt, ut
ipsas etiam aereas potestates inuentionibus malitiae praeire
uideantur.

Aquilae uocabulo potestas terrena figuratur. Vnde per
15 Ezechielem prophetam dicitur : *Aquila grandis, magnarum
alarum, longo membrorum ductu plena plumis et uarietate,*

94. a. Lm 4, 19

du cœur s'ouvrent et font pousser les plumes des vertus ; lorsque l'âme s'est reproché avec ardeur le vieillissement qui la rend inerte, elle rajeunit dans une allègre nouveauté. C'est pourquoi il peut être dit au bienheureux Job : *Est-ce par ta sagesse que l'épervier se couvre de plumes lorsqu'il étend ses ailes vers le midi ?*, c'est-à-dire : Est-ce toi qui as donné à chaque élu l'intelligence d'exposer les ailes de ses pensées au souffle du Saint-Esprit pour qu'il rejette le poids de sa vie ancienne et revête le plumage des vertus pour servir à un vol nouveau ? D'où il peut conclure qu'il ne tire pas de lui-même cette vigilance de la pensée qui est en lui, puisqu'il ne peut aucunement la donner lui-même aux autres. Cet épervier peut aussi désigner la Gentilité renouvelée, comme s'il était dit clairement au bienheureux Job : Regarde les plumes des vertus qui couvriront la Gentilité et quitte les vieilles plumes de l'orgueil. Le texte poursuit :

Sens divers de l'aigle XLVII, **94.** *Est-ce qu'à ton commande-ment l'aigle s'élèvera et placera son nid sur les hauteurs escarpées ?* Dans l'Écriture sainte, l'aigle signifie parfois les esprits malins qui ravissent les âmes, parfois les puissants de ce monde, mais parfois aussi, soit les intelligences très subtiles des saints, soit le Seigneur incarné qui, traversant d'un vol rapide la terre, a regagné les cieux sans retard.

Sous le nom d'aigles sont désignés ces esprits qui nous tendent des embûches, Jérémie l'atteste, lui qui dit : *Nos per-sécuteurs ont été plus rapides que les aigles du ciel*[a]. En effet, nos persécuteurs sont plus rapides que les aigles du ciel, lorsque des hommes méchants nous font de tels torts qu'ils semblent devancer même les puissances de l'air par leurs inventions pleines de malice.

L'aigle figure aussi la puissance terrestre, selon ces paroles du prophète Ézéchiel : *Un grand aigle, aux larges ailes, étendant au loin ses membres couverts de plumes aux teintes*

*uenit ad Libanum et tulit medullam cedri ; et summitatem
frondium eius euulsit*[b]. Qua uidelicet aquila quis alius quam
Nabuchodonosor rex Babyloniae designatur ? Qui pro im-
20 mensitate exercitus magnarum alarum, pro diuturnitate
temporum longo membrorum ductu ; pro multis uero diuitiis plena plumis, pro innumera autem terrenae gloriae
compositione, plena uarietate describitur. Quae uenit ad
Libanum et tulit medullam cedri, et summitatem frondium
25 eius euulsit ; quia Iudaeae celsitudinem petens, nobilitatem
regni eius, quasi medullam cedri abstulit ; et dum tenerri-
mam regum prolem a regni sui culmine captiuando sustulit,
quasi summitatem frondium euulsit.

Aquilae uocabulo uel subtilis sanctorum intellegentia,
30 uel uolatus dominicae ascensionis exprimitur. Vnde isdem
propheta dum sub animalium specie euangelistas quattuor
se uidisse describeret[c], in eis sibi hominis, leonis, bouis et
aquilae faciem apparuisse testatur ; quartum procul dubio
animal Ioannem per aquilam designans, qui uolando terram
35 deseruit ; quia per subtilem intellegentiam interna mysteria
Verbum uidendo penetrauit. Cui nimirum propheticae
sententiae ipse quoque Ioannes in Reuelatione sua de
semetipso non dissonat, dicens : *Animal primum simile leoni, secundum simile uitulo, tertium animal habens faciem
40 quasi hominis, quartum animal simile aquilae uolanti*[d].
Et quamuis singula ad unumquemque euangelistam recte
conueniant, dum alius humanae natiuitatis ordinem ; alius
per mundi sacrificii mactationem, quasi uituli mortem ; alius
potestatis fortitudinem quasi leonis clamorem insinuat ;
45 alius natiuitatem Verbi intuens, quasi ortum solem aquila
aspectat, possunt tamen haec quattuor animalia ipsum suum
caput cuius sunt membra, signare. Ipse namque et homo est,
quia naturam nostram ueraciter suscepit, et uitulus, quia

94. b. Ez 17, 3-4   c. cf. Ez 1, 10   d. Ap 4, 7

variées, vint au Liban, enleva la moelle du cèdre et arracha le sommet de sa frondaison [b]. Qui donc est désigné par cet aigle, sinon Nabuchodonosor, roi de Babylone ? Ses grandes ailes figurent l'immensité de son armée ; ses membres étendus au loin, la durée de son règne ; l'abondance de ses plumes, ses multiples richesses ; enfin les teintes variées, l'accumulation de ses innombrables gloires terrestres. Il vint au Liban, enleva la moelle du cèdre, et arracha le sommet de sa frondaison ; c'est-à-dire que, gagnant le haut pays de Judée, il enleva, à l'instar de la moelle du cèdre, la noblesse du royaume, et emmena la plus tendre progéniture des rois, les arrachant au faîte de leur royaume, comme le sommet de la frondaison.

L'image de l'aigle exprime encore soit l'intelligence subtile des saints, soit l'envol du Seigneur lors de son Ascension. De là vient que le même prophète, lorsqu'il écrit qu'il a vu les quatre évangélistes sous l'aspect d'animaux [c], affirme qu'ils lui sont apparus sous la figure d'un homme, d'un lion, d'un bœuf et d'un aigle. Il désignait Jean sans aucun doute par le quatrième animal, l'aigle qui s'éloigna de la terre en volant ; parce que, regardant le Verbe, il a pénétré les mystères secrets par une subtile intelligence. Jean lui-même ne contredit pas cette parole du prophète à son propre sujet, lorsqu'il dit dans sa Révélation : *Le premier animal était semblable à un lion, le second était semblable à un jeune taureau, le troisième avait comme un visage d'homme, le quatrième était semblable à un aigle qui vole* [d]. Chaque animal, il est vrai, convient bien à un évangéliste déterminé : l'un fait connaître l'économie de la naissance humaine ; l'autre, l'immolation d'un sacrifice sans tache, comme par la mort d'un jeune taureau ; un autre, la force et la puissance, comme par le rugissement du lion ; le dernier contemple la naissance du Verbe comme l'aigle regarde en face le soleil levant. Cependant ces quatre animaux peuvent aussi signifier le chef, dont ils sont les membres. En effet, il est un homme, puisqu'il a véritablement pris notre nature, il est aussi un jeune taureau, puisqu'il est mort avec

pro nobis patienter occubuit ; et leo quia per diuinitatis for-
50 titudinem susceptae mortis uinculum rupit ; et ad extremum
aquila, quia ad caelum, de quo uenerat, rediit. Homo ergo
nascendo, uitulus moriendo, leo resurgendo, aquila ad caelos
ascendendo uocatus est.

Sed hoc loco aquilae nomine subtilis sanctorum intelle-
55 gentia et sublimis eorum contemplatio figuratur. Cuncta-
rum quippe auium uisum acies aquilae superat, ita ut solis
radius fixos in se eius oculos nulla lucis suae coruscatione re-
uerberans claudat. Ad praeceptum ergo Dei eleuatur aquila,
dum iussionibus diuinis obtemperans, in supernis suspen-
60 ditur fidelium uita. Quae et in arduis nidum ponere dicitur,
quia desideria terrena despiciens, spe iam de caelestibus nutritur. In arduis nidum ponit, quia habitationem mentis suae in
abiecta et infima conuersatione non construit. Hinc est quod
Cinaeo Balaam prophetante dicitur : *Robustum quidem*
65 *est habitaculum tuum, sed si in petra posueris nidum tuum*[e].
Cinaeus namque possessor interpretatur. Et qui sunt qui
praesentia possident, nisi hi qui ingenio sapientiae saecularis
callent ? Qui in hoc ueraciter robustum sibi habitaculum
construunt, si per humilitatem paruuli apud semetipsos facti,
70 in Christi sublimitate nutriantur ; si semetipsos infirmos
sentiant, et in excelsa humilitate cogniti Redemptoris fouen-
dam mentis fiduciam ponant ; si ima non appetant, si omne
quod praeterit cordis uolatu transcendant.

94. e. Nb 24, 21

1. Cf. JÉRÔME, *Liber interpr. Hebr. nom.* 4, 4, *et passim*.

patience pour nous ; et un lion, parce qu'il a rompu, par la puissance de sa divinité, les liens de la mort qu'il avait subie ; et enfin il est un aigle, parce qu'il est retourné au ciel d'où il était venu. Sa naissance le fait donc appeler homme ; sa mort, jeune taureau ; sa résurrection, lion ; son ascension dans les cieux, aigle.

Mais en ce passage, l'aigle figure la fine intelligence des saints et leur contemplation sublime. Assurément le regard de l'aigle dépasse en acuité celui de tous les oiseaux, au point qu'il regarde fixement le soleil rayonnant sans que ses yeux éblouis par l'éclat de sa lumière se ferment. Donc, au commandement de Dieu, l'aigle s'élève, lorsque, par l'observation des préceptes divins, la vie des fidèles se tient en suspension dans les hauteurs. Il est dit que l'aigle place son nid sur les hauteurs escarpées, parce que, méprisant les désirs terrestres, elle se nourrit déjà en espérance des biens du ciel. Il place son nid sur les hauteurs escarpées, parce qu'elle n'établit pas le séjour de son âme dans une vie basse et abjecte. De là vient que le prophète Balaam dit au Cinéen : *Ton habitation est solide certes, mais à condition que tu poses ton nid sur la pierre*[c]. Cinéen signifie « possesseur [1] ». Et quels sont ceux qui possèdent les biens actuels, sinon ceux qui ont le don d'exceller dans la sagesse du siècle ? Ceux-là se construisent vraiment une habitation solide qui, devenus des petits enfants à leurs propres yeux par l'humilité, sont nourris dans la sublimité du Christ ; qui, se sentant faibles par eux-mêmes, mettent pour la soutenir la confiance de leur âme dans la très haute humilité de celui qu'ils reconnaissent pour leur Rédempteur ; qui, enfin, ne recherchent pas les biens d'ici-bas, et s'élèvent par l'envol du cœur au-dessus de tout ce qui est passager.

95. Videamus aquilam nidum spei sibi in arduis constru-
entem. Ait : *Nostra conuersatio in caelis est*[a]. Et rursum : *Qui
conresuscitauit et consedere nos fecit in caelestibus*[b]. In arduis
habet nidum, quia profecto in supernis figit consilium.
5 Non uult mentem in ima deicere, non uult per abiectionem
conuersationis humanae in infimis habitare. Tunc Paulus
in carcere fortasse tenebatur, cum se consedere Christo in
caelestibus testaretur. Sed ibi erat, ubi ardentem iam mentem fixerat, non illic ubi illum necessario pigra adhuc caro
10 retinebat.

96. Hoc namque esse speciale specimen electorum solet,
quod sic sciunt praesentis uitae uiam carpere, ut per spei
certitudinem nouerint iam se ad alta peruenisse, quatenus
cuncta quae praeterfluunt sub se esse uideant, atque omne
5 quod in hunc mundum eminet amore aeternitatis calcent.
Hinc est enim quod sequenti se animae per prophetam
Dominus dicit : *Sustollam te super altitudines terrae*[a]. Quasi
quaedam namque inferiora terrae sunt, damna, contumeliae,
egestas, abiectio, quae ipsi quoque dilectores saeculi dum per
10 latae uiae planitiem ambulant, uitando calcare non cessant.
Altitudines autem terrae sunt, lucra rerum, blandimenta
subditorum, diuitiarum abundantia, honor et sublimitas
dignitatum ; quae quisquis per ima adhuc desideria incedit,
eo ipso alta aestimat, quo magna putat. At si semel cor in
15 caelestibus figitur, mox quam abiecta sint cernitur quae alta
uidebantur. Nam sicut cum quisque montem conscendit
eo paulisper cetera subteriacentia despicit, quo ad altiora
amplius gressum tendit, ita qui in summis intentionem

95. a. Ph 3, 20   b. Ep 2, 6
96. a. Is 58, 14

**Vivre dans
l'espérance**

95. Regardons l'aigle se construire sur les hauteurs escarpées un nid d'espérance : *Notre vie est dans les cieux*, dit-il[a]. Et encore : *Il nous a ressuscités et fait asseoir avec lui dans les cieux*[b]. Oui, il a son nid sur les hauteurs escarpées, car il fixe ses pensées dans les hauteurs. Il ne veut pas rabaisser son âme dans les bas-fonds, il ne veut pas habiter dans la bassesse et l'abjection de la vie humaine. Quand il affirmait être avec le Christ assis dans les cieux, Paul était alors peut-être retenu en prison. Mais il était là où il avait déjà fixé son âme ardente, non ici-bas où la pesanteur de la chair le retenait encore par nécessité.

**L'amour
de l'éternité**

96. Voici la caractéristique habituelle propre aux élus : ils savent emprunter le chemin de la vie présente, tout en sachant que, par la certitude de leur espérance, ils sont déjà parvenus aux biens d'en haut, de sorte qu'ils regardent comme au-dessous d'eux toutes les réalités passagères et foulent aux pieds, par amour de l'éternité, toutes les grandeurs de ce monde. Aussi le Seigneur dit-il par le prophète à l'âme qui marche à sa suite : *Je t'élèverai au-dessus des hauteurs de la terre*[a]. On peut considérer comme des bassesses de la terre : les dommages, les opprobres, la pauvreté, l'abjection, toutes choses que les amants du siècle eux-mêmes, marchant par la voie large et plane, ne cessent de fouler aux pieds en les évitant. Quant aux hauteurs de la terre, ce sont les avantages des biens matériels, les flatteries des subordonnés, l'abondance des richesses, les honneurs et la noblesse du rang. Et quiconque continue d'avancer parmi ces basses convoitises les estime d'autant plus élevées qu'il en fait grand cas. Mais une fois que le cœur s'est attaché aux biens du ciel, il voit aussitôt combien sont méprisables ces avantages qui lui paraissaient si élevés. En effet, de même que celui qui gravit une montagne regarde à peine d'en haut tout ce qui s'étend au-dessous par le

figere nititur, dum annisu ipso nullam praesentis uitae glo-
20 riam esse deprehendit, super terrae altitudines eleuatur ; et
quod prius in imis desideriis positus super se credidit, post
ascendendo proficiens sibi subesse cognoscit. Quae ergo
illic Dominus facturum se esse pollicetur, dicens : *Sustollam
te super altitudines terrae*[b], haec apud beatum Iob solum se
25 facere posse testatur, dicens : *Numquid ad praeceptum tuum
eleuabitur aquila et in arduis ponet nidum sibi ?* Ac si diceret : Vt ad meum, qui quod exterius praecipio hoc intrinsecus gratia occultae largitatis inspiro. Sequitur :

39, 28 XLVIII, **97.** *In petris manet.* In sacro eloquio cum singulari numero petra nominatur quis alius quam Christus accipitur ? Paulo attestante, qui ait : *Petra autem erat Christus*[a].
Cum uero petrae pluraliter appellantur, membra eius, uide-
5 licet sancti uiri, qui illius robore solidati sunt exprimuntur.
Quos nimirum Petrus apostolus lapides uocat, dicens : *Vos
tamquam lapides uiui, coaedificamini domus spiritales*[b]. Ista
itaque aquila quae ad ueri solis radios cordis oculos erexit, in
petris manere dicitur ; quia in dictis antiquorum et fortium
10 patrum mentis statione collocatur. Eorum quippe uitam
quos in uia Dei praeisse conspicit ad memoriam reducit,
atque in celsitudine illorum fortitudinis studendo nidum sibi
construit sanctae meditationis. Cumque eorum acta dictaque
tacite cogitat, cum praesentis uitae gloriam in comparatione

96. b. Is 58, 14
97. a. 1 Co 10, 4   b. 1 P 2, 5

1. Sur l'âme sainte qui s'élève au-dessus du monde créé (*Mor.* 31, 94-96), cf.
Dial. II, 35, 6-7.

fait qu'il presse davantage le pas vers les sommets, de même, celui qui s'efforce de fixer son attention sur les réalités les plus hautes : comprenant par cet effort même que la gloire de la vie présente n'est rien, il s'élève au-dessus des grandeurs terrestres, et ce qu'autrefois, plongé dans les convoitises d'en bas, il a imaginé au-dessus de lui, progressant ensuite vers les hauteurs, il constate que c'est au-dessous de lui. Donc ce que le Seigneur promet de faire lorsqu'il dit ici : *Je t'élèverai au-dessus des hauteurs de la terre*[b], il assure au bienheureux Job que lui seul peut l'accomplir en disant : *Est-ce qu'à ton commandement l'aigle s'élèvera et placera son nid sur les hauteurs escarpées ?* Il voulait dire : comme il le fait à mon commandement, moi qui inspire intérieurement, par la grâce d'un don caché, ce que je commande de l'extérieur[1]. Le texte poursuit :

Méditer la vie et les écrits des Pères

XLVIII, **97.** *Il fait sa demeure dans les pierres.* Lorsque la sainte Écriture parle de la pierre au singulier, de qui s'agit-il, sinon du Christ ? Comme l'affirme Paul, quand il dit : *La pierre était le Christ*[a]. Mais quand elle dit les pierres au pluriel, il faut entendre les membres du Christ, c'est-à-dire les saints qui ont été affermis par sa force. Ce sont eux assurément que l'apôtre Pierre appelle « pierres », lorsqu'il dit : *Comme des pierres vivantes, laissez-vous bâtir en maisons spirituelles*[b]. Cet aigle qui a levé les yeux de son cœur vers les rayons du vrai soleil est donc réputé faire sa demeure dans les pierres, car il est fixé au lieu où réside son esprit, dans les sentences des anciens et valeureux Pères. Il se remet en mémoire la vie de ceux dont il voit qu'ils l'ont précédé dans la voie de Dieu et, fixant son étude sur la hauteur de leur vertu, il se construit un nid de sainte méditation. Lorsqu'en silence, il réfléchit à leurs actions et à leurs paroles, lorsqu'il remarque combien est méprisable la gloire de la vie présente en comparaison de l'excellence de la vie éternelle, on peut

39, 28

15 aeternae excellentiae quam sit abiecta considerat, quasi sub
se esse ima terrarum in petris residens obseruat.

98. Possunt etiam petrae sublimes uirtutum caelestium potestates intellegi ; quas non iam quasi more arborum huc atque
illuc uentus nostrae mutabilitatis inclinat, quia uelut petrae
in arduis sitae ab omni motu mutabilitatis alienae sunt ; et ad
5 soliditatem fixae celsitudinis ipsa cui inhaerent aeternitate
duruerunt. Vir itaque sanctus, cum terrena despicit, more se
aquilae ad altiora suspendit ; et per contemplationis spiritum
subleuatus perennem angelorum gloriam praestolatur, atque
huic mundo hospes, illa appetendo quae aspicit, iam in
10 sublimibus figitur. Recte ergo dicitur : *In petris manet*, id est
intentione cordis inter illas caelestes uirtutes residet, quae per
aeternitatis suae fortitudinem tanta iam soliditate fixae sunt,
ut in nullo culpae latere mutabilitatis uarietate flectantur.
Vnde et apte sequitur :

39, 28   XLIX, **99.** *Et in praeruptis silicibus commoratur, atque*
inaccessis rupibus. Qui enim sunt alii praerupti silices, nisi
illi fortissimi angelorum chori, qui quamuis non integri,
sed tamen in proprio statu fixi, cadente cum suis angelis
5 diabolo remanserunt ? Praerupti enim sunt, quia pars eorum cecidit, pars remansit. Qui integri quidem stant per
qualitatem meriti, sed per numeri quantitatem praerupti.
Hanc praeruptionem restituere Mediator uenit ut redempto
humano genere illa angelica damna sarciret, et mensuram

dire qu'établissant sa résidence dans les pierres, il juge comme au-dessous de lui les bas-fonds terrestres.

Contempler les vertus célestes   **98.** On peut encore voir dans les pierres les puissances sublimes des vertus célestes, qui ne sont plus agitées de-ci de-là ainsi que des arbres par le vent de notre inconstance, car, comme des blocs de pierre situés sur les hauteurs escarpées, elles ne sont sujettes à aucun mouvement d'altération et sont affermies au contact de la grandeur immuable et sans déclin, par l'éternité même à laquelle elles adhèrent. Aussi lorsqu'il méprise les réalités terrestres, le saint, comme un aigle, se tient en suspens dans les hauteurs ; soulevé par le souffle de la contemplation, il aspire à la gloire éternelle des anges, et, hôte de passage en ce monde, n'ayant de désirs que pour ces biens qu'il contemple, il habite déjà dans les lieux sublimes. Ainsi, il est dit à juste titre : *Il fait sa demeure dans les pierres*, c'est-à-dire que, par le désir du cœur, il établit sa résidence parmi ces vertus célestes qui sont déjà fixées avec une telle solidité par la force de leur éternité que nul mouvement désordonné ne peut les faire pencher vers une faute quelconque. C'est pourquoi le texte poursuit avec raison :

Les chœurs des anges   XLIX, **99.** *Et il a son gîte sur des rocs abrupts et des rochers inaccessibles.* Qui sont en effet les rocs abrupts, sinon ces chœurs d'anges pleins de force, qui n'ont pas gardé, il est vrai, l'intégrité de leur nombre, mais sont restés néanmoins dans l'état qui leur est propre, malgré la chute du diable et de ses anges ? Ils sont « abrupts » (*prae-rupti*), parce qu'une partie d'entre eux est tombée, l'autre est demeurée. Ceux qui sont intacts résistent, certes, quant à la qualité de leur mérite, mais ils sont « abrupts » quant à l'importance de leur nombre. Le Médiateur est venu pour réparer cette rupture et compenser la perte de ces anges en rachetant le genre humain, et peut-

10 caelestis patriae locupletius fortasse cumularet. Propter
hanc praeruptionem de Patre dicitur : *Proposuit in eo, in
dispensatione plenitudinis temporum, instaurare omnia in
Christo, quae in caelis, et quae in terra sunt in ipso*[a]. In ipso
quippe restaurantur ea quae in terra sunt, dum peccatores ad
15 iustitiam conuertuntur. In ipso restaurantur ea quae in caelis
sunt, dum illuc humiliati homines redeunt unde apostatae
angeli superbiendo ceciderunt. Quod uero ait : *Inaccessis
rupibus*, nimirum qui praerupti silices, ipsi sunt inaccessae
rupes. Cordi enim peccatorum hominum ualde inaccessa
20 est claritas angelorum ; quia quo ad pulchra corporalia cecidit, eo ab spiritali specie oculos clausit. Sed quisquis ita
contemplatione rapitur, ut per diuinam gratiam subleuatus,
intentionem suam iam angelorum choris interserat, et fixus
in sublimibus, ab omni se infima actione suspendat, non ei
25 sufficit gloriam angelicae claritatis aspicere, nisi eum etiam
qui est super angelos, ualeat uidere. Sola namque eius uisio
uera mentis nostrae refectio est.

Vnde cum dixisset hanc aquilam in petris manere, et in
praeruptis silicibus atque inaccessis rupibus commorari,
30 ilico subdidit :

39, 29

L, **100. *Inde contemplatur escam.*** Id est, ex illis choris
angelicis tendit oculum mentis ad contemplandam gloriam
supernae maiestatis, qua non uisa adhuc esurit, qua tandem
uisa satiatur. Scriptum quippe est : *Pro eo quod laborauit ani-*
5 *ma eius, uidebit et saturabitur*[a]. Et rursum : *Beati qui esuriunt
et sitiunt iustitiam quoniam ipsi saturabuntur*[b]. Quis uero
ipse mentis nostrae cibus sit, indicatur aperte cum dicitur :
Beati mundo corde, quoniam ipsi Deum uidebunt[c].

99. a. Ep 1, 9-10
100. a. Is 53, 11   b. Mt 5, 6   c. Mt 5, 8

être a-t-il même augmenté ainsi la capacité de la patrie céleste. À propos de cette rupture, il est dit du Père : *Il s'était proposé en lui, la plénitude des temps accomplie, de tout restaurer dans le Christ, ce qui est dans les cieux et ce qui est sur la terre*[a]. Oui, en lui est restauré ce qui est sur terre, quand les pécheurs se convertissent à la justice. En lui est restauré ce qui est dans les cieux, lorsque les hommes, par leur humilité, reviennent à la place d'où les anges apostats sont tombés par leur orgueil. Quant à cette affirmation : *et des rochers inaccessibles*, il s'agit évidemment de ces mêmes rocs abrupts, rochers inaccessibles. En effet, la clarté des anges est tout à fait inaccessible pour le cœur des hommes pécheurs ; car dans la mesure où il s'est abaissé vers les beautés corporelles, il a fermé les yeux à la splendeur spirituelle. Mais si quelqu'un est ravi dans la contemplation au point que, soulevé par la grâce divine, il est introduit déjà par son désir parmi les chœurs des anges et que, fixé dans les hauteurs sublimes, il s'abstient de toute bassesse, il ne lui suffit plus de contempler la gloire de la clarté angélique s'il ne peut voir aussi celui qui est au-dessus des anges. Seule, en effet, la vision de celui-ci est la véritable réfection de notre âme.

Aussi, après avoir dit que cet aigle fait sa demeure dans les pierres et qu'il a son gîte sur des rocs abrupts et des rochers inaccessibles, le texte ajoute aussitôt :

Voir Dieu...

L, 100. *De là il contemple sa proie.*   39, 29
C'est-à-dire que de ces chœurs angéliques il dirige l'œil de son âme vers la contemplation de la gloire de la majesté suprême : tant qu'il ne la voit pas, il reste affamé, et lorsqu'enfin il la voit, il est pleinement rassasié. Il est écrit en effet : *Il verra ce pourquoi son âme aura travaillé et il sera rassasié*[a] ; et ailleurs : *Heureux ceux qui ont faim et soif de la justice, car ils seront rassasiés*[b]. Et il est indiqué clairement quel est l'aliment de notre âme lorsqu'il est dit : *Heureux ceux qui ont le cœur pur, car ils verront Dieu*[c].

Et quia, interpositione corruptibilis carnis grauati, Deum
10 sicut est uidere non possumus, recte subiungitur :

LI, **101.** *Oculi eius de longe prospiciunt.* Quantumlibet
enim in hac uita positus quisque profecerit, necdum Deum
per speciem, sed per aenigma et speculum uidet[a]. E uicino
autem cum respicimus, uerius cernimus ; cum uero longius
5 aciem tendimus, sub incerto uisu caligamus. Quia igitur
sancti uiri in alta contemplatione se erigunt, et tamen Deum,
sicut est, uidere non possunt, bene de hac aquila dicitur :
Oculi eius de longe prospiciunt. Ac si diceret : Intentionis
aciem fortiter tendunt, sed necdum propinquum aspiciunt,
10 cuius claritatis magnitudinem penetrare nequaquam possunt.
A luce enim incorruptibili caligo nos nostrae corruptionis
obscurat, cumque et uideri aliquatenus potest ; et tamen
uideri lux ipsa, sicut est, non potest, quam longe sit indicat.
Quam si mens utcumque non cerneret, nec quia longe esset
15 uideret. Si autem perfecte iam cerneret, profecto hanc quasi
per caliginem non uideret. Igitur quia nec omnino cernitur,
nec rursum omnino non cernitur, recte dictum est, quia a
longe Deus uidetur.

102. Libet ad medium Isaiae uerba deducere, atque haec
et illa quam uno Spiritu proferantur indicare. Qui cum
actiuae uitae uirtutes exprimeret, dicens : *Qui ambulat*
in iustitiis, et loquitur ueritatem, qui proicit auaritiam ex
5 *calumnia ; et excutit manus suas ab omni munere, qui obturat*

---

101. a. cf. 1 Co 13, 12

Et parce que le fardeau de la chair corruptible fait écran et nous empêche de voir Dieu tel qu'il est, le texte poursuit avec raison :

LI, **101.** *Ses yeux aperçoivent de loin.*   39, 29

... en énigme   En effet, quels que soient les progrès que l'on accomplit tant qu'on est dans cette vie, on ne peut encore voir Dieu face à face, mais seulement en énigme et dans un miroir[a]. Quand nous regardons de près, nous voyons plus distinctement, mais quand nous portons notre regard plus loin, notre vue imprécise se brouille. Et puisque les saints s'élèvent dans une haute contemplation et cependant ne peuvent voir Dieu tel qu'il est, le texte dit fort bien, à propos de cet aigle : *Ses yeux aperçoivent de loin.* Comme s'il disait : Ils dirigent avec force l'intensité de leur regard sans voir encore tout près d'eux celui dont ils ne peuvent absolument pas pénétrer l'intense clarté. En effet, les ténèbres de notre nature corruptible nous cachent la vue de la lumière incorruptible, bien qu'il soit possible de la voir à un certain degré ; et cependant le fait qu'on ne puisse voir cette lumière telle qu'elle est nous indique combien elle est loin. Par ailleurs, si l'âme ne la distinguait pas de quelque manière, elle ne verrait pas qu'elle est loin. Si d'autre part elle la distinguait déjà parfaitement, assurément on ne pourrait dire qu'elle la voit comme à travers des ténèbres. Donc bien qu'elle puisse la voir, mais pas complètement, et qu'elle lui soit cachée, mais en partie seulement, il est dit très justement qu'elle voit Dieu de loin.

Contempler   **102.** Il nous plaît de rapporter ici les
le Roi   paroles d'Isaïe et de montrer que celles-ci et celles-là ont été proférées par un même Esprit. Voici comment ce prophète a parlé des vertus de la vie active : *Celui qui marche dans la justice et parle avec vérité, qui rejette un gain, fruit de la calomnie, et secoue ses mains de tout*

*aures suas ne audiat sanguinem ; et claudit oculos suos ne
uideat malum*[a], ilico ab eiusdem actiuae uitae gradibus ad
quae contemplationis culmina ascendatur adiunxit, dicens :
iste in excelsis habitabit, munimenta saxorum sublimitas eius,
10 *panis ei datus est, aquae eius fideles sunt. Regem in decore
suo uidebunt oculi eius, cernent terram de longe*[b]. In excelsis
namque habitare est cor in caelestibus ponere. Et munimenta saxorum sublimitas nostra est, cum fortium patrum
praecepta et exempla respicimus atque ab infima cogita-
15 tione separamur. Munimenta saxorum sublimitas nostra
est, cum mente choris castrisque caelestibus iungimur ; et
insidiantes malignos spiritus stantes in arce cordis quasi
subterpositos expugnamus. Tunc nobis etiam panis datur,
quia in supernis erecta intentio, aeternitatis contemplatione
20 reficitur. Aquae enim nostrae fideles sunt, quia doctrina Dei
quod hic per spem promittit hoc illic in munere exhibet.
Sapientia namque huius mundi infidelis est, quia mansura
post mortem non est. Aquae nostrae fideles sunt, quia uerba
uitae quod ante mortem insinuant, hoc etiam post mortem
25 demonstrant. Regem in decore suo oculi nostri conspiciunt,
quia Redemptor noster in iudicio et a reprobis homo uidebitur, sed ad diuinitatis eius intuendam celsitudinem soli
qui electi sunt subleuantur. Quasi enim quamdam foedi-
tatem Regis uidere est solam seruilem formam in qua ab
30 iniquis despectus est cernere. Sed ab electis in decore suo
Rex cernitur, quia ultra semetipsos rapti, in ipso diuinitatis
fulgore oculos cordis figunt. Quia quamdiu in hac uita sunt
qui illam uiuentium patriam, sicut est, uidere non possunt,

---

102. a. Is 33, 15   b. Is 33, 16-17

présent, qui bouche ses oreilles pour ne pas entendre des paroles
de sang et ferme les yeux afin de ne pas voir le mal[a] ; aussitôt
après, pour montrer à quels sommets de contemplation l'on
parvient par ces degrés de la vie active, il ajoute : *celui-là*
habitera dans les hauteurs, des fortifications de pierre seront
sa demeure élevée ; on lui donne du pain, et les eaux lui sont
fidèles. Ses yeux verront le roi dans l'éclat de sa beauté ; ils
apercevront une terre de loin[b]. Habiter dans les hauteurs, c'est
placer son cœur dans les biens du ciel. Et les fortifications
de pierre sont notre demeure élevée, quand nous regardons
attentivement les préceptes et les exemples des valeureux
Pères et que nous abandonnons notre pensée d'ici-bas. Les
fortifications de pierre sont pour nous une demeure élevée,
lorsque nous nous unissons d'esprit aux chœurs et aux armées
célestes et que, debout dans la citadelle de notre cœur, nous
triomphons des esprits mauvais qui nous tendent des embûches comme s'ils étaient au-dessous de nous. Alors on
nous donne aussi du pain, parce que notre désir dirigé vers
les hauteurs se nourrit de la contemplation de l'éternité. Les
eaux nous sont fidèles, car la promesse qu'ici-bas la Parole de
Dieu fait en espérance, il l'accomplit là-haut en récompense.
En effet, la sagesse de ce monde est infidèle, puisqu'elle n'est
pas destinée à demeurer après la mort. Mais les eaux nous
sont fidèles, parce que les paroles de vie font connaître après
la mort aussi ce qu'elles laissent entendre avant la mort. Nos
yeux contempleront le Roi dans l'éclat de sa beauté, car, au
jour du Jugement, notre Rédempteur sera vu même par les
réprouvés en son humanité, mais seuls les élus s'élèvent à la
sublime contemplation de sa divinité. En effet, c'est comme
voir une laideur de ce Roi que d'apercevoir sa seule forme
d'esclave, sous laquelle il a été méprisé par les impies. Mais
par les élus le Roi est aperçu dans sa beauté, parce que, ravis
hors d'eux-mêmes, ils plongent les yeux de leur cœur dans la
splendeur même de la divinité. Et parce que, tant qu'ils sont
en cette vie, ils ne peuvent voir cette patrie des vivants telle

recte adiungitur : *Cernent terram de longe*^c. Quod ergo hic
35 ait : *Eleuabitur aquila, et in arduis ponet nidum sibi ;* hoc illic
dicitur : *In excelsis habitabit*^d. Quod hic dicitur : *In petris
manet, et in praeruptis silicibus commoratur, atque inaccessis
rupibus ;* hoc illic subicitur : *Munimenta saxorum sublimitas eius*^e. Quod rursus hic subinfertur : *Inde contemplatur*
40 *escam ;* hoc illic quoque subditur : *Panis ei datus est, aquae
eius fideles sunt, Regem in decore suo uidebunt oculi eius*^f. Et
quod hic subiungitur : *Oculi eius de longe prospiciunt ;* hoc
illic apte subicitur : *Cernent terram de longe*^g.

103. Consideremus quam sublimis aquila fuerit Paulus,
qui usque ad tertium caelum uolauit^a, sed tamen in hac uita
positus e longinquo adhuc Deum prospicit, qui ait : *Videmus*
nunc per speculum in aenigmate, tunc autem facie ad faciem^b.
5 Et rursum : *Ego me non arbitror comprehendisse*^c. Sed quamuis
aeterna ualde minus quam sunt ipse conspiciat, quamuis ea
se cognoscere perfecte non posse cognoscat, infirmis tamen
auditoribus ea ipsa infundere praedicando non potest, quae
uidere saltim per speculum et imaginem potest. De semet-
10 ipso quippe tamquam de alio loquitur, dicens : *Audiuit arcana*
uerba, quae non licet hominibus loqui^d. Interna ergo quamuis
minima et extrema uideantur, fortibus tamen praedicatoribus summa sunt, infirmis uero auditoribus incapabilia.
Vnde et praedicatores sancti, cum auditores suos diuinitatis
15 uerbum capere non posse conspiciunt, ad sola incarnationis
dominicae uerba descendunt.

102. c. Is 33, 17   d. Is 33, 16   e. Is 33, 16   f. Is 33, 16-17   g. Is 33, 17
103. a. cf. 2 Co 12, 2   b. 1 Co 13, 12   c. Ph 3, 13   d. 2 Co 12, 4

qu'elle est, il est ajouté à juste titre : *Ils apercevront une terre de loin*[c]. Ces paroles de notre texte : *L'aigle s'élèvera et placera son nid sur les hauteurs escarpées* signifient donc la même chose que celles d'Isaïe : *Il habitera dans les hauteurs*[d]. Cette autre citation : *Il fait sa demeure dans les pierres, et il a son gîte sur des rocs abrupts et des rochers inaccessibles* correspond à ce qu'ajoute Isaïe : *Des fortifications de pierre seront sa demeure élevée*[e]. Le livre de Job poursuit : *De là il contemple sa proie* ; de même en Isaïe : *On lui donne du pain, les eaux lui sont fidèles, ses yeux verront le Roi dans l'éclat de sa beauté*[f]. Enfin, cette citation : *Ses yeux aperçoivent de loin* nous indique la même chose que la suite d'Isaïe : *Ils apercevront une terre de loin*[g].

Paul, l'aigle sublime
103. Considérons quel aigle sublime fut Paul, lui qui a volé jusqu'au troisième ciel[a] et cependant, tant qu'il est en cette vie, ne voit Dieu que de loin, lui qui dit : *Nous voyons maintenant en énigme comme dans un miroir, alors nous verrons face à face*[b]. Et ailleurs : *Je ne pense pas avoir atteint le but*[c]. Mais bien que Paul personnellement entrevoie les choses éternelles bien moindres qu'elles ne sont, bien qu'il sache qu'il ne peut les connaître parfaitement, cependant il ne peut inculquer par sa prédication à des auditeurs faibles ce que lui peut du moins entrevoir comme dans un miroir et en image. Il parle de lui-même certes comme s'il s'agissait d'un autre, lorsqu'il dit : *Il a entendu des paroles mystérieuses qu'il n'est pas permis à un homme de rapporter*[d]. Ainsi les choses intérieures, aussi petites et négligeables qu'elles paraissent, sont cependant les plus élevées pour les prédicateurs qui sont forts, mais insaisissables pour les auditeurs dans leur faiblesse. Aussi, quand les saints prédicateurs voient que leurs auditeurs ne peuvent saisir les paroles concernant la divinité du Seigneur, ils se contentent de leur parler seulement de son Incarnation.

Vnde bene hic, dum subleuata in arduis aquila longe uidere
dicitur, ilico subinfertur :

39, 30   LII, **104.** *Pulli eius lambent sanguinem.* Ac si aperte
diceretur : Ipsa quidem diuinitatis contemplatione pascitur,
sed quia auditores eius diuinitatis percipere arcana nequaquam possunt, cognito crucifixi Domini cruore satiantur.
⁵ Sanguinem namque lambere est passionis dominicae infirma
uenerari. Hinc est quod isdem Paulus, qui, sicut paulo ante
iam diximus, ad tertii caeli secreta uolauerat[a], discipulis
dicebat : *Non enim iudicaui scire me aliquid inter uos, nisi
Christum Iesum, et hunc crucifixum*[b]. Ac si aperte haec aquila
¹⁰ diceret : Ego quidem escam meam diuinitatis eius potentiam de longe prospicio, sed uobis adhuc paruulis Incarnationis eius tantummodo lambendum sanguinem trado. Nam
qui per praedicationem suam tacita deitatis celsitudine, infirmos auditores de solo cruore crucis edocet, quid aliud
¹⁵ quam sanguinem pullis praebet ?

Quia uero uniuscuiusque sancti praedicatoris anima corruptione carnis exuta ad eum mox ducitur, qui pro nobis
sponte sua in morte cecidit, et de morte surrexit, apte de hac
aquila subditur :

39, 30   LIII, **105.** *Et ubicumque cadauer fuerit, statim adest.*
Cadauer quippe a casu dicitur. Et non immerito corpus Domini propter casum mortis cadauer uocatur. Quod autem hic
de hac aquila dicitur : *Vbicumque cadauer fuerit, statim adest,*
⁵ hoc de egredientibus animabus fieri Veritas spondit, dicens :
Vbicumque fuerit corpus, illic congregabuntur et aquilae[a]. Ac si

104. a. cf. 2 Co 12, 2   b. 1 Co 2, 2
105. a. Mt 24, 28 ; Lc 17, 37

C'est pourquoi, tandis qu'il est dit que l'aigle suspendu dans les hauteurs voit au loin, il est aussitôt ajouté avec raison :

Le sang de l'Incarnation

LII, **104.** *Ses petits lécheront le sang.*   39, 30
Comme s'il était dit clairement : L'aigle, lui, se repaît certes de la contemplation de la divinité, mais puisque ses auditeurs sont tout à fait incapables de percevoir les mystères de la divinité, que la connaissance du sang du Seigneur crucifié leur soit une nourriture suffisante. Lécher le sang, c'est vénérer la faiblesse du Seigneur en sa Passion. C'est pourquoi ce même Paul qui, comme nous l'avons dit un peu plus haut, avait pris son envol jusqu'aux arcanes du troisième ciel[a], disait à ses disciples : *Je n'ai pas jugé savoir autre chose parmi vous que Jésus-Christ et Jésus crucifié*[b]. Comme si cet aigle disait en termes clairs : Pour moi, j'aperçois de loin ma nourriture, la puissance de sa divinité, mais à vous qui êtes encore petits, je ne donne à lécher que le sang de son Incarnation. En effet, lui qui, par sa prédication, taisant la sublimité de la divinité, instruit ses faibles auditeurs du seul sang de la Croix, que fait-il d'autre que de servir du sang à ses petits ?

Mais comme l'âme de tout saint prédicateur, dépouillée de sa chair corruptible, est aussitôt amenée à celui qui pour nous est tombé volontairement dans la mort et est ressuscité de la mort, il est fort bien ajouté au sujet de cet aigle :

L'âme délivrée de la chair

LIII, **105.** *Et partout où se trouve un cadavre, aussitôt il est là.* « Cadavre »   39, 30
vient du mot « chute » (*casus*). Et ce n'est pas sans raison que le corps du Seigneur est appelé cadavre, du fait de sa chute dans la mort. Or, ce qui est dit ici de cet aigle : *Partout où se trouve un cadavre, aussitôt il est là*, la Vérité a promis que cela aurait lieu pour les âmes à la sortie de leurs corps, en disant : *Partout où se trouvera un corps, les aigles s'y rassembleront aussi*[a]. Comme si elle disait claire-

aperte dicat : Quia caelesti sedi incarnatus Redemptor uester praesideo, electorum quoque animas cum carne soluero, ad caelestia subleuabo.

106. Sed hoc quod de hac aquila dicitur : *Vbicumque fuerit cadauer statim adest*, intellegi et aliter potest. Omnis enim qui in peccati morte ceciderit, non inconuenienter poterit cadauer uocari. Quasi exanimis namque iacet, qui iustitiae
5 uiuificantem spiritum non habet. Quia uero sanctus quisque praedicator ubi peccatores esse considerat ; illuc anxie peruolat, ut in peccati morte iacentibus lucem uiuificationis ostendat, bene de hac aquila dicitur : *Vbicumque cadauer fuerit, statim adest*. Id est, illo tendit, ubi utilitatem praedica-
10 tionis prospicit, ut ex eo quod iam spiritaliter uiuit, aliis in morte sua iacentibus prosit, quos corripiendo quasi edit ; sed ab iniquitate ad innocentiam permutando in sua membra quasi edendo conuertit. Ecce ipse, quem ad testimonium iam saepe deduximus, Paulus cum nunc Iudaeam, nunc
15 Corinthum, nunc Ephesum, nunc Romam, nunc Hispanias peteret, ut in peccati morte iacentibus, aeternae uitae gratiam nuntiaret, quid se aliud quam esse aquilam demonstrabat ; quae uelociter omnia transuolans, ubicumque iacens cadauer quaerebat, ut dum uoluntatem Dei lucratis peccatoribus
20 faceret, quasi escam suam in cadauere reperiret ? Esca quippe iustorum est conuersio peruersorum, de qua dicitur : *Operamini non cibum qui perit, sed qui permanet in uitam aeternam* [a]. Auditis itaque tot sanctorum uirtutibus, beatus Iob obstupuisse intellegitur, et sub admirationis terrore
25 siluisse. Nam sequitur :

106. a. Jn 6, 27

ment : Puisque moi, votre Rédempteur incarné, je suis assis sur le trône céleste, lorsque j'aurai délivré aussi de leur chair les âmes des élus, je les soulèverai jusqu'aux cieux.

Conversion des pécheurs **106.** Mais ce qui est dit de cet aigle : *Partout où se trouve un cadavre, aussitôt il est là*, peut s'entendre autrement. En effet, quiconque sera tombé dans la mort du péché, il ne sera pas malséant de l'appeler cadavre. Car celui qui n'a pas l'esprit vivifiant de la justice gît à terre comme sans vie. Tout saint prédicateur cherche à voir où sont les pécheurs et, le cœur serré, il vole jusqu'à eux pour montrer à ceux qui gisent dans la mort du péché la lumière vivifiante ; c'est pourquoi il est fort bien dit de cet aigle : *Partout où se trouve un cadavre, aussitôt il est là*. Cela veut dire qu'il se rend là où il prévoit que sa prédication sera utile, afin que la vie spirituelle dont il est déjà animé serve à d'autres qui gisent dans la mort. Et l'on peut dire qu'il les mange en les corrigeant puisqu'en les faisant passer de l'iniquité à l'innocence, il les convertit, comme s'il les mangeait, en ses propres membres. Ce Paul lui-même, dont nous avons si souvent rapporté le témoignage, alors qu'il allait tantôt en Judée, tantôt à Corinthe, tantôt à Éphèse, tantôt en Espagne pour annoncer la grâce de la vie éternelle à ceux qui gisaient dans la mort du péché, ne montrait-il pas qu'il était un aigle ? Volant rapidement d'une région à l'autre, il cherchait en tous lieux quelque cadavre gisant à terre. Il accomplissait ainsi la volonté de Dieu en lui gagnant des pécheurs et trouvait, oserait-on dire, sa nourriture dans des cadavres. Car la conversion des pécheurs est la nourriture des justes, dont il est dit : *Travaillez non pour la nourriture qui périt, mais pour celle qui demeure dans la vie éternelle*[a]. Après avoir entendu un si grand nombre de vertus chez les saints, on comprend que le bienheureux Job ait été frappé de stupeur et qu'il ait gardé le silence sous l'effet d'une crainte admirative. Comme le dit la suite :

LIV, **107**. *Adiecit Dominus et locutus est ad Iob* : « *Num-quid qui contendit cum Deo tam facile conquiescit ? Vtique qui arguit Deum debet et respondere illi.* » Vir sanctus tan-ta hac districtione flagelli non aestimauit augeri sibi merita,
5 sed uitia resecari. Quae quia in se nulla cognouit, percussum iniuste se credidit ; et percutientem prorsus arguere est de percussione murmurare. Considerans autem Dominus quod ea quae protulit non ex tumore superbiae, sed ex qualitate collegerat uitae, pie illum increpat dicens : *Numquid qui*
10 *contendit cum Deo tam facile conquiescit ? Vtique qui arguit Deum debet et respondere illi.* Ac si apertius diceret : Qui tanta de tua actione locutus es, cur audita sanctorum uita siluisti ? Me enim fuit arguere, de percussione mea an fuerit iusta dubitare. Et bona quidem tua ueraciter protulisti, sed
15 haec quo tenderent flagella nescisti, quia etsi non habes iam quod corrigas, habes tamen adhuc quo crescas. In quan-ta uero uirtutis arce quam plurimos subleuem, me ecce narrante cognouisti. Ipse considerabas tuam, sed aliorum celsitudinem nesciebat. Auditis igitur alienis uirtutibus,
20 si quid uales, responde de tuis. Scimus autem quod cordis sui oculum per elationis tenebras exstinguit, qui, cum recta agit, considerare meliorum merita neglegit. At contra magno humilitatis radio sua opera illustrat, qui aliorum bona subtiliter pensat, quia dum ea quae ipse fecerit facta foris et
25 ab aliis conspicit, eum qui de singularitate intus erumpere nititur superbiae tumorem premit. Hinc est quod uoce Dei

Job doit faire preuve d'humilité

LIV, **107.** *Le Seigneur continua à parler à Job :* « *Comment celui qui dispute avec Dieu se tait-il si facilement ? Certes celui qui fait des reproches à Dieu doit aussi lui répondre.* » Le saint homme pensait que ces maux si rigoureux lui étaient infligés, non pour accroître ses mérites, mais pour retrancher ses vices. Et comme il n'en reconnut aucun en lui, il se crut injustement frappé. Or, murmurer contre des coups, c'est en fait adresser des reproches à celui qui frappe. Mais le Seigneur, considérant que ces paroles qu'il avait prononcées lui étaient suggérées non par l'enflure de l'orgueil, mais du fait de la qualité de sa vie, l'en reprend avec bonté : « *Comment celui qui dispute avec Dieu se tait-il si facilement ? Certes celui qui fait des reproches à Dieu doit aussi lui répondre.* » Comme s'il disait plus clairement : Toi qui as tant parlé de tes actions, pourquoi es-tu demeuré dans le silence après avoir entendu parler de la vie des saints ? C'était, en effet, me reprendre que de douter de la justice de mes coups. Le bien que tu as dit de toi-même est véritable, mais tu as ignoré à quel dessein je t'ai frappé, car même si actuellement il n'y a rien en toi à corriger, tu as encore la possibilité de grandir. Voici que tu as appris de ma bouche jusqu'à quel sommet de vertu je peux en soulever un très grand nombre. Toi, tu considérais ton haut niveau, mais tu ignorais celui des autres. Maintenant que tu as entendu parler des vertus des autres, réponds-moi au sujet des tiennes, si tu le peux. Nous savons qu'il éteint les yeux de son cœur par les ténèbres de son orgueil, celui qui, tout en agissant avec rectitude, néglige de considérer les mérites de ceux qui sont meilleurs que lui. Au contraire, celui-là met en lumière ses propres œuvres par l'éclat de sa grande humilité, qui examine attentivement les bonnes actions des autres. Car voyant au dehors que ses propres vertus sont également pratiquées par d'autres que lui, il réprime cette bouffissure d'orgueil qui, à se croire unique, tend à surgir intérieurement. C'est pour cela que, par la voix

ad Eliam solum se aestimantem dicitur : *Reliqui mihi septem milia uirorum qui non curuauerunt genua ante Baal*[a], ut dum non solum se remansisse cognosceret, elationis gloriam,
30 quae ei de singularitate surgere poterat, euitare potuisset. Beatus itaque Iob nihil peruerse egisse reprehenditur, sed de aliorum etiam bene gestis docetur, ut dum se aequales et alios habere considerat, ei qui singulariter summus est, se humiliter subdat.

107. a. 1 R 19, 18

de Dieu, il est dit à Élie qui se croyait seul : *Je me suis réservé sept mille hommes qui n'ont pas fléchi le genou devant Baal*[a]. Apprenant ainsi qu'il n'était pas le seul à rester, il put éviter la présomption que cette solitude risquait de faire naître en lui. Ainsi le Seigneur ne reproche pas au bienheureux Job d'avoir rien fait de mal, mais il l'instruit du bien accompli par d'autres aussi. Considérant alors qu'il a des égaux, Job se soumettra humblement à celui qui seul est parfait.

LIBER TRIGESIMVS SECVNDVS

I, **1.** Sancti uiri quo apud Deum altius uirtutum dignitate proficiunt, eo subtilius indignos se esse deprehendunt,
quia dum proximi luci fiunt, quicquid eos in seipsis latebat
inueniunt, et tanto magis foris sibi deformes apparent,
5 quanto nimis pulchrum est quod intus uident. Vnusquisque
enim sibi, dum tactu ueri luminis illustratur, ostenditur;
et unde agnoscit quid est iustitia, inde eruditur, ut uideat
quid est culpa. Hinc est quod saepe mens nostra quamuis
frigida in conuersationis humanae actione torpescat, quam-
10 uis in quibusdam delinquat et nesciat, quamuis peccata
quaedam quasi nulla perpendat; cum tamen ad appetenda
sublimia orationis compunctione se erigit, ipso suae oculo
compunctionis excitata ad circumspiciendam se post fle-
tum uigilantior redit. Nam cum neglectam se deserit,
15 et noxio tepore torpescit, uel otiosa uerba, uel inutiles
cogitationes minoris esse omnimodo reatus credit. At si,
igne compunctionis incalescens, a torpore suo, tacta subito
afflatu contemplationis, euigilet, illa quae leuia paulo ante
credidit mox ut grauia ac mortifera perhorrescit. Cuncta
20 enim uel in minimis noxia, quasi atrocissima refugit, quia

LIVRE 32

Le silence de Job I, **1.** Plus les saints progressent et s'élèvent aux yeux de Dieu en dignité dans la vertu, plus ils saisissent avec acuité leur indignité. Car, tandis qu'ils s'approchent au plus près de la lumière, ils découvrent tout ce qui au fond d'eux-mêmes leur échappait, et ils se trouvent d'autant plus difformes au dehors que ce qu'ils voient au dedans est plus merveilleux. Ainsi, chacun se trouve révélé à soi-même, en étant illuminé au contact de la lumière véritable et, par la connaissance de ce qu'est la justice, il apprend à discerner ce qu'est le péché. Voilà pourquoi souvent notre âme, malgré la froideur qui la tient engourdie dans l'activité de la vie humaine, malgré les fautes commises sans y prendre garde, malgré certains péchés qu'elle tient pour négligeables, lorsque cependant elle s'élève par la prière et la componction au désir des réalités sublimes, est poussée par l'œil même de sa componction à s'examiner elle-même et, après avoir versé des larmes, à devenir plus vigilante. En effet, quand elle se laisse aller à la négligence et languit dans une tiédeur nocive, elle regarde de toute façon comme des fautes de moindre importance soit les paroles oiseuses, soit les pensées inutiles. Mais si, se réchauffant au feu de la componction, touchée subitement du souffle de la contemplation, elle se réveille de sa torpeur, aussitôt elle considère avec horreur comme graves et mortelles ces fautes que peu auparavant elle regardait comme légères. Elle fuit tous les péchés, même en matière très légère, comme s'ils étaient

uidelicet per conceptionem Spiritus grauida, introire ad se
iam inania nulla permittit. Ex eo enim quod intus conspicit,
quam sint horrenda haec quae exterius perstrepunt sentit ;
et quanto amplius subleuata profecerit, tanto magis refugit
25 infima, in quibus prostrata defecit. Nihil quippe eam nisi
id quod interius uiderat pascit ; atque eo grauius tolerat
quicquid se ei extrinsecus ingerit, quo illud non est quod
intrinsecus uidit ; sed ex his interioribus quae raptim uidere
potuit, ad exteriora quae tolerat iudicandi regulam sumit.
30 Super se enim rapitur dum sublimia contemplatur ; et
semetipsam iam liberius excedendo conspiciens, quicquid
ei ex seipsa sub seipsa remanet, subtilius comprehendit.
Ex qua re miro modo agitur, ut, sicut superius dictum est,
unde dignior efficitur, inde sibimet indigna uideatur ; et
35 tunc rectitudini longe se esse sentiat, cum appropinquat.
Vnde Salomon ait : *Cuncta temptaui in sapientia ; et dixi :*
« *Sapiens efficiar* » *et ipsa longius recessit a me*[a]. Quaesita
enim sapientia longe recedere dicitur, quia appropinquanti
altior uidetur. Qui uero hanc nequaquam quaerunt, tanto
40 se ei propinquos aestimant, quanto et eius rectitudinis
regulam ignorant, quia siti in tenebris mirari lucis claritatem
nesciunt, quam numquam uiderunt ; cumque in forma eius
pulchritudinis non tenduntur, in semetipsis libenter cotidie deformiores fiunt. Nam quisquis eius radiis tangitur, sua
45 illi manifestius tortitudo monstratur ; et eo uerius inuenit
quantum flectatur in uitio, quo sagacius summa considerans,
conspicit quantum distat a recto. Vnde beatus Iob humanum

---

1. a. Qo 7, 24

---

1. L'âme est ravie au-dessus d'elle-même : *Mor*. 22, 36, citant Ha 3, 16 et
Ps 115, 11. Voir aussi *Dial*. II, 35, 6-7 (Benoît).

des plus affreux, parce que, devenue féconde par l'opération de l'Esprit, elle n'admet plus désormais que pénètre en elle rien de frivole. En effet, à partir de ce qu'elle contemple au dedans, elle comprend combien doit être honni tout le vacarme du dehors, et plus elle s'élève et fait de progrès, plus elle fuit les bassesses auxquelles elle s'est laissée aller jusqu'à terre. En effet, plus rien ne la nourrit désormais sinon sa vision intérieure. Elle supporte avec d'autant plus de peine tout ce qui lui vient du dehors que ce n'est pas ce qu'elle a vu au dedans, mais elle tire de ces réalités intérieures qu'elle a pu voir à la dérobée la norme de son jugement vis-à-vis de ce qu'elle supporte à l'extérieur. Elle est, en effet, ravie au-dessus d'elle-même [1] lorsqu'elle contemple les réalités sublimes ; et, sortant de ses limites, elle se considère désormais avec plus de liberté et découvre avec plus de pénétration tout ce qui lui reste d'elle-même au-dessous d'elle-même. D'où il arrive, par un effet admirable, comme nous l'avons dit plus haut, que cela même qui la rend plus digne la persuade qu'elle est indigne ; elle se croit loin de la rectitude, alors même qu'elle s'en approche. C'est ce qui fait dire à Salomon : *J'ai tout tenté pour obtenir la sagesse et j'ai dit : « Je deviendrai sage », et la sagesse s'est retirée bien loin de moi* [a]. Il est dit que la sagesse s'éloigne quand on la recherche, parce que plus on s'en approche, plus elle semble élevée. Au contraire, ceux qui ne la cherchent nullement se figurent d'autant plus en être proches qu'ils ignorent les exigences de sa rectitude. Plongés dans les ténèbres, ils sont incapables d'admirer la clarté de la lumière qu'ils n'ont jamais vue ; comme ils ne portent pas leurs regards sur la forme de sa beauté, ils deviennent chaque jour, sans réticence, de plus en plus difformes intérieurement. En effet, à quiconque est frappé des rayons de la sagesse, son manque de rectitude est montré plus clairement ; il découvre son inclination pour les vices avec d'autant plus de vérité que, considérant avec plus de sagesse les réalités d'en haut, il constate combien il est distant de la rectitude. De là vient

genus uirtutibus transiens, amicos loquendo superauit, sed
loquente Deo, sublimius eruditus, semetipsum cognoscendo
50 reticuit. Illos namque iniuste loquentes subdidit, sed ad
uerba locutionis intimae reum se iuste cognouit. Et quidem
cur flagellatus sit nescit, sed tamen cur flagella ueneratus non
sit, silendo redarguit. Diuina enim iudicia cum nesciuntur,
non audaci sermone discutienda sunt, sed formidoloso
55 silentio ueneranda ; quia et cum causas rerum conditor in
flagello non aperit, eo iustas indicat, quo se eas facere qui
summe iustus est demonstrat. Vir ergo sanctus, et prius de
locutione, et post de silentio reprehensus, quid de semetipso
sentiat innotescat. Ait enim :

39, 34 II, **2.** *Qui leuiter locutus sum, respondere quid possum ?*
Ac si dicat : Sermonem meum defenderem, si hunc cum rationis pondere protulissem. At postquam lingua leuitate usa
conuincitur, quid restat nisi ut conticendo refrenetur ?

39, 34 5 Sequitur : *Manum meam ponam super os meum.* Vsu
sacri eloquii in manu operatio, in ore locutio solet intellegi. Manum ergo super os ponere est uirtute boni operis
culpas tegere incautae locutionis. Quis uero inueniri potest
qui, quamlibet perfectus sit, de otioso tamen sermone non
10 peccet ? Iacobo attestante qui ait : *Nolite plures magistri fieri* [a],
in multis enim offendimus omnes [b]. Et rursum : *Linguam
nullus hominum domare potest* [c]. Cuius culpas redarguens
per semetipsam Veritas, dicit : *Dico autem uobis quoniam*

---

2. a. Jc 3, 1   b. Jc 3, 2   c. Jc 3, 8

que le bienheureux Job, qui par ses vertus dépassait tout le genre humain, l'emporta sur ses amis dans la discussion ; mais lorsqu'il fut instruit d'une manière plus sublime par la parole de Dieu, il se connut lui-même et se tut. Il confondit ceux qui parlaient avec si peu de justice, mais, en entendant la parole intérieure, à juste titre, il se reconnut coupable. Certes, il ne sait pas pourquoi il a été frappé, mais cependant, par son silence, il se reproche de n'avoir pas vénéré ces coups. Car, lorsqu'on ne connaît pas les jugements divins, on ne doit pas les discuter avec des paroles audacieuses, mais plutôt les respecter par un silence mêlé de crainte ; lorsque le Créateur ne dévoile pas les causes des événements dans un fléau, il nous indique qu'elles sont justes en nous montrant que c'est lui, le juste par excellence, qui les permet. Après avoir donc été repris, d'abord de ses paroles, puis de son silence, que le saint homme fasse connaître ce qu'il pense de lui-même. Car il dit :

Job a péché en paroles II, 2. *Moi qui ai parlé si légèrement, que puis-je répondre ?* Comme s'il disait : Je maintiendrais mon discours si je l'avais prononcé avec le poids de la raison. Mais, convaincu d'avoir usé de ma langue avec légèreté, que me reste-t-il à faire, sinon de la réfréner par le silence ? **39, 34**

Il ajoute donc : *Je mettrai ma main sur ma bouche.* Comme il est d'usage dans le texte sacré, la main signifie l'action, et la bouche la parole. Aussi, mettre sa main sur sa bouche, c'est couvrir par la vertu d'une bonne action les fautes d'un discours imprudent. Peut-on trouver quelqu'un, si parfait soit-il, qui ne pèche par des paroles inutiles ? Jacques en témoigne, quand il dit : *Ne soyez pas plus nombreux à vouloir devenir docteurs*[a]*, car nous faisons tous beaucoup de fautes*[b]. Et encore : *Nul homme ne peut dompter sa langue*[c]. Celui qui est la Vérité, reprenant lui-même ces sortes de fautes, dit : *Je vous le déclare : « Toute parole inutile* **39, 34**

omne uerbum otiosum quod locuti fuerint homines, reddent de
15 *eo rationem in die Iudicii*^d. Sed sancti uiri ante Dei oculos
student culpas linguae tegere meritis uitae, student pondere
bonorum operum premere immoderata uerborum. Vnde in
sancta Ecclesia manus super os ponitur, dum in electis eius
cotidie otiosae locutionis uitium uirtute bonae actionis
20 operitur. Scriptum namque est : *Beati quorum remissae*
sunt iniquitates, et quorum tecta sunt peccata^e. Sed rursum
cum scriptum sit : *Omnia nuda et aperta sunt oculis eius*^f,
quomodo tegi possunt quae eius oculis cui cuncta nuda sunt
abscondi nequaquam possunt ? Sed quia hoc quod tegimus,
25 inferius ponimus ; atque hoc unde tegimus nimirum superducimus, ut quod est subterpositum tegamus, tegere peccata
dicimur quae quasi subterponimus dum abdicamus, eisque
aliud superducimus, dum bonae actionis opus ad hoc post
eligimus ut praeferamus. Qui ergo priora mala deserit, et bona
30 posterius facit, per hoc quod addit, transactam nequitiam
tegit, cui boni operis merita superducit. Beatus igitur Iob
sanctae Ecclesiae typum tenens, et in uerbis suis sua alligans,
nostra designans, dicat ex se, dicat ex nobis : *Manum meam*
ponam super os meum ; id est, hoc quod districto iudici de
35 sermone meo me displicuisse considero, ante eius oculos sub
uelamine recti operis abscondo. Sequitur :

39, 35   III, **3.** ***Vnum locutus sum, quod utinam non dixissem ;***
et alterum, quibus ultra non addam. Si transacta beati Iob
uerba discutimus, nihil eum nequiter dixisse reperimus. Si
uero dicta eius, quae cum ueritate ac libertate prolata sunt,

---

2. d. Mt 12, 36   e. Ps 31, 1   f. He 4, 13

que les hommes auront dite, ils en rendront compte au jour du Jugement[d]. » Mais les saints s'efforcent de couvrir aux yeux de Dieu les fautes de leur langue par les mérites de leur vie ; ils s'efforcent de cacher sous le poids de leurs bonnes actions le dérèglement de leurs paroles. Ainsi, dans la sainte Église, la main est posée sur la bouche, lorsque quotidiennement, parmi ses élus, la mauvaise habitude du vain bavardage est couverte par le mérite des bonnes actions. Car il est écrit : *Bienheureux ceux à qui les iniquités ont été remises et dont les péchés ont été couverts*[e]. Mais, comme il est dit ailleurs : *Tout est à nu et à découvert devant ses yeux*[f], comment peuvent être couvertes ces fautes impossibles à cacher aux yeux de celui pour qui tout est à nu ? Voici : puisque ce que nous couvrons, nous le plaçons au-dessous, et que ce qui nous sert à couvrir, nous le posons par-dessus, de façon à couvrir ce qui est placé au-dessous, il est dit que nous couvrons les péchés que, pour ainsi dire, nous plaçons au-dessous lorsque nous les répétons et que nous plaçons autre chose par-dessus, quand pour cela nous choisissons ensuite, par préférence, la pratique des bonnes actions. Celui donc qui abandonne les fautes passées et pratique ensuite le bien couvre, par ce qu'il ajoute, l'iniquité passée, en mettant par-dessus les mérites des bonnes actions. Ainsi, que le bienheureux Job, présentant la figure de la sainte Église et, dans ses paroles, assumant ce qui est de lui, signifiant ce qui est de nous, dise en son nom, dise en notre nom : *Je mettrai ma main sur ma bouche*, c'est-à-dire : Ce en quoi je reconnais avoir déplu dans mon discours au Juge sévère, je le cache à ses yeux sous le voile d'une conduite droite. Il dit ensuite :

III, 3. *J'ai dit une chose (si seulement je ne l'avais pas dite !) et une autre auxquelles je n'ajouterai rien de plus.* Si nous examinons bien les paroles précédentes du bienheureux Job, nous trouvons qu'il n'a rien dit de mauvais. Pourtant, si nous attribuons à quelque péché d'orgueil les vérités qu'il a

39, 35

5 in aliquo superbiae uitio flectimus, duo iam solummodo non
erunt, quia multa erunt. Sed quia loqui nostrum est hominibus occultum sensum uerbis aperire, loqui uero nostrum
ad diuinas aures est motum mentis etiam expressione actionis ostendere, beatus Iob ad libram se subtilissimi examinis
10 pensans, locutione sua secundo se deliquisse confitetur. Vnum
enim loqui illicite est res flagello dignas agere, aliud loqui est
etiam de flagello murmurare. Qui ergo ante increpationem
dominicam in omni opere hominibus praelatus fuit ipsa in
altum increpatione proficiens ; et minus se rectum prius in
15 opere, et minus se patientem post in uerbere agnouit. Vnde
semetipsum redarguit, dicens : *Vnum locutus sum, quod*
utinam non dixissem ; et alterum, quibus ultra non addam.
Ac si dicat : Rectum quidem me inter homines credidi, sed
te loquente, et ante flagella prauum, et post flagella me rigi-
20 dum inueni. *Quibus ultra non addo*, quia iam nunc quanto te
loquentem subtilius intellego, tanto memetipsum humilius
inuestigo.

4. Et quia beatus Iob sanctae Ecclesiae typum tenet,
possunt electis omnibus haec eius uerba congruere, qui
cognoscentes Deum, in uno et alio deliquisse se sentiunt,
quia se intellegunt uel in cogitatione et opere, uel in Dei ac
5 proximi neglecta dilectione peccasse. Quibus se promittunt
ultra nil addere, quia per conuersionis gratiam curant paenitendo cotidie etiam transacta purgare. Per hoc tamen quod
beatus Iob de duobus se paenitendo redarguit, liquido osten-

dites avec liberté, il n'y en aura pas seulement deux, car elles seront nombreuses. Puisque parler aux hommes, c'est leur découvrir par des mots nos sentiments cachés, tandis que parler aux oreilles de Dieu, c'est lui exprimer clairement par nos actions aussi les mouvements de notre esprit, le bienheureux Job, se pesant sur la balance d'un examen scrupuleux, confesse qu'il a péché en paroles à deux reprises. En effet, premièrement, parler sans permission est un agissement digne de châtiment ; et, deuxièmement, c'est parler à tort que de murmurer contre le châtiment. Lui qui, avant d'être repris par le Seigneur, avait été préféré en toutes ses œuvres aux autres hommes mit à profit ce reproche même, pour grandir davantage. Il reconnut d'abord qu'il n'avait pas été aussi juste qu'il le pensait dans ses actions, et qu'il avait ensuite manqué de patience dans ses souffrances. C'est pourquoi il se reprend lui-même en disant : *J'ai dit une chose (si seulement je ne l'avais pas dite !) et une autre auxquelles je n'ajouterai rien de plus.* C'est-à-dire : Certes, je me suis cru juste parmi les hommes, mais depuis que tu as parlé, je me suis découvert coupable avant le châtiment, et obstiné après le châtiment. *Je n'ajouterai rien de plus*, car je comprends maintenant d'autant plus exactement ce que tu dis que je découvre plus humblement ce que je suis.

Job, figure de l'Église — **4.** Et comme le bienheureux Job présente la figure de la sainte Église, ces paroles qu'il a prononcées peuvent convenir à tous les élus qui, connaissant Dieu, comprennent qu'ils ont failli sur l'un et l'autre points : en effet, ils reconnaissent avoir péché soit en pensée et en action, soit par négligence dans l'amour de Dieu et du prochain. À ces péchés ils se promettent de ne plus rien ajouter, puisque, par la grâce de leur conversion, ils ont soin de se purifier chaque jour, par la pénitence, des actions même passées. Cependant, du fait que le bienheureux Job, faisant pénitence, se reproche deux

dit quod peccator omnis in paenitentia duplicem habere
10 gemitum debet, nimirum quia et bonum quod oportuit non
fecit, et malum quod non oportuit fecit. Hinc est enim quod
per Moysen de eo qui iuramentum protulit, ut uel male quid
uel bene faceret, atque hoc ipsum obliuione transcendit,
dicitur : *Offerat agnam de gregibus siue capram, orabitque pro*
15 *eo sacerdos, et pro peccato eius. Sin autem non potuerit offerre*
pecus, offerat duos turtures, uel duos pullos columbarum, unum
pro peccato, et alterum in holocausto [a]. Iuramentum namque
proferre est uoto nos diuinae seruitutis alligare. Et cum bona
opera promittimus, bene nos facere spondemus. Cum uero
20 abstinentiam cruciatumque carnis nostrae uouemus, male
ad praesens nos nobis facere iuramus. Sed quia nullus in hac
uita ita perfectus est, ut quamlibet Deo deuotus sit, inter
ipsa quantulumcumque pia uota non peccet, pro peccato
agna offerri de gregibus siue capra praecipitur. Quid enim
25 per agnam nisi actiuae uitae innocentia ; quid per capram,
quae in summis saepe extremisque pendens rupibus pascitur,
nisi contemplatiua uita signatur ? Qui ergo se conspicit
promissa ac proposita non implesse, ad sacrificium Dei sese
studiosius debet uel innocentia boni operis, uel in sublimi
30 pastu contemplationis accingere. Et bene agna de gregibus,
capra uero offerri de gregibus non iubetur, quia actiua
uita multorum est, contemplatiua paucorum. Et cum haec
agimus quae multos agere et egisse conspicimus, quasi agnam
de gregibus damus. Sed cum offerentis uirtus ad agnam
35 capramque non sufficit, in remedium paenitentis adiungitur,
ut duo columbarum pulli, uel duo turtures offerantur. Sci-

4. a. Lv 5, 6-7

choses, il montre clairement que tout pécheur doit gémir doublement dans sa pénitence : et parce qu'il n'a pas fait le bien qu'il aurait dû faire, et parce qu'il a fait le mal qu'il n'aurait pas dû faire. C'est pour cela que Moïse dit de celui qui, ayant fait serment de faire quelque œuvre, soit bonne, soit mauvaise, oublie de l'exécuter : *Qu'il offre une agnelle de ses troupeaux ou une chèvre, et le prêtre priera pour lui et pour son péché. Mais s'il ne peut offrir du bétail, qu'il offre deux tourterelles ou deux petits de colombe l'un pour le péché, l'autre en holocauste*[a]. Faire un serment, c'est, en effet, nous lier par vœu au service de Dieu. Quand nous promettons de bonnes actions, nous nous engageons à faire le bien. Mais lorsque nous faisons vœu d'abstinence et de mortification de notre chair, nous jurons de nous infliger une peine à nous-mêmes dans le moment présent. Mais comme personne en cette vie n'est si parfait que, aussi plénière que soit sa dévotion envers Dieu, il ne pèche pas tant soit peu dans la pieuse pratique de ses vœux, il lui est prescrit d'offrir pour son péché une agnelle de ses troupeaux ou une chèvre. Que désigne donc l'agnelle, si ce n'est l'innocence de la vie active, et que désigne la chèvre qui souvent se repaît accrochée au sommet des rochers les plus escarpés, sinon la vie contemplative ? Celui qui reconnaît n'avoir pas accompli ses promesses et ses résolutions doit donc se préparer lui-même avec plus de soin en vue d'un sacrifice à Dieu, soit par l'innocence de ses bonnes actions, soit par l'aliment sublime de la contemplation. Et c'est à juste titre qu'il est ordonné d'offrir une agnelle *des troupeaux,* mais une chèvre non *des troupeaux,* car la vie active est le fait de beaucoup, la vie contemplative d'un petit nombre. Quand donc nous faisons ce que nous voyons que beaucoup d'autres font et ont fait, c'est comme si nous donnions une agnelle prise des troupeaux. Mais quand les moyens de celui qui veut offrir un sacrifice ne lui permettent pas de présenter une agnelle ou une chèvre, il est ajouté que le pénitent peut offrir en réparation deux petits de colombes ou deux tourterelles.

mus quia columbarum pulli uel turtures pro cantu gemitus
habent. Quid ergo per duos columbarum pullos, uel duos
turtures, nisi duplex paenitentiae nostrae gemitus designatur,
40 ut cum ad offerenda bona opera non assurgimus, nosmetipsos
dupliciter defleamus, quia et recta non fecimus, et praua
operati sumus ? Vnde et unus turtur pro peccato, alter uero
offerri in holocaustum iubetur. Holocaustum namque totum
incensum dicitur. Vnum ergo turturem pro peccato offerimus,
45 cum pro culpa gemitum damus ; de altero uero holocaustum
facimus, cum pro eo quod bona negleximus, nosmetipsos
funditus succendentes, igne doloris ardemus. Quia igitur
duplex in paenitentia gemitus debetur, beatus Iob diuinae
uocis increpatione proficiens, atque in sua reprehensione
50 succrescens, dixisse se unum et alterum paenitens fatetur.

Ac si aperte dicat : Et erga bona per neglegentiam torpui,
et ad mala per audaciam prorupi :

40, 1   *Respondens autem Dominus Iob de turbine, dixit :*
« Accinge sicut uir lumbos tuos, interrogabo te et indica
55 *mihi. »* Quid sit Dominum de turbine respondere, quid
beatum Iob lumbos accingere, quid interrogare Dei, quid
hominis indicare, primo iam Domini sermone tractatum est.
Quia ergo lectoris taedio parcimus, curamus summopere ne
dicta replicemus. Sequitur :

40, 3   IV, **5.** *Numquid irritum facies iudicium meum et con-*
demnabis me, ut tu iustificeris ? Quisquis contra flagella
semetipsum defendere nititur, flagellantis iudicium euacuare
conatur. Nam cum sua culpa feriri se denegat, quid aliud quam

1. Dieu répond du sein de l'ouragan (Jb 38, 1) : *Mor.* 28, 1-10 ; Job ceint
ses reins (Jb 38, 3) : *Mor.* 28, 12 ; Dieu interroge (Jb 38, 3) : *Mor.* 28, 13 ;
l'homme indique (Jb 38, 4) : *Mor.* 28, 21.

Nous savons que les petits des colombes ou les tourterelles poussent des gémissements en guise de chant. Que signifient donc ces deux petits de colombes ou ces deux tourterelles, sinon le double gémissement de notre pénitence ? Si nous ne sommes pas capables de nous élever à l'offrande de bonnes œuvres, pleurons sur nous-mêmes doublement : et de n'avoir pas fait le bien, et d'avoir commis le mal. C'est pourquoi il est demandé d'offrir une tourterelle pour le péché et une autre en holocauste – on appelle « holocauste » ce qui est totalement consumé. Nous offrons donc une tourterelle pour le péché quand nous gémissons du fait de notre faute ; quant à la seconde, nous l'offrons en holocauste pour avoir négligé le bien, lorsque, nous laissant entièrement brûler, nous sommes consumés par le feu de l'affliction. Et puisque la pénitence réclame un double gémissement, le bienheureux Job, tirant profit de la réprimande faite par Dieu, et amplifiant son propre blâme, avoue, en pénitent, qu'il les a exprimés l'un et l'autre.

Comme s'il disait clairement : D'une part, à l'égard du bien, je me suis montré inerte par négligence, et, d'autre part, je me suis précipité avec témérité vers le mal.

Or, répondant à Job du sein de l'ouragan, le Seigneur dit : « Ceins tes reins comme un homme ; je t'interrogerai, indique-moi. » Ce que signifie pour le Seigneur répondre du sein de l'ouragan, et pour Job se ceindre les reins, ce que veut dire pour Dieu interroger, et pour l'homme indiquer, nous l'avons déjà expliqué lors du premier discours du Seigneur [1]. Aussi, pour ne pas ennuyer le lecteur, nous aurons grand soin de ne pas répéter ce qui a déjà été dit. On poursuit :   40, 1

Dieu ne fait rien d'injuste IV, **5.** *Est-ce que tu rendras vain mon jugement et me condamneras-tu pour que toi, tu sois justifié ?* Quiconque veut se dé-   40, 3
fendre contre les châtiments s'efforce d'ôter tout fondement au jugement de celui qui châtie. Car, dénier que l'on soit

5   iniustitiam ferientis accusat ? Beatum itaque Iob non idcirco
flagella caelestia percusserunt, ut in eo culpas exstinguerent,
sed potius ut merita augerent, quatenus qui tranquillitatis
tempore in tanta sanctitate claruerat, etiam ex percussione
patesceret quae in eo etiam patientiae uirtus latebat. Qui
10 quidem culpam suam inter flagella non inueniens, nec tamen
flagella eadem causam sibi esse augendi meriti deprehendens,
iniuste feriri se credidit, cum quid in se debuisset corrigi
non inuenit. Sed ne ipsa innocentia in tumore elationis
infletur, diuina uoce corripitur ; et mens eius ab iniquitate
15 libera, sed uerberibus pressa, ad iudicia occulta reuocatur,
ut superna sententia, etsi non est cognita, non tamen credatur iniusta ; sed eo saltim iustum credat omne quod patitur,
quo nimirum constat quia Deo auctore patiatur. Magna
enim satisfactio percussionis est uoluntas iusta conditoris.
20 Quae cum iniustum facere nihil solet, iusta agnoscitur etiam
si latet. Nam cum pro iniustitiae peccato percutimur, si in
percussione nostra diuinae uoluntati coniungimur, mox a
nostra iniustitia ipsa coniunctione liberamur. Quisquis enim
iam percussionem tolerat, sed adhuc causas percussionis
25 ignorat si iustum credens hoc ipsum contra se iudicium
amplectitur, eo ipso ab iniustitia sua iam correctus est, quo
percussum se iuste gratulatur. In uindicta enim sua Deo se
socians, sese contra se erigit, et magna est iam iustitia, quod
uoluntati iudicis concordat in poena, cui discrepauit in culpa.
30 Vir igitur sanctus, quia in nulla a Deo culpa discrepauerat,
quasi cum difficultate ei inter supplicia concordabat. Neque
enim credidit quod flagella quae solent uitia exstinguere

châtié pour sa faute, n'est-ce pas accuser d'injustice celui qui châtie ? Dans le cas du bienheureux Job, les fléaux du ciel l'ont frappé, non pour détruire en lui des fautes, mais plutôt pour augmenter ses mérites, afin que celui qui avait brillé d'une si grande sainteté en temps de tranquillité manifeste au grand jour, même dans l'affliction, la vertu de patience qui était cachée aussi en lui. Lui qui, au milieu des châtiments, ne découvrant pas sa faute et ne comprenant pas que ces mêmes châtiments avaient pour but d'augmenter ses mérites, se crut frappé injustement, puisqu'il ne trouva rien en lui qui aurait dû être corrigé. Mais, afin que, dans son innocence, il ne se gonfle pas d'orgueil, la voix divine le reprend ; et son âme, exempte d'iniquité, mais humiliée sous les coups, est ramenée au mystère des jugements, en sorte que la décision du ciel, même si elle lui reste incompréhensible, il ne la croie pas injuste pour autant ; du moins il croit que tout ce qu'il souffre est juste, puisqu'il est certain que Dieu est l'auteur de ses souffrances. C'est une grande explication des coups reçus que la juste volonté du Créateur. Comme elle ne fait jamais rien d'injuste, nous ne pouvons douter qu'elle soit juste, même si elle nous est cachée. En effet, lorsque nous sommes frappés pour un péché d'injustice, si, dans l'affliction, nous nous unissons à la volonté divine, du fait de cette union, nous sommes aussitôt délivrés de notre injustice. Quiconque supporte son châtiment, avant même d'en connaître les causes, s'il croit juste ce jugement porté contre lui et l'accepte volontiers, il est déjà corrigé de son injustice, du fait même qu'il se réjouit d'être châtié avec justice. S'associant à Dieu qui le châtie, il se dresse ainsi contre lui-même ; c'est déjà une grande justice qu'il acquiesce dans le châtiment à la volonté du juge avec laquelle il n'était pas d'accord dans le péché. Aussi le saint homme, parce qu'il ne s'était jamais éloigné de Dieu par le péché, semblait avoir une certaine difficulté à être d'accord avec lui dans ses grandes épreuves. En effet, il n'a pas cru que les châtiments envoyés habituellement pour étouffer

in illo sola merita augerent. Vnde nunc iuste corripitur, ut
occultis iudiciis, et nesciens subderetur, eique dicitur : *Num-*
35 *quid irritum facies iudicium meum et condemnabis me ut tu*
iustificeris ? Ac si aperte diceretur : Tua quidem bene acta
consideras, sed mea occulta iudicia ignoras. Si ergo ex tuis
meritis contra mea flagella disputas, quid aliud quam me de
iniustitia addicere te iustificando festinas ? Sequitur :

40, 4   V, **6. Si habes brachium sicut Deus et si uoce simili tonas.**
Quia humanum genus beatus Iob meritis transcendebat, eum
pius conditor et eruditor ad considerandam similitudinem
suae magnitudinis prouocat, ut cognita tanta dissimilitudine,
5 in humilitate se premat.

7. Sed cum in Deo uox et brachium dicitur, cauendum
summopere est, ne quid in eum mens corporeum suspicetur.
In antropomorphitarum namque haeresim cadere est, eum
qui incircumscripte implet et circumplectitur omnia intra
5 corporalia lineamenta concludere. Sed omnipotens Deus ad
sua nos trahens, usque ad nostra se humiliat, atque ut alta
insinuet, humilibus condescendit, quatenus paruulorum
animus rebus cognitis enutritus, ad inquirenda exsurgat
incognita, atque ab eo qui longe super ipsum est quaedam
10 iuxta se audiens, quasi quibusdam ad illum passibus moueatur. Vnde fit ut per scripturam suam aliquando a corporibus
hominum, aliquando a mentibus, aliquando uero ab auibus,
aliquando etiam ab insensatis rebus quasdam longe dissi-

les vices serviraient seulement chez lui à accroître ses mérites. C'est pourquoi il est réprimandé maintenant en toute justice, pour qu'il se soumette aux jugements secrets, même sans les comprendre. Et il lui est dit : *Est-ce que tu rendras vain mon jugement, et me condamneras-tu pour que toi, tu sois justifié ?* Comme s'il était dit clairement : Tu considères, certes, tes actions bonnes, mais tu ignores mes jugements secrets. Si donc, au nom de tes mérites, tu entres en discussion contre mes châtiments, que t'empresses-tu de faire sinon de m'accuser d'injustice en voulant te justifier toi-même ? Et le texte poursuit :

V, **6.** *As-tu un bras comme Dieu et tonnes-tu d'une voix*   40, 4
semblable à la sienne ? Comme par ses mérites le bienheureux Job dépassait le genre humain, le Créateur, voulant dans sa bonté l'instruire, l'invite à établir une comparaison avec sa propre grandeur, afin que, découvrant une telle disparité, il s'enfonce dans l'humilité.

Dieu n'est pas corporel   **7.** Mais comme on parle ici de voix et de bras de Dieu, il faut surtout prendre garde que notre esprit ne conçoive en lui quelque réalité corporelle. En effet, on tombe dans l'hérésie des anthropomorphites si l'on enferme dans des limites corporelles celui qui, sans être circonscrit, remplit et embrasse tout. Mais Dieu tout-puissant, pour nous attirer à son niveau, s'humilie jusqu'au nôtre et, pour nous initier aux hautes réalités, s'abaisse aux humbles réalités. L'esprit des tout-petits, nourri de ce qu'il connaît, s'élèvera ainsi à la recherche de ce qu'il ne connaît pas et, entendant des paroles à sa portée venues de celui qui est tellement au-dessus de lui, il s'avancera comme pas à pas vers lui. Voilà pourquoi, à travers l'Écriture, qui est sienne, c'est parfois avec le corps des hommes, parfois avec leurs facultés, parfois avec les oiseaux, parfois même avec des objets matériels, que Dieu

miles in se similitudines trahat. Plerumque enim a corporibus
15 hominum in se similitudinem trahit, sicut de eo propheta ad
Israelitas dicit : *Qui tetigit uos, tangit pupillam oculi eius*[a]. Et
sicut de eo rursum speranti homini per prophetam dicitur :
In scapulis suis obumbrabit tibi[b]. Constat nimirum quod in
natura sua nec oculum Deus, nec scapulas habeat, sed quia nos
20 per oculum cernimus, in scapulis uero onera sustinemus, Deus
quod omnia uideat, oculum habere perhibetur ; quod uero
nos tolerat, atque eo ipso quo tolerat seruat, obumbrare nobis
in scapulis dicitur. Ait enim : *In scapulis suis obumbrabit tibi*[c].
Ac si diceretur peccatori homini, et post peccatum ueniam
25 deprecanti : Ea pietate Dominus te protegit, qua te pietate
tolerauit. Obumbrat enim in scapulis suis, quia dum portat,
defendit. Aliquando uero a mentibus in se similitudinem
trahit, sicut per prophetam ad Israel dicit : *Recordatus sum
tui, miserans adolescentiam tuam*[d]. Et rursum per sponsae
30 comparationem loquens : *Et si illa oblita fuerit, ego tamen
non obliuiscar tui*[e]. Quis enim nesciat quia Dei memoria
nec obliuione rumpitur, nec recordatione sarcitur ? Sed
cum aliqua deserens praetermittit, more mentium obliuisci
dicitur ; et cum post longum tempus quae uoluerit uisitat,
35 nostrae mutabilitatis consuetudine recordatus uocatur. Quo
enim pacto diuinitatis eius uim obliuio dissipat, cui ipsa
quoque laudabilis memoria essentialiter non concordat ?
Nulla namque nisi aut praeterita, aut absentia recordantur.
Quomodo ergo Deus praeteritorum reminiscitur, cum ipsa
40 quae in semetipsis praetereunt eius nutui semper praesentia
assistunt ? Aut quomodo absentium recordatur, dum omne
quod est per hoc illi praesto est, quod in ipso est ? Quod si

---

7. a. Za 2, 8   b. Ps 90, 4   c. Ps 90, 4   d. Jr 2, 2   e. Is 49, 15

s'attribue certaines ressemblances de bien loin dissemblables. En effet, la plupart du temps, il emprunte à son propre sujet une similitude tirée du corps humain. Ainsi, à propos de lui, ces paroles du prophète aux Israélites : *Qui vous a touchés, touche à la prunelle de son œil*[a]. De même encore, toujours en parlant de lui, le prophète dit à l'homme qui espère : *Il te mettra à l'ombre de ses épaules*[b]. Il est bien évident que Dieu n'a, de sa propre nature, ni yeux, ni épaules. Mais, parce que nous-mêmes voyons avec nos yeux et portons les fardeaux sur nos épaules, Dieu qui voit tout est dit avoir des yeux et, parce qu'il nous supporte, et qu'en nous supportant, il nous protège, il est dit qu'il nous met à l'ombre de ses épaules. Oui : *Il te mettra à l'ombre de ses épaules*[c]. Comme si l'on disait à l'homme pécheur qui demande son pardon après avoir péché : Dieu te protège avec la même bonté qu'il t'a supporté. Il le met, en effet, à l'ombre de ses épaules, parce qu'en le supportant, il prend sa défense. Parfois Dieu évoque quelque ressemblance en lui avec des facultés intellectuelles, comme le montre le prophète en ces paroles adressées à Israël : *Je me suis souvenu de toi, ayant pitié de ta jeunesse*[d]. Et ailleurs, par comparaison avec une épouse, il dit : *Quand même elle oublierait, moi pourtant, je ne t'oublierai pas*[e]. Qui ne sait, en effet, qu'en Dieu la mémoire n'est jamais interrompue par l'oubli, ni réparée grâce au souvenir ? Mais lorsqu'il laisse et omet quelque chose, on dit qu'il oublie, comme fait notre esprit, et si, après un long intervalle de temps, il lui plaît d'y revenir, nous appelons cela « se souvenir », sur le modèle de notre vie changeante. Car comment l'oubli pourrait-il altérer l'intégrité de sa nature divine, alors que la mémoire elle-même, si bonne en soi, ne peut convenir à son essence ? On ne peut se souvenir que de choses passées ou absentes. Or, comment Dieu pourrait-il se souvenir des choses passées, puisque ce qui en soi est passager demeure cependant toujours présent à son autorité ? Ou comment se souviendrait-il des choses absentes, alors que tout ce qui existe lui est présent, du fait

ei praesto non esset, omnino non esset ; nam non exsistentia
uidendo creat, exsistentia uidendo continet. Quicquid ergo
45 creator non uidet, essentia subsistendi caret. Aliquando
autem ab auibus in illum similitudo trahitur, sicut per
Moysen dicitur : *Expandit alas suas, et accepit eos*[f]. Et sicut
propheta ait : *Sub umbra alarum tuarum protege me*[g]. Quia
enim nos paruulos dum protegit nutrit, et non graui atque
50 onerosa, sed leui et blanda protectione nos refouet, dum
suas in nos misericordias exserit, quasi more super nos
auium alas tendit. Aliquando etiam insensatis rebus, propter
infirmitatem nostram alta condescensione se comparat, sicut
per prophetam dicit : *Ecce ego stridebo super uos, sicut stridet
55 plaustrum onustum feno*[h]. Quia enim fenum est uita carnalium, sicut scriptum est : *Omnis caro fenum*[i] ; in eo quod
Dominus uitam carnalium patitur, more plaustri fenum se
portare testatur. Cui sub feni onere stridere est pondera et
iniquitates peccantium cum querela tolerare. Cum ergo longe
60 dissimiles in se similitudines trahat, sollerter intuendum
est quod quaedam talia aliquando dicantur in Deo propter
effectum operis, aliquando autem ad indicandam eius substantiam maiestatis. Nam cum in Deo oculus, scapulae atque pes
uel alae nominantur, effectus quidem operationis ostenditur.
65 Cum uero manus, brachium, dextera uel uox in Deo dicitur,
per haec uocabula consubstantialis ei Filius demonstratur.
Ipse quippe est manus et dextera, de cuius ascensione per
Moysen Pater loquitur, dicens : *Tollam in caelum manum
meam, et iurabo per dexteram meam*[j]. Ipse brachium, de
70 quo propheta ait : *Et brachium Domini cui reuelatum est*[k] ?
Ipse uox, quia eum Pater gignendo dixit : *Filius meus es tu,*

---

7. f. Dt 32, 11   g. Ps 16, 8   h. Am 2, 13   i. Is 40, 6 ; 1 P 1, 24   j. Dt 32,
40   k. Is 53, 1

que rien n'existe qu'en lui ? Et si une chose ne lui était pas présente, elle n'existerait absolument pas ; car il crée en les regardant les choses qui n'existent pas, et il les maintient dans l'existence en les regardant. Ainsi, tout ce que le Créateur ne regarde pas est privé d'être et ne peut subsister. Parfois cependant il est comparé aux oiseaux, comme on le voit dans ces paroles de Moïse : *Il a étendu ses ailes et il les a emportés*[f]. Et comme dit le prophète : *Sous l'ombre de tes ailes protège-moi*[g]. Parce que le Seigneur nous protège et nous nourrit comme ses petits, parce qu'en nous manifestant sa miséricorde, il nous réconforte par une protection qui n'est ni lourde ni écrasante, mais légère et tendre, on peut dire qu'il étend ses ailes sur nous à la manière des oiseaux. Parfois même, il se compare à des objets matériels, par grande condescendance envers notre faiblesse, comme il le dit par le prophète : *Voilà que moi je grincerai sur vous, comme grince le chariot chargé de foin*[h]. Puisque le foin représente la vie des hommes charnels, selon ce qui est dit dans l'Écriture : *Toute chair n'est que du foin*[i], et parce qu'il supporte la vie des hommes charnels, le Seigneur affirme que, tel un chariot, il porte du foin. Pour le Seigneur, grincer sous le fardeau du foin, c'est supporter avec des plaintes le poids des iniquités des pécheurs. Comme Dieu s'attribue des ressemblances de bien loin dissemblables, il faut remarquer avec attention que les unes ou les autres lui sont attribuées, tantôt pour marquer l'effet de son action, tantôt pour signifier la substance de sa majesté. Car, lorsqu'on parle de l'œil, des épaules, du pied ou des ailes de Dieu, ce n'est que pour montrer l'effet de son action. Mais lorsqu'on parle de la main, du bras, de la droite ou de la voix de Dieu, par ces noms, c'est le Fils qui lui est consubstantiel qui est signifié. C'est lui la main et la droite dont, parlant de son Ascension, le Père dit par la bouche de Moïse : *J'élèverai ma main dans le ciel et je jurerai par ma droite*[j]. Il est le bras, dont parle le prophète : *Et à qui le bras de Dieu a-t-il été révélé*[k] ? Il est une voix, puisque le Père a dit en l'engendrant : *Tu es mon Fils*.

ego hodie genui te[l]. Et de quo scriptum est : *In principio erat Verbum, et Verbum erat apud Deum, et Deus erat Verbum*[m]. Per hoc Verbum fecisse Patrem omnia Dauid asserit, dicens :
75 *Dixit, et facta sunt*[n]. Deum ergo brachium habere est operantem Filium gignere, uoce tonare est consubstantialem sibi Filium mundo terribiliter demonstrare. Beato ergo Iob dum dicit Dominus : *Si habes brachium sicut Deus et si uoce simili tonas*, mira dispensatione pietatis eum dum increpat exaltat,
80 quia eum quem sua comparatione superat superiorem cunctis demonstrat. Cui in hac propositione subiungit :

40, 5   VI, **8. *Circumda tibi decorem et in sublime erigere ; et esto gloriosus et speciosis induere uestibus.*** Subaudis, ut ego. Ipse enim sibi circumdat decorem, de quo scriptum est : *Dominus regnauit, decorem induit*[a]. Ipse apud nos in
5 sublime erigitur, cum nostris mentibus in natura sua esse impenetrabilis demonstratur. Ipse uero gloriosus est, qui dum seipso perfruitur, accedentis laudis indigens non est. Ipse speciosis induitur uestibus, quia sanctorum angelorum choros, quos condidit, in usum sui decoris assumpsit ; et
10 uelut quamdam uestem gloriosam sibi Ecclesiam exhibet non habentem maculam aut rugam[b]. Vnde ei per prophetam dicitur : *Confessionem et decorem induisti, amictus lumen sicut uestimento*[c]. Hic quippe confessionem induit, illic decorem, quia quos hic per paenitentiam confitentes fecerit,
15 illic fulgentes per decorem iustitiae ostendit. Luce ergo sicut uestimento amicietur, quia sanctis omnibus, quibus dictum est : *Vos estis lux huius mundi*[d], in illa aeterna gloria uestietur.

7. l. Ps 2, 7   m. Jn 1, 1   n. Ps 32, 9
8. a. Ps 92, 1   b. cf. Ep 5, 27   c. Ps 103, 1-2   d. Mt 5, 14

Aujourd'hui je t'ai engendré[l]. Et c'est de lui qu'il est écrit : *Au commencement était le Verbe, et le Verbe était avec Dieu, et le Verbe était Dieu*[m]. David affirme que, par ce Verbe, le Père a fait toutes choses : *Il a dit, et elles ont été faites*[n]. Donc, pour Dieu, avoir un bras, c'est engendrer un Fils qui agit ; tonner par sa voix, c'est, d'une manière redoutable, manifester au monde son Fils consubstantiel à lui. Ainsi donc, lorsque le Seigneur dit au bienheureux Job : *As-tu un bras comme Dieu et tonnes-tu d'une voix semblable à la sienne ?*, c'est par l'effet d'une bonté merveilleuse qu'il l'exalte tout en le reprenant. En effet, celui auquel, comparé à lui, il est supérieur, il le montre supérieur à tous. Et il ajoute pour lui à ce sujet :

La gloire de la résurrection

VI, **8.** *Environne-toi de beauté et élève-toi dans les hauteurs ; sois rayonnant de gloire, et revêts-toi d'habits magnifiques.*

40, 5

Sous-entendu : comme moi. C'est lui-même, en effet, qui s'environne de beauté, lui dont il est écrit : *Le Seigneur a régné, il s'est revêtu de beauté*[a]. C'est lui-même qui en nous s'élève dans les hauteurs, lorsqu'il fait connaître à nos âmes qu'il est impénétrable en sa nature. C'est lui, assurément, qui est rayonnant de gloire puisque, jouissant de lui-même, il n'a nul besoin, en surcroît, de notre louange. C'est lui qui revêt des habits magnifiques puisque, pour l'ornement de sa beauté, il se sert des chœurs des saints anges qu'il a formés ; et l'Église, sans tache ni ride, est comme un vêtement rayonnant de gloire qu'il se présente à lui-même[b]. C'est pourquoi le prophète lui dit : *Tu as été revêtu de louange et de beauté, enveloppé de lumière comme d'un vêtement*[c]. Ici-bas, il se revêt de louange, et là-haut de beauté, car ceux qu'ici-bas il aura amenés à le louer par le repentir, il les montre là-haut brillant de la beauté de la justice. Il sera enveloppé de lumière comme d'un vêtement parce que, dans cette gloire éternelle, il sera vêtu de tous les saints, auxquels il est dit : *Vous êtes la lumière du monde*[d]. Aussi l'Évangile nous dit que les vêtements

Vnde et per Euangelium dicitur, quia, transfigurato in monte
Domino uestimenta eius facta sunt candida sicut nix[e]. In
20 qua transfiguratione quid aliud quam resurrectionis ultimae
gloria nuntiatur ? In monte enim uestimenta eius sicut nix
facta sunt, quia in supernae claritatis culmine sancti omnes
ei luce iustitiae fulgentes adhaerebunt. Sed quia speciosarum
uestium nomine iustos sibi quomodo adiungat insinuat, in-
25 iustos etiam quomodo a se disiungat ostendit. Sequitur :

40, 6   VII, **9. *Disperge superbos in furore tuo.*** Subaudis ut
ego, qui eos et tranquillitatis tempore unitos contra me
tolero, et districtus quandoque ueniens, in meo eos furore
dispergo. Sed inter haec sollerter intuendum est quod grauis
5 perfidiae error admittitur, si fortasse quis aestimet quod
in illa diuinitatis substantia furor et tranquillitas uarietur.
Creator namque omnium eo summe immortalis est, quo
creaturae more mutabilis non est. Hinc de illo per Iacobum
dicitur : *Apud quem non est transmutatio, nec uicissitudinis*
10 *obumbratio*[a]. Hinc rursum scriptum est : *Tu autem, Domine,*
cum tranquillitate iudicas[b]. Hinc propheta ait : *Deserta facta*
est terra a facie irae columbae, a facie furoris Domini[c]. Quod
enim iram columbae praedixerat, hoc furorem Domini subiunxit. Columba namque ualde simplex est animal, et quia
15 in Deum nulla furoris inaequalitas serpit, furorem Domini
iram columbae nominauit. Vt enim diuinae districtionis uim
imperturbabilem demonstraret, et iram dixit, et columbae,
ac si apertius diceret : Districtum iudicium inconcussus exserit, qui permanens mansuetus punit. Vnde et in extremo
20 iudicio, in semetipso incommutabilis manens, nulla uicis-

8. e. cf. Mc 9, 2
9. a. Jc 1, 17   b. Sg 12, 18   c. Jr 25, 38

du Seigneur transfiguré sur la montagne devinrent blancs comme neige[c]. Et qu'annonce cette transfiguration, sinon la gloire de la Résurrection finale ? Sur la montagne, ses vêtements devinrent blancs comme neige pour signifier que tous les saints, au faîte de la clarté divine, resplendissant de la lumière de la justice, se tiendront attachés à lui. Mais, après avoir indiqué, sous l'image de beaux vêtements, comment il s'unit les justes, il montre aussi comment il sépare de lui les injustes. Le texte poursuit :

Immutabilité divine   VII, **9. *Disperse les superbes dans ta fureur.*** Il faut sous-entendre : comme moi qui, au temps de la tranquillité, les tolère   40, 6
ligués contre moi, mais qui, lorsque je viens plein de sévérité, les disperse dans ma fureur. Mais ici il faut bien remarquer que ce serait commettre une grave erreur contre la foi de penser que la nature divine est sujette à l'alternance de la tranquillité et de la fureur. En effet, le Créateur de l'univers est souverainement immortel, du fait qu'il n'est pas soumis au changement comme le sont les créatures. De là vient que Jacques dit à son sujet : *En lui, il n'y a ni changement, ni ombre de vicissitude*[a]. De là encore ce texte : *Mais toi, Seigneur, tu juges avec tranquillité*[b]. De là la parole du prophète : *La terre est devenue déserte devant la colère de la colombe, devant la fureur du Seigneur*[c]. En effet, ce qu'il avait d'abord appelé « la colère de la colombe », il l'a appelé ensuite « la fureur du Seigneur ». La colombe est un animal d'humeur parfaitement égale et, comme aucun mouvement de fureur ne s'insinue en Dieu, la fureur du Seigneur est appelée colère de colombe. En effet, pour montrer que la violence de la sévérité divine est imperturbable, le prophète a parlé, et de colère, et de colombe, comme s'il disait clairement : Il exerce sans s'émouvoir la rigueur de ses jugements, lui qui punit sans se départir de sa douceur. De même, au Jugement dernier, demeurant immuable en lui-même, il ne subit ni change-

situdine ac mutabilitate uariatur ; sed tamen electis et reprobis nequaquam sub specie eiusdem incommutabilitatis
ostenditur, quia et tranquillus iustis, et iratus parebit in-
iustis. Teste enim conscientia intra semetipsos deferunt,
25 unde eorum mentes aeque unum respiciant, sed non aequa-
liter modificentur, quia et istis eum benignum ostendit ante-
acta iustitia, et illis terribilem culpa. Quorum pauorem quis
explicet, cum contigerit miseris et intra se culpas cernere,
et ante se iudicem iustum uidere ? Hoc nimirum cotidie in
30 usu uitae praesentis agitur, ut de qualitate uenturi iudicis
mortalium corda doceantur. Nam cum duo ad iudicium
pergunt, alius innocentiae sibi conscius, et alius culpae,
ante prolatam sententiam adhuc tacentem iudicem utrique
conspiciunt ; et tamen culpae debitor grauem contra se
35 iram hoc ipsum iudicis silentium suspicatur. Quam iram
sibi non denuntiat perturbatio iudicis, sed recordatio prauitatis, quia etsi adhuc foras reum sententia non clamat,
intus tamen grauiter conscientia accusat. At contra iustitiae amicus decernentis uultum conspicit, sed intus de testi-
40 monio bonae recordationis hilarescit ; et quo apud se quod
metuat non habet, eo omne quod erga semetipsum est blandum uidet. Hoc itaque loco furor Domini dicitur non perturbatio diuinae substantiae, sed super peccatores male sibi
conscios examinatio iustae uindictae. Quamuis enim eum
45 tranquillum in iudicio uideant, quia tamen feriendos se ab
illo non dubitant, eum in suis motibus perturbatum putant.
Sequitur :

ment, ni vicissitude ; mais cependant il ne se montrera pas aux élus et aux réprouvés sous le même aspect d'immutabilité, car il apparaîtra tranquille aux hommes justes et en colère aux hommes injustes. Rentrant en eux-mêmes, ils se soumettent chacun au témoignage de leur conscience, et donc, si leur esprit jette semblablement les yeux sur un seul, ils n'en sont pas affectés de manière identique, parce qu'aux uns, leur justice passée le montre bienveillant, aux autres, leur péché le montre terrible. Et qui exprimera la frayeur de ces derniers lorsqu'il arrivera à ces malheureux, et de discerner en eux leurs péchés, et de voir en face d'eux leur juste Juge ? Il se passe tous les jours quelque chose d'analogue dans le courant de la vie présente qui peut instruire le cœur des mortels sur le comportement du Juge à venir. En effet, quand deux hommes, dont l'un est conscient de son innocence et l'autre de sa faute, vont au tribunal, avant que la sentence ne soit rendue, l'un et l'autre regardent le juge encore silencieux, et pourtant, celui qui est coupable soupçonne ce silence même du juge d'être la marque d'une grande colère contre lui. Et cette colère, ce n'est pas le trouble du juge qui la lui révèle, mais le souvenir de son crime, car s'il n'y a pas encore de jugement pour le déclarer publiquement coupable, cependant en son for intérieur sa conscience l'accuse gravement. Tout au contraire, celui qui aime la justice observe le visage du magistrat, mais il se réjouit intérieurement du bon témoignage de sa mémoire et, du fait qu'il ne trouve en lui-même aucun sujet de crainte, tout ce qui le concerne lui paraît favorable. C'est ainsi que la fureur du Seigneur, dont on parle ici, n'indique aucun trouble de la nature divine, mais l'exercice d'un juste châtiment envers les pécheurs qui ont mauvaise conscience. Bien qu'en effet ils le voient calme pendant qu'il juge, cependant, comme ils ne doutent pas de recevoir de lui leur punition, ils l'imaginent troublé du fait de leurs propres émotions. Le texte poursuit :

40, 6

VIII, **10.** *Et respiciens omnem arrogantem humilia.* Ac si dicat ut ego. Apte autem ad uindictae ordinem arrogantibus superborum culpa praeponitur, quia nimirum non superbia de arrogantia, sed arrogantia de superbia generatur. Duobus
5 autem modis a Domino peccator unusquisque respicitur, cum aut a peccato conuertitur, aut ex peccato punitur. De respectu enim conuersionis dicitur : *Quia respexit Dominus Petrum, et recordatus Petrus fleuit amare*[a]. De respectu rursus ultionis dicitur : *Vultus autem Domini super facientes mala,*
10 *ut perdat de terra memoriam eorum*[b].

Vtrisque autem modis in humilitate arrogans sternitur, quia aut paenitendo cognoscit culpam, aut pereundo percipit poenam. Sequitur :

40, 7

IX, **11.** *Respice cunctos superbos et confunde eos ; et contere impios in loco suo.* Subaudis ut ego. Superbi enim ex respectu Domini confunduntur, aut hic de pietate cognoscentes et damnantes crimina ; aut illic supplicia de
5 iustitia sentientes. Impiorum uero locus ipsa superbia est, quia cum scriptum sit : *Initium omnis peccati superbia*[a], unde oritur impietas, ibi continetur, quamuis nec quicquam a superbia distat impietas. Valde enim superbire est impia de auctore sentire. Impius ergo in loco suo conteritur, quia
10 ipsa superbia qua eleuatur opprimitur ; cumque efferendo se in cogitationibus erigit, lumen sibi iustitiae quod inuenire debuisset abscondit. Saepe autem dum contra Deum falsa gloria exterius proficit, uera miseria interius inanescit. Vnde

10. a. Lc 22, 61-62   b. Ps 33, 17
11. a. Si 10, 15

**Abaissement
des arrogants**

VIII, **10. *Et d'un regard, humilie tout
arrogant.*** C'est-à-dire : comme moi. C'est   40, 6
très justement que, dans l'ordre du châ-
timent, les fautes des orgueilleux passent avant celles des
arrogants, parce qu'assurément ce n'est pas l'arrogance qui
produit l'orgueil, mais l'orgueil, l'arrogance. Le Seigneur
regarde chaque pécheur de deux manières différentes, selon
qu'il se convertit de son péché, ou qu'il est puni de son péché.
Du regard de conversion, il est dit : *Le Seigneur regarda
Pierre, et Pierre, se souvenant de la parole du Seigneur, pleura
amèrement* [a]. Du regard de punition, il est dit en revanche :
*Le visage du Seigneur est sur ceux qui font le mal, afin d'effacer
de la terre leur mémoire* [b].

Dans ces deux cas, l'arrogant est rabaissé dans l'humilité,
soit qu'il reconnaisse son péché s'il fait pénitence, soit qu'il
reçoive son châtiment et qu'il périsse. Le texte poursuit :

**Orgueil
et impiété**

IX, **11. *Regarde tous les superbes et
confonds-les ; et écrase en leur lieu les
impies.*** Sous-entendu : comme moi. Les   40, 7
superbes sont, en effet, confondus par le regard du Seigneur,
ou bien en ce monde lorsqu'ils reconnaissent et réprouvent
leurs crimes, du fait de sa miséricorde, ou bien dans l'autre,
lorsqu'ils subissent les supplices, du fait de sa justice. La place
des impies, c'est la superbe elle-même. En effet, puisqu'il
est écrit : *Le commencement de tout péché, c'est la superbe* [a],
l'impiété se situe là-même d'où elle naît, bien que l'impiété ne
diffère guère de la superbe. Car c'est s'enorgueillir grandement
que d'avoir des pensées impies au sujet du Créateur. L'impie
est donc écrasé en son lieu, parce qu'il est oppressé par la
superbe même qui le soulève ; toutes les fois qu'en s'exaltant,
il s'élève en ses pensées, il se cache à lui-même la lumière de
la justice qu'il aurait dû trouver. Et souvent, tandis qu'au
dehors une fausse gloire s'élève contre Dieu, au dedans une
vraie misère crée le vide. C'est pourquoi le prophète dit :

propheta ait : *Deiecisti eos dum alleuarentur*[b]. Non enim ait :
15 Deiecisti eos postquam eleuati sunt, sed cum alleuarentur,
quia hoc ipsum sit superbis interius deici, quod eis falsa
contingit gloria exterius eleuari. Ordinante enim diuino
iudicio, non eis hic aliud culpa est, atque aliud poena, sed
sua illis in poena uertitur culpa, ut elatis fastu superbiae hoc
20 ipsum sit uere intus cadere quod foras ostenditur profecisse.
Sequitur :

40, 8

X, **12.** *Absconde eos in puluere, simul et facies eorum
demerge in foueam.* Ac si dicat ut ego. Superbos enim atque
impios iusto iudicio Dominus in puluere abscondit, quia
eorum corda ipsis quae despecto amore creatoris eligunt
5 terrenis opprimi negotiis permittit. Vnde et illorum uitam
cum iudicio extremo discutit, tamquam sibi absconditam
non agnoscit, dicens : *Nescio qui estis*[a]. Vita prauorum
sub puluere absconditur, quia abiectis et infimis desideriis
grauatur. Quisquis enim adhuc ea quae mundi sunt appetit,
10 quasi ante faciem ueri luminis non apparet, quia nimirum
sub puluere terrenae cogitationis latet. Hunc prauarum
cogitationum puluerem oppressa mens tolerat, quem uentus
nequissimae temptationis apportat. Hinc est enim quod de
unaquaque anima terrenis desideriis aggrauata sub Ephraim
15 specie per prophetam dicitur : *Factus est Ephraim panis
subcinericius, qui non reuersatur*[b]. Ex natura quippe bene
condita est nobis intentio, quae surgat in Deum ; sed ex
conuersatione nequiter assueta inest uoluptas, quae praesens
premat in saeculum. Panis autem subcinericius ex ea parte

11. b. Ps 72, 18
12. a. Lc 13, 27 ; Mt 7, 23   b. Os 7, 8

Tu les as abaissés tandis qu'ils s'exaltaient[b]. Il ne dit pas : Tu les as abaissés après qu'ils se sont élevés, mais : *tandis qu'ils s'exaltaient*, car les superbes sont abaissés intérieurement, du fait même qu'il leur arrive d'être, à l'extérieur, élevés par une fausse gloire. Par une disposition de la justice divine, dès ici-bas, pour eux il n'y a pas d'un côté la faute, de l'autre le châtiment ; leur propre faute, en effet, devient pour eux châtiment, si bien que, pour ces superbes gonflés d'orgueil, ce qui paraît au dehors un progrès est vraiment au dedans une chute. Le texte poursuit :

Poussière des désirs terrestres   X, 12. ***Cache-les dans la poussière et en même temps plonge leurs faces dans la fosse.*** C'est-à-dire : comme moi. En effet, le Seigneur cache dans la poussière par un juste jugement les superbes et les impies, lorsqu'il permet que leurs cœurs soient accablés par les affaires séculières qu'ils choisissent au mépris de l'amour du Créateur. Aussi, au Jugement dernier, quand il examine leur vie, il ne la reconnaît pas, comme si elle lui était cachée, en disant : *Je ne sais qui vous êtes*[a]. La vie des gens dépravés est cachée sous la poussière, parce qu'elle est alourdie par des désirs bas et abjects. En effet, quiconque convoite encore les biens qui sont du monde, on peut dire qu'il n'est pas en face de la vraie lumière, puisque, assurément, il est caché sous la poussière des pensées terrestres. Cette poussière de mauvaises pensées, l'âme accablée doit la supporter. C'est le vent d'une tentation détestable qui la lui apporte. C'est pourquoi le prophète, parlant, sous la figure d'Éphraïm, de toute âme alourdie par les désirs terrestres, dit : *Éphraïm est devenu comme un pain cuit sous la cendre, que l'on ne retourne pas*[b]. En vertu de notre nature, créée bonne, il existe en nous un mouvement qui nous porte vers Dieu ; mais de l'habitude d'un mauvais comportement naît en nous la volupté qui nous rabaisse vers le monde présent. Le pain cuit sous la cendre est plus

40, 8

20 est mundior, quam inferius occultat ; atque ex ea parte sordi-
dior, qua desuper cinerem tolerat. Quisquis ergo intentionem qua Deum debuisset quaerere neglegit, quasi more
panis subcinericii mundiorem partem inferius premit, et
cum curas saeculi libenter tolerat, quasi congestum cinerem
25 superius portat. Reuersaretur autem panis subcinericius, si
desideriorum carnalium cinerem repelleret, et intentionem
bonam, quam in se dudum despiciendo oppresserat, superius
ostentaret. Sed reuersari renuit, cum mens, amore curarum
saecularium pressa, molem superpositi cineris abicere negle-
30 git, dumque assurgere in intentionem bonam non appetit,
quasi mundiorem faciem subter premit.

40, 8   **13.** Apte autem subiungitur : ***Simul et facies eorum demerge in foueam.*** Ac si dicat : ut ego. Iusto namque iudi-
cio superborum facies Dominus in foueam mergit, quia
intentionem cordis eorum sese ultra homines erigentem
5 inferius deicit. Ima enim respicit, cuius facies foueam attendit. Et bene de superbis dicitur quod eorum facies in
foueam demerguntur, quia ima petunt, dum superbiendo
altiora appetunt ; et quo magis extollendo se erigunt, eo
magis ruendo inferius tendunt. Terrenam quippe gloriam
10 quaerunt, et infima sunt quae prospiciunt, dum superbiendo
alta sectantur. Vnde miro ac diuerso modo res agitur, ut
humiles caelum petant, dum se infra deiciunt ; superbi infima appetant, dum despiciendo ceteros quasi in altioribus
extolluntur. Isti se, dum despiciunt, caelestibus iunguntur ;
15 illi, dum se erigunt, a superioribus diuiduntur, atque, ut ita
dixerim, illi se eleuantes deprimunt, isti deprimentes eleuant.

propre en dessous, du côté caché, mais plus sale au-dessus, du côté qui porte la cendre. Ainsi, quiconque néglige de suivre ce mouvement par lequel il aurait dû chercher Dieu, tel un pain sous la cendre, comprime la partie inférieure qui est la plus propre et, acceptant volontiers le poids des soucis du siècle, porte sur lui comme un monceau de cendre. Et pourtant, ce pain cuit sous la cendre se retournerait s'il rejetait la cendre des désirs terrestres et laissait apparaître sur le dessus le bon mouvement que, par mépris, il avait étouffé depuis si longtemps en lui-même. Mais il refuse de se retourner, car l'âme, étreinte par l'amour des affaires du siècle, néglige de rejeter la masse de cendre au-dessus d'elle et, tandis qu'elle ne désire pas s'élever vers ce bon mouvement, elle comprime, pour ainsi dire, au-dessous, la face la plus propre.

Ils s'abaissent en s'élevant **13.** Le texte continue avec pertinence : *Et, en même temps, plonge leurs faces dans la fosse.* Comme s'il disait : comme je le fais. En effet, c'est par un juste jugement que le Seigneur plonge la face des superbes dans la fosse, car il rabaisse bien bas le mouvement de leur cœur qui s'élevait au-dessus des hommes. Car celui-là regarde vers les bas-fonds, qui a la face tournée vers la fosse. De sorte qu'il est très bien dit que la face des superbes est plongée dans la fosse, puisqu'ils descendent vers les bas-fonds, alors que, dans leur orgueil, ce sont les sommets qu'ils visent : en effet, plus ils s'efforcent de s'élever, plus ils se précipitent vers le bas. Ils recherchent la gloire terrestre et portent leur regard vers le bas, alors que, dans leur orgueil, ils recherchent les hauteurs. D'où il advient, dans un ordre admirable et différent, que les humbles atteignent le ciel, tandis qu'ils s'abaissent, et que les superbes se dirigent vers le bas tandis que, par leur mépris des autres, ils semblent s'élever aux sommets. Les uns, en s'abaissant, rejoignent les réalités célestes ; les autres, en s'élevant, se séparent des réalités d'en haut, si bien que, pour ainsi dire, les uns s'abaissent en

40, 8

Et bene de superbientibus per psalmistam dicitur : *Humiliat*
autem peccatores usque ad terram[a], quia ea quae infra sunt
ambientes, dum extollendo se erigunt, amisso caelo quid
20 aliud quam terram petunt ? Quibus hoc ipsum iam in imis
cecidisse est relictis superioribus ima quaesisse. Recte ergo
eorum facies in foueam demergi perhibentur, quia sequentes
infima, ad inferni barathrum tendunt. Iusto enim iudicio
agitur, ut quos hic uoluntaria auersio excaecat, illic ab in-
25 tuitu ueri luminis digna supplicii fouea abscondat.

Igitur quia uir sanctus tanto diuinae potentiae terrore
discussus est, ut ei diceretur : *Si habes brachium sicut Deus*
et si uoce simili tonas : disperge superbos in furore tuo et
respiciens omnem arrogantem humilia, et cetera quae Deus
30 quidem facere, sed homo uix sufficit audire, cuncta haec qua
Dominus intentione praemiserit, fine subditae conclusionis
ostendit, dicens :

40, 9   XI, **14.** ***Et ego confitebor quod saluare te possit dextera***
tua. Ac si aperte diceret : Si potes terribilia haec facere, ipse
quae protuli, tibi et non mihi deputo bona omnia quae fecisti.
Si uero peccantes alios respiciendo non potes perdere, liquet
5 quod a reatu nequitiae tua te non uales uirtute liberare. Ecce
diuina uoce ad beatum Iob dicitur quod sua dextera non
saluetur ; et tamen nonnulli hominum, qui ab huius uiri
uiribus longe sunt, despecto Dei adiutorio, sua se fortitudine
saluari posse confidunt. Pro quibus quid deprecari aliud
10 debemus, nisi ut si iam dona bonorum operum perceperunt,
hoc quoque donum accipiant, ut a quo haec acceperint dis-

13. a. Ps 146, 6

s'élevant, les autres s'élèvent en s'abaissant. C'est à juste titre que le psalmiste dit au sujet des orgueilleux : *Il humilie les pécheurs jusqu'à terre*[a], car ceux-ci recherchent ce qui est d'en bas, et, alors qu'ils s'efforcent de s'élever, ayant perdu le ciel, que font-ils d'autre que de tendre vers la terre ? Pour eux, c'est déjà être tombés que d'abandonner les biens supérieurs pour rechercher ceux d'en bas. Il est donc exact de dire que leurs faces sont plongées dans la fosse, car, poursuivant les choses d'en bas, ils se dirigent vers le gouffre de l'Enfer. Voici donc ce qui advient par un juste jugement : ceux qu'aveugle ici-bas un refus volontaire, la fosse, méritée en châtiment, leur dérobera dans l'au-delà la vision de la lumière véritable.

Après avoir ébranlé par la terreur le saint homme en déployant la puissance divine par ces paroles : *As-tu un bras comme Dieu et tonnes-tu d'une voix semblable à la sienne ? disperse les superbes dans ta fureur et, d'un regard, humilie tout arrogant,* et tout le reste que Dieu assurément peut faire, mais que l'homme peut à peine entendre, le Seigneur montre enfin, par la conclusion suivante, dans quelle intention il a précédemment dit tout cela :

"Seigneur, toi, ma force"   XI, **14.** *Alors moi, je proclamerai que ta droite est capable de te sauver,* comme   40, 9
s'il disait ouvertement : Si tu peux faire ces choses effrayantes que je viens moi-même d'exposer, c'est à toi et non à moi que j'attribue toutes les bonnes actions que tu as faites. Mais si tu ne peux perdre autrui que tu vois pécher, il en découle que tu ne peux te libérer par ta propre puissance de l'accusation d'iniquité. Voici que la voix divine déclare au bienheureux Job que sa droite ne peut le sauver, et cependant, des gens qui sont loin d'avoir la force de ce saint homme, méprisent le secours de Dieu et se confient en leurs propres ressources pour être sauvés. Que devons-nous demander pour eux dans la prière, sinon qu'ayant déjà reçu la grâce de faire des œuvres bonnes, ils obtiennent aussi celle d'apprendre de

cant ? Quia autem praemissis uerbis Dominus potentiam
suae magnitudinis intulit, nunc in subsequentibus nequitiam
antiqui hostis ostendit, ut bonus famulus, et auditis prius
15 uirtutibus Domini, sciret quantum diligeret, et cognita post
calliditate diaboli, disceret quantum timeret. Vnde bene per
prophetam dicitur : *Leo rugiet, quis non timebit ? Dominus
Deus locutus est, quis non prophetabit*[a] *?* Postquam enim uirtus
ei sui conditoris innotuit, nequaquam illum uires aduersarii
20 latere debuerunt, ut eo magis defensori suo se humilius
subderet quo hostis sui nequitias subtilius agnouisset ;
protectoremque suum tanto ardentius quaereret, quanto
terribiliorem hostem cognosceret quem uitaret. Certum
quippe est quia minus diligit ereptorem suum qui minus
25 intellegit periculum quod euasit, et uile solatium defensoris
deputat qui uirtutem aduersarii debilem putat. Vnde bene
ereptionem suam Domino tribuens propheta dicebat :
Diligam te, Domine, uirtus mea[b] ; aperte uidelicet dicens :
Eo te magis diligo, quo infirmitatem propriam sentiens,
30 uirtutem meam te esse cognosco. Hinc rursum ait : *Mirifica
misericordias tuas, qui saluos facis sperantes in te*[c], quia tunc
nimirum misericordiae Domini mirae apud nosmetipsos qui
eripimur fiunt, cum per easdem misericordias quam grauia
fuerint pericula quae euasimus, agnoscuntur.

15. Et quia sermone praecedenti Dominus beato Iob mira
opera sanctorum sequentium patefecit, ut his auditis disceret de uirtutum suarum culmine quam humilia sentire
debuisset, nunc ei cum quo hoste bellum gerat ostenditur ;
5 et uires fraudesque illius subtilius indicantur, ut quia ad

---

14. a. Am 3, 8   b. Ps 17, 2   c. Ps 16, 7

qui ils l'ont reçue ? Et puisqu'il a exprimé dans les paroles précédentes la grandeur de sa puissance, le Seigneur montre à présent dans les suivantes la malice de l'antique ennemi, en sorte qu'à la fois son bon serviteur, ayant entendu d'abord quelle est la puissance du Seigneur, sache combien il devait s'attacher à lui et, connaissant ensuite le caractère rusé du diable, apprenne combien il lui fallait le craindre. Ainsi, le prophète a bien dit : *Si le lion se met à rugir, qui ne craindra ? le Seigneur Dieu a parlé, qui ne prophétisera*[a] *?* En effet, une fois que lui est connue la puissance de son Créateur, il n'y a plus de raison de lui cacher les forces de l'Adversaire. Ainsi, il s'humiliera d'autant plus aux pieds de son défenseur qu'il aura vu plus clairement les malices de son ennemi, et il recherchera avec d'autant plus d'ardeur son défenseur qu'il saura combien est terrible l'ennemi à éviter. Il est certain, en effet, que l'on aime moins son libérateur si l'on mesure moins à quel danger on a échappé, et le secours d'un défenseur est compté pour peu si l'on estime faible la force de l'ennemi. C'est pourquoi le prophète, attribuant à juste titre sa délivrance au Seigneur, disait : *Je t'aimerai, Seigneur, toi ma force*[b]. C'est-à-dire en clair : Je t'aime d'autant plus que, ressentant ma propre faiblesse, je reconnais que c'est toi ma force. Aussi dit-il encore : *Fais éclater les merveilles de tes miséricordes, toi qui sauves ceux qui espèrent en toi*[c]. Car quand les miséricordes du Seigneur qui nous sauvent apparaissent-elles merveilleuses à nos yeux, sinon lorsque nous reconnaissons à quels grands périls ces mêmes miséricordes nous ont fait échapper ?

Ruses du diable **15.** Et parce que, dans son discours précédent, le Seigneur a dévoilé au bienheureux Job les actions admirables des saints de l'avenir, afin qu'en les entendant, il apprenne combien il aurait dû se montrer humble au sujet de ses éminentes vertus, il va maintenant lui découvrir quel ennemi il doit combattre ; il va lui indiquer en détail la force et les

colloquium auctoris sui perductus est, argumenta aduersarii aperte cognoscat. Verbis enim sequentibus fideli famu-
lo Dominus cunctas hostis callidi machinationes insinuat,
omne quod opprimendo rapit, omne quod insidiando cir-
10 cumuolat, omne quod minando terret, omne quod suadendo
blanditur, omne quod desperando frangit, omne quod pro-
mittendo decipit.

Cuncta ergo tergiuersationis eius certamina exorditur,
dicens :

40, 10   XII, **16.** *Ecce Behemoth, quem feci tecum.* Quem sub
Behemoth nomine nisi antiquum hostem insinuat, qui
interpretatus ex hebraea uoce, in latina lingua animal sonat ?
Cuius inferius, dum malitia subditur, patenter persona
5 monstratur. Sed cum de Deo scriptum sit quia fecit omnia
simul[a], cur hoc animal cum homine fecisse se indicat, dum
cuncta quia simul fecerit constat ? Rursum quaerendum
est, quomodo Deus simul cuncta condidit, dum Moyses
sex dierum mutatione uariante distincte creata describit.
10 Quod tamen citius agnoscimus, si ipsas causas originum
subtiliter indagamus. Rerum quippe substantia simul creata est, sed simul species formata non est ; et quod simul
exstitit per substantiam materiae non simul apparuit per
speciem formae. Cum enim simul factum caelum terraque
15 describitur, simul spiritalia atque corporalia ; simul quicquid
de caelo oritur ; simul factum quicquid de terra producitur
indicatur. Sol quippe, luna et sidera quarto die in caelo
facta perhibentur ; sed quod quarto die processit in specie

16. a. cf. Si 18, 1

ruses de celui-ci, afin qu'admis à tenir conversation avec son Créateur, il connaisse clairement les artifices de l'Adversaire. Dans les paroles suivantes, en effet, le Seigneur révèle à son fidèle serviteur toutes les machinations dont se sert l'Ennemi rusé : toutes ses captures par surprise, toutes ses voltiges pour semer des embûches, toutes ses menaces qui terrifient, toutes ses flatteries qui persuadent, toutes ses suggestions qui découragent, toutes ses promesses qui séduisent.

Le Seigneur commence donc à exposer tous les subterfuges de cette lutte, en disant :

Béhémoth créature déchue　XII, **16.** *Voici Béhémoth que j'ai fait avec toi.* N'est-ce pas de l'antique ennemi que parle l'Écriture sous le nom de Béhémoth qui, traduit de l'hébreu, en latin signifie « animal » ? Cependant, d'après sa malice dont il est parlé ensuite, il est présenté manifestement comme une personne. Mais, comme il est écrit ailleurs que Dieu a tout fait en même temps[a], pourquoi indique-t-il ici qu'il a fait cet animal avec l'homme, puisqu'il est certain qu'il a tout fait en même temps ? Et derechef il faut se demander comment Dieu a créé toutes choses en même temps, alors que Moïse décrit les choses créées distinctement dans leur variété en une succession de six jours. Nous le comprenons plus facilement cependant, si nous examinons avec précision les conditions mêmes des origines des créatures. La substance des êtres a été créée toute à la fois, mais leur espèce n'a pas été formée en même temps ; et ce qui a commencé d'exister au même moment selon la substance matérielle n'est pas apparu en même temps selon la forme de son espèce. En effet, lorsqu'il est dit que le ciel et la terre ont été faits ensemble, c'est pour indiquer que les choses spirituelles et les matérielles, tout ce qui tire son origine du ciel et tout ce que produit la terre, tout a été créé ensemble. Certes, il est rapporté que le soleil, la lune et les astres ont été faits dans le ciel le quatrième jour, mais ce

40, 10

primo die in caeli substantia exstitit per conditionem. Primo
20 die creata terra dicitur, et tertio arbusta condita, et cuncta
terrae uirentia describuntur ; sed hoc quod die tertio se in
specie protulit, nimirum primo die in ipsa de qua ortum est
terrae substantia conditum fuit[b]. Hinc est quod Moyses et
distincte per dies singulos condita omnia rettulit ; et tamen
25 simul omnia creata subiunxit dicens : *Istae generationes caeli
et terrae, quando creatae sunt in die quo fecit Dominus caelum et terram ; et omne uirgultum agri, antequam oriretur in
terra, omnemque herbam regionis*[c]. Qui enim diuersis diebus
creatum caelum et terram, uirgultum, herbamque narra-
30 uerat, nunc uno die facta manifestat, ut liquido ostenderet
quod creatura omnis simul per substantiam exstitit, quamuis
non simul per speciem processit. Hinc illic quoque scriptum
est : *Creauit Deus hominem ad imaginem suam, ad imaginem
Dei creauit illum, masculum et feminam fecit eos*[d]. Necdum
35 enim Eua facta describitur, et iam homo masculus et femina
perhibetur. Sed quia ex Adae latere erat procul dubio femina
processura, in illo iam computatur per substantiam, a quo
fuerat producenda per formam. Considerare tamen haec
et in minimis possumus, ut ex minimis maiora pensemus.
40 Herba namque cum creatur, necdum in illa fructus, necdum
fructus sui semen ostenditur. Inest uero ei etiam cum non
apparet fructus et semen, quia nimirum simul sunt in
radicis substantia quae non simul prodeunt per temporis
incrementa.

16. b. cf. Gn 1, 1-31   c. Gn 2, 4-5   d. Gn 1, 27

qui est apparu selon son espèce le quatrième jour existait déjà par la création dès le premier jour, dans la substance du ciel. De même, il est dit que la terre fut créée le premier jour, et c'est le troisième jour qu'est décrite la création des arbustes et de toute la verdure de la terre ; mais ce qui s'est montré selon son espèce le troisième jour avait certainement été créé dès le premier jour dans la substance de la terre qui l'a produit[b]. C'est pourquoi, d'une part, Moïse a rapporté que tout avait été créé de façon distincte et à des jours précis, et d'autre part, il a ajouté cependant que tout avait été créé ensemble : *Telles furent les origines du ciel et de la terre, lorsqu'ils ont été créés au jour où le Seigneur fit le ciel et la terre, et toutes les jeunes pousses des champs, toute l'herbe des campagnes, avant même qu'elles eussent apparu sur la terre*[c]. En effet, lui qui avait raconté la création du ciel et de la terre, celle des jeunes pousses et de l'herbe, en des jours successifs, nous la présente maintenant faite en un seul jour, afin de nous montrer clairement que toutes les créatures ont existé ensemble en leur substance, bien qu'elles n'aient paru que successivement selon leur espèce. C'est pourquoi ailleurs il est également écrit : *Dieu créa l'homme à son image, à l'image de Dieu il le créa, homme et femme il les fit*[d]. Il n'a pas encore été parlé de la création d'Ève, et déjà il est rapporté que l'homme est homme et femme. Mais parce que la femme allait, de manière certaine, sortir du côté d'Adam, elle est déjà réputée se trouver selon sa substance en celui dont elle devait être produite selon sa forme. Nous pouvons aussi remarquer cela dans des choses très petites, afin d'en tirer des conclusions pour les plus grandes. En effet, quand l'herbe est produite, on n'y voit encore ni le fruit, ni non plus la graine de son fruit. Mais ils y sont, même si le fruit et la graine ne se montrent pas ; oui, certes, ils sont ensemble dans la substance de la racine, bien qu'ils n'apparaissent pas simultanément, mais selon l'époque de leur croissance.

17. Sed quia haec simul creata per substantiam dicimus, quae prodire alia ex aliis inuenimus, quo pacto cum beato Iob Behemoth creatus asseritur, cum neque una sit substantia angeli et hominis, neque homo ex angelo, neque angelus
5 ex homine proferatur ? Si uero propter hoc factus Behemoth cum beato Iob dicitur, quod creatura omnis ab auctore, qui in actione sua nequaquam temporis protelatione distenditur, simul condita non dubitatur[a], cur de Behemoth specialiter dicitur quod commune cum creaturis omnibus generaliter
10 habetur ? Sed si rerum causas subtili discussione pensamus, simul factum angelum hominemque cognoscimus, simul uidelicet non unitate temporis, sed cognitione rationis ; simul per acceptam imaginem sapientiae, et non simul per coniunctam substantiam formae. Scriptum namque de
15 homine est : *Faciamus hominem ad imaginem et similitudinem nostram*[b]. Et per Ezechielem ad Satan dicitur : *Tu signaculum similitudinis, plenus sapientia et perfectus decore in deliciis paradisi Dei fuisti*[c]. In cuncta igitur creatura homo et angelus simul conditus exstitit quia ab omni
20 natura irrationabili distinctus processit. Quia ergo in cuncta conditione rerum nullum rationale animal nisi angelus et homo est, quicquid ratione uti non potest, cum homine factum non est. Dicatur itaque homini, dicatur de angelo, qui etsi potentiam sublimitatis perdidit, subtilitatem tamen
25 naturae rationalis minime amisit : *Ecce Behemoth, quem feci te cum*. Vt dum homo eum qui in ratione secum factus est, periisse considerat, uicinum sibi casum superbiae ex ipsa propinqui sui perditione pertimescat. In his autem uerbis sollerter intuendum est quod aperte uoce dominica
30 nefarium Manichaei dogma reprehenditur, qui dum duo

---

17. a. cf. Si 18, 1   b. Gn 1, 26   c. Ez 28, 12-13

17. Mais puisque nous disons que toutes ces choses que nous voyons sortir l'une de l'autre ont été créées ensemble selon la substance, comment peut-on affirmer que Béhémoth a été créé avec le bienheureux Job, alors que la substance de l'ange et celle de l'homme ne sont pas les mêmes et que l'homme n'a pas été tiré de l'ange, ni l'ange de l'homme ? Si pourtant il est dit que Béhémoth a été fait avec le bienheureux Job pour la raison certaine que toutes les créatures ont été produites ensemble par le Créateur[a], dont l'action ne s'étale absolument pas dans une durée de temps, pourquoi est-il dit ici particulièrement de Béhémoth ce qui est commun à toutes les créatures en général ? Mais si nous examinons avec soin le fond des choses, nous constatons que l'ange et l'homme ont été faits ensemble, non selon une unité de temps, mais selon la connaissance rationnelle ; créés ensemble par l'image de la sagesse qu'ils ont reçue, mais non ensemble par l'union de la substance à la forme. En effet, il est écrit de l'homme : *Faisons l'homme à notre image et ressemblance*[b]. Et le prophète Ézéchiel dit à Satan : *Tu as été le sceau de sa ressemblance, plein de sagesse et parfait en beauté dans le paradis de Dieu rempli de délices*[c]. Ainsi, parmi toutes les créatures, l'homme et l'ange ont été créés ensemble, parce qu'ils sont distincts de tout être privé de raison. Puisque, dans toute la création de l'univers, nul être vivant n'est doué de raison sauf l'ange et l'homme, aucun être privé de l'usage de la raison n'a été fait en même temps que l'homme. Le Seigneur peut dire à l'homme en parlant de l'ange qui, même s'il a perdu sa grandeur et sa puissance, n'est pas, pour autant, privé de la nature raisonnable : *Voici Béhémoth que j'ai fait avec toi*. Ainsi l'homme, voyant perdu celui qui avec lui a été doté d'une nature raisonnable, réfléchissant à la ruine de son semblable, en viendra à craindre pour lui-même pareille chute dans l'orgueil. Or, il faut considérer attentivement que par ces paroles du Seigneur est clairement réfutée la doctrine néfaste des manichéens, qui affirme qu'il y a deux principes

principia loquitur, tenebrarum gentem non factam asserere
conatur. Quomodo enim non facta gens nequissima dicitur,
dum Behemoth istum, uidelicet auctorem nequitiae per
naturam bene conditam se Dominus fecisse testatur ? Sed
35 quia Behemoth iste, cum quo sit factus audiuimus, perditus
quid agat audiamus. Sequitur :

40, 10   XIII, **18.** *Fenum sicut bos comedet.* Si prophetarum
sollicite uerba discutimus, haec et illa uno spiritu prolata
reperimus. Isaias namque cum cerneret uitam peccantium
ab antiquo et insatiabili hoste deuorari, ait : *Leo sicut bos*
5 *comedet paleas*[a]. Quid autem feni palearumque nomine nisi
carnalium uita signatur ? De qua per prophetam dicitur :
Omnis caro fenum[b]. Qui ergo hic Behemoth, illic leo ; qui
hic fenum, illic paleae nominantur. Sed perscrutari mens
nititur cur iste uel apud Isaiam leo, uel hic dominica uoce
10 Behemoth, in comissatione feni uel paleae, utroque loco, non
equo, sed boui comparetur. Quod tamen citius cognoscimus,
si in utrisque animalibus quae sit nutrimentorum distantia
perpendamus. Equi namque fenum quamlibet sordidum
comedunt, aquam uero non nisi mundam bibunt. Boues
15 autem aquam quamlibet sordidam bibunt, sed feno non
nisi mundo uescuntur. Quid est ergo quod boui, qui mundo
pabulo pascitur, Behemoth iste comparatur, nisi hoc quod
de isto antiquo hoste per prophetam alium dicitur : *Esca*
eius electa[c] ? Neque enim eos se gaudet rapere, quos prauis
20 ac sordidis actionibus implicatos in imis secum respicit
uoluntarie iacere. Fenum ergo comedere sicut bos appetit,

18. a. Is 11, 7   b. Is 40, 6 ; 1 P 1, 24   c. Ha 1, 16

et s'efforce de soutenir que cette engeance de ténèbres n'a pas été créée. Car comment dire que cette engeance d'iniquité n'a pas été créée, alors que le Seigneur affirme avoir fait dans une nature créée pour le bien ce Béhémoth, auteur de l'iniquité ? Mais, après avoir entendu avec qui Béhémoth a été créé, écoutons comment agit ce malheureux. On poursuit :

Les spirituels convoités par le diable

XIII, **18.** *Il mangera du foin comme un bœuf.* Si nous examinons avec soin les paroles des prophètes, nous découvrons que les unes et les autres ont été prononcées sous l'influence du même Esprit. Isaïe, en effet, voyant que la vie des pécheurs est dévorée par l'antique et insatiable ennemi, dit : *Le lion mangera de la paille ainsi que le bœuf*[a]. Mais que désigne-t-on sous le nom de foin et de paille, sinon la vie des hommes charnels ? C'est d'elle que parle le prophète : *Toute chair est du foin*[b]. Celui qui est ici Béhémoth est là un lion ; ce qui ici s'appelle foin, là s'appelle paille. Mais notre esprit s'efforce de rechercher pourquoi ce lion dont parle Isaïe, ou ce Béhémoth, selon les paroles du Seigneur dans notre texte, qui mange du foin ou de la paille, est, dans les deux textes, comparé non au cheval, mais au bœuf. Nous le comprenons plus aisément si nous examinons la différence d'alimentation de ces deux animaux. Les chevaux, en effet, mangent n'importe quel foin, même souillé, mais ils ne boivent que de l'eau propre. Les bœufs, quant à eux, boivent n'importe quelle eau, même souillée, en revanche, ils ne mangent que du foin propre. Pourquoi donc ce Béhémoth est-il comparé au bœuf qui se nourrit de foin propre, sinon parce que, comme le dit un autre prophète à propos de cet antique ennemi, *sa nourriture est élue*[c] ? Car sa grande joie n'est pas de séduire ceux qu'il voit gisant avec lui dans les bas-fonds de par leur propre volonté, plongés qu'ils sont dans des mœurs dépravées et sordides ; mais il aime se nourrir de foin

40, 10

quia suggestionis suae dente conterere mundam uitam spiritalium quaerit.

19. Sed quaerendum uideo quomodo Behemoth iste,
fenum sicut bos comedens, uitam spiritalium consumere
dicitur, cum, sicut supra dictum est, feni nomine uita carnalium designatur. Esca quoque eius electa iam non erit[a], si
5 fenum comedens carnalem rapit. Sed ad haec citius occurrit,
quia nonnulli hominum et apud Deum fenum sunt, et
apud homines sanctitatis nomine censentur ; cum et ante
humanos oculos aliud ostendit uita, et ante diuina iudicia
aliud intendit conscientia. Hi itaque apud humana iudicia
10 electi sunt, sed apud subtile Domini examen fenum. An
ante diuinos oculos Saul fenum non erat, de quo Samuel
populo dicebat : *Certe uidetis quem elegit Dominus*[b] *;* et de
quo paulo superius dicitur : *Electus et bonus*[c] *?* Quem enim
peccans populus meruit, et apud Deum reprobus exstitit, et
15 tamen causarum ordine electus et bonus fuit. Quia multi
fenum sunt, et electos se ex humana aestimatione suspican-
tur, bene per Salomonem dicitur : *Vidi impios sepultos, qui
etiam cum adhuc uiuerent, in loco sancto erant, et laudabantur
in ciuitate quasi iustorum operum*[d]. Quia multi fenum sunt,
20 sed tamen sanctitatis fauore uallantur, bene quidam sapiens
indicat, dicens : *Transi, hospes et orna mensam*[e]. Transeundo
namque hospes ornare mensam dicitur, quia si ad altare Dei
quis positus, per bona opera gloriam propriam quaerit, et de
ostentatione sanctitatis eius laus altaris extenditur, et ipse
25 tamen apud Dominum in numero ciuium non habetur. Aliis
eius opinio proficit, et tamen a Deo extraneus ipse pertransit.

---

19. a. cf. Ha 1, 16   b. 1 S 10, 24   c. 1 S 9, 2   d. Qo 8, 10   e. Si 29, 33

---

1. Cf. *supra* début du § 18.

comme le bœuf, c'est-à-dire qu'il cherche à broyer avec les dents de ses suggestions la vie pure des spirituels.

L'apparence de sainteté **19.** Mais je me rends compte qu'il faut chercher dans quel sens il est dit que ce Béhémoth, mangeant du foin comme un bœuf, consomme la vie des spirituels, alors qu'il a été affirmé plus haut que le mot « foin » désigne la vie des hommes charnels [1]. Sa nourriture ne sera plus désormais une nourriture élue [a] si, en mangeant du foin, il happe ce qui est charnel. Mais, à ce sujet, se présente aussitôt à l'esprit que des gens qui, aux yeux de Dieu, sont du foin, aux yeux des hommes sont qualifiés du nom de saints ; autre, en effet, apparaît leur manière de vivre aux yeux des hommes, autre l'intention de leur conscience, au jugement de Dieu. Aussi sont-ils des élus au jugement des hommes, alors que, sous l'examen pénétrant du Seigneur, ils ne sont que du foin. Au regard divin, Saül n'était-il pas du foin, lui dont le prophète Samuel disait au peuple : *Certes, vous voyez celui que le Seigneur a élu* [b]. Et un peu plus haut, il est dit de lui : *élu et bon* [c] ? Celui que le peuple avait en effet mérité pour son péché était à la fois réprouvé devant Dieu et cependant, dans l'ordre des choses, élu et bon. Beaucoup sont du foin et, d'après le jugement des hommes, se croient pourtant des élus. C'est pourquoi Salomon dit fort bien : *J'ai vu des impies ensevelis qui, même lorsqu'ils vivaient encore, étaient dans le lieu saint et étaient loués dans la cité comme pour des œuvres justes* [d]. Oui, beaucoup sont du foin, malgré la réputation de sainteté qui les entoure, un sage le révèle bien par ces mots : *Passe là, étranger, et orne la table* [e]. Il est dit que l'étranger orne la table en passant, parce que, si quelqu'un d'attaché à l'autel de Dieu cherche par de bonnes actions sa propre gloire, à la fois son ostentation de sainteté accroît la louange de l'autel, et pourtant lui-même ne se trouve pas au nombre des habitants de la cité du Seigneur. Sa bonne réputation profite aux autres, mais lui-même ne fait

Mensam itaque transeundo decorauit, quia stare ad sacra
noluit qui per omne quod agere studuit ad humanas laudes
mente decurrit. Quia ergo nonnulli mundam quidem uitam
30 per studium ducunt, sed ex illa intus placere non appetunt,
recte et *esca eius electa* dicitur[f], et tamen fenum sicut bos
comedere Behemoth iste perhibetur. Quasi enim ante os
Behemoth istius mundum fenum in terra atque in infimis
iacet, cum et uita quasi innocens per mandatorum custo-
35 diam agitur, et tamen inter actionem quae bona ostenditur
cor ad appetenda sublimia non leuatur. Quid itaque utilitatis
agit qui in se munditiam uitae custodit, si per intentionem
infimam ore Behemoth huius inueniendum se in terra derelinquit ? Quia igitur omnipotens Deus quid hostis noster
40 agat insinuat, nunc quomodo praeualeat innotescat, ut
calliditatis eius nequitia quo apertius cognoscitur, facilius
superetur. Sequitur :

40, 11   XIV, **20.** *Fortitudo eius in lumbis eius et uirtus illius*
in umbilico uentris eius. Seminaria coitus uiris in lumbis
inesse, feminis autem in umbilico perhibentur. Hinc est
enim quod Veritas discipulis dicit : *Sint lumbi uestri prae-*
5 *cincti*[a]. Hinc Petrus, cum luxuriam a corde restringeret,
admonebat, dicens : *Succincti lumbos mentis uestrae*[b]. Hinc
Paulus cum per Abrahae sacrificium Melchisedech tempore Leui sacerdotium diceret decimatum, ubi tunc in
Abrahae corpore Leui lateret ostendens, ait : *Adhuc enim in*
10 *lumbis patris erat*[c]. Quia uero seminarium luxuriae feminis
in umbilico continetur propheta testatur, qui sub specie

19. f. Ha 1, 16
20. a. Lc 12, 35   b. 1 P 1, 13   c. He 7, 10

que passer, tel un étranger aux yeux de Dieu. C'est comme en passant qu'il a orné la table, car il n'a pas voulu se tenir à l'autel, lui qui, en tout ce qu'il s'est employé à faire, a couru en esprit au-devant des louanges des hommes. Et puisque quelques-uns s'appliquent à mener une vie pure, mais ne cherchent pas pour autant à plaire intérieurement, il est juste de dire que *sa nourriture est élue*[f], alors que ce Béhémoth est censé manger du foin comme le bœuf. En effet, ce foin pur est comme jeté à terre, au plus bas, devant la bouche de ce Béhémoth, puisque, d'une part, la vie se passe comme innocente, par l'observance des commandements, et que, pourtant, durant cette activité qui apparaît bonne, le cœur ne s'élève pas vers le désir des biens d'en haut. À quoi sert-il à quelqu'un de préserver en soi la pureté de vie si, par la bassesse de son intention, il se laisse aller à terre, où va le trouver la bouche de ce Béhémoth ? Après nous avoir appris les agissements de notre ennemi, Dieu tout-puissant nous fait connaître ensuite les méthodes qu'il emploie pour triompher de l'homme, en sorte que, connaissant mieux ses ruses impies, nous puissions le vaincre plus facilement. Le texte poursuit :

Impureté de la chair XIV, **20.** *Sa force est dans ses reins et sa puissance dans l'ombilic de son ventre.* 40, 11
On rapporte que le principe de l'attrait sexuel est dans les reins chez l'homme, et dans l'ombilic pour la femme. C'est pourquoi la Vérité dit à ses disciples : *Que vos reins soient ceints*[a]. Et Pierre, voulant étouffer tout désir impur dans le cœur, donnait cet avertissement : *Ayant ceint les reins de votre âme*[b]. Paul aussi, lorsqu'il disait que le sacerdoce de Lévi avait payé la dîme au temps de Melchisédech par l'offrande d'Abraham, affirme, pour montrer où Lévi était caché dans le corps d'Abraham : *Il était encore dans les reins de son père*[c]. Que la source de la luxure soit placée pour les femmes dans l'ombilic, un prophète l'atteste lorsque, repro-chant à la Judée son impudence, sous la figure d'une femme

feminae prostitutae, Iudaeae petulantiam increpans, ait : *In die ortus tui non est praecisus umbilicus tuus*[d]. In die quippe ortus umbilicum praecidere est conuersionis tempore carnis
15 luxuriam resecare. Quia enim difficile est male incohata corrigere ; et semel formata deformiter in melius reformare, de ortu suo Iudaea reprehenditur ; quae dum in Deo nata est, impraecisum umbilicum retinuit, quia fluxa luxuriae non abscidit. Quia igitur potestate diaboli utriusque generis
20 sexus ualde ex luxuriae infirmitate substernitur, et fortitudo eius in lumbis contra masculos, et uirtus illius contra feminas in umbilico perhibetur.

21. Sed cur cum Behemoth istum fenum comedere intulit, prima deceptionis eius argumenta luxuriae damna subiunxit, nisi quod liquido omnibus patet quia postquam semel hominis spiritum ceperit, mox se ad corruptionem
5 carnis extendit ? Quod in ipsis quoque hominibus primis agnoscimus, qui, dum post perpetratam superbiam pudenda membra contegunt, patenter indicarunt quia postquam apud semetipsos intus arripere alta conati sunt, mox in carne foras erubescenda pertulerunt[a]. Behemoth itaque iste insatiabi-
10 liter saeuiens, et deuorare totum simul hominem quaerens, modo in superbiam mentem erigit, modo carnem luxuriae uoluptate corrumpit. Bene autem nequaquam fortitudo eius in lumbis uel umbilico eorum dicitur qui prosternuntur, sed : *Fortitudo eius in lumbis eius et uirtus illius in umbilico uentris*
15 *eius.* Ac si aperte diceretur : Fortitudo eius in lumbis suis, et uirtus illius in umbilico uentris sui, quia nimirum eius pro-

20. d. Ez 16, 4
21. a. cf. Gn 3, 7

prostituée, il lui dit : *Au jour de ta naissance, ton cordon ombi-lical n'a pas été coupé*[d]. Couper le cordon ombilical au jour de sa naissance, c'est retrancher l'impureté de la chair au temps de la conversion. Comme il est difficile de corriger ce qui a été mal commencé et de donner une meilleure forme à ce qui, une fois, a été mal formé, la Judée est réprimandée au sujet de sa naissance, parce que, lorsqu'elle est née à Dieu, elle a gardé intact son cordon ombilical, puisqu'elle n'a pas interrompu le flux de sa luxure. Du fait que l'un et l'autre sexe est donc grandement exposé au pouvoir du diable par cette faiblesse qui pousse à la luxure, il est dit que la force de celui-ci contre l'homme est dans les reins, et sa puissance contre la femme dans l'ombilic.

La tentation de l'esprit et de la chair **21.** Mais pourquoi, après avoir rapporté que Béhémoth mangeait ce foin, a-t-il ajouté comme première preuve de sa four-berie le péché de luxure ? La raison en est claire pour tous : une fois maître de l'esprit d'un homme, il s'étend bientôt jusqu'à sa chair pour la corrompre. Nous le constatons aussi dans les premiers hommes eux-mêmes : en effet, après leur péché d'orgueil, ils couvrent les parties honteuses de leur corps, indiquant clairement que, s'étant efforcés d'atteindre, en eux-mêmes, au dedans, l'élévation, ils eurent bientôt en leur chair, au dehors, à supporter la rougeur de la honte[a]. Aussi ce Béhémoth, dont la fureur est insatiable, cherchant à dévorer l'homme tout entier, tantôt élève son esprit par l'orgueil, tantôt corrompt sa chair par les voluptés de la luxure. Cependant, il est bien qu'il ne soit nullement dit ici que sa force est dans les reins ou l'ombilic de ceux qu'il abat, mais que : *Sa force est dans ses reins et sa puissance dans l'ombilic de son ventre.* Comme s'il était dit clairement : Sa force est dans ses reins à lui et sa puissance dans l'ombilic de son ventre à lui, parce que ceux-là deviennent son propre

prie corpus fiunt, qui, suggestionum turpium blandimentis
decepti, ei per luxuriae fluxa succumbunt. Sequitur :

40, 12   XV, **22.** ***Stringit caudam suam quasi cedrum.*** Multa in
his suppetunt, quae instruendis moribus proferantur ; sed
prius Behemoth istius uiolenta discutimus, ut post subtilius
astuta detegamus. In scriptura sacra cedri nomine aliquando
5 alta excellentia gloriae caelestis exprimitur, aliquando autem
prauorum rigida elatio designatur. Cedri nomine celsitudo
gloriae caelestis exprimitur, sicut propheta testatur : *Iustus
ut palma florebit ; sicut cedrus Libani multiplicabitur*[a]. Cedri
rursum nomine superba prauorum potentia designatur,
10 sicut per eumdem dicitur : *Vox Domini confringentis cedros*[b].
Quid autem cauda Behemoth istius, nisi illa antiqui hostis
extremitas dicitur ; cum nimirum uas proprium illum per-
ditum hominem ingreditur, qui specialiter Antichristus
nuncupatur ? Quem quia modo honoribus saeculi, modo
15 signis et prodigiis fictae sanctitatis in tumore potentiae eleuare permittitur, recte uoce dominica cauda illius cedro
comparatur. Sicut enim cedrus arbusta cetera in altum
crescendo deserit, ita tunc Antichristus mundi gloriam temporaliter obtinens, mensuras hominum et honoris culmine,
20 et signorum potestate transcendit. Spiritus quippe in illo
est qui in sublimibus conditus, potentiam naturae suae non
perdidit uel deiectus. Cuius idcirco uirtus nunc minime
ostenditur, quia dispensatione diuinae fortitudinis ligatur.
Vnde per Ioannem dicitur : *Vidi angelum descendentem de*
25 *caelo, habentem clauem abyssi, et catenam magnam in manu*
sua ; et apprehendit draconem serpentem antiquum, qui est

---

22. a. Ps 91, 13   b. Ps 28, 5

corps, qui, une fois abusés par le charme de ses suggestions honteuses, lui cèdent, entraînés par le flux de la luxure. Le texte poursuit :

40, 12

Avènement de l'Antichrist   XV, **22.** ***Il raidit sa queue comme un cèdre.*** À propos de ceci, il se présente beaucoup d'instructions morales à exposer ; mais examinons d'abord les violences de ce Béhémoth, afin de déceler ensuite avec plus de perspicacité ses astuces. Dans l'Écriture sainte, le cèdre désigne parfois l'excellence suprême de la gloire céleste, parfois l'inflexible arrogance des dépravés. Que le cèdre exprime la sublimité de la gloire céleste, le prophète l'atteste : *Le juste fleurira comme le palmier ; comme le cèdre du Liban il se multipliera*[a]. Mais que le cèdre désigne la puissance orgueilleuse des pervers, le même psalmiste le dit : *La voix du Seigneur brise les cèdres*[b]. Et qu'est-ce donc que la queue de ce Béhémoth, sinon cette dernière démarche de l'antique ennemi, à savoir lorsqu'il entrera, comme en un réceptacle fait pour lui, en cet homme perdu qui est proprement appelé l'Antichrist ? Parce qu'il lui est permis de s'élever dans l'orgueil de la puissance, tantôt par les honneurs de ce monde, tantôt par les miracles et les prodiges d'une fausse sainteté, sa queue, selon la parole du Seigneur, est avec justesse comparée à un cèdre. De même, en effet, qu'en poussant vers le haut, le cèdre dépasse tous les autres arbres, de même l'Antichrist, obtenant en ce monde la gloire temporelle, outrepasse les mesures humaines, à la fois par le comble de l'honneur et par l'autorité de ses miracles. Il y a en lui un esprit qui, créé au plus haut rang, n'a pas perdu, même après sa chute, la puissance de sa nature. Et s'il ne montre pas actuellement toute sa force, c'est que, par une disposition de la toute-puissance divine, il est enchaîné. C'est pourquoi Jean dit : *J'ai vu un ange descendre du ciel, il avait la clef de l'abîme et une grande chaîne dans la main ; il captura le dragon, l'antique serpent qui est le diable et Satan, et*

diabolus et Satanas ; et ligauit eum per annos mille ; et misit
eum in abyssum et clausit et signauit super illum[c]. Ligatus
quippe missus in abyssum perhibetur, quia retrusus in pra-
30 uorum cordibus, potentia diuinae dispensationis astringitur,
ne in quantum nocere ualet effrenetur, ut quamuis per eos
occulte saeuiat, ad uiolentas tamen rapinas superbiae non
erumpat. Sed illic quoque quomodo in mundi fine sit sol-
uendus intimatur, cum dicitur : *Et postquam consummati*
35 *fuerint mille anni, soluetur Satan de carcere suo, et exibit, et*
seducet gentes[d]. Millenario namque numero uniuersum pro
perfectione sua hoc quantumlibet sit sanctae Ecclesiae tempus exprimitur. Quo peracto, antiquus hostis suis uiribus
traditus, pauco quidem in tempore, sed in multa contra nos
40 uirtute, laxatur.

23. Quem quamuis saeuitia ad crudelitatem dilatat, superna tamen misericordia dierum breuitate coangustat.
Hinc enim per semetipsam Veritas dicit : *Erit tunc tribu-*
latio magna, qualis non fuit ab initio mundi usque modo,
5 *neque fiet*[a]. Hinc rursum ait : *Nisi breuiati fuissent dies*
illi, non fieret salua omnis caro[b]. Quia enim et superbos
nos et infirmos Dominus conspicit, dies quos singulariter
malos intulit misericorditer breuiatos dicit, profecto ut et
superbiam terreat de aduersitate temporis, et infirmitatem
10 refoueat de breuitate.

24. Sed considerandum ualde est, cum Behemoth iste caudam suam sicut cedrum subleuat, in quo tunc atrocior quam
nunc se exserit surgat. Quae enim poenarum genera nouimus,

22. c. Ap 20, 1-3   d. Ap 20, 7-8
23. a. Mt 24, 21   b. Mt 24, 22

il l'enchaîna pour mille ans. L'ayant jeté dans l'abîme, il ferma l'abîme et le scella sur lui[c]. Il est dit que le démon est jeté dans l'abîme enchaîné, parce que, relégué dans le cœur des pervers, il est retenu par une disposition de la puissance divine, de peur qu'il ne se déchaîne à la mesure de son pouvoir de nuire. Ainsi, bien qu'il puisse en cachette exercer sa malice par ces pervers, il ne peut toutefois se lancer avec orgueil en de violents ravages. Mais, là aussi, il est annoncé comment, à la fin du monde, il doit être délié, lorsqu'il est dit : *Et après mille ans accomplis, Satan, délié, sortira de sa prison et il séduira les nations*[d]. Ce nombre de mille ans, en effet, exprime dans sa perfection tout le temps que durera la sainte Église, quelle que soit cette durée. Celle-ci achevée, l'antique ennemi, livré à ses instincts violents, est lâché contre nous, pour peu de temps, il est vrai, mais avec une grande puissance.

Miséricorde de Dieu

23. Et bien que sa fureur le pousse à une cruauté sans bornes, cependant la divine miséricorde la réduit à quelques jours seulement. La Vérité nous le dit elle-même : *Il y aura alors une grande tribulation telle qu'il n'en fut jamais depuis le commencement du monde jusqu'à maintenant, et telle qu'il n'y en aura jamais*[a]. Et plus loin : *Et si ces jours n'eussent été abrégés, nulle chair ne serait sauvée*[b]. Comme le Seigneur nous voit et orgueilleux et faibles, il dit qu'il abrègera par miséricorde ces jours qui seront singulièrement mauvais ; sûrement, ce sera à la fois pour abattre notre orgueil par les tribulations de ce moment, et pour réconforter notre faiblesse par la brièveté de ces jours.

Supplices des martyrs

24. Mais il faut bien considérer, lorsque ce Béhémoth élève sa queue comme un cèdre, en quoi il se dresse alors avec plus de cruauté qu'il n'en montre maintenant. En effet, quels genres de supplices connaissons-nous dont nous ne nous félicitions

quae non iam uires martyrum exercuisse gaudemus ? Alios
5 namque improuiso ictu immersus iugulo gladius strauit, alios
crucis patibulum affixit, in quo mors et prouocata repellitur,
et repulsa prouocatur. Alios hirsutis serra dentibus attriuit ;
alios armata ferro insulcans ungula sparsit ; alios beluina
rabies morsibus detruncando comminuit ; alios ab intimis
10 uiscerum per cutem pressa uis uerberum rupit ; alios effossa
terra uiuentes operuit ; alios altum demersos in mortem
praecipitium fregit ; alios in se proiectos aqua replendo
absorbuit ; alios edax flamma usque ad cineres depasta con-
sumpsit. Cum igitur Behemoth iste caudam suam in fine
15 mundi nequius dilatat, quid est quod in his tormentis tunc
atrocius crescat, nisi hoc quod in Euangelium per semetipsam
Veritas dicit : *Surgent pseudochristi et pseudoprophetae ; et
dabunt signa magna et prodigia ; ita ut in errore mittantur,
si fieri potest, etiam electi*[a] ? Nunc enim fideles nostri mira
20 faciunt, cum peruersa patiuntur ; tunc autem Behemoth
huius satellites, etiam cum peruersa inferunt, mira facturi
sunt. Pensemus ergo quae erit humanae mentis illa temptatio,
quando pius martyr et corpus tormentis subicit, et tamen
ante eius oculos miracula tortor facit. Cuius tunc uirtus
25 non ab ipso cogitationum fundo quatiatur, quando is qui
flagris cruciat signis coruscat ? Dicatur igitur recte : *Stringit
caudam suam quasi cedrum*, quia nimirum et altus tunc erit
ueneratione prodigii, et durus crudelitate tormenti.

24. a. Mt 24, 24

qu'ils aient cessé d'exercer le courage des martyrs ? Les uns, le glaive enfoncé dans la gorge les a terrassés d'un coup imprévu. D'autres, le gibet de la croix les a cloués là où la mort provoquée est retardée, et, retardée, provoquée. D'autres, la scie aux dents acérées les a cisaillés. D'autres, le croc armé de fer les a déchiquetés en labourant leur chair. D'autres, la rage des fauves les a mutilés, en les broyant de leurs morsures. D'autres, la violence des fouets traversant leur peau, leur a arraché l'intérieur des entrailles. D'autres, la terre d'une fosse les a recouverts tout vivants. D'autres, un gouffre profond les a précipités dans la mort. D'autres, l'eau où ils ont été jetés les a remplis et engloutis. D'autres, la flamme dévorante s'en est nourrie et les a consumés jusqu'aux cendres. Alors, si ce Béhémoth brandit sa queue d'une façon plus néfaste à la fin du monde, qu'est-ce qui peut encore l'emporter en cruauté sur ces tourments, sinon ce que la Vérité annonce elle-même dans l'Évangile : *Il s'élèvera de faux christs et de faux prophètes qui feront de grands miracles et prodiges, au point d'induire en erreur, si c'était possible, même les élus*[a] ? Maintenant, en effet, ce sont nos fidèles qui font des merveilles lorsqu'ils supportent la perversité, mais alors ce seront les suppôts de ce Béhémoth qui feront des merveilles, même quand ils exercent la perversité. Imaginons quelle sera la tentation de l'âme humaine quand un saint martyr à la fois livre son corps aux tourments et voit sous ses yeux le bourreau faire des miracles. De qui le courage ne serait-il pas ébranlé jusqu'au tréfonds de sa conscience, lorsque celui qui frappe avec des fouets brille par des miracles ? Il est donc dit à juste titre : *Il raidit sa queue comme un cèdre*, parce qu'il sera à la fois grand par la vénération que lui attireront ses prodiges, et dur par la cruauté de ses tourments.

25. Non enim sola tunc potestate erigitur, sed etiam signorum ostensione fulcitur. Vnde et per Dauid dicitur : *Insidiatur in occulto, sicut leo in cubili suo*[a]. Ad apertam namque potentiam suffecisset ut leo esset, etiamsi insidians
5 non fuisset ; rursumque ad occultas uersutias suffecisset, ut insidians subriperet, etiam si leo non esset. Sed quia hic antiquus hostis in cunctis suis uiribus effrenatur, saeuire per utraque permittitur, ut contra electos in certamine et fraude et uirtute laxetur, uirtute per potentiam, fraude per signa. Recte
10 ergo et leo et insidians dicitur : insidians per miraculorum speciem, leo per fortitudinem saecularem. Vt enim eos qui aperte iniqui sunt pertrahat, saecularem potentiam ostentat ; ut uero etiam iustos fallat, signis sanctitatem simulat. Illis enim suadet elatione magnitudinis, istos decipit ostensione
15 sanctitatis. De hac cauda Behemoth istius sub draconis specie per Ioannem dicitur : *Et cauda eius trahebat tertiam partem stellarum caeli, et misit eas in terram*[b]. Caelum namque est Ecclesia quae in hac nocte uitae praesentis, dum in se innumeras sanctorum uirtutes continet, radiantibus de-
20 super sideribus fulget. Sed draconis cauda in terram stellas deicit, quia illa Satanae extremitas, per audaciam assumpti hominis erecta, quosdam quos uelut electos Dei in Ecclesia inuenit obtinendo reprobos ostendit. Stellas itaque de caelo in terram cadere est relicta nonnulli spe caelestium, illo duce,
25 ad ambitum gloriae saecularis inhiare.

---

25. a. Ps 9, 30   b. Ap 12, 4

25. Car, alors, non seulement il se
Faux miracles dresse par sa puissance, mais il s'appuie
aussi sur la manifestation de miracles.
C'est pourquoi il est dit par David : *Il dresse des embûches en
secret comme le lion dans sa tanière*[a]. Il lui aurait suffi, pour
être un lion, d'exercer ouvertement sa puissance, même sans
tendre d'embûches ; inversement, il lui aurait suffi de tendre
des embûches et de s'insinuer secrètement par ruse, même
s'il n'était pas un lion. Mais comme toutes les forces de cet
antique ennemi sont déchaînées, il lui est permis de sévir de
l'une et l'autre manière : il se lance donc dans la lutte contre
les élus par la ruse et par la violence ; par la violence, grâce
à sa puissance ; par la ruse, grâce à ses miracles. Il est donc
juste de dire qu'il est à la fois lion et dresseur d'embûches, car
il tend des embûches par de faux miracles, et il est un lion,
grâce à la puissance séculière. Afin d'attirer ceux qui sont
manifestement injustes, il met en avant la puissance du siècle,
mais pour tromper même les justes, il simule la sainteté par
des miracles. Il persuade les premiers par l'élévation de la
grandeur ; il trompe les seconds par une démonstration de
sainteté. Jean parle de la queue de ce Béhémoth sous l'image
d'un dragon : *Sa queue entraînait la troisième partie des étoiles
du ciel, et elle les jeta sur la terre*[b]. Le ciel, c'est l'Église qui, dans
la nuit de la vie présente, brille là-haut par les innombrables
vertus des saints qu'elle renferme comme autant d'astres
lumineux. Mais la queue du dragon fait tomber des étoiles
sur la terre, parce que cette extrémité de Satan, dressée par
l'insolence de l'homme dont il a pris possession, se rend
maître de quelques-uns qu'il trouve considérés comme des
élus de Dieu dans l'Église et dévoile, en les possédant, qu'ils
sont des réprouvés. Tomber du ciel sur terre comme des
étoiles, c'est, pour certains, abandonner l'espérance des biens
célestes et, sous sa conduite, convoiter et poursuivre la gloire
temporelle.

26. Hinc Daniel sub Antiochi specie contra hanc draconis caudam loquitur, dicens : *Deiecit de fortitudine et de
stellis ; et conculcauit eas et usque ad principem fortitudinis
magnificatus est ; et ab eo abstulit iuge sacrificium et de-*
5 *iecit locum sanctificationis eius. Robur autem datum est
contra iuge sacrificium, propter peccata ; et prosternetur ueritas in terra ; et faciet et prosperabitur* [a]. De fortitudine
quippe et de stellis deicit, cum nonnullos et luce iustitiae
resplendentes, et uirtute operis robustos frangit. Qui usque
10 ad principem fortitudinis magnificatur, quia contra ipsum
auctorem uirtutis extollitur. Iuge uero sacrificium tollit,
quia studium conuersationis Ecclesiae in eis quos ceperit
interrumpit. Robur uero ei propter peccata contra iuge
sacrificium datur, quia nisi pereuntium merita exigerent,
15 eos qui recti credebantur, obtinere aduersarius nequaquam
posset. Veritas in terra prosternitur, quia fides tunc rerum
caelestium ad desiderium uitae temporalis inclinatur. Et
faciet et prosperabitur, quia tunc non solum in reproborum
mentibus, sed etiam in electorum corporibus crudelitate
20 inaestimabili, sine qualibet obiectione grassabitur. Hinc
rursum per Danielem dicitur : *Consurget rex impudens facie,
et intellegens propositiones ; et roborabitur fortitudo eius, sed
non in uiribus suis* [b]. Illius namque hominis fortitudo non
in suis uiribus roboratur, quia Satanae uirtute in gloriam
25 perditionis attollitur. Hinc rursum ait : *Interficiet robustos et
populum sanctorum secundum uoluntatem suam ; et dirigetur
dolus in manu eius* [c]. Robustos quippe interficit, cum eos qui
mente inuicti sunt corporaliter uincit. Vel certe robustos et
populum sanctorum secundum uoluntatem suam interficit,
30 cum eos qui robusti ac sancti credebantur ad nutum suae

26. a. Dn 8, 10-12   b. Dn 8, 23-24   c. Dn 8, 24-25

Antiochus, figure de l'Antichrist

26. Parlant contre cette queue du dragon que représente Antiochus, Daniel dit : *Il a précipité une partie de la puissance et des étoiles ; il les a foulées aux pieds et s'est élevé jusqu'au prince de la puissance ; il lui a ravi le sacrifice perpétuel et a précipité le lieu de sa sanctification. Or, force lui a été donnée contre le sacrifice perpétuel, à cause des péchés ; et la vérité sera abattue sur la terre ; voilà ce qu'il fera et il prospérera*[a]. En effet, il précipite une partie de la puissance et des étoiles lorsqu'il en brise quelques-uns à la fois rayonnants de la lumière de justice et affermis dans les œuvres vertueuses. Il s'élève jusqu'au prince de la puissance, parce qu'il s'exalte contre l'auteur même de la vertu. Il supprime le sacrifice perpétuel, quand il interrompt le zèle de la sainte vie dans l'Église chez ceux qu'il a capturés. La force lui est donnée contre le sacrifice perpétuel à cause des péchés, autrement dit : Cet adversaire ne pourrait jamais se saisir de ceux que l'on croyait justes, si ceux-ci ne méritaient d'aller à leur perte. La vérité est abattue à terre, parce que la foi dans les biens célestes se dégrade alors en désir de vie temporelle. Voilà ce qu'il fera et il prospérera, parce qu'il s'acharnera à ce moment-là sans aucun obstacle, non seulement contre les âmes des réprouvés, mais aussi, avec une incroyable cruauté, contre les corps des élus. C'est pourquoi Daniel ajoute : *Un roi, à la face impudente, s'élèvera qui comprendra les choses cachées ; sa puissance s'affermira, mais non par ses propres forces*[b]. La puissance de cet homme s'affermit non par ses propres forces, parce qu'il est élevé, grâce au pouvoir de Satan, à une gloire qui causera sa ruine. Le prophète dit encore : *Il tuera des hommes forts et un peuple de saints selon sa volonté et la tromperie sera menée par sa main*[c]. Il tue des hommes forts, en effet, quand il vainc dans leur corps ceux qui sont invincibles dans leur âme. Ou encore : Il tue des hommes forts et un peuple de saints selon sa volonté, quand il attire à lui, sur un signe de sa volonté, ceux que l'on croyait forts et saints. La ruse est

uoluntatis trahit. In cuius manu dolus dirigitur, quia in illo
fraus per opus adiuuatur. Quod enim fallendo dicit, hoc mira
faciendo asserit ; nam quicquid mendax lingua simulat, hoc
quasi uerum esse manus operis ostentat.

27. Hinc rursum dicit : *Contra Principem principum
consurget, et sine manu conteretur* [a]. Hinc Paulus ait : *Ita ut
in templo Dei sedeat ostendens se tamquam sit Deus* [b]. Hinc
rursum dicit : *Quem Dominus Iesus interficiet spiritu oris sui et*
5   *destruet illustratione aduentus sui* [c]. Quod enim per Danielem
dictum est : *Contra Principem principum consurget* [d] ; hoc
per Paulum dicitur : *Ita ut in templo Dei sedeat, ostendens se
tamquam sit Deus* [e]. Et quod per Danielem subiungitur :
Sine manu conteretur [f], hoc per Paulum exprimitur :
10 *Quem Dominus Iesus interficiet spiritu oris sui et destruet
illustratione aduentus sui* [g]. Sine manu scilicet conteretur,
quia non angelorum bello, non sanctorum certamine, sed
per aduentum iudicis solo oris spiritu aeterna morte ferietur.
De huius Behemoth elatione rursum per Paulum dicitur :
15 *Qui aduersatur et extollitur supra omne quod dicitur Deus,
aut quod colitur* [h]. De quo Daniel cum quartam bestiam
diceret decem cornibus fultam, protinus adiunxit dicens :
*Considerabam cornua ; et ecce cornu aliud paruulum ortum est
de medio eorum ; et tria de cornibus primis euulsa sunt a facie*
20 *eius ; et ecce oculi quasi oculi hominis erant in cornu isto, et
os loquens ingentia* [i]. Vndecimum quippe huius bestiae cornu
esse describitur, quia regni eius potentia iniquitate roboratur.
Omne enim peccatum undenarium est, quia dum peruersa
agit, praecepti decalogum transit. Et quia in cilicio peccatum
25 plangitur, hinc est quod in tabernaculo uela cilicina undecim [j]

---

27. a. Dn 8, 25   b. 2 Th 2, 4   c. 2 Th 2, 8   d. Dn 8, 25   e. 2 Th 2, 4   f.
Dn 8, 25   g. 2 Th 2, 8   h. 2 Th 2, 4   i. Dn 7, 8   j. cf. Ex 26, 7

menée par sa main, c'est-à-dire que sa tromperie est soutenue par son action ; ce qu'il annonce avec des paroles fallacieuses, il l'affirme en faisant des prodiges ; tout ce que sa langue mensongère prononce avec fourberie, l'œuvre de ses mains le présente comme vrai.

27. Aussi ajoute-t-il : *Contre le Prince des princes il s'élèvera, et, sans l'aide d'aucune main, il sera brisé*[a]. Et Paul, à son tour : *Jusqu'à s'asseoir dans le temple de Dieu se faisant passer pour Dieu*[b]. Et encore : *Le Seigneur Jésus le tuera par le souffle de sa bouche et il le détruira par l'éclat de son avènement*[c]. Ce que Daniel exprime par ces mots : *Contre le Prince des princes il s'élèvera*[d], Paul le dit en d'autres termes : *Jusqu'à s'asseoir dans le temple de Dieu, se faisant passer pour Dieu*[e]. Et ce qui suit dans Daniel : *Sans l'aide d'aucune main, il sera brisé*[f] est exprimé par Paul en ces paroles : *Le Seigneur Jésus le tuera par le souffle de sa bouche et il le détruira par l'éclat de son avènement*[g]. Sans l'aide d'aucune main, il sera brisé, car ce n'est pas dans une guerre des anges, ni dans un combat des saints, mais par le seul souffle de la bouche du Juge lors de son avènement qu'il sera frappé d'une mort éternelle. Paul dit encore au sujet de l'orgueil de ce Béhémoth : *Lui qui se pose en ennemi et s'élève au-dessus de tout ce qui est appelé Dieu ou qui est adoré*[h]. Après avoir dit que la quatrième bête était armée de dix cornes, Daniel a ajouté aussitôt : *Je considérais ces cornes, et voici qu'une autre petite corne s'éleva au milieu d'elles ; et trois des premières cornes furent arrachées de sa face, et voici que cette corne avait des yeux comme ceux d'un homme et une bouche qui disait de grandes choses*[i]. Il est dit que la corne de cette bête est la onzième, parce que la puissance de son règne s'affermit dans l'iniquité. Tout péché, en effet, tient du nombre onze, car, en faisant le mal, on outrepasse les préceptes du décalogue. Et comme c'est en portant le cilice que l'on pleure ses péchés, il y avait dans le tabernacle onze rideaux en poils de chèvre[j]. C'est pourquoi

fiunt. Hinc per undecimum psalmum dicitur : *Saluum me
fac, Domine, quoniam defecit sanctus* [k]. Hinc Petrus in unde-
nario numero remanere apostolos metuens Matthiam duo-
decimum, sorte missa, requisiuit. Nisi enim signari culpam
30 per undenarium cerneret, impleri apostolorum numerum tam
festine duodenario non curaret [l]. Quia ergo per undenarium
transgressio exprimitur, huius bestiae cornu undecimo ipse
auctor transgressionis indicatur. Quod uidelicet paruulum
oritur, quia purus homo generatur ; sed immaniter crescit,
35 quia usque ad coniunctam sibi uim angelicae fortitudinis
proficit. Quod tria cornua quae ei ante faciem sunt euellit,
quia ditioni suae regna totidem quae sibi uicina sunt subigit.
Cuius oculi sunt ut oculi hominis, sed os ingentia loquitur,
quia in illo humana quidem forma cernitur, sed uerbis suis
40 ultra homines eleuatur. Quod ergo per Paulum dicitur : *Ex-
tollens se supra omne quod dicitur Deus, aut quod colitur* [m],
hoc Daniel propheta testatur, dicens : *Os loquens ingentia* [n].
Quod uero illum uel Daniel ingentia eloqui, uel Paulus
perhibet supra cultum deitatis extolli, hoc est quod apud
45 beatum Iob diuino eloquio cedro comparatur. More enim
cedri ad alta nititur, dum in omni fastu fallaciae, et uirtutis
robore et culminis elatione prosperatur. Bene autem stringere
caudam dicitur, quia tota eius uirtus in uno illo damnato
homine congesta densatur, ut tanto per illum fortia ac mira
50 faciat, quanto illum collectis suis uiribus instigat.

   Sed quia quale sit iniquorum caput audiuimus, nunc huic
capiti quae membra adhaereant agnoscamus. Sequitur :

27. k. Ps 11, 2   l. cf. Ac 1, 26   m. 2 Th 2, 4   n. Dn 7, 8

il est dit dans le psaume onzième : *Sauve-moi, Seigneur, car on ne trouve plus de saint*[k]. C'est ainsi que Pierre, craignant que les apôtres n'en restent au nombre de onze, fit tirer au sort pour en trouver un douzième, qui fut Mathias. S'il ne considérait pas que le nombre onze signifiait le péché, il ne mettrait pas tant de hâte à compléter le nombre des apôtres par un douzième[l]. Puisque donc le nombre onze exprime la transgression, la onzième corne de cette bête désigne l'auteur même de la transgression. Certes, dans les débuts, la corne est petite, parce que l'homme naît pur, mais elle grandit prodigieusement parce qu'il croît sans cesse jusqu'à atteindre la force puissante des anges. Cette corne arrache les trois cornes qui sont devant elle, c'est-à-dire qu'il soumet à son pouvoir le même nombre de royaumes voisins. Ses yeux sont pareils à ceux d'un homme, mais sa bouche dit de grandes choses, car si l'on discerne bien en lui une forme humaine, par ses paroles il s'élève au-dessus des hommes. Donc ce que dit Paul : *S'élevant au-dessus de tout ce qui est appelé Dieu ou qui est adoré*[m], le prophète Daniel l'atteste aussi en disant : *Sa bouche dit de grandes choses*[n]. Et quand Daniel rapporte qu'il dit de grandes choses et Paul qu'il s'élève au-dessus du culte dû à Dieu, ils disent ce qu'exprimait la parole divine au bienheureux Job par la comparaison du cèdre. En effet, comme le cèdre, il tend vers les hauteurs tandis qu'il prospère, au milieu du déploiement de ses ruses, et par la vigueur de sa force et par la hauteur de son sommet. Il est dit avec raison qu'il raidit sa queue, parce que toute l'intensité de sa force est concentrée en ce seul homme damné, en sorte qu'il opère par lui d'autant plus d'exploits et de prodiges qu'il le stimule en rassemblant toutes ses forces.

Nous venons d'apprendre quel chef ont les injustes, voyons maintenant qui sont les membres attachés à cette tête. Le texte poursuit :

XVI, **28.** *Nerui testiculorum eius perplexi sunt.* Tot iste
Behemoth testes habet quot iniquitatis suae praedicatores
possidet. An eius testes non sunt, qui prauis persuasio-
nibus corda hominum, uirulenta erroris semina fundendo,
5 corrumpunt ? Apte autem dicitur quod testiculorum eius
nerui perplexi sunt ; quia uidelicet praedicatorum illius
argumenta dolosis assertionibus innodantur, ut recta esse
simulent quae peruersa persuadent, ut allegationum impli-
catio, quasi neruorum perplexitas, etsi uideri possit, solui
10 non possit. Neruos eius testiculi perplexos habent, quia
acumina praedicatorum illius sub argumentis duplicibus
latent. Plerumque autem cum uerbis corda inficiunt, in opere
innocentiam ostendunt. Neque enim ad se bonos persuasione
sua traherent, si se et in actionibus peruersos exhiberent. Sed
15 quia testes huius sunt beluae, et perplexis neruis illigantur, et
rectos se ostentant ut lateant, et peruersa praedicant ut cor-
rumpant, ipsum nimirum suum caput imitantes, qui quasi
leo in insidiis et saeuit per potentiam terreni culminis, et
blanditur per speciem sanctitatis. Sed haec belua utinam tunc
20 solum talia ageret, et nunc quoque ad corrumpenda fidelium
uiscera hos luxuriae testiculos non haberet ! Neque enim
malum sola locutione oris infunditur, sed peius et a pluribus
operis exemplo propinatur. Quam multi enim Antichristum
non uiderunt, sed tamen testiculi eius sunt, quia corda
25 innocentium actionis suae exemplo corrumpunt. Quisquis
namque in superbia extollitur ; quisquis auaritiae desideriis
cruciatur ; quisquis luxuriae uoluptatibus soluitur ; quisquis
iniustae atque immoderatae irae flagris ignitur, quid aliud

---

1. Grégoire joue sur les mots, en rapprochant *testes* (« témoins ») de
testicula (« testicules »). Mais ce rapprochement est moins artificiel qu'il ne
paraît, s'il est vrai que *testiculum* désignait originellement le « témoignage »
de virilité qu'est cet organe. D'où les jeux de mots des comiques.

XVI, **28.** *Les nerfs de ses testicules*   **40, 12**

Témoins de l'Antichrist *sont entortillés.* Ce Béhémoth a autant de témoins qu'il possède de prédicateurs de son iniquité. Ne sont-ils pas ses témoins, ceux qui, en répandant les semences empoisonnées de l'erreur, corrompent le cœur des hommes par de vicieuses persuasions ? Il est bien dit que les nerfs de ses testicules sont entortillés ; en effet, les raisonnements de ses prédicateurs sont embrouillés par des affirmations trompeuses ; aussi leurs persuasions perverses paraissent-elles justes et la complication de leurs allégations, comme l'enlacement des nerfs entortillés, ne peut être démêlée, même s'il est possible de l'apercevoir. Les nerfs de ses testicules sont entortillés, car la pointe du discours de ses prédicateurs se dissimule sous une argumentation équivoque. Et, le plus souvent, tandis qu'ils infectent les cœurs par leurs paroles, ils font parade d'innocence dans leur conduite. En effet, ils n'attireraient pas à eux les bons par leurs arguments persuasifs si, en même temps, ils se montraient pervers dans leurs actes. Mais parce qu'ils sont les témoins de cette bête, et qu'ils sont ligotés par des nerfs entortillés, à la fois ils affichent leur rectitude, afin de se dissimuler, et prêchent des erreurs, afin de corrompre. Ils imitent en cela leur chef lui-même qui, tel un lion en embuscade, à la fois sévit du haut de sa puissance terrestre et séduit par son apparence de sainteté. Ah ! si cette bête n'agissait ainsi que plus tard ! Et si elle n'avait pas déjà ces testicules de luxure pour corrompre les entrailles des fidèles ! Car le mal n'est pas répandu seulement par la parole, mais c'est d'une manière pire et de la part d'un plus grand nombre que la coupe en est offerte par l'exemple de la conduite. Combien, en effet, n'ont pas vu l'Antichrist et sont pourtant ses « testicules [1] », parce qu'ils corrompent le cœur des innocents par l'exemple de leur comportement. En effet, quiconque s'élève avec orgueil ; quiconque se laisse tourmenter par les désirs de l'avarice ; quiconque s'abandonne aux plaisirs de la luxure ; quiconque brûle du feu d'une colère

quam Antichristi testis est, qui dum se libenter eius usibus
30 implicat, exemplo suo aliis erroris fetus ministrat. Iste praua
agit, ille praua agentibus adhaeret, et non solum non obuiat,
sed etiam fauet. Quid ergo aliud quam Antichristi testis est,
qui perdita auctoritate promissae Deo fidei, testimonium
praestat errori ? Quos tamen si quis redarguat, mox se sub
35 quodam uelamine defensionis occultant ; quia uidelicet eorum nerui perplexi sunt et male impliciti, corruptione solui
nequaquam possunt. Sequitur :

40, 13   XVII, **29. *Ossa eius uelut fistulae aeris.*** In corpore ossa
sunt quae continent membra, quae continentur. Habet ergo
carnes haec belua, habet et ossa ; quia et iniqui sunt alii, qui
tamen ab aliis in errore retinentur, et nequiores alii, qui in
5 errore et alios retinent. Quid itaque aliud ossa Antichristi
quam quoslibet in eius corpore ualentiores accipimus ? In
quorum corde iniquitas dum uehementer induruit, per eos
tota eius corporis compago subsistit. Multi namque in hoc
mundo diuites uidentur, qui dum rebus opibusque subnixi
10 sunt, quasi ex fortitudine solidantur ; sed largiendo haec
ipsa quibus fulti sunt, ad suum alios errorem trahunt. Modo
nonnullos ut praui fiant donis illiciunt, modo nonnullos
ut praui permaneant muneribus astringunt. Quid itaque hi
nisi Antichristi ossa sunt, qui dum malos continendo multi-
15 plicant, in eius corpore carnes portant ? Hi nonnumquam
decipiendis auditoribus exhibent linguae dulcedines, quia
et spinae proferunt flores ; et apparet quidem in eis quod
oleat, sed latet quod pungat. Amaris dulcia, noxiis blanda

injustifiée et immodérée, qu'est-il donc, sinon un « témoin »
de l'Antichrist, lui qui, en s'engageant délibérément dans ces
mœurs, répand chez les autres, par son exemple, les germes de
l'erreur. Celui-ci fait le mal, celui-là s'attache à ceux qui font
le mal et, loin de les empêcher, il les favorise. Qu'est-il donc
sinon le témoin de l'Antichrist, lui qui, ayant perdu l'autorité de la foi promise à Dieu, rend témoignage à l'erreur ? Si
toutefois on veut les réfuter, ils se cachent aussitôt comme
sous un voile défensif ; parce que leurs nerfs sont entortillés
et entrelacés de travers, ils ne peuvent absolument pas être
déliés de leur corruption. Le texte poursuit :

**Ils prêchent
l'erreur**

XVII, **29. *Ses os sont comme des flûtes
d'airain.*** Dans le corps, il y a les os, qui
maintiennent les membres, qui eux-mêmes

40, 13

sont maintenus. Cette bête a donc des chairs, elle a aussi
des os ; car certains sont pervers, mais sont retenus dans
l'erreur par les autres, et certains sont plus pervers, eux qui en
retiennent d'autres aussi dans l'erreur. Qui sont donc pour
nous ces os de l'Antichrist, sinon ceux qui dans son corps
sont plus vigoureux ? L'iniquité s'étant fortement endurcie
dans leur cœur, ils maintiennent la consistance de tout son
corps. On voit, en effet, en ce monde, beaucoup de riches
qui, s'appuyant sur leurs richesses et leur opulence, en tirent
comme force et solidité ; mais en distribuant ces biens qui
font leur vigueur, ils attirent les autres dans leur erreur. Tantôt ils en allèchent certains par des dons pour les pervertir,
tantôt ils en assujettissent d'autres par leurs libéralités pour
qu'ils demeurent dans leur perversité. Que sont-ils donc,
sinon les os de l'Antichrist qui, multipliant les méchants et
maintenant leur cohésion, soutiennent les chairs dans son
corps ? Pour tromper leurs auditeurs, il n'est pas rare qu'ils
emploient de douces paroles, car même les épines produisent
des fleurs ; en eux ce qui embaume est apparent, mais ce qui
pique est dissimulé. Ils mêlent la douceur à l'amertume et les

permiscent, et potestate quidem admirandi uideri appe-
20 tunt, sed fallendi arte per remissa colloquia quasi humiliter
substernuntur, et per sermonem de se insinuant quod per
exhibitionem negant.

30. Vnde et recte ossa Behemoth istius aeris fistulae comparantur, quia nimirum, more metalli insensibilis, sonum
bene loquendi habent, sed sensum bene uiuendi non habent.
Hoc namque quasi humiliter loquendo asserunt, quod elate
5 uiuendo contemnunt. Vnde bene per Paulum dicitur : *Si
linguis hominum loquar et angelorum, caritatem autem non
habeam, factus sum uelut aes sonans aut cymbalum tinniens*[a].
Bona quippe loquens, sed per amorem eadem bona non sequens, uelut aes aut cymbalum sonitum reddit, quia ipse
10 non sentit uerba quae ipse facit. Sunt uero nonnulli in huius
beluae corpore non honoribus clari, non diuitiis fulti, non
uirtutum specie decorati, non scientia calliditatis periti, sed
tamen uideri quales non sunt ambiunt. Et idcirco contra
bonorum uitam nequiores fiunt, de quibus et sequitur :

40, 13

XVIII, **31.** *Cartilago illius, quasi laminae ferreae.* Cartilago namque ossis quidem speciem habet, sed ossis fortitudinem non habet. Quid est ergo quod cartilago eius laminis
ferreis comparatur, nisi quod hi qui in illo debiliores sunt,
5 ad perpetranda mala nequiores exsistunt ? Ferro quippe
cetera metalla conciduntur, et cartilago eius ferro similis
dicitur, quia hi qui in eius corpore ad ostensionem uirtutum
non sufficiunt contra necem fidelium acrius accenduntur.
Quia enim cum eo se facere signa et prodigia non posse

30. a. 1 Co 13, 1

flatteries aux tourments ; ils désirent qu'on les regarde avec admiration à cause de leur puissance, mais grâce à leur art de tromper, ils semblent s'abaisser humblement par des propos modestes, insinuant en paroles à leur propre sujet le contraire de ce qu'ils affichent.

30. Ainsi, les os de ce Béhémoth sont à juste titre comparés à une flûte d'airain, car, à la manière d'un métal insensible, ils possèdent la voix qui permet de parler bien, sans avoir la conscience qui permet de vivre bien. En effet, ils affirment, en des discours apparemment humbles, ce qu'ils dédaignent de faire en vivant avec arrogance. Aussi est-il dit à propos par Paul : *Quand je parlerais les langues des hommes et des anges, si je n'ai pas la charité, je suis comme un airain sonnant ou une cymbale retentissante*[a]. Car celui qui prêche le bien, mais sans pratiquer ce même bien avec amour, est semblable à un airain ou une cymbale qui rend un son, car lui-même ne ressent pas les paroles qu'il prononce. D'ailleurs, dans le corps de cette bête, il y en a qui ne s'illustrent pas par les honneurs, ne s'appuient pas sur les richesses, sont dépourvus de l'ornement des vertus, sont sans compétence dans l'art de la ruse, mais qui ambitionnent cependant de paraître ce qu'ils ne sont pas. Et pour cette raison, ils se montrent pires contre la vie des bons. A leur sujet le texte poursuit :

XVIII, **31.** *Ses cartilages sont comme des lames de fer.* **40, 13**
Les cartilages ressemblent à des os, mais ils n'en ont pas la solidité. Pourquoi, alors, les cartilages de Béhémoth sont-ils comparés à des lames de fer, sinon parce que ceux qui, en lui, sont les plus faibles se montrent les plus acharnés à accomplir le mal ? Le fer a la propriété de tailler tous les autres métaux, et le cartilage de Béhémoth est comparé au fer, parce que ceux qui, dans son corps, sont incapables de faire montre de vertu, sont les plus excités à faire périr les fidèles. En effet, comme ils se voient impuissants à faire avec lui des miracles

10 considerant, fideles se illi per crudelitatem probant ; et pro
eo quod innocentium corda corrumpere persuadendo non
possunt, multiplicius ceteris bonorum corpora se exstinguere gloriantur. Bene ergo dicitur : *Cartilago eius ut lami-*
nae ferreae, quia in eius corpore quod infirmius quisque
15 crediderit, hoc est quod nequius incidit. Qui recte non ferro
tantummodo, sed laminis ferreis comparantur, quia dum se
circumquaque in crudelitate dilatare ambiunt, quasi in ferri
se laminas extendunt.

32. Libet artiori inquisitionis manu haec eadem uerba
conditoris, quae iam uidentur discussa, distringere ; atque
uberiores intellegentiae fructus instruendis moribus appor-
tare. Nam quia antiquus hostis quid per assumptum homi-
5 nem contra homines agat audiuimus, superest ut nunc quid
in hominibus etiam per semetipsum sine homine moliatur
exploremus. Ecce enim dicitur :

40, 12   XIX, **33.** ***Stringit caudam suam quasi cedrum.*** Prima
quippe serpentis suggestio mollis ac tenera est, et facile uirtutis pede conterenda, sed si haec inualescere neglegenter
admittitur, eique ad cor aditus licenter praebetur, tanta se
5 uirtute exaggerat, ut captam mentem deprimens, usque ad
intolerabile robur excrescat. Caudam itaque quasi cedrum
stringere dicitur, quia semel eius recepta in corde temptatio,
in cunctis quae subsequenter intulerit uelut ex iure domi-
natur. Huius ergo Behemoth caput herba est, cauda cedrus,
10 quia ex prima quidem suggestione blandiens substernitur, sed
per usum uehementer inualescens, succrescente temptationis
fine roboratur. Superabile namque est omne quod initio

1. Cf. *supra*. Grégoire revient en arrière et reprend le commentaire de Jb 40,
12 déjà abordé au § 22.

et des prodiges, ils veulent témoigner par leur cruauté qu'ils lui sont fidèles ; et comme ils ne peuvent corrompre le cœur des innocents par la persuasion, ils se font gloire de détruire, en plus grand nombre que tous les autres, le corps des bons. Il est donc juste de dire : *Ses cartilages sont comme des lames de fer*, parce que ce que l'on croit plus fragile dans le corps de Béhémoth est ce qui entaille avec plus de dommage. C'est avec raison qu'on les compare non seulement au fer, mais à des lames de fer, car, ambitionnant de déployer partout leur cruauté, ils s'allongent à la manière de lames de fer.

32. Il est bon de soumettre à une étude plus détaillée ces mêmes paroles du Créateur qui semblent expliquées déjà [1], et d'offrir des fruits plus abondants d'intelligence pour l'instruction des mœurs. Car, après avoir appris ce que l'antique ennemi peut faire contre les hommes par l'homme dont il a pris possession, il nous reste à découvrir maintenant ce que, parmi les hommes, il machine encore par lui-même, sans le secours de l'homme. Il est dit ici, en effet :

La tentation diabolique XIX, **33.** *Il raidit sa queue comme un cèdre.* La première suggestion du serpent est timide et douce, et facile à écraser sous le pied de la vertu, mais si, par négligence, on la laisse prendre de la force et si on lui donne ainsi libre accès dans le cœur, elle s'accroît et s'affermit si puissamment que, submergeant l'âme captive, elle acquiert une force irrésistible. C'est pourquoi il est dit qu'il raidit sa queue comme un cèdre, car, une fois sa tentation admise dans le cœur, il est maître, comme de droit, de toutes les conséquences qui en découlent. Donc, la tête de ce Béhémoth est une herbe, sa queue un cèdre, car, lors de la première suggestion, il se faufile d'une manière caressante, mais, avec l'habitude, il s'affermit puissamment et, mettant le comble à la tentation, il devient plein de force. Au début, on peut surmonter tout ce qu'il suggère, mais, par la suite, c'est à

40, 12

suggerit, sed inde sequitur, quod uinci uix possit. Prius enim
quasi consulens blanda ad animum loquitur, sed cum semel
15 dentem delectationis infixerit, uiolenta post consuetudine
paene insolubiliter innodatur. Vnde et bene stringere caudam dicitur. Dente enim uulnerat, cauda ligat, quia prima
suggestione percutit, sed percussam mentem, ne euadere
ualeat, inualescente fine temptationis, astringit. Quia enim
20 peccatum tribus modis admittitur, cum uidelicet serpentis
suggestione, carnis delectatione, spiritus consensione perpe-
tratur, Behemoth iste, prius illicita suggerens, linguam exserit ; post ad delectationem pertrahens, dentem figit ; ad
extremum uero, per consensionem possidens, caudam strin-
25 git. Hinc est enim quod nonnulli peccata longo usu perpetrata in semetipsis ipsi reprehendunt ; atque haec ex iudicio
fugiunt, sed uitare opere nec decertantes possunt ; quia dum
Behemoth istius caput non conterunt, plerumque cauda et
nolentes ligantur. Quae contra eos cedri more induruit, quia
30 a blanda uoluptate exordii usque ad uiolentiam retentionis
excreuit. Dicatur ergo : *Stringit caudam suam quasi cedrum*,
ut tanto quisque debeat initia temptationis fugere, quanto
finem eius intellegit citius solui non posse.

34. Sciendum quoque est quod plerumque eis quos ceperit tunc grauiores culpas ingerit, cum praesentis uitae
termino illos propinquare cognoscit ; et quo se consumma-
turum temptationem considerat, eo eis iniquitatum pondera
5 grauiora coaceruat. Behemoth igitur caudam suam quasi cedrum stringit, quia quos per praua initia ceperit, ad finem

peine s'il est possible de le vaincre. D'abord, en effet, comme s'il donnait un conseil, il entretient l'âme de choses agréables, mais une fois qu'il y a planté la dent de la délectation, elle est attachée par une habitude tenace presque impossible à dénouer. Aussi, il est dit avec justesse qu'il raidit sa queue. En effet, avec la dent il blesse et avec la queue il ligote, parce qu'après avoir frappé l'âme d'une première suggestion, il l'étreint pour qu'elle ne puisse plus s'échapper, la tentation croissant jusqu'à son comble. Comme le péché s'introduit en trois étapes, quand après la suggestion du serpent et la délectation de la chair, le consentement de l'esprit le consomme, ainsi ce Béhémoth, en suggérant d'abord des choses illicites, tire sa langue, puis, en attirant au plaisir, il plante sa dent, enfin, la possédant à fond par le consentement, il raidit sa queue. Ainsi certains se reprochent-ils en eux-mêmes des péchés qu'ils commettent depuis longtemps ; et ils les fuient lorsqu'ils se jugent, mais ils ne peuvent les éviter, malgré leurs efforts, lorsqu'ils agissent ; car, tant qu'ils n'écrasent pas la tête de ce Béhémoth, ils se trouvent, la plupart du temps, ligotés, malgré eux, par sa queue. Celle-ci se durcit contre eux à la manière d'un cèdre, c'est-à-dire qu'après le plaisir flatteur du début, elle se fortifie de plus en plus et les retient avec violence. C'est pourquoi il est dit : *Il raidit sa queue comme un cèdre*. Ainsi chacun doit-il fuir d'autant plus le commencement de la tentation qu'il comprend qu'il ne pourra pas se libérer aussi aisément de sa fin.

Tentations du mourant   **34.** Il faut savoir également que souvent il pousse à de plus grands péchés ceux dont il s'est rendu maître, quand il sait qu'ils approchent du terme de la vie présente ; et comme il considère qu'il est sur le point de mettre fin à la tentation, il accumule sur eux un poids d'autant plus lourd d'iniquités. Béhémoth raidit donc sa queue comme un cèdre, car, après avoir pris possession des âmes en des commencements pernicieux,

deteriores reddit, ut temptamenta eius quo citius cessatura
sunt, eo ualentius compleantur. Quia enim suis poenis eorum satagit aequare supplicium, in eis ardentius ante mor-
10 tem nititur omne exaggerare peccatum. Plerumque uero
Behemoth iste iam cor male subditum possidet, sed tamen
diuina illum gratia repellit, et manus misericordiae eicit,
quem ad se captiua uoluntas introduxit. Cumque a corde
expellitur, acriores infigere iniquitatum stimulos conatur,
15 ut eos temptationum fluctus mens ab illo impugnata sentiat, quos etiam possessa nesciebat. Quod bene in Euangelium exprimitur, cum exire de homine immundus spiritus
Domino iubente narratur. Nam cum daemoniacus puer
fuisset oblatus, scriptum est : *Comminatus est Iesus spiritui*
20 *immundo, dicens : « Surde et mute spiritus, ego tibi praecipio,*
exi ab eo, et amplius ne introeas in eum. » Et exclamans, et
multum discerpens eum, exiit ab eo[a]. Ecce non eum dis-
cerpserat cum tenebat, exiens discerpsit, quia nimirum tunc
peius cogitationes mentis dilaniat, cum iam egressui diuina
25 uirtute compulsus appropinquat. Et quem mutus possederat,
cum clamoribus deserebat ; quia plerumque cum possidet,
minora temptamenta irrogat ; cum uero de corde pellitur,
acriori infestatione perturbat. Bene itaque dicitur : *Stringit*
caudam suam quasi cedrum, quia et cor possidens semper in
30 malitia ex posterioribus crescit, et cor deserens uehementio-
ribus cogitationum stimulis percutit.

Adhuc autem Behemoth istius mira pietate conditoris
astutiora argumenta panduntur, cum subditur :

34. a. Mc 9, 24-25

il les rend pires à la fin, de telle sorte que ses tentations sont d'autant plus violentes qu'elles doivent bientôt cesser. En effet, parce qu'il fait tout pour que leur supplice soit l'équivalent de ses propres peines, il s'efforce avec d'autant plus d'ardeur d'entasser sur eux avant la mort tous les péchés possibles. Souvent aussi ce Béhémoth prend possession d'un cœur qui, à tort, s'était déjà soumis à lui, mais la grâce de Dieu le repousse, et la main de sa miséricorde expulse celui qu'une volonté captive avait laissé pénétrer en elle. Quand il est ainsi chassé d'un cœur, il s'efforce d'y enfoncer des stimulants au péché plus énergiques, en sorte que l'âme qu'il assaille ressent les flots de tentations qu'elle ne percevait pas alors même qu'elle était en sa possession. C'est ce qui est bien dépeint dans l'Évangile quand il est rapporté que, sur l'ordre du Seigneur, un esprit immonde sort d'un homme. En effet, comme un enfant démoniaque avait été présenté à Jésus, il est écrit : *Jésus menaça l'esprit immonde, en lui disant : « Esprit sourd et muet, je te le commande, sors de cet enfant et n'y rentre plus. » Poussant un grand cri et le secouant violemment, il sortit de lui*[a]. Voilà que le démon ne l'avait pas secoué ainsi lorsqu'il le tenait, mais il le secoua en sortant, parce qu'il torture plus violemment les pensées de l'âme lorsqu'approche le moment où il sera expulsé par la vertu divine. Et celui qu'il avait possédé muet, il le quittait avec de grands cris ; car, le plus souvent, il propose des tentations moindres lorsqu'il est maître de l'âme ; mais lorsqu'il est chassé d'un cœur, il le bouleverse par des attaques plus violentes. C'est donc avec raison qu'il est dit : *Il raidit sa queue comme un cèdre*, parce que le démon, tant qu'il possède un cœur, croît toujours en malice par derrière et, au moment de le quitter, le harcèle par les aiguillons plus percutants des pensées.

Cependant, dans sa bonté admirable, notre Créateur nous découvre encore des arguments encore plus astucieux de ce Béhémoth lorsqu'il ajoute :

40, 12　　　XX, **35.** *Nerui testiculorum eius perplexi sunt.* Nerui
testiculorum eius sunt pestifera argumenta machinationum.
Per ipsa quippe calliditatis suae uires erigit, et fluxa mortalium
corda corrumpit. Testes eius sunt suggestiones prauae, qui-
5 bus in mentis corruptione feruescit, atque in constuprata
anima iniqui operis prolem gignit. Sed horum testiculorum
nerui perplexi sunt, quia suggestionum illius argumenta
implicatis inuentionibus illigantur, ut plerosque ita peccare
faciant, quatenus si fortasse peccatum fugere appetant, hoc
10 sine alio peccati laqueo non euadant ; et culpam faciant dum
uitant, ac nequaquam se ab una ualeant soluere, nisi in alia
consentiant ligari.

Quod melius ostendimus, si qua ex conuersatione hominum illigationis huius exempla proferamus. Quia uero in
15 tribus sancta Ecclesia ordinibus constat, coniugatorum uidelicet, continentium, atque rectorum ; unde et Ezechiel tres
uiros liberatos uidit, Noe scilicet, Daniel, et Iob [a] ; et in Euangelio Dominus dum alios in agro, alios in lecto, atque esse
alios in molendino [b] perhibet, tres procul dubio in Ecclesia
20 ordines ostendit ; liquido satisfacimus, si singula ex singulis
exquiramus.

36. Ecce enim quidam dum mundi huius amicitias appetit,
cuilibet alteri similem sibi uitam ducenti quod secreta illius
omni silentio contegat se iureiurando constringit ; sed is
cui iuratum est adulterium perpetrare cognoscitur, ita ut
5 etiam maritum adulterae occidere conetur. Is autem qui ius-

---

35. a. cf. Ez 14, 14 ; 14, 20　　b. cf. Lc 17, 34-35

---

1. Noé, Daniel et Job (Ez 14, 14 et 20) : ce trio d'Ézéchiel est déjà évoqué
dans la Préface des *Morales* (II, 5), qui oppose le païen Job aux membres du
peuple de Dieu que sont les deux autres, et au Livre Premier (14, 20), où
l'interprétation est la même qu'ici.

Noé, Daniel, Job

XX, **35.** *Les nerfs de ses testicules sont entortillés.* Les nerfs de ses testicules, ce sont les arguments pernicieux de ses machinations. Par ceux-ci, il excite les forces de son astuce et corrompt le cœur inconstant des mortels. Ses testicules sont les suggestions dépravées sous l'influence desquelles il est ardent à corrompre l'esprit et, dans l'âme qu'il a déshonorée, il engendre une progéniture d'œuvres iniques. Mais les nerfs de ses testicules sont entortillés, parce que les arguments de ses suggestions sont enchevêtrés dans des stratagèmes compliqués ; de manière à en faire ainsi tomber beaucoup dans le péché, puisque, dans l'hypothèse où ils désireraient fuir un péché, ils ne pourraient s'y soustraire qu'en tombant dans le filet d'un autre ; ils feraient une faute alors qu'ils chercheraient à l'éviter, et ils ne pourraient jamais se délier de l'une à moins de consentir à être liés par une autre.

40, 12

Ce que nous montrerons mieux, en donnant des exemples de ce lien pris dans la vie des hommes. Il y a trois états de vie dans la sainte Église : celui des personnes mariées, celui des continents et celui des responsables. C'est pourquoi Ézéchiel a vu trois hommes délivrés du malheur : Noé, Daniel et Job[a 1], et le Seigneur, dans l'Évangile, lorsqu'il rapporte que certains seront alors dans leur champ, d'autres dans leur lit et d'autres encore dans leur moulin[b], montre sans aucun doute qu'il y a trois états de vie dans l'Église. Et donc, nous répondrons de manière satisfaisante si nous cherchons à tirer des exemples de chacun d'eux.

Exemples de mauvaises suggestions

36. Voici un homme qui, recherchant les amitiés mondaines, s'engage sous serment, vis-à-vis d'un autre qui mène une vie semblable à la sienne, à protéger ses secrets d'un silence absolu ; mais il apprend que celui à qui il a fait ce serment pratique l'adultère et cherche même à tuer le mari de son amante. Or, voici que celui qui a prêté serment rentre

iurandum praebuit ad mentem reuertitur, et diuersis hinc
inde cogitationibus impugnatur, atque hoc silere formidat,
ne silendo, adulterii simul et homicidii particeps fiat, prodere trepidat, ne reatu se periurii obstringat. Perplexis ergo
10 testiculorum neruis ligatus est, qui in quamlibet partem declinet, metuit ne a transgressionis contagio liber non sit.

37. Alius cuncta quae mundi sunt deserens, ac per omnia
frangere proprias uoluntates quaerens, alieno se subdere regi-
mini appetit, sed eum qui sibi apud Deum praeesse debeat
minus cauta inquisitione discernit. Cui fortasse is qui sine
5 iudicio eligitur, cum praeesse iam coeperit, agi quae Dei sunt
prohibet, quae mundi sunt iubet. Pensans itaque subditus uel
quae sit culpa inoboedientiae, uel quod contagium saecularis
uitae, et oboedire trepidat et non oboedire formidat ; ne aut
oboediens Deum in suis praeceptis deserat, aut rursum non
10 oboediens Deum in electo priore contemnat ; et aut, illicitis
obtemperans, hoc quod pro Deo appetit contra Deum exerceat, aut rursum, non obtemperans, eum quem suum iudicem quaesierat suo iudicio supponat. Aperte ergo iste per
indiscretionis suae uitium perplexis testiculorum neruis
15 astringitur, quia aut obtemperans, aut certe non obtemperans,
in culpa transgressionis ligatur. Studebat proprias uoluntates frangere, et curat eas etiam contempto priore solidare.
Decreuit mundum funditus relinquere, et ad curas mundi uel
ex aliena uoluntate compellitur redire. Perplexi itaque nerui
20 sunt, cum sic nos argumenta hostis illigant, ut culparum nodi
quo quaeruntur solui, durius astringant.

en lui-même, et des pensées divergentes l'assaillent de part et d'autre : il craint de taire ce qu'il sait, car, par son silence, il serait complice de l'adultère et de l'homicide ; il redoute de parler, de peur de se rendre coupable d'un parjure. Il est donc ligoté par les nerfs entortillés des testicules, lui qui appréhende de n'être pas exempt de contact avec le péché, quel que soit le côté où il penche.

37. Un autre quittant tout ce qui est du monde et cherchant à briser en tout les volontés propres, désire se soumettre à la direction d'un autre. Mais celui qui, devant Dieu, doit être son maître, voici qu'il manque de prudence dans ses démarches pour le choisir. Ce dernier, choisi sans discernement, alors qu'il a déjà commencé à orienter sa conduite, lui défend de faire ce qui est selon Dieu et lui commande ce qui est selon le monde. Aussi, le disciple, considérant tour à tour le péché de désobéissance et la contagion de la vie du siècle, craint d'obéir et redoute de ne pas obéir : en obéissant, d'abandonner Dieu et ses préceptes, ou, au contraire, en désobéissant, de mépriser Dieu dans la personne du maître qu'il s'est choisi ; et, en se soumettant à des demandes illicites, d'agir contre Dieu alors qu'il désire le servir, ou, au contraire, en n'obéissant pas, de soumettre à son propre jugement celui qu'il avait cherché pour qu'il soit son juge. Il est donc clair que, par son manque de discernement, il s'est ligoté dans les nerfs entortillés des testicules, parce que, obéissant ou désobéissant, il se lie par une transgression coupable. Il s'efforçait de briser les volontés propres, et voilà qu'il est occupé à les consolider en méprisant son maître ! Il a résolu de quitter radicalement le monde, et le voilà obligé de retourner aux soucis du monde, qui plus est par la volonté d'un autre. Les nerfs sont entortillés, lorsque les arguties de l'Ennemi nous ligotent si bien que plus on cherche à les défaire, plus les nœuds des péchés serrent fortement.

38. Alius pensare pondus honoris ecclesiastici neglegens, ad locum regiminis praemiis ascendit. Sed quia omne quod hic eminet plus maeroribus afficitur quam honoribus gaudet, dum cor tribulatione premitur, ad memoriam culpa
5 reuocatur ; doletque se ad laborem cum culpa peruenisse, et quam sit iniquum quod admiserit ex ipsa fractus difficultate cognoscit. Reum se igitur cum impensis praemiis agnoscens, uult adeptae sublimitatis locum deserere ; sed timet ne grauius delictum sit suscepti gregis custodiam reliquisse ; uult
10 suscepti gregis curam gerere, sed formidat ne deterior culpa sit regimina pastoralis gratiae empta possidere. Per honoris ergo ambitum ligatum culpa hinc inde se conspicit. Esse quippe sine reatu criminis neutrum uidet, si aut susceptus semel grex relinquatur, aut rursum sacra actio saeculariter
15 empta teneatur. Vndique metuit et suspectus latus omne pertimescit, ne aut stans in empto regimine non digne lugeat, quod non etiam deserens emendat ; aut certe regimen deserens, dum aliud flere nititur, rursus aliud de ipsa gregis destitutione committat. Quia ergo Behemoth iste ita inex-
20 plicabilibus nodis ligat, ut plerumque mens in dubio adducta, unde se a culpa soluere nititur, inde in culpa artius astringatur, recte dicitur : *Nerui testiculorum eius perplexi sunt*. Argumenta namque machinationum illius quasi quo laxantur ut relinquant, eo magis implicantur ut teneant.

38. Un autre, négligeant de prendre la mesure du poids des honneurs ecclésiastiques, s'élève à prix d'argent à un poste de responsabilité. Mais parce que toute éminence ici-bas est accablée de plus d'afflictions qu'elle n'a de motifs de se réjouir des honneurs, tandis que son cœur est soumis à la pression de la tribulation, sa faute lui revient en mémoire ; il se désole d'une faute qui ne lui a procuré que du labeur et les difficultés mêmes qui l'ont brisé, lui font comprendre combien est inique ce qu'il a accepté de faire. Se reconnaissant donc coupable d'avoir employé de l'argent pour acquérir ce poste de responsabilité, il veut le quitter ; mais il craint que l'abandon du troupeau dont il a reçu la garde ne soit un péché plus grave ; il veut prendre soin du troupeau qu'on lui a confié, mais il a peur que ce ne soit une faute pire encore que de détenir la responsabilité d'une charge pastorale qu'il a achetée. Il s'aperçoit que, dans sa poursuite des honneurs, il est ligoté par le péché, quel que soit le parti qu'il prenne. Il ne voit ni d'un côté, ni de l'autre, comment éviter de se rendre coupable d'une faute, soit qu'il abandonne le troupeau dont il a pris la charge une fois pour toutes, soit, au contraire, qu'il garde une fonction sacrée, achetée selon les façons du siècle. Il est inquiet de toutes parts et, se défiant des deux côtés, redoute, ou bien, s'il demeure dans ce poste de responsabilité qu'il a acheté, de ne pas déplorer assez sa faute, puisqu'il ne la répare même pas en le quittant, ou alors, s'il quitte sa charge, de commettre, alors qu'il essaie de pleurer un péché, à nouveau un autre péché, du fait même de l'abandon de son troupeau. Ainsi, ce Béhémoth ligote avec des nœuds si difficiles à défaire que, la plupart du temps, l'âme plongée dans le doute, en s'efforçant de se délier d'une faute, est de ce fait serrée plus étroitement dans une autre. Il est donc bien dit : *Les nerfs de ses testicules sont entortillés.* De fait, plus on essaie de desserrer les arguments de ses stratagèmes pour s'en libérer, plus ils s'entrelacent pour vous retenir.

39. Est tamen quod ad destruendas eius uersutias utiliter
fiat, ut cum mens inter minora et maxima peccata constringitur, si omnino nullus sine peccato euadendi aditus patet,
minora semper eligantur ; quia et qui murorum undique
5 ambitu ne fugiat clauditur, ibi se in fugam praecipitat, ubi
breuior murus inuenitur. Et Paulus cum quosdam in Ecclesia
incontinentes aspiceret, concessit minima, ut maiora decli-
narent, dicens : *Propter fornicatione autem unusquisque suam
uxorem habeat*[a]. Et quia tunc solum coniuges in admixtione
10 sine culpa sunt cum non pro explenda libidine, sed pro
suscipienda prole miscentur, ut hoc etiam quod concesserat
sine culpa, quamuis minima, non esse monstraret, ilico adiunxit : *Hoc autem dico secundum indulgentiam, non secundum imperium*[b]. Non enim est sine uitio quod ignoscitur,
15 et non praecipitur. Peccatum profecto uidit, quod posse
indulgeri praeuidit. Sed cum in dubiis constringimur, utiliter
minimis subdimur, ne in magnis sine uenia peccemus. Itaque
plerumque neruorum Behemoth istius perplexitas soluitur
dum ad uirtutes maximas per commissa minora transitur.
20 Sequitur :

40, 13   XXI, **40.** *Ossa eius sicut fistulae aeris.* Quid per ossa
Behemoth istius, nisi consilia designantur ? Nam sicut
in ossibus positio corporis roburque subsistit, ita in frau-
dulentis consiliis tota se eius malitia erigit. Neque enim ui
5 quempiam premit, sed calliditate pestiferae persuasionis
interficit. Et rursum, sicut ossa quae irrigant medullae con-
fortant, ita eius consilia per spiritalis naturae potentiam

39. a. 1 Co 7, 2   b. 1 Co 7, 6

Tolérer certains péchés **39.** Il y a pourtant un moyen efficace pour anéantir ses artifices : quand l'âme se trouve prise en étau entre des péchés moindres et des péchés très graves, si absolument aucune issue ne se présente pour s'échapper sans péché, on doit toujours choisir les moindres : ainsi, celui qui est enfermé de toutes parts en des murs qui empêchent sa fuite se précipite là où il trouve le mur le moins élevé. Et Paul, voyant des gens incontinents dans l'Église, concéda le minimum pour qu'ils évitent le pire : *Pour éviter la fornication, que chacun ait sa propre femme*[a]. Et puisque les époux sont exempts de faute seulement lorsqu'ils s'unissent non pour satisfaire leur volupté, mais pour avoir des enfants, il ajoute aussitôt, pour montrer que cette concession elle-même n'excluait pas la faute, si petite fût-elle : *Or, je dis cela comme une condescendance, non comme un ordre*[b]. En effet, ce qui est toléré et non prescrit n'est pas exempt de vice. Paul a donc vu ici un péché pour lequel il prévoit la possibilité d'être indulgent. Mais lorsque nous sommes pris d'angoisse au milieu des doutes, mieux vaut accepter les péchés les plus petits que de tomber en de plus grands qui ne pourraient pas être pardonnés. C'est pourquoi souvent l'entrelacs des nerfs de ce Béhémoth est dénoué lorsqu'à travers des fautes plus petites, on parvient aux vertus les plus hautes. Le texte poursuit :

Ruses de Béhémoth XXI, **40.** *Ses os sont comme des flûtes d'airain.* Que signifient les os de ce Béhémoth, sinon ses conseils ? De même que la position du corps et sa force sont déterminées par les os, ainsi la malice de Béhémoth s'affirme tout entière en des conseils pleins de ruse. En effet, il n'opprime personne par la violence, mais il fait périr par la séduction de sa persuasion empoisonnée. Poursuivons : De même que la moelle qui irrigue les os les fortifie, ainsi la subtilité de son intelligence, qui découle de sa puissante nature spirituelle, donne de

40, 13

infusa ingenii subtilitas roborat. Hoc uero testiculi eius ab ossibus, id est suggestiones a consiliis, distant, quod per
10 illas aperte noxia inserit, per haec autem quasi ex bono consulens ad culpam trahit, per illas pugnando superat, per haec uelut consulendo supplantat. Vnde et bene eius ossa, id est haec eadem consilia, aeris fistulis comparantur. Aeris quippe fistulae sonoris aptari cantibus solent, quae admotae
15 auribus dum blandum carmen subtiliter concinunt, interiora mentis in exteriora delectationis trahunt, et dum dulce est quod auribus sonant, uirilitatem cordis in uoluptatis fluxu debilitant. Cumque auditus ad delectationem trahitur, sensus ab statu suae fortitudinis eneruatur. Ita quoque astuta
20 eius consilia dum quasi blanda prouisione consulunt, cor a forti intentione peruertunt, et dum dulcia resonant, ad noxia inclinant. Quasi ergo aeris sunt fistulae, quae dum libenter audiuntur, ab interna intentione animum in exterioris uitae delectationem deiciunt. Hoc enim Behemoth iste magnopere
25 ad exsequendam deceptionem satagit, ut dum peruersitatis suae consilium quasi utile ostendit, suauiter ualeat sonare quod dicit, quatenus et ostensa utilitate mentem mulceat, et absconsa iniquitate corrumpat.

41. Quae apertius in cunctis ostendimus, si pauca breuiter consiliorum eius argumenta pandamus. Ecce enim quidam rebus contentus propriis, decreuit nullis mundi huius occupationibus implicari, ualde formidans quietis suae commoda
5 perdere, et ualde despiciens cum peccatis lucra cumulare.

la force à ses conseils. Mais les suggestions diffèrent des conseils, comme les testicules des os. En effet, par celles-là, il présente des choses manifestement mauvaises, par ceux-ci, il entraîne à la faute sous prétexte d'un bien ; par celles-là, il l'emporte par une lutte, par ceux-ci, il fait tomber comme par une prévenance. C'est pourquoi ses os, c'est-à-dire ces mêmes conseils, sont justement comparés à des flûtes d'airain. D'ordinaire, en effet, les flûtes d'airain s'adaptent aux chants d'une mélodie : tandis qu'à nos oreilles elles font résonner la délicate harmonie d'un chant flatteur, elles attirent l'intériorité de notre âme vers une jouissance extérieure, et ce qui résonne aux oreilles est si doux que l'énergie du cœur s'affaiblit dans ce flux de volupté. Et lorsque l'ouïe est attirée à la jouissance, le bon sens déchoit de son état de vigueur. Il en est de même des conseils astucieux de Béhémoth : quand ils semblent viser nos intérêts avec une flatteuse prévenance, ils détournent le cœur de sa ferme résolution, et tandis qu'ils font résonner de douces mélodies, ils l'inclinent vers le mal. Ses conseils sont donc comme des flûtes d'airain que l'on écoute volontiers, mais qui détournent l'âme de sa résolution intérieure et l'entraînent vers la jouissance de la vie extérieure. Ce que poursuit surtout ce Béhémoth pour réaliser sa tromperie, c'est de faire résonner ce qu'il dit d'une manière agréable, en faisant apparaître comme utile le conseil que lui inspire sa perversité. Ainsi, à la fois il flatte l'âme par l'utilité qu'il montre et la corrompt par l'iniquité qu'il dissimule.

Conseils pernicieux **41.** Nous montrerons ceci plus clairement pour tous les cas, si nous exposons brièvement un petit nombre d'arguments dont se servent ses conseils. Voici un homme qui, se contentant des biens qu'il possède, a décidé de ne plus s'engager dans les occupations de ce monde, craignant beaucoup de perdre les bienfaits de sa tranquillité, et se refusant absolument à accumuler des bénéfices au prix de péchés. L'ennemi

Ad hunc hostis callidus ueniens, ut intentionem bonae
deuotionis subruat, quasi utilitatis consilium subministrat,
dicens : « Ea quidem quae sunt in praesenti sufficiunt, sed
his deficientibus quid acturus es ? Si etiam post haec nulla
10 prouidentur, adsunt quae ad praesens impendenda sunt filiis, sed tamen paranda sunt quae seruentur. Deesse potest
citius etiam quod est, si sollicitudo prouida cesset parare
quod deest. An non et terrena potest actio peragi, et tamen
in actione culpa declinari, quatenus et exteriora stipendia
15 praebeat, et tamen internam rectitudinem non inflectat ? »
Haec interim blandiens insinuat, et seorsum iam in negotio
terreno quod prouidet peccati laqueos occultat. Ossa itaque
eius sicut fistulae aeris sunt, quia perniciosa eius consilia
auditori suo consulentis uocis suauitate blandiuntur.

42. Alius quoque non solum decreuit commoda terrena
non quaerere, sed etiam cunctis quae possidet renuntiare[a] ut
in discipulatu caelestis magisterii tanto se liberius exerceat,
quanto et expeditior redditus, ea quae possidentem premere
5 poterant deserens calcat. Huius cor hostis insidians occulta
suggestione alloquitur, dicens : « Vnde haec temeritatis
tantae surrexit audacia, ut credere audeas quod omnia relin-
quendo subsistas ? Aliter te creator condidit, atque aliter tu
teipsum disponis ; ualentiorem te robustioremque faceret, si
10 sequi te sua uestigia cum inopiae necessitate uoluisset. An
non plerique et terrena patrimonia nequaquam deserunt, et
tamen ex his per misericordiae opera supernae sortis bona
aeterna mercantur ? » Haec blandiens suggerit, seorsum
uero in eisdem rebus quas retineri admonet ante retinentis

42. a. cf. Lc 14, 33

rusé, s'adressant à lui dans le dessein de ruiner cette pieuse résolution, fait semblant de lui donner un conseil utile en lui disant : « Ces biens que tu possèdes te suffisent pour le présent, c'est vrai, mais, s'ils viennent à manquer, que feras-tu ? Et si rien n'est prévu pour la suite, sans doute as-tu de quoi subvenir pour le moment aux besoins de tes enfants, mais il faut néanmoins être pourvu de réserves. Oui, même ce qu'il y a peut manquer assez vite si une sollicitude prévoyante cesse d'acquérir ce qu'il n'y a pas. Ne peut-on mener à bien une action terrestre tout en évitant dans l'action la faute ? Ne peut-on pourvoir aux ressources extérieures sans pour autant infléchir sa rectitude intérieure ? » Voilà ce qu'il insinue flatteusement, tandis que secrètement déjà il dissimule les lacets du péché dans l'activité terrestre qu'il envisage. Ses os sont donc comme des flûtes d'airain, parce que ses conseils pernicieux sont d'une douceur exquise pour celui qui les écoute, tant est suave la voix de celui qui les donne.

42. Un autre encore a résolu, non seulement de ne plus chercher les avantages terrestres, mais encore de renoncer à tout ce qu'il possède[a], afin de s'exercer dans l'apprentissage du céleste enseignement avec d'autant plus de liberté que, rendu plus léger, il foule aux pieds par son renoncement des biens susceptibles d'accabler celui qui les possède. Alors l'ennemi insidieux s'adresse secrètement au cœur de cet homme, en lui disant : « D'où te vient tout à coup cette folle témérité ? As-tu l'audace de croire que tu tiendras bon en renonçant à tout ? Le Créateur t'a établi dans un certain état, et toi, tu disposes autrement de toi-même ; il t'aurait fait plus solide et plus robuste s'il avait voulu que tu suives ses traces pressé par la pauvreté. N'est-il pas vrai que beaucoup de gens, sans renoncer à leur patrimoine terrestre, achètent cependant, grâce à lui, par leurs œuvres de miséricorde, les biens éternels de l'héritage céleste ? » Voilà ce qu'il lui suggère par flatterie ; mais, en secret, dans ces richesses qu'il conseille de garder,

15 oculos delectationes pestiferas decipiens apponit ; quatenus
seductum cor ad blanda exteriora pertrahat, et intima perfectionis uota peruertat. Ossa itaque eius sicut fistulae aeris
sunt, quia dolosa eius consilia, dum blandum de exterioribus
sonum reddunt, perniciosum dispendium de interioribus
20 ingerunt.

43. Alius, relictis omnibus quae exterius possederat, ut
ordinem sublimioris discipulatus apprehendat, etiam inti-
mas frangere uoluntates parat, ut rectioribus se alterius
uoluntatibus subdens, non solum prauis desideriis, sed
5 ad perfectionis cumulum etiam in bonis uotis sibimetipsi
renuntiet ; et cuncta quae sibi agenda sunt ex alieno arbitrio
obseruet. Hunc hostis callidus tanto mollius alloquitur,
quanto ab excelsiore loco deicere ardentius conatur, moxque uirulenta suggestione blandiens, dicit : « O quanta per
10 temetipsum agere miranda poteris, si nequaquam te iudicio
alterius subdis ! Cur profectum tuum sub studio meliora-
tionis imminuis ? Cur intentionis tuae bonum, dum ultra
quam necesse est extendere niteris, frangis ? Quae enim dum
uoluntate propria usus es, peruersa perpetrasti ? Qui ergo tibi
15 plene ad bene uiuendum sufficis, alienum super te iudicium
cur requiris ? » Haec blandiens intimat, seorsum uero in
uoluntatibus eius propriis exercendae superbiae causas parat ;
et dum laudat cor de intestina rectitudine, inuestigat callide
ubi subruat in prauitate. Ossa itaque eius sicut fistulae aeris
20 sunt, quia clandestina eius consilia unde quasi blanda animum delectant, inde perniciosa a recta intentione dissipant.

1. Ces tentations contre l'obéissance rappellent celles qui ont été décrites
plus haut (§ 37).

il place des plaisirs pernicieux sous les yeux de celui qui conserve ses biens, et ainsi, il le trompe ; au point d'égarer le cœur qu'il a séduit vers des satisfactions extérieures, et de pervertir ses vœux intérieurs de perfection. Ses os sont donc comme des flûtes d'airain, parce que ses conseils rusés, tout en rendant un son exquis quant à l'extérieur, produisent quant à l'intérieur une perte funeste.

43. Un autre a renoncé à tout ce qu'il avait possédé à l'extérieur ; afin d'accéder à une condition de disciple plus élevée, il se prépare à briser aussi ses volontés intimes en se soumettant aux volontés plus réglées d'un autre ; ainsi, non seulement il renonce aux désirs dépravés, mais encore, pour arriver à un comble de perfection, il renonce aussi à lui-même et à ses bons engagements et n'agit plus en tout qu'au jugement d'autrui. A celui-ci l'ennemi rusé adresse des paroles d'autant plus agréables que son ardeur est plus grande à le faire déchoir d'un état plus excellent ; et bientôt, le flattant par une suggestion empoisonnée, il lui dit : « Combien de choses admirables tu pourras faire par toi-même, si tu ne te soumets nullement au jugement d'autrui ! Pourquoi freines-tu ton progrès sous le prétexte d'une plus grande perfection ? Pourquoi brises-tu ce qu'il y a de bon dans ta résolution en t'efforçant d'aller au-delà de ce qui est nécessaire ? En effet, quel mal as-tu fait en usant de ta propre volonté ? Tu te suffis amplement à toi-même pour mener une vie bonne ; pourquoi recherches-tu le jugement d'autrui sur toi ? » Voilà ce qu'il insinue par flatterie [1] ; mais, en cachette, il lui prépare, dans les décisions de sa volonté propre, des raisons d'exercer son orgueil ; et tandis qu'il lui prodigue des louanges sur la rectitude intérieure de son cœur, il guette sournoisement l'occasion de le plonger dans le vice. Ses os sont donc bien comme des flûtes d'airain, parce que ses conseils secrets, par la flatterie dont ils réjouissent l'âme sont d'autant plus perni-cieux et la détournent de la voie droite.

44. Alius fractis plene uoluntatibus suis, multa iam ue-
tusti hominis uitia et immutatione uitae, et lamentatione
paenitentiae excoxit ; et tanto maiori zelo contra aliena
peccata accenditur, quanto sibimetipsi funditus mortuus,
5 iniquitatibus propriis non tenetur. Hunc hostis callidus, quia
zelo iustitiae etiam ceteris prodesse cognoscit, quasi prospera
consulentibus uerbis appetit, dicens : « Quid te ad aliena
curanda dilatas ? Vtinam tua considerare conualescas. An
non perpendis quia cum ad aliena extenderis, erga curanda
10 quae tua sunt minor inueniris ? Et quid prodest alieni uul-
neris cruorem tergere, et putredinem proprii neglegendo
dilatare ? » Haec dum quasi consulens dicit, zelum caritatis
adimit ; et omne bonum quod prodire ex caritate poterat,
gladio subintroducti torporis exstinguit. Si enim proximos
15 diligere sicut nosmetipsos praecipimur ᵃ, dignum est ut sic
eorum zelo contra uitia, sicuti nostro flagremus. Quia igitur
dum suauiter consulit, mentem ab intentione propria alienam
reddit, recte dicitur : *Ossa eius sicut fistulae aeris.* Quando
enim per fraudulenta consilia audientis animo blandum
20 sonat, quasi cum fistula aeris cantat, ut unde mulcet, inde
decipiat. Sed Behemoth iste ualde mollius certamen mouet,
quando se in insidiis sub praetextu infirmitatis exercet. Tunc
autem duriores temptationes excitat, quando ante temptati
oculos iniquitatis laqueos sub specie uirtutis occultat. Vnde
25 et recte subiungitur :

44. a. cf. Mt 19, 19 ; 22, 39 ; Lv 19, 18 ; Mc 12, 31 ; Lc 10, 27 ; Rm 13, 9 ;
Ga 5, 14 ; Jc 2, 8

44. Un autre, ayant brisé entièrement les décisions de sa volonté propre, a déjà épuré beaucoup de vices du vieil homme, à la fois par un changement de vie et par les larmes de la pénitence ; il s'anime avec d'autant plus de zèle contre les péchés d'autrui que, complètement mort à lui-même, il n'est plus retenu par ses propres iniquités. Cet homme, l'ennemi rusé, voyant que, par son zèle pour la justice, il est utile aussi aux autres, cherche à le tenter par des paroles qui semblent aller dans son intérêt : « Qu'as-tu, lui dit-il, à te mêler de t'occuper des affaires d'autrui ? Puisses-tu garder tes forces pour te consacrer aux tiennes. Ne penses-tu pas sérieusement que lorsque tu étends tes efforts aux affaires d'autrui, tu te trouves moins disponible pour prendre soin des tiennes ? À quoi sert-il d'essuyer le sang des blessures d'autrui et de laisser, par négligence, la pourriture gagner les siennes ? » Et tandis qu'il prononce ces paroles comme s'il voulait donner de bons conseils, il ôte le zèle de la charité, et, tout bien qui aurait pu s'exercer par charité, il l'éteint en y introduisant subrepticement le glaive de la torpeur. Si, en effet, on nous demande d'aimer nos proches comme nous-mêmes [a], il convient que, contre les vices, nous nous enflammions d'autant de zèle à leur sujet qu'au nôtre. C'est pourquoi, puisque, par ses conseils pleins de suavité, il rend l'âme étrangère à sa propre résolution, il est bien dit : *Ses os sont comme des flûtes d'airain.* En effet, lorsque par des conseils frauduleux il fait sonner à l'âme de celui qui l'écoute un chant flatteur, il joue comme d'une flûte d'airain : ce par quoi il charme lui sert à tromper. Mais ce Béhémoth mène le combat de façon bien moins agressive quand il travaille à dresser des embûches sous le couvert de la faiblesse. C'est alors qu'il suscite des tentations plus graves, quand aux yeux de celui qu'il tente, il cache les lacets de l'iniquité sous l'apparence de la vertu. C'est pourquoi il est ajouté avec raison :

40, 13   XXII, **45.** *Cartilago eius quasi laminae ferreae.* Quid
enim per cartilaginem, nisi simulatio eius accipitur ? Cartilago namque ossis ostendit speciem, sed ossis non habet
firmitatem. Et sunt nonnulla uitia quae ostendunt in se
5 rectitudinis speciem, sed ex prauitatis prodeunt infirmitate.
Hostis enim nostri malitia tanta arte se palliat, ut plerumque ante deceptae mentis oculos culpas uirtutes fingat, ut
inde quisque quasi exspectet praemia, unde aeterna dignus
est inuenire tormenta. Plerumque enim in ulciscendis uitiis
10 crudelitas agitur, et iustitia putatur, atque immoderata ira
iusti zeli meritum creditur ; et cum a distortis moribus peccantes dirigi caute debeant, uiolenta inflexione franguntur.
Plerumque dissoluta remissio quasi mansuetudo ac pietas
habetur ; et dum plus quam decet delinquentibus tempo-
15 raliter parcitur, ad aeterna supplicia crudeliter reseruantur.
Nonnumquam effusio misericordia creditur, et dum male
seruare culpa sit, peius spargi quod acceptum est non timetur.
Nonnumquam tenacia parcitas putatur, et cum graue sit
uitium non tribuere, uirtus creditur accepta retinere. Saepe
20 malorum pertinacia constantia dicitur, et dum mens a prauitate sua flecti non patitur, quasi ex recti defensione gloriatur. Saepe inconstantia quasi tractabilitas habetur ; et quo
quisque fidem integram nulli seruat, eo se amicum omnibus
aestimat. Aliquando timor incompetens humilitas creditur,
25 et cum temporali formidine pressus quisque a defensione
ueritatis tacet, arbitratur quod iuxta Dei ordinem humilem
se potioribus exhibet. Aliquando uocis superbia ueri liber-
tas aestimatur, et cum per elationem ueritati contradicitur,

Reconnaître les vices   XXII, **45.** *Ses cartilages sont comme des lames de fer.* Que faut-il entendre par les cartilages, sinon la dissimulation de Béhémoth ? Car les cartilages ont l'apparence des os, mais ils n'en ont pas la fermeté. De même, il y a certains vices qui ont l'apparence de la droiture, mais ils procèdent de la faiblesse du vice. Car notre ennemi déguise avec tant d'art sa malice que souvent, aux yeux de l'esprit abusé, il transforme des fautes en vertus, si bien que l'on espère des récompenses alors qu'on mérite d'obtenir des tourments éternels. Souvent, en effet, dans la correction des vices, on agit avec cruauté et cela passe pour de la justice. Une colère immodérée est mise au crédit d'un juste zèle, et alors que les pécheurs doivent être corrigés avec précaution de leurs mœurs dépravées, on les brise en les redressant avec violence. Souvent aussi un laisser-faire négligent est pris pour de la mansuétude et de la bonté ; et tandis qu'en cette vie l'on épargne plus qu'il ne convient ceux qui commettent des fautes, ils sont voués impitoyablement aux supplices éternels. Quelquefois la prodigalité est vue comme de la miséricorde, et puisque c'est une faute d'accumuler sans raison, on ne craint pas de dissiper plus légèrement encore les biens reçus. Quelquefois l'avarice passe pour de la modération, et alors que ne point donner est un vice grave, garder ce que l'on a reçu est considéré comme une vertu. Souvent l'opiniâtreté dans le mal est appelée constance, et lorsque l'âme ne supporte pas d'être détournée de sa malice, elle s'en glorifie comme si elle défendait le bien. Souvent l'inconstance est considérée comme de la souplesse de caractère, et à ne garder à personne une entière fidélité, on peut s'estimer être l'ami de tous. Parfois, l'on tient pour humilité une crainte injustifiée, et lorsque quelqu'un, retenu par une crainte humaine, garde le silence au lieu de défendre la vérité, il estime que c'est selon le plan de Dieu qu'il se montre humble à l'égard de plus puissants que lui. Bien souvent l'arrogance de la voix est prise pour l'expression

loquendi procacitas ueritatis defensio putatur. Plerumque
30 pigritia quasi continentia quietis attenditur ; et cum grauis
culpae sit recta studiose non agere, magnae uirtutis meritum creditur a praua tantum actione cessare. Plerumque inquietudo spiritus, uigilans sollicitudo nominatur ; et cum
quietem quisque non tolerat, agendo quae appetit, uirtutis
35 debitae implere se exercitium putat. Saepe ad ea quae agenda
sunt incauta praecipitatio laudandi studii feruor creditur ;
et cum desideratum bonum intempestiua actione corrumpitur, eo agi melius quo celerius aestimatur. Saepe accelerandi
boni tarditas consilium putatur ; et cum exspectatur ut ex
40 tractatione proficiat, hoc insidians mora supplantat. Igitur
cum culpa uelut uirtus aspicitur, necessario pensandum est
quia tanto tardius mens uitium suum deserit, quanto hoc
quod perpetrat, non erubescit ; tanto tardius mens uitium
deserit, quanto, per uirtutis speciem decepta, praemiorum
45 etiam de eo retributionem quaerit. Facile autem culpa
corrigitur quae et erubescitur quia esse culpa sentitur. Quia
itaque error cum uirtus creditur difficilius emendatur, recte
dicitur : *Cartilago eius quasi laminae ferreae*. Behemoth enim
iste quo sub praetextu boni calliditatem suam fraudulentius
50 exhibet, eo in culpa mentem durius tenet.

46. Hinc est quod nonnumquam hi qui quasi uiam
sanctitatis appetunt, in errorem lapsi tardius emendantur.
Rectum quippe aestimant esse quod agunt, et sicut exco-
lendae uirtuti, sic uitio perseuerantiam iungunt. Rectum

libre du vrai et, alors que, par orgueil, il est dit le contraire
de la vérité, cette impudence de langage est tenue pour une
défense de la vérité. Bien souvent, la paresse passe pour une
sereine retenue ; et alors que ne pas accomplir le bien avec
ardeur est une faute considérable, l'on croit pourtant avoir
grand mérite et vertu de s'abstenir seulement de faire le mal.
Bien souvent, l'inquiétude d'esprit est appelée sollicitude
vigilante, et si l'on ne supporte pas le repos, on s'imagine, en
agissant selon ses désirs, remplir l'obligation de pratiquer une
vertu. Souvent une précipitation irréfléchie dans l'action est
considérée comme la ferveur d'un louable enthousiasme ; et
alors qu'un bon désir est gâché par une mise en œuvre in-
opportune, on estime que l'on agit mieux plus on agit vite.
Souvent, la lenteur à accomplir un bien urgent passe pour
de la prudence, et tandis qu'il est remis à plus tard afin de
profiter d'une longue réflexion, ce retard insidieux finit par
le rendre inutile. Lors donc qu'une faute est regardée comme
une vertu, la conclusion inévitable est que l'âme mettra
d'autant plus de temps à renoncer à son vice qu'elle ne rougit pas de le commettre ; oui, l'âme mettra d'autant plus de
temps à renoncer au vice que, trompée par son apparence
de vertu, elle en espère même une récompense. Une faute
se corrige facilement si l'on en rougit en reconnaissant que
c'est une faute. Mais une erreur, lorsqu'on la tient pour une
vertu, est plus difficile à réformer. C'est pourquoi il est dit
avec justesse : *Ses cartilages sont comme des lames de fer.* Car
ce Béhémoth retient d'autant plus fermement l'âme dans la
faute qu'il présente plus frauduleusement ses astuces sous le
couvert du bien.

**Danger de la
présomption** **46.** De là vient qu'assez souvent ceux
qui semblent chercher la voie de la sain-
teté, une fois tombés dans l'erreur, mettent
plus de temps à en sortir. Ils s'imaginent que ce qu'ils font est
correct, et ils s'attèlent au vice avec la persévérance que l'on

5 aestimant esse quod agunt, et idcirco suo iudicio enixius
seruiunt. Vnde bene Ieremias cum diceret : *Candidiores*
Nazaraei eius niue, nitidiores lacte, rubicundiores ebore
antiquo, sapphiro pulchriores ; denigrata est super carbones
facies eorum, et non sunt cogniti in plateis, ilico adiunxit :
10 *Adhaesit cutis eorum ossibus, aruit et facta est quasi lignum* [a].
Quid enim Nazarenorum nomine, nisi abstinentium et
continentium uita signatur, quae niue et lacte nitidior
dicitur ? Nix enim ex aqua congelascit quae desuper uenit ;
lac autem ex carne exprimitur quae in inferioribus nutritur.
15 Quid ergo per niuem nisi candor uitae caelestis, quid per lac
nisi temporalis dispensationis administratio demonstratur ?
Et quia plerumque continentes uiri in Ecclesia tam mira
opera faciunt, ut ab eis multi qui caelestem uitam tenuerunt,
multi qui terrena bene dispensauerunt, superari uideantur,
20 et candidiores niue, et nitidiores lacte referuntur. Qui etiam,
quia per feruorem spiritus, antiquorum ac fortium patrum
nonnumquam uincere uitam uidentur, recte adiungitur :
Rubicundiores ebore antiquo [b]. Dum enim ruboris nomen
imprimitur, sancti desiderii flamma signatur. Ebur uero
25 esse os magnorum animalium non ignoramus. Ebore itaque
antiquo rubicundiores sunt, quia saepe ante humanos oculos nonnullis praecedentibus patribus studii feruentiores
exsistunt. De quibus ut totum simul ostendatur, adiungitur :
Sapphiro pulchriores [c]. Aetherei quippe coloris est sapphirus.
30 Et quia praecedentes multos, atque ad superna tendentes
per caelestem conuersationem uidentur uincere, narrantur
sapphiro pulchriores exstitisse.

　　Sed plerumque dum uirtutum copia etiam plus quam
expedit prosperatur, in quadam sui fiducia mens adducitur ;

46. a. Lm 4, 7-8　　b. Lm 4, 7　　c. Lm 4, 7

doit employer à cultiver la vertu. Ils s'imaginent que ce qu'ils font est bien et donc suivent avec obstination leur propre jugement. Aussi, après avoir dit : *Ses Nazaréens étaient plus éclatants que la neige, plus blancs que le lait, plus rouges que l'ivoire antique, plus beaux que le saphir ; leur visage est devenu plus noir que du charbon et ils n'ont pas été reconnus sur les places,* Jérémie a ajouté aussitôt : *Leur peau s'est collée à leurs os, elle s'est desséchée et est devenue comme du bois* [a]. Qu'est-ce qui est désigné sous le nom de Nazaréens, sinon la vie des abstinents et des continents, qui est dite plus blanche que la neige et le lait. Car la neige vient de l'eau qui gèle en tombant d'en haut, et le lait est tiré de la chair qui se nourrit de ce qui est en bas. Qu'indique donc la neige, sinon la blancheur éclatante de la vie céleste, et le lait, sinon le soin des affaires temporelles ? Et parce que les gens continents font souvent des œuvres si merveilleuses dans l'Église qu'ils paraissent en surpasser beaucoup qui ont mené une vie céleste, ou qui se sont bien acquittés d'une administration temporelle, on dit qu'ils sont plus éclatants que la neige et plus blancs que le lait. Et parce que, quelquefois même, ils semblent aux yeux des hommes, par leur ferveur spirituelle, l'emporter sur la vie des valeureux Pères de l'Antiquité, il est ajouté justement : *plus rouges que l'ivoire antique* [b]. Le mot de rougeur, en effet, est employé pour désigner la flamme du saint désir. Quant à l'ivoire, nous n'ignorons pas qu'il est tiré des os des grands animaux. Ils sont donc plus rouges que l'ivoire antique, parce qu'aux yeux des hommes, ils paraissent souvent plus fervents dans leur enthousiasme que certains Pères qui les ont précédés. Et pour tout résumer, il est ajouté : *Plus beaux que le saphir* [c]. Le saphir est la couleur du ciel et parce que, par leur vie céleste, ils semblent surpasser beaucoup de ceux qui les ont précédés et de ceux qui tendent aux réalités divines, on dit qu'ils sont plus beaux que le saphir.

Mais, bien souvent, la quantité des vertus venant à s'accroître plus même qu'il n'est avantageux, l'âme en arrive

35 et decepta praesumptione propria, repente peccato subri-
piente fuscatur ; unde recte subiungitur : *Denigrata est super
carbones facies eorum* [d]. Nigri enim post candorem fiunt, quia
amissa Dei iustitia, cum de se praesumunt, in ea etiam quae
non intellegunt, peccata dilabuntur ; et quia post amoris
40 ignem ad frigus torporis ueniunt, exstinctis carbonibus ex
comparatione, praeferuntur. Nonnumquam enim dum timorem Dei per sui fiduciam deserunt, etiam frigidis mentibus
frigidiores fiunt.

De quibus recte subiungitur : *Non sunt cogniti in plateis* [e].
45 Platea quippe sermonis Graeci ratione pro latitudine dicitur.
Quid uero est humanae menti angustius quam uoluntates
proprias frangere ? De qua fractione Veritas dicit : *Intrate per
angustam portam* [f]. Quid autem latius quam nullis propriis
uoluntatibus reluctari, et quaquauersum impulsus arbitrii
50 duxerit se sine tractatione diffundere ? Qui ergo per fiduciam
sanctitatis postposito meliorum iudicio se sequuntur, quasi
per plateas pergunt. Sed non sunt cogniti in plateis, quia
de uita sua aliud ostenderant quando frangendo uoluntates
proprias in angusto se calle retinebant.

55 Et bene additur : *Adhaesit cutis eorum ossibus* [g]. Quid
in osse nisi duritia fortitudinis, quid in cute nisi mollities
exprimitur infirmitatis ? Cutis ergo eorum adhaerere ossibus
dicitur, quia ab eis praua sentientibus infirmitas uitii duritia
uirtutis putatur. Infirma enim sunt quae faciunt, sed, elationis
60 fiducia decepti, fortibus ea suspicionibus iungunt, et quo de
se magna sentiunt, eo de sua nequitia emendari contemnunt.

46. d. Lm 4, 8   e. Lm 4, 8   f. Mt 7, 13   g. Lm 4, 8

à une certaine confiance en soi ; et, trompée par sa propre présomption, elle est noircie par un péché survenant à l'improviste ; aussi est-il ajouté à juste titre : *Leur visage est devenu plus noir que du charbon*[d]. Ils deviennent noirs, de resplendissants qu'ils étaient, parce qu'ayant perdu la justice qui vient de Dieu, et trop présomptueux, ils tombent dans des péchés dont ils n'ont même pas conscience. Et comme, du feu de l'amour, ils passent au froid de l'engourdissement, ils sont comparables à des braises éteintes. Parfois, en effet, tandis qu'ils abandonnent la crainte de Dieu par confiance en eux-mêmes, ils deviennent plus froids que les âmes froides elles-mêmes.

Il est dit d'eux ensuite à juste titre : *Ils n'ont pas été reconnus sur les places*[e]. Le mot « place » vient d'un mot grec qui signifie « largeur ». Or qu'y a-t-il de plus étroit pour l'esprit humain que de briser ses volontés propres ? C'est à propos de cette brisure que la Vérité dit : *Entrez par la porte étroite*[f]. Qu'y a-t-il, au contraire, de plus large que de ne combattre en rien les décisions de sa propre volonté et de se disperser sans réflexion de tous côtés, là où les instincts de notre bon plaisir nous auront conduits ? Ceux donc qui, après avoir, par confiance en leur sainteté, fait passer au second plan le jugement d'hommes meilleurs, se suivent eux-mêmes, circulent pour ainsi dire par les places. Mais ils n'ont pas été reconnus sur ces places, parce qu'ils avaient donné une autre image de leur manière de vivre, quand, brisant leurs volontés propres, ils se maintenaient dans un chemin étroit.

Il est ajouté avec raison : *Leur peau s'est collée à leurs os*[g]. Qu'indiquent les os, sinon la dureté de la force, et la peau, sinon la mollesse de la faiblesse ? Aussi est-il dit que leur peau se colle à leurs os, car, pour ceux dont le jugement est dépravé, la faiblesse du vice passe pour la dureté de la vertu. Leurs actions sont faibles, mais, trompés par une orgueilleuse assurance, ils les attachent à de solides opinions ; et, du fait qu'ils ont une haute idée d'eux-mêmes, ils négligent de se

Vnde et recte adiungitur : *Aruit et facta est quasi lignum*[h].
Culpa quippe eorum tanto insensibilior redditur, quanto
apud eos etiam laudabilis habetur. Quam recte aridam
65 asserit, quia nulla sui cognitione uiridescit. Quod igitur apud
Ieremiam per infirmitatem cutis, hoc apud beatum Iob per
fragilitatem dicitur cartilago ; et quod illic ossa per duritiam,
hoc hic laminae ferreae esse memorantur. Sed Behemoth
iste, qui per membra sua extremo tempore contra electos Dei
70 tanta se arte iniquitatis exercet ; qui etiam per semetipsum
ad decipiendas mentes in tanta insidiarum tergiuersatione
se exhibet, cuius naturae, cuius sit conditionis audiamus.
Neque enim tam mira uel in maligna operatione posset, si
non ex magna conditione subsisteret.

75   Vnde et mox mira pietate Dominus, ac si causas tantae
astutiae tantaeque fortitudinis redderet, adiunxit, dicens :

40, 14   XXIII, **47.** ***Ipse est principium uiarum Dei.*** Velut si
aperte diceret : Idcirco ad tam multa fortiter sufficit, quia
in natura rerum hunc creando per substantiam conditor
primum fecit. Quid enim uias Dei, nisi eius actiones acci-
5 pimus ? De quibus per prophetam dicit : *Non enim sunt uiae
meae sicut uiae uestrae*[a]. Et principium uiarum Dei Behemoth dicitur, quia nimirum cum cuncta creans ageret, hunc
primum condidit, quem reliquis angelis eminentiorem fecit.
Huius primatus eminentiam conspicit propheta cum dicit :
10 *Cedri non fuerunt altiores illo in paradiso Dei ; abietes non
adaequauerunt summitatem eius ; platani non fuerunt aequae
frondibus illius ; omne lignum paradisi Dei non est assimilatum
illi et pulchritudini eius, quoniam speciosum fecit eum in*

46. h. Lm 4, 8
47. a. Is 55, 8

corriger de leurs défauts. C'est pourquoi il est dit ensuite à propos : *Elle s'est desséchée et est devenue comme du bois*[h]. Ils ont si peu conscience de leur faute qu'ils l'estiment même digne de louange. Et c'est à juste titre qu'on la dit desséchée, parce qu'aucune connaissance de soi ne peut la faire reverdir. Donc, ce qui, chez Jérémie, est appelé peau à cause de sa faiblesse est appelé, chez Job, cartilage à cause de sa fragilité, et ce qui là est figuré par des os à cause de sa dureté, est ici exprimé par des lames de fer. Mais écoutons maintenant quelle est la nature et la condition de ce Béhémoth qui, par ses membres, exerce à la fin des temps sa malice contre les élus de Dieu avec tant d'adresse et qui, par lui-même aussi, s'acharne par tant d'insidieuses embûches à tromper les âmes. Il ne pourrait, même en accomplissant le mal, faire des choses aussi étonnantes, en effet, s'il ne demeurait dans une condition supérieure.

C'est pourquoi le Seigneur, dans son admirable bonté, comme s'il nous donnait aussitôt les raisons d'une telle finesse d'esprit et d'une telle force, a ajouté :

Primauté de Béhémoth

XXIII, 47. *C'est lui le commencement des voies de Dieu.* Comme s'il disait claire- **40, 14** ment : S'il est assez fort pour tout ceci, c'est parce qu'en le créant au sein de la nature, le Créateur l'a selon la substance formé le premier. Que faut-il comprendre par les voies de Dieu, sinon ses actions ? À leur sujet, il est dit par le prophète : *Mes voies ne sont pas vos voies*[a]. Béhémoth est appelé commencement des voies de Dieu, parce que, lorsque Dieu accomplissait l'acte de créer toutes choses, il le forma le premier et plus éminent que tous les autres anges. Le prophète considère l'éminence de ce premier rang, lorsqu'il dit : *Les cèdres n'étaient pas plus élevés que lui dans le paradis de Dieu ; les sapins n'égalaient pas sa hauteur ; les platanes n'avaient pas l'abondance de son feuillage ; aucun arbre du paradis ne lui était comparable et n'avait sa beauté, car je le fis*

multis condensisque frondibus[b]. Qui namque accipi in cedris,
15 abietibus et platanis possunt, nisi illa uirtutum caelestium
procerae celsitudinis agmina in aeterna laetitiae uiriditate
plantata ? Quae quamuis excelsa sint condita, huic tamen
nec praelata sunt, nec aequata. Qui speciosus factus in multis
condensisque frondibus esse dicitur, quia praelatum ceteris
20 legionibus, tanta illum species pulchriorem reddidit, quanta
et supposita angelorum multitudo decorauit. Ista arbor in
paradiso Dei tot quasi condensas frondes habuit, quot sub
se positas supernorum spirituum legiones attendit. Qui et
idcirco peccans sine uenia damnatus est, quia magnus sine
25 comparatione fuerat creatus. Hinc ei rursum per eumdem
prophetam dicitur : *Tu signaculum similitudinis Dei, plenus
sapientia et perfectus decore, in deliciis paradisi Dei fuisti*[c].
Multa enim de eius magnitudine locuturus, primo uerbo
cuncta complexus est. Quid namque boni non habuit, si
30 signaculum Dei similitudinis fuit ? De sigillo quippe annuli
talis similitudo imaginaliter exprimitur, qualis in sigillo eodem essentialiter habetur. Et licet homo ad similitudinem Dei
creatus sit[d], angelo tamen quasi maius aliquid tribuens, non
eum ad similitudinem Dei conditum, sed ipsum signaculum
35 Dei similitudinis dicit, ut quo subtilior est natura, eo in illum
similitudo Dei plenius credatur expressa.

48. Hinc est quod primatus eius potentiam adhuc insi-
nuans idem propheta, subiungit : *Omnis lapis pretiosus ope-
rimentum tuum, sardius et topazius et iaspis, chrysolithus
et onyx, et berillus, sapphirus, carbunculus et smaragdus*[a].
5 Nouem dixit genera lapidum, quia nimirum nouem sunt

47. b. Ez 31, 8-9   c. Ez 28, 12-13   d. cf. Gn 1, 26
48. a. Ez 28, 13

magnifique dans son feuillage abondant et épais[b]. Qui peut-on, en effet, entendre par les cèdres, les sapins et les platanes, sinon ces armées des vertus célestes d'une grande élévation, plantées dans l'allégresse éternellement verdoyante ? Bien que créées excellentes, elles ne peuvent cependant ni dépasser, ni même égaler celui-ci. Or, il est dit qu'il a été fait magnifique dans son feuillage abondant et épais : lui qui dépassait toutes les légions d'anges, une telle splendeur l'a rendu d'autant plus beau qu'au-dessous de lui une multitude d'anges lui ont servi d'ornement. Cet arbre, dans le paradis de Dieu, eut comme autant d'épaisses frondaisons que de légions d'esprits célestes qu'il voyait placées au-dessous de lui. Et voilà pourquoi, après son péché, il a été damné sans rémission, lui qui avait été créé avec une grandeur sans égale. De là vient que le même prophète lui dit encore : *Toi, le sceau de la ressemblance de Dieu, plein de sagesse et d'une parfaite beauté, tu as été placé dans les délices du paradis de Dieu*[c]. Ayant beaucoup de choses à dire de la grandeur de celui-ci, le prophète a tout renfermé dans le premier mot : en effet, quel bien lui a-t-il manqué, s'il a été fait le sceau de la ressemblance divine ? A partir du sceau d'un anneau, on imprime en image une ressemblance telle qu'elle est contenue virtuellement dans ce même sceau. Bien que l'homme ait été créé à la ressemblance de Dieu[d], il est dit cependant, comme pour attribuer à l'ange quelque chose de plus grand, qu'il a été créé, non à la ressemblance de Dieu, mais comme le sceau même de la ressemblance de Dieu, afin que l'on sache que, du fait de sa nature plus subtile, la ressemblance de Dieu s'exprime davantage en lui.

48. Le même prophète, voulant encore souligner la puissance de cette primauté, ajoute : *Toutes sortes de pierres précieuses étaient son vêtement : la sardoine, la topaze et le jaspe, la chrysolite, l'onyx et le béryl, le saphir, l'escarboucle et l'émeraude*[a]. Il énumère neuf genres de pierres, parce qu'il y a neuf ordres d'anges. Car lorsque l'Écriture sainte

ordines angelorum. Nam cum per sacra eloquia angeli, archangeli, throni, dominationes, uirtutes, principatus, potestates, cherubim atque seraphim [b], aperta narratione memorantur, supernorum ciuium quantae sint distinctiones

10 ostenditur. Quibus tamen Behemoth iste opertus fuisse describitur, quia eos quasi uestem ad ornamentum suum habuit, quorum dum claritatem transcenderet, ex eorum comparatione clarior fuit. De cuius illic adhuc descriptione subiungit : *Aurum opus decoris tui et foramina tua in die qua*

15 *conditus es, praeparata sunt* [c]. Aurum opus decoris eius extitit, quia sapientiae claritate canduit, quam bene creatus accepit. Foramina uero idcirco in lapidibus fiunt, ut uinculati auro in ornamenti compositione iungantur ; et nequaquam a se dissideant, quos interfusum aurum repletis foraminibus

20 ligat. Huius ergo lapidis in die conditionis suae foramina praeparata sunt, quia uidelicet capax caritatis est conditus. Qua si repleri uoluisset, stantibus angelis tamquam positis in regis ornamento lapidibus potuisset inhaerere. Si enim caritatis auro sese penetrabilem praebuisset, sanctis angelis

25 sociatus, in ornamento, ut diximus, regio lapis fixus maneret. Habuit ergo lapis iste foramina, sed per superbiae uitium caritatis auro non sunt repleta. Nam quia idcirco ligantur auro ne cadant, idcirco iste cecidit, quia etiam perforatus manu artificis, amoris uinculis ligari contempsit. Nunc

30 autem ceteri lapides, qui huic similiter fuerant perforati, penetrantes se inuicem caritate ligati sunt ; atque hoc in munere, isto cadente, meruerunt ut nequaquam iam de ornamento regio cadendo soluantur. Huius principatus celsitudinem adhuc idem propheta intuens, adiungit : *Tu*

35 *cherub extentus et protegens in monte sancto Dei, in medio*

48. b. cf. Col 1, 16   c. Ez 28, 13

mentionne clairement les anges, les archanges, les Trônes, les Dominations, les Vertus, les Principautés, les Puissances, les Chérubins et les Séraphins[b], elle indique par là quel est le nombre des divers ordres parmi les citoyens célestes. Or, il est dit que ce Béhémoth en a été couvert, parce que, comme d'un magnifique vêtement, il était paré de ces anges dont il dépassait l'éclat et qui, par comparaison, le rendaient plus éclatant encore. Il continue encore ici la description : *L'or servait à ta beauté, et dès le jour où tu as été créé, tes trous ont été préparés*[c]. L'or est entré au service de sa beauté, autrement dit : Il a resplendi de l'éclat de la sagesse, qu'il a reçue lors de sa création bonne. Quant aux pierres précieuses, on les perce en sorte que, liées par un fil d'or, elles soient réunies pour composer une parure, sans que jamais ne se séparent celles que le fil d'or, glissé dans leurs trous, unit entre elles. Les trous de cette pierre ont été préparés au jour de sa création, car il a été créé capable de la charité. S'il avait voulu en être rempli, il aurait pu ne pas se séparer des anges qui se tenaient comme des pierres précieuses placées sur la parure royale. Si, en effet, il s'était rendu pénétrable à l'or de la charité, associé aux saints anges, il serait demeuré, comme nous l'avons dit, pierre fixée à la parure du roi. Cette pierre a donc été percée de trous, mais à cause du péché d'orgueil, ils n'ont pu être remplis par l'or de la charité. Et comme les pierres précieuses sont liées par l'or afin de ne pas tomber, celui-ci tomba car, bien que perforé par la main de l'artiste, il dédaigna de se laisser lier par les chaînes de l'amour. Quant aux autres pierres qui avaient été semblablement perforées, elles demeurent intimement unies entre elles par cette charité ; et, grâce à ce don, tandis que celui-ci tombait, elles ont mérité de n'être nullement détachées de la parure royale lors de sa chute. Considérant encore la sublimité de cette principauté, le même prophète ajoute : *Tu étais comme un Chérubin, les ailes étendues et protégeant la sainte montagne de Dieu, tu marchais avec perfection au milieu des pierres étincelantes de*

lapidum ignitorum perfectus ambulasti[d]. Cherub quippe
plenitudo scientiae interpretatur ; et idcirco iste cherub
dicitur, quia transcendisse cunctos scientia non dubitatur.
Qui in medio ignitorum lapidum perfectus ambulauit, quia
40 inter angelorum corda caritatis igne succensa, clarus gloria
conditionis exstitit. Quem bene extentum ac protegentem
dicit. Omne enim quod extenti protegimus, obumbramus.
Et quia comparatione claritatis suae obumbrasse ceterorum
claritatem creditur, ipse extentus et protegens fuisse perhi-
45 betur. Reliquos enim quasi obumbrando operuit, qui eorum
magnitudinem excellentia maiore transcendit. Quod ergo
illic speciosus in multis frondibus, quod illic signaculum
similitudinis, quod illic cherub, quod illic protegens dicitur, hoc hic uoce dominica Behemoth iste uiarum Dei prin-
50 cipium uocatur.

49. De quo idcirco tam mira in quibus fuit et quae amisit
insinuat ut territo homini ostendat quid ipse si superbiat de
elationis suae culpa passurus sit, si feriendo illi parcere noluit
quem creando in gloria tantae claritatis eleuauit. Consideret
5 ergo homo quid elatus in terra mereatur, si et praelatus angelis
angelus in caelo prosternitur. Vnde et bene per prophetam
dicitur : *Inebriatus est in caelo gladius meus*[a]. Ac si aperte
diceret : Qua ira feriam superbos terrae perpendite, si ipsos
etiam quos in caelo iuxta me condidi pro elationis uitio
10 percutere non peperci ? Tot itaque antiqui hostis uirtutibus
auditis, tanta conditionis eius magnitudine cognita, quis
non immensa formidine corruat ? Quis non desperationis

48. d. Ez 28, 14
49. a. Is 34, 5

feu [d]. Chérubin signifie « plénitude de science » ; or celui-ci est appelé Chérubin, car il est incontestable qu'il a surpassé tous les autres quant à la science. Il a marché avec perfection au milieu des pierres étincelantes de feu, car, parmi les cœurs des anges enflammés du feu de la charité, il a resplendi de la gloire de sa création. On dit à juste titre qu'il a les ailes étendues et qu'il protège. En effet, tout ce que, les bras étendus, nous protégeons, nous lui faisons de l'ombre. En comparaison de sa clarté, il paraissait faire de l'ombre à celle des autres anges, aussi est-il dit qu'il était les ailes étendues et protégeant. Il couvrait, en effet, tous les autres comme s'il leur faisait de l'ombre, lui dont l'éminente supériorité dépassait leur grandeur. Lui qui est décrit successivement comme magnifique dans son feuillage abondant, sceau de la ressemblance divine, Chérubin et protecteur, ce Béhémoth est ici nommé par le Seigneur « commencement des voies de Dieu ».

Chute de Béhémoth

49. Et voici pourquoi, à son sujet, sont évoqués les dons merveilleux qu'il possédait et qu'il a perdus : c'est afin de montrer à l'homme terrifié le sort que lui-même subirait par la faute de sa superbe, s'il venait à s'enorgueillir, puisque Dieu n'a pas voulu épargner le châtiment à celui qu'il avait élevé, dès sa création, à une gloire si éclatante. Que l'homme considère donc ce qu'il mérite quand il s'élève sur terre, si même l'ange plus élevé que tous les anges dans le ciel, a été jeté aussi bas. D'où il est dit avec exactitude par le prophète : *Mon glaive s'est enivré dans le ciel* [a]. Comme s'il disait clairement : Considérez bien avec quelle fureur je frapperai les orgueilleux de la terre si, à cause de leur orgueil coupable, je n'ai pas épargné le châtiment à ceux-là mêmes que j'avais créés si proches de moi dans le ciel. Après avoir entendu énumérer tant de perfections chez l'antique ennemi et reconnu la grandeur dans laquelle il avait été créé, qui ne

percussione succumbat ? Sed quia elationem nostram ostensa hostis potentia reprimit, etiam infirmitatem nostram
15 Dominus patefacta gratiae suae dispensatione fouet.

Vnde cum eum principium uiarum suarum diceret, ilico
adiunxit :

40, 14   XXIV, **50.** *Qui fecit eum, applicauit gladium eius.* Gladius quippe Behemoth istius ipsa nocendi malitia est. Sed
ab eo a quo bonus per naturam factus est, eius gladius applicatur ; quia eius malitia diuina dispensatione restringitur, ne
5 ferire tantum mentes hominum quantum appetit permitta-
tur. Quod ergo hostis noster et multum potest, et minus percutit, eius gladium pietas conditoris astringit ; ut replicatus
intra eius conscientiam lateat, et ultra quam desuper iuste
disponitur, sese in mortes hominum eius malitia non ex-
10 tendat. Quod igitur ad multa fortiter praeualet, hoc de
principio magnae conditionis potest, quod uero a quibusdam uincitur, eius nimirum gladius ab auctore replicatur.
Iste namque Behemoth, quia principium uiarum Dei est,
cum contra sanctum uirum licentiam temptationis accepit,
15 gentes mouit, greges abstulit, ignem de caelo deposuit,
perturbato aere uentos excitauit, domum concutiens sub-
ruit, conuiuantes filios exstinxit, uxoris mentem in dolo
prauae suasionis exercuit ᵃ, mariti carnem inflictis uulneribus
confodit ; sed eius gladius a conditore replicatur, cum dici-
20 tur : *Animam illius serua* ᵇ. Qui replicato gladio quantae
infirmitatis sit, euangelio testante describitur ; quia nec manere in obsesso homine potuit, nec rursus inuadere bruta

50. a. cf. Jb 1, 13 ; 2, 9   b. Jb 2, 6

céderait à une immense terreur ? Qui ne succomberait sous les coups du désespoir ? Mais, puisqu'il réprime notre orgueil en nous montrant la puissance de notre ennemi, le Seigneur réconforte aussi notre faiblesse en nous révélant comment il dispense sa grâce.

De là vient qu'après avoir dit que Béhémoth est le commencement de ses voies, il a ajouté aussitôt :

Béhémoth soumis à Dieu XXIV, **50.** *Celui qui l'a fait a retenu son glaive.* Le glaive de Béhémoth, c'est sa méchanceté même qui le pousse à nuire. 40, 14
Mais celui qui l'a créé bon selon sa nature a retenu son glaive : la méchanceté de Béhémoth est, en effet, réprimée par la providence divine, en sorte qu'il ne puisse attaquer les esprits des hommes autant qu'il le désire. Si donc notre ennemi peut beaucoup, mais frappe peu, c'est que la bonté du Créateur entrave son glaive, en sorte que, retenu, il demeure caché à l'intérieur de sa conscience, et qu'au-delà des limites disposées par la justice divine, sa méchanceté ne puisse s'étendre jusqu'à faire périr les hommes. Qu'il ait donc la puissance d'agir avec force en de nombreuses occasions vient de l'origine de sa sublime condition, mais qu'il puisse être vaincu par certains s'explique parce que le Créateur retient son glaive. En effet, ce Béhémoth, qui est le commencement des voies de Dieu, lorsqu'il reçut la permission de tenter le saint homme, excita les gens, enleva les troupeaux, fit tomber le feu du ciel. Il troubla l'air, fit se lever la tempête et, faisant trembler la maison, il la fit s'écrouler ; il fit mourir les fils qui prenaient ensemble leur repas, il suggéra à l'esprit de la femme le piège de conseils pervers[a], et quant au mari, il meurtrit sa chair par les blessures qu'il lui infligea ; mais le Créateur retint son glaive lorsqu'il lui dit : *Conserve sa vie*[b]. L'Évangile nous montre quelle est sa faiblesse lorsque son glaive a été retenu, puisqu'il n'a pu demeurer dans un homme qu'il possédait et que, sans un ordre, il n'osa pas entrer dans des bêtes

animalia non iussus praesumpsit, dicens : *Si eicis nos, mitte nos in gregem porcorum*[c]. Malitiae quippe eius gladius quam
25 sit replicatus ostenditur, cui si potestas summa licentiam non praebet, grassari nec in porcos ualet. Quando ergo iste sua sponte nocere factis ad Dei imaginem hominibus audeat, de quo nimirum constat quod non iussus contingere nec porcos praesumat ?

51. Notandum quoque est quod dum uiarum Dei principium Behemoth dicitur, uesanum dogma Arii aperta ratione dissipatur. Facturam quippe Dei Filium fatetur, et ecce Behemoth in factura rerum primus creatus ostenditur. Superest ergo ut Arius aut non factum Filium praedicet, aut eum post Behemoth conditum stultus putet. Quia uero omne quod applicatur in semetipso reducitur, recte applicatus Behemoth gladius dicitur. In semetipsam namque se eius malitia decoquit, cum ad uotum suum sese contra electorum
10 uitam prohibita non exercet. Multos autem exigentibus meritis ferire permittitur, ut cum Deum deserunt, damnato hosti famulentur. Ab electis uero eo ualentius uincitur, quo soli auctori omnium humilius substernuntur. Quia igitur per hoc quod uiarum Dei principium dicitur, per hoc quod
15 permittente Deo ualde intolerabilis demonstratur, aperte cognoscimus cum quanto hoste pugnemus. Superest ut unusquisque nostrum tanto se plenius auctori subiciat, quanto contra se uerius uiolentas aduersarii uires pensat. Quid namque nos nisi puluis sumus ? Quid uero ille, nisi
20 unus ex caelestibus spiritibus, et quod adhuc maius est,

---

50. c. Mt 8, 31.

1. Le diable ne peut rien sans la permission de Dieu : même usage de Mt 8, 31 dans *Mor.* 2, 16 et *Dial.* III, 21, 4. De même déjà ATHANASE, *V. Ant.* 29 et CASSIEN, *Conf.* 7, 22, 1. Ici, Grégoire se souvient visiblement de Cassien.

2. *unus atque ex caelestibus spiritibus* (*CCL*). Omise par les Mauristes, la conjonction *atque* n'offre pas de sens.

sans raison, aussi dit-il : *Si tu nous chasses d'ici, envoie-nous dans un troupeau de porcs*[c]. Il est évident que le glaive de sa méchanceté a été retenu, puisqu'il ne peut même pas fondre sur un troupeau de porcs, si la souveraine puissance ne lui en accorde la licence. Quand donc ce Béhémoth oserait-il nuire de son propre gré aux hommes faits à l'image de Dieu, lui qui, comme on peut assurément le constater, ne prend pas l'initiative de toucher aux porcs sans en avoir reçu l'ordre[1] ?

Erreur d'Arius   **51.** Il faut remarquer aussi que, si Béhémoth est dit « commencement des voies de Dieu », le dogme insensé d'Arius s'évanouit pour une raison évidente. Il professe, en effet, la création du Fils de Dieu ; or, voici que, dans la création, c'est Béhémoth qui est désigné comme ayant été créé le premier. Il reste donc à Arius, ou bien d'affirmer que le Fils n'a pas été créé, ou bien de penser sottement qu'il a été créé après Béhémoth. Comme tout ce qu'on retient est ramené sur soi-même, il est dit justement que le glaive de Béhémoth est retenu. Sa méchanceté, en effet, se dessèche sur elle-même, lorsqu'elle n'est pas libre de s'exercer selon son désir contre la vie des élus. Cependant, il lui est permis d'en frapper beaucoup qui le méritent bien, puisqu'ayant abandonné Dieu, ils se sont mis au service de son ennemi damné. En revanche, les élus en triomphent avec d'autant plus de puissance qu'ils se soumettent avec plus d'humilité au seul Créateur de toutes choses. Par le nom de « commencement des voies de Dieu » qui lui est donné, et parce qu'il se montre intolérable quand Dieu le laisse faire, nous apprenons combien est terrible l'ennemi que nous avons à combattre : il ne reste plus à chacun d'entre nous qu'à se soumettre d'autant plus totalement au Créateur que nous évaluons avec plus d'exactitude les forces violentes de l'Adversaire dressées contre nous. Que sommes-nous, en effet, sinon poussière ? Qu'est-il, lui, sinon l'un des esprits célestes[2] et, qui plus est, le

summus ? Quid ergo de propria uirtute audeat, quando contra
angelorum principem puluis pugnat ? Sed quia supernorum
spirituum conditor terrenum corpus assumpsit, recte iam
superbientem angelum humilis puluis uincit. Inhaerendo
25 quippe uerae fortitudini uires accipit, quas transfuga spiritus,
cum semetipsum sequitur, amisit. Et dignum est ut uincatur
a puluere, qui fortem se credidit deserto creatore ; ut superatus
inueniat, quia defecit elatus. Valde autem anhelat saeuiens,
quod cum ipsum ima crucient, homo ad summa conscen-
30 dat ; quod in illa celsitudine subuecta caro permanet, a qua
tantus ipse spiritus sine fine proiectus iacet. Sed loca mentium mutauit ordo meritorum. Sic sic superbia meruit deici,
sic humilitas exaltari, quatenus et caelestis spiritus erigen-
do se tartarum toleret, et terra humilis sine termino super
40 caelos regnet.

plus sublime ? Par conséquent, que pourrait bien tenter avec ses propres forces la poussière qui combat contre le prince des anges ? Mais, parce que le Créateur des esprits célestes a assumé un corps terrestre, désormais l'humble poussière peut parfaitement triompher de l'ange orgueilleux. En adhérant à la vraie force, elle reçoit la vigueur que l'esprit apostat a perdue en ne comptant que sur lui-même. Et il est bien juste qu'il soit vaincu par la poussière, celui qui s'est cru fort d'avoir abandonné son Créateur, qu'il se trouve vaincu, puisqu'en s'élevant, il a succombé. Il est haletant d'une intense fureur, car tandis qu'il est tourmenté au fond des abîmes, l'homme s'élève vers les sommets ; car la chair demeure élevée dans cet état sublime d'où un si grand esprit a été lui-même précipité pour languir sans fin. L'ordre des mérites a inversé le rang des esprits. De même que l'orgueil a mérité d'être abaissé, de même l'humilité a mérité d'être exaltée, pour que l'esprit céleste en s'élevant subisse l'Enfer et que l'humble terre régne sans fin au plus haut des cieux.

INDEX

INDEX DES CITATIONS SCRIPTURAIRES

La référence au texte de Grégoire est donnée par le n° du livre, suivi du n° de paragraphe, puis de l'appel de note. Il n'est pas fait mention des versets commentés du *Livre de Job*.
L'astérisque* placé après la référence signale une allusion.

ANCIEN TESTAMENT

NOUVEAU TESTAMENT

TABLE DES MATIÈRES

SOURCES CHRÉTIENNES

Fondateurs : † H. de Lubac, s.j.
† J. Daniélou, s.j. ; † C. Mondésert, s.j.
Directeur : B. Meunier
Conseiller scientifique : P. Mattei

Dans la liste qui suit, dite « liste alphabétique », tous les ouvrages sont rangés par noms d'auteurs anciens et titres d'ouvrages anonymes, les numéros précisant pour chacun l'ordre de parution depuis le début de la collection.

Pour une information plus complète, une « liste numérique » est téléchargeable sur le site Internet, à l'adresse suivante : www.sources-chretiennes.mom.fr. Elle présente les volumes et leurs auteurs actuels d'après les dates de publication ; elle indique également les réimpressions et les ouvrages momentanément épuisés ou dont la réédition est préparée.

On peut se la procurer aussi au secrétariat de l'Institut des « Sources chrétiennes », 22 rue Sala, F-69002 Lyon (Tél. : 04 72 77 73 50 et Courriel : sources.chretiennes@ mom.fr).

LISTE ALPHABÉTIQUE (1-531)

SOUS PRESSE

Bernard de Clairvaux, **Sermons variés**. F. Callerot, P.-Y. Emery, G. Raciti.
Claude de Turin, Raban Maur : **Commentaire sur le Livre de Ruth**. P. Monat.
Grégoire de Nysse, **Contre Eunome. Livre I, 147-691**. R. Winling.
Jean de Bolnisi : **Homélies**. S. Verhelst.
Maxime le Confesseur, **Questions à Thalassios**. Tome I. J.-C. Larchet, F. Vinel.

PROCHAINES PUBLICATIONS

Jean Damascène, **La foi orthodoxe**. P. Ledrux, V. Conticello.
Nil d'Ancyre, **Commentaire sur le Cantique**. Tome II. M.-G. Guérard.
Origène, **Commentaire sur l'épître aux Romains, Livres I-II**, tome I. L. Brésard, M. Fédou.

RÉIMPRESSIONS PRÉVUES EN 2009

LES ŒUVRES DE PHILON D'ALEXANDRIE
publiées sous la direction de
R. ARNALDEZ, C. MONDÉSERT, J. POUILLOUX.

Texte original et traduction française

Cet ouvrage
a été achevé d'imprimer
en septembre 2009
par l'Imprimerie Floch
53100 – Mayenne

Dépôt légal : septembre 2009
N° d'imprimeur : 74356
N° d'éditeur : 14866